eg

48/-

EMIL STAIGER

GOETHE

BAND II

EMIL STAIGER

GOETHE

* *

1786–1814

ATLANTIS VERLAG

MCMLVI

INHALT

Bd. I und S.... beziehen sich auf den ersten Band des vorliegenden Werks.

Römische und arabische Zahl (also etwa X, 15) beziehen sich auf Band und Seite der Artemis-Gedenkausgabe.

Alle anderen Ausgaben und Quellen werden unter voller Angabe des Titels zitiert.

ITALIENISCHE REISE

Im Sommer 1786 wurde bekannt, daß Goethe aus Karlsbad nicht gleich nach Weimar zurückkehren, sondern eine Reise antreten werde. Am 3. September fuhr er ab. Über den Brenner, Trient, Verona, Vicenza erreichte er Venedig am 28. September. Am 15. Oktober brach er dort wieder auf und kam, da er nirgends länger verweilte, am 29. Oktober nach Rom. Dort blieb er den Winter über. Am 22. Februar des folgenden Jahres fuhr er weiter nach Neapel und von dort Ende März nach Sizilien. Am 6. Juni 1787 kehrte er wieder nach Rom zurück. Der zweite römische Aufenthalt dauerte bis zum 23. April 1788. Auf der Heimreise hielt er sich einige Tage in Florenz, im Mai noch eine Woche in Mailand auf. Am 18. Juni 1788 traf er wieder in Weimar ein.

Diese eindreiviertel Jahre hat er selber wiederholt die glücklichste Zeit seines Lebens genannt.

«Freut euch mit mir, daß ich glücklich bin, ja, ich kann wohl sagen, ich war es nie in dem Maße[1].» So schreibt er mit dem ihm damals noch eigenen Zutrauen zu den Gefühlen von Freunden 1787 aus Rom. Kurz darauf, mit einer Anspielung auf Lukas 2, 49, die wieder einmal, wie früher ähnliche Stellen in der Umgebung des «Werther», auf einen leisen Versuch, sich Christus gleichzusetzen, schließen läßt:

«So lebe ich denn glücklich, weil ich in dem bin, was meines Vaters ist[2].»

Vom «Frieden mit sich selbst» und von der «höchsten Zufriedenheit seines Lebens[3]» redet er auch in den letzten Wochen des zweiten römischen Aufenthalts. Und noch der Achtzigjährige äußert sich Eckermann gegenüber so:

[1] 6. Sept. 1787. Daten ohne Zusatz beziehen sich auf die «Italienische Reise». Wo die Originalbriefe und Tagebücher erhalten sind, werden in der Regel diese mit Angabe des Adressaten oder als «Reisetagebuch» zitiert (siehe Anm. 5). Vgl. zur Entstehungsgeschichte und Veröffentlichung der «Italienischen Reise» den vorzüglichen Kommentar Herbert von Einems im 11. Band der Hamburger Goethe-Ausgabe, 1950, der insbesondere auch für kunstgeschichtliche Fragen wertvollste Dienste leistet.

[2] 28. Sept. 1787.

[3] 12. Okt. 1787, 14. März 1788.

«Ich kann sagen, daß ich nur in Rom empfunden habe, was
eigentlich ein Mensch sei. – Zu dieser Höhe, diesem Glück der
Empfindung bin ich später nie wieder gekommen; ich bin, mit
meinem Zustande in Rom verglichen, eigentlich nachher nie
wieder froh geworden[4].»

Nur ein Genesender ist vielleicht einer solchen tiefsten Befriedigung fähig. Und als Genesender fühlte sich Goethe in der
Tat von dem Augenblick an, da sein Fuß italienischen Boden
betrat.

«Ob ich gleich noch immer derselbe bin, so mein' ich, bis aufs
innerste Knochenmark verändert zu sein» – so schreibt er schon
am 2. Dezember 1786 aus Rom. Einen «von einer ungeheuren
Leidenschaft und Krankheit Geheilten[5]» nennt er sich einen
Monat später. «Physische und moralische Übel[6]» glaubt er los-
geworden zu sein.

Dies alles ist keineswegs übertrieben. Wir können uns selbst
auf Schritt und Tritt von einer Verwandlung überzeugen, die fast
die Einheit der Person in unsrer Einbildungskraft gefährdet. Der
Mann, der 1786 seine Werke zu sammeln beginnt und, nachdem
er den «Götz», den «Werther» und die Gedichte untergebracht
hat, einige dürftige Bändchen mit Singspielen und Fragmenten
zusammenstellt, der sorgenvoll den Knoten der Seele Charlotte
von Steins zu lösen versucht, der seine Kräfte in der Leitung
weimarischer Staatsgeschäfte verzettelt, der von der Ahnung
eines frühen Todes, von dem Schmerz um ein halb verfehltes
Leben beschattet ist – und jener Jüngling, den wir auf Tisch-
beins Aquarell von rückwärts aus dem Fenster seiner römischen
Wohnung auf die Straße blicken sehen, elastisch und entspannt
zugleich, in lebensprühendem Behagen, der frohe Gefährte deutscher Künstler, der Wanderer in Sizilien: es fällt uns schwer,
einen solchen Übergang wirklich zu fassen und nachzuvollziehen;
und in der ganzen Geschichte der deutschen Dichtung finden wir
ähnliches nicht. Um so eher müssen wir uns bemühen, den langen

[4] Zu Eckermann, 9. Okt. 1828.
[5] Reisetagebuch für den Freundeskreis, zitiert nach Goethes Brief vom
6. Jan. 1787 an Frau von Stein. Neue vollständige Ausgabe der Briefe
von J. Petersen, Leipzig 1923.
[6] An Carl August, 25. Jan. 1788.

Weg zu messen, den Goethe in so kurzer Zeit zu seinem Heil zurückgelegt hat.

Nicht immer glaubte er in Deutschland dem Süden fern gewesen zu sein. Aus Venedig schreibt er am 10. Oktober 1786 an Frau von Stein: «... es ist mir wirklich auch jetzt so, nicht als ob ich die Sachen sähe, sondern als ob ich sie wiedersähe.» Ähnlich am 1. November aus Rom: «Alle Träume meiner Jugend seh ich nun lebendig.» Und wieder Ende 1787: «Ich finde meine erste Jugend bis auf Kleinigkeiten wieder[7].»

Bei solchen Worten dachte er weit bis in seine erste Kindheit zurück, an die Erzählungen seines Vaters, an das Gondelmodell, das dieser einst aus Venedig mitgebracht hatte, und an die römischen Prospekte, die einen Vorsaal des Elternhauses schmückten. Diese märchenhafte Erinnerung leuchtete nun als Wirklichkeit auf. Und anders denn als solche Rückkehr in die unbegriffene, kindlich-traumhaft-geniale Frühe vermochte sich Goethe eine fruchtbare, «wahre» Erfahrung nicht zu denken. Deshalb hielt er es später auch für nötig, in seinem zur Bildungsgeschichte gesteigerten Theaterroman die Jugend Wilhelm Meisters aufzuhellen und schon dem Kinde den Anblick reiner Kunstschöpfungen zu gönnen. Wie aber den Augen Wilhelms die Kunstgegenstände wieder entzogen werden und eine neue, nun bewußte Begegnung mit dem Bekannten erst die Zeit der höchsten Reife krönt, verwischten sich auch in Goethes Bewußtsein die Spuren des einzig Schönen und Wahren, und andere Dinge prägten sich ein. Der Name Winckelmanns, den er in Leipzig hörte, sagte ihm nicht viel. In Dresden ging er blind an Raffaels Madonna Sistina vorüber; und Johann Heinrich Füßli, der in Italien lebte, rief er zu:

«Nicht in Rom, in Magna Graecia:
Dir im Herzen ist die Wonne da![8]»

Besser ließen sich die «kimmerischen Vorstellungen und Denkweisen[9]», denen er damals verfiel und die er in Rom als endlich überwundenes Leiden bezeichnen wird, kaum in Worte fassen.

[7] a.a.O.

[8] Vgl. E. Beutler, Joh. H. Füßli, Viermonatsschrift der Goethe-Gesellschaft 1939, 1. Heft, S. 10.

[9] Bericht Okt. 1787.

Denn «kimmerisch», nordisch ist gerade der Kult des eigenen Herzens, die Innerlichkeit des Lebens, das immer an Künftigem oder Vergangenem hängt, gedenkend oder hoffend, das Träume und Chimären ersinnt und sich der Gegenwart nicht zu freuen vermag, keineswegs nur aus Hypochondrie oder Dünkel, sondern vor allem deshalb, weil selten eine würdige Gegenwart dem Blick entgegenkommt.

Schon in Weimar, in den letzten Jahren vor der Reise, begann dies Goethe langsam klar zu werden und sann er auf Hilfe gegen das Übel. Die Abkehr vom Christentum und seiner Jenseitshoffnung ist ein Zeichen. Ein Zeichen ist die immer liebevollere Beschäftigung mit der Natur, das immer deutlichere Bedürfnis, bei der Betrachtung einzelner wohlgeratener Gebilde zu verweilen und sie womöglich zu einem sinnvoll geordneten Kosmos zusammenzustellen. Die aufmerksameren zeichnerischen Bemühungen wären ferner zu nennen oder das epigrammatische Rühmen einzelner Plätze des Weimarer Parks. Ob die Worte der Prinzessin im «Tasso» von der ewigen Gegenwart der goldenen Zeit den voritalienischen Jahren angehören, läßt sich nicht mit Sicherheit sagen. Sollte Goethe aber schon damals ähnliches ausgesprochen haben – welche Gegenwart war es denn, in der er sich schließlich mit aller Sorgfalt und Mühe einzurichten vermochte? Er blieb auf Steine, Pflanzen und Knochen und eine meist verdüsterte Landschaft angewiesen und, wenn er die menschlichen Dinge einzubeziehen versuchte, auf jenen bescheidenen Kreis von Genüssen, auf jene blassen, vergeistigten Freuden, die eine ängstliche Sitte inmitten der christlichen Welt gerade noch zuließ.

Nun wurde der Vorhang zurückgeschlagen, und die Landschaft, die Menschen, die Bauten, die Bilder, die Statuen stellten sich dar, für die er seine Organe mit tiefer Ahnung vorbereitet hatte. «Wie ein reifer Apfel, der vom Baum fällt[10]», sei die Reise, schrieb er dem treuen Seidel aus Verona. Das lang entbehrte Gleichgewicht von innen und außen stellte sich her. Und damit wurde nun freilich alles, Glück und Unglück, Wert und Unwert, Neigung und Abneigung, völlig verändert. In Deutschland war

[10] An Seidel, 18. Sept. 1786.

es ein Verzicht gewesen, wenn Goethe seine Person mit ihrem unerschöpflichen Reichtum in eine beinah imaginäre Gesellschaft einzuebnen versuchte, wenn er, mit Tassos Empfindung begabt, die Stimme Antonios vernahm und befolgte. Jetzt, in Italien, angesichts der reinen Kunst und der großen Natur, war es ein Glück, das Herz zu bändigen und seine aufdringlichen Schmerzen und Wonnen als Nichtigkeiten zu behandeln. Goethe konnte nicht schwanken, wenn er seine neue Lage prüfte. Schon in Vicenza verbietet er sich die Traurigkeit und Sehnsucht nach den Freunden, die abends aufsteigen will. Er lebt diät und hält sich ruhig, damit, wie er sich ausdrückt, «die Gegenstände keine erhöhte Seele finden, sondern die Seele erhöhen. Im letzten Falle ist man dem Irrtum weit weniger ausgesetzt als im ersten[11]». Wenn er sogar seinen Namen verleugnet und sich «Möller» nennen läßt, so hat er dafür zwar praktische Gründe. Er möchte keine Zeit mit öden Gesellschaftsobliegenheiten verlieren. Vor allem möchte er aber nicht als Verfasser des «Werther» bewundert werden. Jede Erinnerung an das weltberühmte Buch ist ihm jetzt peinlich. Gerade dieser Goethe soll nicht mehr sein; und besser schiene es ihm, er wäre überhaupt nie gewesen. Denn Werther, das ist die «erhöhte Seele» in ihrer bedenklichsten Steigerung, das immer aufgeregte Gemüt, das einen brauenden Nebel von Empfindungen um sich her erzeugt und nicht imstande ist, die Wirklichkeit der Dinge wahrzunehmen. Und auf die Wahrnehmung der Dinge, wie sie sind, kommt alles an.

Wollen wir nun die Methode verstehen – um eine Methode handelt es sich –, die Goethe in der Wahrnehmung der Dinge während der Reise bis zur Vollkommenheit ausgebildet hat, so tun wir gut, von einem möglichst schroffen Gegensatz auszugehen. Noch ferner als der «Werther», in dem sich der künftige Klassiker immerhin schon, wenn auch verborgen, zu regen beginnt, zugleich aber näher im Motiv steht jene Schilderung der Landschaft des Lago maggiore, mit der Jean Paul den Leser des «Titan» schon auf den ersten Seiten überwältigt. Einige Freunde fahren in einer Mondnacht zur Isola bella hinüber. Vor Tagesanbruch landen sie und steigen unter Orangendüften die zehn

[11] Reisetagebuch, 24. Sept. 1786.

Terrassen des Gartens empor. Albano aber, um die Herrlichkeit auf einmal zu genießen, hat sich die Augen verbinden lassen und wartet den Sonnenaufgang ab:

«Und der Morgenwind warf die Sonne leuchtend durchs dunkle Gezweig empor, und sie flammte frei auf den Gipfeln – und Dian zerriß kräftig die Binde und sagte: ,schau umher!' ,O Gott!' rief er selig erschrocken, als alle Türen des neuen Himmels aufsprangen und der Olymp der Natur mit seinen tausend ruhenden Göttern um ihn stand. Welch eine Welt! Die Alpen standen wie verbrüderte Riesen der Vorwelt fern in der Vergangenheit verbunden zusammen und hielten hoch der Sonne die glänzenden Schilde der Eisberge entgegen – die Riesen trugen blaue Gürtel aus Wäldern – und zu ihren Füßen lagen Hügel und Weinberge – und zwischen den Gewölben aus Reben spielten die Morgenwinde mit Kaskaden wie mit wassertaftnen Bändern – und an den Bändern hing der überfüllte Wasserspiegel des Sees von den Bergen nieder, und sie flatterten in den Spiegel, und ein Laubwerk aus Kastanienwäldern faßte ihn ein... Albano drehte sich langsam im Kreise um und blickte in die Höhe, in die Tiefe, in die Sonne, in die Blüten; und auf allen Höhen brannten Lärmfeuer der gewaltigen Natur und in allen Tiefen ihr Widerschein – ein schöpferisches Erdbeben schlug wie ein Herz unter der Erde und trieb Gebirge und Meere hervor. – – O als er dann neben der unendlichen Mutter die kleinen wimmelnden Kinder sah, die unter der Welle und unter der Wolke flogen – und als der Morgenwind ferne Schiffe zwischen die Alpen hinein jagte – und als Isola madre gegenüber sieben Gärten auftürmte und ihn von seinem Gipfel zu ihrem im waagrechten wiegenden Fluge hinüber lockte – und als sich Fasanen von der Madre-Insel in die Wellen warfen: so stand er wie ein Sturmvogel mit aufgeblättertem Gefieder auf dem blühenden Horst, seine Arme hob der Morgenwind wie Flügel auf, und er sehnte sich, über die Terrasse sich den Fasanen nachzustürzen und im Strome der Natur das Herz zu kühlen[12].»

In der ganzen «Italienischen Reise» Goethes gibt es keine Schilderung, die es mit dieser an Farbenfülle, musikalischem

[12] Jean Paul, Titan, 1. Jobelperiode, 1. Zykel.

Schwung und berauschender Pracht aufnehmen könnte. Goethe aber hätte sie zweifellos als «unwahr» abgelehnt und alle Veranstaltungen verworfen, die Albano trifft, um sein Gefühl, die «natürliche Magie der Phantasie[13]», ins Unendliche zu erhöhen. Denn was geschieht hier eigentlich?

Albano läßt sich die Augen verbinden. Er sinkt damit tief und tiefer in den Abgrund seiner Innerlichkeit, in das, was ihm allein gehört, in seinen Knaben- und Jünglingstraum. Und wie er das Auge plötzlich öffnet, schüttet er gleichsam all dies Innere über die Morgenlandschaft aus. Er sieht die Berge als Riesen der Vorwelt stehen und schmückt sie mit glänzenden Schilden. Bänder flattern von den Hängen. Schiffe segeln in blauer Luft. Lauter Bilder seiner eigenen, schöpferisch-ahnungsvollen Jugend! Wenn seine Augen von Tränen des Entzückens getrübt sind, gelingt das noch besser. Geblendet sind sie ohnehin schon und unfähig, etwas klar zu erkennen.

Goethe aber will alles «mit einem stillen feinen Auge betrachten[14]». Er rühmt sich seiner «Treue, das Auge licht sein zu lassen[15]» und seiner «Entäußerung von aller Prätention[16]». Wenn Albano die Erwartung fast ins Unerträgliche steigert, trunken von seiner eigenen Größe, ist Goethe überzeugt, zur vollkommenen Freiheit und Ruhe gelangen zu müssen, bevor er das Große aufnehmen kann. Dann aber wird er auch «die Sachen und nicht wie sonst bei und mit den Sachen sehen, was nicht da ist[17]». Mag dies im Augenblick minder begeisternd, vielleicht sogar oft ernüchternd sein – nur ein Mensch, der so wie Goethe auf die Dinge eingeht, kann im Umgang mit den Dingen wachsen. Jean Paul zehrt von sich selbst und findet sein Bestes eines Tages erschöpft. Schon kurze Zeit nach dem «Titan» verstummt der berauschende hymnische Klang. — Albano legt es darauf an, alles auf einmal ins Auge zu fassen, und glaubt, in dem plötzlichen ersten Effekt von Gottes Atem berührt zu sein. Goethe dagegen schreibt an den Herzog 1787 aus Rom:

[13] Vgl. den Anhang zu Jean Pauls Quintus Fixlein.
[14] Reisetagebuch, 29. Sept. 1786.
[15] 10. Nov. 1786.
[16] 10. Nov. 1786.
[17] 30. Juni 1787.

«Ich muß immer heimlich lachen, wenn ich Fremde sehe, die beim ersten Anblick eines großen Monuments sich den *besonderen* Effekt notieren, den es auf sie macht[18].»

Ebenso schon der Herzogin am 23. Dezember 1786:

«Wie leicht ist es, bei einer solchen Fülle von Gegenständen etwas zu denken, zu empfinden, zu phantasieren. Aber wenn es nun darauf ankommt, die Sachen um ihrer selbst willen zu sehen, den Künsten aufs Mark zu dringen, das Gebildete und Hervorgebrachte nicht nach dem Effekt, den es auf uns macht, sondern nach seinem innern Werte zu beurteilen, dann fühlt man erst, wie schwer die Aufgabe ist, und wünscht mehr Zeit und ernsthaftere Betrachtung diesen schätzbaren Denkmalen menschlichen Geistes und menschlicher Bemühungen widmen zu können.»

Freilich ist hier von Kunst die Rede. Doch von der Landschaft gilt dasselbe. Was ist der Effekt? Nichts anderes als das vage Echo meiner Seele. Der Gegenstand soll aber sprechen, nicht ich. Am wenigsten zuverlässig wird gerade der erste Eindruck sein.

«Man muß auf alle Fälle wieder und wieder sehen, wenn man einen reinen Eindruck der Gegenstände gewinnen will. Es ist ein sonderbares Ding um den ersten Eindruck, er ist immer ein Gemisch von Wahrheit und Lüge im hohen Grade[19].»

So heißt es in einem Brief aus Vicenza. Wir achten auf das Beiwort «rein». Noch in der «Iphigenie auf Tauris» gehört es vor allem zur sittlichen Sphäre. Hier bezeichnet es die ungetrübte, einzig auf den Gegenstand gerichtete Anschauung. Da wir bald so, bald anders gestimmt sind, da auch die Dinge bald in diesem, bald in jenem Licht erscheinen, kommt ein reiner Eindruck nur bei wiederholtem Schauen zustande. Ein Jüngling wie Albano wird sich freilich vor Wiederholungen hüten, da sie ihn nur enttäuschen könnten. Goethe kehrt immer wieder zu denselben Gegenständen zurück, da ihm Zuverlässigkeit mehr bedeutet als die stärkste Erregung.

«Heute Abend ging ich auf den Markusturm. Da ich neulich die Lagunen in ihrer Herrlichkeit, zu der Zeit der Flut, von oben gesehn hatte, wollt ich sie auch zur Zeit der Ebbe in ihrer Demut

[18] An Carl August, 17. Nov. 1787.
[19] Reisetagebuch, 24. Sept. 1786.

sehn. Und es ist notwendig, diese beide Bilder zu verbinden, wenn man einen richtigen Begriff haben will[20].»

In einem solchen Verbinden von Bildern besteht die geistige Leistung, die Goethe von nun an fordert und vollbringt. Die einzelnen Bilder desselben Gegenstandes werden verbunden und in ein einziges Bild zusammengelegt, indem die Besinnung Veränderliches von Unveränderlichem unterscheidet. Erst damit ist es möglich, Identisches wirklich als solches anzuerkennen, und rechtfertigt sich der Gebrauch des einen Namens oder Wortes für das, was gestern war und morgen sein wird. Es handelt sich also um ein Verfahren, das dem Urgeschehen der Sprache bei der Bildung von Wörtern gleicht.

Das scheint bereits gesicherte Unterscheidungen wieder aufzuheben. Denn Sprache ist das Allgemeinste. Auch Jean Paul bedient sich ihrer. Er setzt sie aber anders ein. Daß ein Wort einen Gegenstand feststellt, ist für Jean Paul ein notwendiges Übel. *Er* nimmt die Sprache ernst, sofern sie Gefühle mitzuteilen vermag. So löst er die Wörter und damit die Dinge in musikalisches Wogen auf. Alles Einzelne fließt zusammen in jenen Strom des Entzückens, der schließlich dem Leser allein in Erinnerung bleibt.

Bei Goethe dagegen prägen die *Dinge* sich ein, von denen die Rede ist, und zwar nicht als veränderliche Metaphern veränderlicher Gefühle, sondern in einer Gestalt, die Dauer und Wechsel zusammenfaßt: als «Begriffe». Der Ausdruck mag zunächst befremden. Wir sind ihm aber bereits begegnet und treffen ihn noch öfter an. Von Venedig will Goethe «einen ganz klaren und wahren Begriff[21]» gewinnen. Der Brief vom 7. November 1786 aus Rom beginnt: «Ich bin nun zehen Tage hier, und nach und nach tut sich vor mir der allgemeine Begriff dieser Stadt auf.» Daß damit keine Begriffe gemeint sind, die «per genus proximum et differentiam specificam» zustande kommen, versteht sich von selbst. Alles ist durchaus Anschauung. Goethe spricht darum gelegentlich vom «höchsten anschauenden Begriff»; und um auch dieser Wendung das allzu Statische zu nehmen, ersetzt er sie

[20] Reisetagebuch, 9. Okt. 1786.
[21] Reisetagebuch, 10. Okt. 1786.

gleich durch «lebendiger Begriff[22]». Damit prägt er eine Formel, die nichts mehr zu wünschen übrig läßt. Das Leben und die Anschauung verbürgen die Fülle von Einzelheiten, die Goethe jeweils einbegreift. Doch von «Begriffen» darf selbst nach unserem Sprachgebrauch die Rede sein, da diese Art von Erkenntnis doch auch durch Abstraktion gewonnen ist: von dem Veränderlichen muß Goethe wenigstens so weit abstrahieren, daß es im Bild der Dinge zurücktritt.

Damit dies möglich sei, wahrt er Distanz. Wir nehmen das Wort sowohl in übertragenem wie buchstäblichem Sinn. Goethe stellt einen Abstand zwischen sich und den Gegenständen her, indem er es sich zum Beispiel zur Gewohnheit macht, in einer Stadt schon am ersten Tag den Turm zu besteigen – nicht um «wie ein Sturmvogel mit aufgeblättertem Gefieder auf dem blühenden Horst» die Höhe zu fühlen, sondern um sich zu orientieren, um das Nahe und Nächste in weitere Zusammenhänge einzuordnen. Ebenso weist er den allzu beredten Moment in bestimmte Schranken zurück, indem er zugleich dem *Wissen* um die Gegenstände das Wort erteilt.

«So habe ich immer bisher den geologischen und landschaftlichen Blick benutzt, um Einbildungskraft und Empfindung zu unterdrücken und mir ein freies, klares Anschauen der Lokalität zu erhalten[23].»

Schon in Padua hält er nichts von einem «Beschauen ohne Denken[24]». Die Dinge denkend beschauen, heißt: sie mit anderen Dingen vergleichen, die gerade nicht gegenwärtig sind. Die Dinge denkend beschauen, heißt insbesondere, sie genetisch erfassen. Ein schönes Beispiel ist die Beschreibung des Amphitheaters zu Verona. Ähnliche Gebäude hat Goethe noch nie gesehen. Vergleichen *kann* er also nicht, und gerade nur staunen *will* er nicht. So stellt er die Frage, wie es zu dieser Architektur gekommen sei:

«Wenn irgend etwas auf flacher Erde vorgeht und alles zuläuft, suchen die Hintersten auf alle mögliche Weise sich über die Vordersten zu erheben, man rollt Fässer herbei, fährt mit Wagen

[22] 27. Juni 1787.
[23] 27. Okt. 1786.
[24] 27. Sept. 1786.

16

heran, legt Bretter herüber und hinüber, stellt wieder Bänke hinauf, man besetzt einen benachbarten Hügel, und es bildet sich in der Geschwindigkeit ein Krater ... Dieses allgemeine Bedürfnis hat der Architekt zum Gegenstand, er bereitet einen solchen Krater durch die Kunst, so einfach als nur möglich, und dessen Zierat das Volk selbst ist[25].»

In derselben Lage findet sich Goethe in der Lagunenstadt. Auch da erklärt er das Wunder genetisch aus einem natürlichen, einfachen Vorgang.

Man könnte erwidern, also beziehe auch er die Vergangenheit – als Ursprung – und die Zukunft – als das, worauf es hinaus will – in die Betrachtung ein; er bleibe so wenig auf die reine Gegenwart eingeschränkt wie Jean Paul, verleugne also gleichfalls das Moderne oder «Kimmerische» nicht. Wir sind noch nicht so weit, um *das* Kimmerische dem Südlichen oder *das* moderne Schauen dem antiken klar gegenüberzustellen. Später wird sich zeigen, daß in Goethes Umsicht, in seinem vergleichenden und genetischen Verfahren, ein Geist am Werk ist, der sich von allem antiken wesentlich unterscheidet. Das heißt aber nicht, er bleibe befangen in der nordischen Innerlichkeit. Jene Deutschen, von denen er sich auf allen Blättern der «Italienischen Reise» so entschieden lossagt, lesen die eigene Vergangenheit – als Erinnerung – und die eigene Zukunft – als Ahnung – in die Dinge hinein. Goethe dagegen ist bemüht, Vergangenheit und Gegenwart und Zukunft des Gegenstands zu entziffern. Auch da verhält er sich streng objektiv.

Freilich, auch die strengste Objektivität bleibt immer nur die Objektivität eines Subjekts. Auch wer nur die Dinge will und sonst nichts, erfaßt sie in einer bestimmten Hinsicht, von einem bestimmten Gesichtspunkt aus. Dessen wird Goethe sich nicht bewußt. Er ist überzeugt, *die* ewig gültige Wahrheit entdeckt und begriffen zu haben, und traut sich zu, sie jedem, der Augen hat und sehen will, zeigen zu können. Da es sich um objektive Erkenntnisse handelt, gelingt das auch. Was Goethe darlegt, ist tatsächlich den wechselvollen Launen, der Stimmung, der Willkür der einzelnen Menschen entrückt und insofern zeitlos und

[25] Reisetagebuch, 16. Sept. 1786.

überall gültig. Es fragt sich aber, ob jedermann sich für diese Wahrheit interessiert, ob nicht mancher es vorzieht, die Dinge von einem andern Gesichtspunkt aus, in anderer Hinsicht wahrzunehmen. Darüber haben wir nicht zu rechten und ist ein Streit überhaupt nicht möglich. Es genügt uns einzusehen, daß «objektiv» in unserem Sinn nicht der Gegensatz von «subjektiv» ist, daß wir im Hinblick auf Goethe besser ein «innerliches» Erfassen der Dinge von einem «sachlichen» unterscheiden.

Der Wille zur Sachlichkeit herrscht vor, so sehr, daß viele Leser die «Italienische Reise» enttäuscht und befremdet. Jene Gesellschaft, die 1817 bei dem preußischen Gesandten in Rom, dem Historiker Niebuhr, um den Maler Peter Cornelius versammelt war, um die soeben erschienenen beiden ersten Bücher gemeinsam zu lesen, hatte vom romantischen Standpunkt aus verschiedenes einzuwenden, beklagte aber vor allem auch, daß Goethe in Italien sein Herz gewaltsam verleugnet habe[26]. Heute drückt man sich anders aus. Doch eine gewisse Erkältung des Empfindens ist selbst in wohlgesinnten Urteilen hin und wieder noch spürbar. Allzuwenig scheint von Mignons Träumen übriggeblieben zu sein. Bedenkt man gar, daß einige der stimmungsvollsten Episoden, der Abend bei der Herzogin von Giovane in Neapel zum Beispiel, das Bildnis der schönen Mailänderin, die letzte Mondnacht auf dem Kapitol, in der zweiten Hälfte stehen, für die wir die Vorlagen nicht mehr besitzen[27], daß vieles in diesen Kapiteln der alte Goethe aus verzaubernder Erinnerung hinzugefügt haben dürfte, so stellt sich die Frage noch dringlicher, was von der großen, während der ganzen Reise so absichtsvoll gewahrten Nüchternheit zu halten sei. Nur der verzichtet auf eine Antwort, der eben in dieser Nüchternheit das heimliche Jauchzen, den Klang und Schwung eines ungeheuren Triumphes vernimmt. Abermals sei es ausgesprochen: Jeder Satz zeugt von Genesung und von dem Hochgefühl neuer Kraft. In der Vergangenheit lag der Nebel einer verschwommenen Existenz. In der Gegenwart strahlte das Licht der zuverlässigen Erkenntnis.

[26] Vgl. H. Wölfflin, Gedanken zur Kunstgeschichte. 3. Aufl., Basel 1941, S. 49.
[27] Vgl. Anm. 1.

Und in der Zukunft kündigten sich noch unübersehbare Möglichkeiten sicheren Wissens und Schaffens an.

Weil indes die Art zu sehen die Wahl der Gegenstände bestimmt, weil das Schauen und das Geschaute gar nicht gesondert gedacht werden können, werden Zustimmung und Zweifel sich abermals und noch lauter melden, wenn wir nun die Dinge betrachten, die Goethe in Italien wahrgenommen und anerkannt und die er gar nicht bemerkt oder abgelehnt hat.

Nichts grundsätzlich Neues ist auf dem Feld der Naturwissenschaft zu verzeichnen. Ungern verzichtet man zwar darauf, sich Goethe vorzustellen, wie er in Padua oder Palermo, im botanischen Garten wandelnd, von dem Gedanken der Urpflanze heimgesucht wird. Fast mit denselben Worten aber, mit denen er über seine «Grille» berichtet, hat er sich schon in einem Brief an Frau von Stein vom 9. Juli 1786 über die «wesentliche Form» der Pflanze geäußert. Schon in Deutschland also ist er durch unablässiges Vergleichen verschiedener Pflanzen zur «Idee» oder, wie wir nun mit der Ausdrucksweise der «Italienischen Reise» sagen, zum «höchsten anschauenden Begriff» der Pflanze gelangt. Der Süden belebt und bestätigt nur durch eine Fülle neuer Wahrnehmungen, was sich ihm in den letzten Weimarer Jahren aufgedrängt hat. Dennoch ist der Nachdruck verständlich, den Goethe gerade jetzt auf seine naturwissenschaftlichen Pläne legt. In Deutschland waren Pflanzen und Tiere die einzigen seinem sich klärenden Blick gemäßen Gegenstände gewesen. Die großen Einsichten, die sie gewährten, konnten deshalb, auf einem allzu kärglichen Boden, nicht recht gedeihen. Nun schlossen sie sich an Erkenntnisse an, die eine ganze Welt von der niedersten bis zu der höchsten Zone umfaßten. Alles wesentliche Leben schien, auf diese Weise betrachtet, in seiner höchsten Wahrheit aufzuleuchten. Das liegt in dem bekannten Ausruf über die «Wirtschaft der Seeschnecken, Patellen und Taschenkrebse» auf dem Lido:

«Was ist doch ein Lebendiges für ein köstlich herrliches Ding! Wie abgemessen zu seinem Zustande, wie wahr! wie *seiend*[28]!»

[28] Reisetagebuch, 9. Okt. 1786.

Von der Vorsicht und der Trockenheit der Abhandlung über den Zwischenkieferknochen ist nichts mehr zu spüren, und jenes kaum erklärliche Entzücken, das in den Briefen an Herder und Frau von Stein die osteologische Beobachtung begleitet hat, verdichtet sich zu einem in seinem tiefsten Grunde verstandenen Glück. Einzelne seltsame Tiere erscheinen als Beispiele des Lebendigen an sich. Lebendiges ist herrlich und köstlich, weil es «abgemessen», begrenzt ist, weil es nicht über sich hinausweist, sondern in sich selbst besteht als eine vollkommene Gegenwart. «Abgemessen zu seinem Zustand» ist es: die Umgebung und die Bildung von innen entsprechen einander und wahren das reinste Gleichgewicht. Nichts bleibt da zu wünschen übrig. Deshalb ist Lebendiges in betonter Weise «wahr» und «seiend».

«Seiend» ist mehrfach unterstrichen. Goethe meint also nicht mehr nur das Wesen von Naturgeschöpfen, sondern das «Sein» überhaupt im weitesten Sinne des Wortes erfaßt zu haben. Er glaubt zu wissen, was eigentlich «ist», und damit auch, was eigentlich *nicht* ist, was ein wirkliches Sein nur vorgibt. Seine Erkenntnisse schließen sich zusammen zu einer wahren Welt und schließen zugleich eine unwahre aus. Die Jahre des Tastens und Versuchens sind vorüber, und ebenso die Jahre der zarten, probeweisen Andeutung eines gültigen Maßes. Wie sich Goethe selbst verfestigt, so verfestigt sich sein Kosmos.

Wonach bestimmt sich aber, was wahr und unwahr, was seiend und nichtseiend ist? Darüber spricht sich Goethe jetzt und später nie ganz deutlich aus. Er fühlt auch kein Bedürfnis, diese letzte Frage abzuklären, da ihm Wahrheit nie als Resultat des Schließens und Beweisens, sondern immer unmittelbar, als Evidenz, gegeben ist. Doch auch die Evidenz beruht auf Übereinstimmung des Einzelnen mit einem allgemeinen Wesen, mit einem höchsten «Sinn», der wieder mit Goethes «Sinn», mit seiner Art, die Welt zu sehen, identisch ist. Es wäre falsch, dieses höchste Wesen an sich herausarbeiten zu wollen. Wir haben uns schon hier an jene nie genug zu beherzigenden Verse aus der «Natürlichen Tochter» zu halten:

«Der Schein, was ist er, dem das Wesen fehlt?
Das Wesen, wär' es, wenn es nicht erschiene?»

20

Es ist nur, sofern und indem es erscheint. So dürfen wir bei der Erscheinung verweilen und sicher sein, gerade so den höchsten Sinn, das Eine im Vielen, mit den Augen des Geistes zu sehen. Mit den Pflanzen und den Tieren getraut sich Goethe ins Reine zu kommen. Offen bleiben die meteorologischen Fragen, die er angesichts der Wolken auf dem Brenner stellt. Und an die Grenze seiner Welt, den Rand des Unbegreiflichen führt ihn die Besteigung des Vesuvs. Dreimal hat Goethe den Krater erklommen, von jener Neugier und jenem Drang zum Rätsel und zur Gefahr erfüllt, der ihn auch später noch oft bewog, den sicheren Besitz, sein ganzes inneres Eigentum aufs Spiel zu setzen, um es eben damit, wie aus der Gärung der Jugend, neu zu gewinnen. Das zweite Mal geht Tischbein mit. Und Tischbein hat alles auszusprechen – vielleicht auch wirklich ausgesprochen – was sich in Goethe selber gegen den Anblick des Ungeheuren, Rauchigen, Schwarzen, Bedrohlichen, Häßlichen wehrt. Goethe aber dringt unter Lebensgefahr bis zum Abgrund vor und sieht – nichts. «Der Anblick war weder unterrichtend noch erfreulich[29].» Er hatte für Goethe auch keine Folgen. Weder Vesuv noch Ätna erschütterten seinen auf den Granit der Thüringer Berge gegründeten Neptunismus. Trotz dem gewaltigen Augenschein schrieb er vulkanischen Vorgängen immer nur eine untergeordnete Rolle bei der Bildung der Erdoberfläche zu.

Die naturwissenschaftlichen Überzeugungen also beeinflußt die Reise kaum. Anders wird es, wenn wir uns nun dem menschlichen Bereich zuwenden. Wir entsinnen uns noch der Mühe, die es Goethe in Weimar gekostet hat, der Hofgesellschaft, dem form- und gestaltlosen Wesen der deutschen Öffentlichkeit einen liebenswürdigen Sinn zu entnehmen, der Trübsal und der Verworrenheit von «Wilhelm Meisters theatralischer Sendung», der rigorosen Askese, mit der die «Geheimnisse» ein dem Geist der Wahrheit gemäßes Dasein erkaufen mußten. Im Süden widmet sich Goethe mit wachsender Lust und Liebe dem Anblick des Volks. Die wohlbekannte köstliche Szene in Malcesine bildet den Auftakt. In den Briefen wird sie noch mit wenigen Worten abgetan:

[29] 6. März 1787.

«Die Lust, dir das Schloß zu zeichnen, das ein echter Pendant zu dem böhmischen ist, hätte mir übel bekommen können. Die Einwohner fanden es verdächtig, weil hier die Grenze ist und sich alles vorm Kaiser fürchtet. Sie taten einen Anfall auf mich, ich habe aber den Treufreund köstlich gespielt, sie haranguirt und sie bezaubert. Das Detail davon mündlich [30].»

Etwas länger ist der Bericht, den Heinrich Voß nach einem Gespräch im Jahre 1804 überliefert [31]. Die Buchausgabe von 1817 bringt es dann auf fast fünf Seiten. Im einzelnen dürfte also vieles frei erfunden und ausgeschmückt sein. Doch Goethe hatte Grund, den Auftritt mit solcher Sorgfalt auszuführen. Es kam darauf an, das italienische Volk schon gleich zu Beginn als ein natürliches Wesen in seinem «notwendigen unwillkürlichen Dasein [32]» zu schildern, es gleichsam unmittelbar an Steine, Pflanzen und Tiere anzuschließen und dadurch von dem unnatürlichen nordischen Volk zu unterscheiden. Das geschieht durch eine Erinnerung an die Komödie, die Goethe einst für Ettersburg bearbeitet hat [33]. Die Masse des Volks steht vor ihm da wie der Chor der Aristophanischen «Vögel» vor Treufreund, schwatzt durcheinander und reckt und dreht die Hälse nach rechts und links. Auch im Theater zu Vicenza sieht Goethe wieder seine «Vögel», die sich bei einer Sängerin «vor Freuden ganz ungebärdig stellen [34]»; ebenso wieder in Venedig, wo er im Zimmer der Inquisitoren mit Genugtuung wahrnimmt, «wie man seine Vögel in Ordnung hält [35]». Er selber fühlt sich «zum Vogel verdorben [36]»; er ist zu schwer und gedankenvoll, um so restlos im Augenblick aufzugehen. Desto häufiger kommt er auf diese herrliche Gottesgabe zu sprechen, wohlwollend, schmunzelnd und unverkennbar sogar mit einem gewissen Neid. Es rührt ihn, wie die Bewohner von Messina nach dem Erdbeben, das zwölftausend Menschen das Leben gekostet, «die Freuden des Augenblicks mit gutmütigem Froh-

[30] Reisetagebuch, 13. Sept. 1786.
[31] Gespräche, 12.–20. Febr. 1804.
[32] Reisetagebuch, 29. Sept. 1786.
[33] Vgl. Bd. I, S. 527.
[34] Reisetagebuch, 20. Sept. 1786.
[35] Reisetagebuch, 4. Okt. 1786.
[36] Reisetagebuch, 20. Sept. 1786.

sinn zu genießen[37]» bereit sind. Den Vorwurf, der Italiener sei faul, lehnt er als «nordische Ansicht[38]» ab. In Deutschland halte man freilich jeden für einen Müßiggänger, «der sich nicht den ganzen Tag ängstlich abmüht[39]». Im Süden findet er «die lebhafteste und geistreichste Industrie, nicht um reich zu werden, sondern um sorgenfrei zu leben[40]». Derselbe Brief enthält den Satz:

«Alles deutet dahin, daß ein glückliches, die ersten Bedürfnisse reichlich anbietendes Land auch Menschen von glücklichem Naturell erzeugt, die ohne Kümmernis erwarten können, der morgende Tag werde bringen, was der heutige gebracht, und deshalb sorgenlos dahin leben. Augenblickliche Befriedigung, mäßiger Genuß, vorübergehender Leiden heiteres Dulden!»

Die Sorge also, die deutsche Göttin, die alle Gegenwart vernichtet, besitzt in Italien keinen Altar. Das ist für Goethe so wunderbar, daß er, der Dichter der «Iphigenie», der die Idee des Reinen noch auf den Bissen erstreckt, den er in den Mund nimmt, sogar die damals, im 18. Jahrhundert, zum Himmel stinkende Unreinlichkeit der Italiener mehr oder minder gelassen erträgt und des öftern entschuldigt.

Doch nicht nur weil das Land auch dem Ärmsten bietet, was er zum Leben braucht, ist der Italiener so heiter und sorglos; er ist es auch deshalb, weil er sich meist im Freien, auf der Straße, auf dem Markt, in großer Gesellschaft aufhält, weil er sich nicht, wie der frierende Deutsche, in seine Ofenecke kauzt und einsam sein klägliches Los bebrütet, sondern sich ausspricht, Beifall und Widerspruch hört und Beifall und Widerspruch zollt, und so das Unbequeme abschleift und seine Wunderlichkeiten verliert. Dem Vicentiner eignet «eine freie Art Humanität, die aus einem immer öffentlichen Leben herkommt[41]». Im guten und im bösen haben die Leute immer etwas zusammen, schon in Venedig, wo der Lärm auf der Straße bis lange nach Mitternacht anhält, und erst recht in Neapel, wo Goethe nun systematisch das Tun und Trei-

[37] 11. Mai 1787.
[38] 28. Mai 1787.
[39] 28. Mai 1787.
[40] 12. März 1787.
[41] Reisetagebuch, 25. Sept. 1786.

ben des Volks von Tag zu Tag verfolgt. Ein ununterbrochenes «großes Fest des Genusses[42]» scheint hier das Leben zu sein. Sogar der Bettler nimmt daran teil, so herzhaft, daß er «die Stelle eines Vizekönigs in Norwegen leicht verschmähen und die Ehre ausschlagen möchte, wenn ihm die Kaiserin von Rußland das Gouvernement von Sibirien übertragen wollte[43]». Die Eßwaren, in gewaltiger Fülle vorhanden, gehören zu diesem Fest, ebenso die bunten Kleider, die seidenen Tücher und Binden, die Blumen, Büsche und Fähnchen auf den Hüten, mit denen der Napolitaner der Farbenpracht der Natur zu antworten sucht. Zugleich ist die Kleidung aber lose und schmiegsam, nicht starr und eng wie die deutsche. Das fällt Goethe schon in Trento auf: «Es hat kein Mensch Stiefeln an, kein Tuchrock zu sehen. Ich komme recht wie ein nordischer Bär vom Gebirge.» In südlicher Kleidung prägen sich Form und Bewegung des Körpers leichter aus. Antike Nacktheit kündigt sich an. Und fassen wir alles zusammen, das Leben in den Tag hinein, in Gemeinschaft, in glücklichstem Einklang mit der Umgebung, auch mit dem Wechsel von Licht und Dunkel – es heißt etwas, wenn der Italiener sein «felicissima notte» wünscht; es grenzt die Zeit der Ruhe von der Zeit der Geschäfte deutlich ab[44] – die Sichtbarkeit, die Erscheinungsmacht des Daseins, das sich in Freud und Leid durchaus der Gegenwart überläßt, so konnte Goethe auch angesichts des italienischen Volkes mit Überzeugung sagen: «Wie seiend! wie wahr!» Es fügt sich ein in seine Idee des echten Seins, in die Natur.

Nun steht die Natur aber längst nicht mehr im Gegensatz zur Idee der Kunst. Es kann geschehen, daß eine neue Generation die Natur gegen eine erstarrte, künstliche Kunst ausspielt. Das hat der junge Goethe und haben die Dichter des Sturm und Drang getan. Doch was sie unter Natur verstanden, galt sofort wieder, zum Beispiel in der Nachfolge Shakespeares, als Kunstideal. Umgekehrt deuten Lessing und sogar Gottsched ihre vernünftige Kunst als Nachahmung der vernünftigen Natur. Seit dem Ausgang des Barock gehören die beiden Bereiche zusammen, wenn-

[42] 28. Mai 1787.
[43] 28. Mai 1787.
[44] 17. Sept. 1786.

gleich die Zusammengehörigkeit verschieden aufgefaßt werden mag. Sie bleiben auch bei Goethe verbunden. Seine Idee der Natur hat sich seit den Straßburger Tagen gründlich verändert. Damit verändert sich auch die Kunst. Doch nach wie vor gibt Goethe keinen Streit der beiden Sphären zu. Noch immer gilt ihm als höchste Kunst, was von selber aus der Natur hervorgeht und was dem Sein der Natur entspricht. Es wäre schwer zu sagen, wo die eine beginnt und die andere endet. Dasselbe italienische Volk, das so natürlich – «natürlich» in der neuen Bedeutung des Wortes – ist, kann und muß sogar, als wahres und seiendes, Kunstcharakter gewinnen. Das geschieht etwa im Amphitheater zu Verona, das die Masse zum Kunstgebilde gruppiert und ihr sich selbst zu bewundern erlaubt. Es geschieht in Goldonis Komödien, die so wirklichkeitsnahe und kunstvoll sind, wie sie kein deutscher Komödiendichter mit seinen trübseligen Gegenständen auch nur annähernd zustande brächte. Und Kunst und Natur vereinigen sich erstaunlich im Römischen Karneval.

Im ersten römischen Frühling wußte Goethe mit dem Spektakel des Karnevals noch nichts Rechtes anzufangen. Man «muß es gesehen haben», erklärt er, «um den Wunsch völlig loszuwerden, es je wieder zu sehen[45]». Er wurde ihn aber nicht los, und im folgenden Jahre widmete er sich mit solchem Eifer dem wunderlichen Geschiebe, daß er seine Beobachtungen zu einem Buch zusammenfassen und 1789, reich illustriert, erscheinen lassen konnte. Wir glauben noch zu erkennen, daß er sich damit, absichtsvoll, eine ganz besonders schwierige Aufgabe stellte. Es galt, auch dieses tolle Stück Leben in «seinem entschiedenen Verlauf[46]» zu erkennen, als «bedeutendes Naturerzeugnis und Nationalereignis[47]» zu sehen und so, wie er Anna Amalia schreibt, «etwas Ungenießbares genießbar zu machen[48]». Das gelingt ihm, indem er das scheinbar sinnlose Durcheinander zunächst aus der Sonntagsgewohnheit der Römer erklärt, auf dem Korso spazieren zu fahren und auf der engen Straße eine bestimmte Ordnung ein-

---

[45] 20. Febr. 1787.
[46] Bericht Febr. 1788.
[47] Bericht Febr. 1788.
[48] An die Herzoginmutter, 17. April 1789.

zuhalten. Sobald die Nacht eingeläutet wird, löst die Ordnung sich wieder auf. Jeder fährt heim, wie es ihm beliebt. Das Schauspiel lockt Fußgänger an. Man kommt, um zu sehen oder gesehen zu werden. So ist das Karneval «eigentlich nur eine Fortsetzung oder vielmehr der Gipfel jener gewöhnlichen sonn- und festtägigen Freuden; es ist nichts Neues, nichts Fremdes, nichts Einziges, sondern es schließt sich nur an die römische Lebensweise ganz natürlich an[49]». Goethe hat es genetisch erklärt, wie das Amphitheater zu Verona und wie den Biberstaat Venedig. Das Sonderbarste geht aus eigentümlichen Verhältnissen natürlich hervor.

Im folgenden werden die Vorgänge einzeln beschrieben und wieder nach Möglichkeit auf das alltägliche Leben zurückgeführt. Drei Momente hebt ein leichter Nachdruck des Erzählers heraus: Das derbe Gebaren des Pulcinell, «dem ein großes Horn an bunten Schnüren um die Hüften gaukelt», die Szene in der Nebenstraße, wo ein als schwangere Frau verkleideter Mann eine Niederkunft mimt, und den Abschluß, das Löschen der Kerzen unter dem Zuruf: «Sia ammazzato, chi non porta moccolo.» Auf diese drei Momente kommt die Aschermittwochsbetrachtung zurück: «Wenn uns während des Laufs dieser Torheiten der rohe Pulcinell ungebührlich an die Freuden der Liebe erinnert, denen wir unser Dasein zu danken haben, wenn eine Baubo auf öffentlichem Platze die Geheimnisse der Gebärerin entweiht, wenn so viele nächtlich angezündete Kerzen uns an die letzte Feierlichkeit erinnern, so werden wir mitten unter dem Unsinne auf die wichtigsten Szenen unseres Lebens aufmerksam gemacht.»

An die «Wege des Weltlebens» soll uns sodann der gedrängte Korso erinnern, an die Flüchtigkeit der höchsten Vergnügen die rasche Jagd der Pferde; und in dem Wirrwarr ist zu bedenken, «daß Freiheit und Gleichheit nur in dem Taumel des Wahnsinns genossen werden können» – eine Bemerkung, die ein Jahr vor Beginn der Französischen Revolution besonders gewürdigt werden will.

Nun sehen wir klar, wie Goethe verfährt. Er hat das römische Karneval aus dem Besonderen des römischen Lebens entwickelt

[49] Das römische Karneval.

26

und stellt es im Hinblick auf das allgemeine menschliche Leben dar. Das scheinbar unübersichtliche Fest hat seinen Grund und seine Bestimmung. Lokal Bedingtes erscheint als Bild einer zeitlos gültigen Ordnung des Daseins.

«So ist denn ein ausschweifendes Fest wie ein Traum, wie ein Märchen vorüber, und es bleibt dem Teilnehmer vielleicht weniger davon in der Seele zurück als unsern Lesern, vor deren Einbildungskraft und Verstand wir das Ganze in seinem Zusammenhange gebracht haben.»

Das macht uns wieder aufmerksam auf das Verhältnis von Natur und Kunst. Das römische Karneval ist ein Erzeugnis des römischen Bodens und römischer Menschen. Bei allem Menschenwerk drängt sich mehr oder weniger Zufall und Willkür ein. Da bleibt denn vieles verwirrend und so unerträglich für den Betrachter, wie es für Goethe noch im Jahre 1787 war. Zugleich aber wirkt die wahre Natur und deutet in dem verworrenen Bild ihre ewig gültigen Linien an. Diese Linien zieht der Erzähler nach. Er macht damit aus dem Bericht ein Kunstwerk – kein reines freilich; er zeigt nur, wie man die Sache kunstgerecht auffassen könnte – und läßt uns so erkennen, wie das Volk zu Kunst und Natur gehört. Die Kunst, so aufgefaßt, löst die wahre Natur aus dem Menschenwesen heraus.

Aber was ist das für eine Kunst, die so die «Natur» herausarbeitet? Wie anders, als Goethe sie schildert, hat etwa ein Guardi ähnliche Szenen gemalt. Offenbar kommt gerade das, was Goethe beim ersten Sehen verdroß, bei Guardi zu zauberhaftester Wirkung: das Momentane, Kaleidoskopische, das bunte, flirrende, schimmernde Spiel. Verglichen mit solchen Bildern nimmt sich Goethes Schilderung klassisch aus: die ganze Fülle des Lebens wird zuletzt, in der Aschermittwochsbetrachtung, auf einen abstrakten Umriß der wandellosen Menschennatur reduziert.

Doch damit ist ein Wort gefallen, das einer genauen Bestimmung bedarf: «Klassisch» nennen wir Goethes Schrift. Was heißt das? Auf die Begriffsgeschichte brauchen wir hier nicht einzugehen[50]. Man mag unter «klassisch» im Lauf der Jahrhunderte

[50] Vgl. E.R.Curtius: Europäische Literatur und lateinisches Mittelalter, Bern 1948, S. 251 ff.

dies oder jenes verstanden haben, immer, seit Gellius, wird damit eine gewisse Vorbildlichkeit bezeichnet. Insbesondere weist das Wort auf die Vorbildlichkeit der Antike hin. Auch dies kann aber offenbar auf ganz verschiedene Weise gemeint sein. Goethe selber sagt einmal mit Absicht zweimal hintereinander «klassisch», um einer falschen Anwendung auf die Antike vorzubeugen. In dem Brief aus Palermo vom 4. April 1787 erzählt er von dem «ungeschickten Führer», der in dem schönsten Frühlingswetter umständlich auseinandersetzt, «wie Hannibal hier vormals eine Schlacht geliefert und was für ungeheure Kriegstaten an dieser Stelle geschehen».

«Unfreundlich verwies ich ihm das fatale Hervorrufen solcher abgeschiedenen Gespenster. Es sei schlimm genug, meinte ich, daß von Zeit zu Zeit die Saaten, wo nicht immer von Elefanten, doch von Pferden und Menschen zerstampft werden müßten. Man solle wenigstens die Einbildungskraft nicht mit solchem Nachgetümmel aus ihrem friedlichen Traume aufschrecken.

Er verwunderte sich sehr, daß ich das klassische Andenken an so einer Stelle verschmähte, und ich konnte ihm freilich nicht deutlich machen, wie mir bei einer solchen Vermischung des Vergangenen und des Gegenwärtigen zumute sei.

Noch wunderlicher erschien ich diesem Begleiter, als ich auf allen seichten Stellen, deren der Fluß gar viele trocken läßt, nach Steinchen suchte und die verschiedenen Arten derselben mit mir forttrug. Ich konnte ihm abermals nicht erklären, daß man sich von einer gebirgigen Gegend nicht schneller einen Begriff machen kann, als wenn man die Gesteinarten untersucht, die in den Bächen herabgeschoben werden, und daß hier auch die Aufgabe sei, durch Trümmer sich eine Vorstellung von jenen ewig klassischen Höhen des Erdaltertums zu verschaffen.»

Das zweite Mal, wie Goethe das Wort in seinem eigenen Sinne gebrauchte, setzt er «ewig» hinzu, um anzudeuten, daß er als «klassisch» nur anerkenne, was nicht nur vergangen, sondern auch gegenwärtig und künftig sei. Ähnlich versteht er später unter der «Gegenwart des klassischen Bodens» «die sinnlich-geistige Überzeugung, daß hier das Große war, ist und sein wird[51]».

[51] Bericht Dez. 1787.

Klassisches Leben und klassische Kunst betrachtet er als zeitlos, als dem Wandel und Gang der Geschichte entrückt und unvergänglich wie die Natur.

Auch der «ungeschickte Führer» könnte aber die Unvergänglichkeit dessen, was er erzählt, beteuern. Ewig wogt der Kampf um die Macht und braucht der Stärkere seine Mittel, um den Schwächeren niederzuzwingen. Und wenn die antiken Dichter und Künstler das Klassische in Goethes Sinn für alle Zeiten festgesetzt haben, so haben nicht minder antike Autoren wie Tacitus und Thukydides unverbrüchliche Daseinsgesetze erkannt und haben griechische Städte und das römische Imperium das ewige Wesen der Politik den späteren Geschlechtern vorgelebt. Sogar den Einwand, diese politische Existenz sei nicht Natur, erledigt ein zynischer Hinweis auf die Grausamkeit im Leben der Tiere, die Gier und Tücke, die in der Luft, auf der Erde, im Meer ihre Opfer erwürgt. Was Goethe unter Natur versteht, beruht auf Auswahl und Abstraktion. So auch die Goethesche Antike.

Doch diese Goethesche Antike deckt sich nun zu unserm Erstaunen so ziemlich mit dem Bild, das sich damals auch andere von der Antike machten und das in ganz Europa etwa ein Jahrhundert lang gültig blieb. Goethes Dasein mündet in die klassizistische Bewegung, die durch die Namen Raphael Mengs, Winckelmann, J.L.David, Canova, Thorwaldsen bezeichnet ist. Der Ausdruck «klassisch» will hier im Sinne dieser Bewegung verstanden sein.

Erstaunlich nennen wir es, daß Goethe sich dem Klassizismus einfügt, weil er doch offensichtlich von ganz anderen Voraussetzungen ausgeht als die Künstler um Raphael Mengs und Winckelmann, den er in Rom als seinen großen Lehrer verehren lernt. Winckelmann hatte 1755 seine «Gedanken über die Nachahmung der griechischen Werke» geschrieben und in den folgenden Jahren auf den Grundsätzen dieser Schrift die «Geschichte der Kunst des Altertums» aufgebaut. Die «edle Einfalt und stille Größe», die Würdigung des Konturs, der «auf die Spitze eines Haars gesetzet[52]» ist, sein Kanon und seine Regel des Schönen sind leidenschaftliche Proteste gegen die «massa perditionis», die

[52] Winckelmann, Gedanken über die Nachahmung, passim.

er im Dresdner Barock und in Rom in der Kunst Berninis vor Augen sah. Goethe, ein Menschenalter später, beachtet Bernini schon gar nicht mehr. Nur ganz selten hält er es noch für der Mühe wert, den Barock zu schmähen, in Venedig zum Beispiel vor Santa Maria della Salute oder, was uns verständlicher ist, vor dem «Unsinn des Prinzen Pallagonia[53]». Sonst ist dies längst für ihn erledigt. Wenn *er* die antike Kunst erhebt, so sucht er in ihr Erlösung von dem wilden Anspruch und den gestalt- und maßlosen Träumen seiner Jugend. Es ist, als liege die Antike, wie sie der Klassizismus auffaßt, in der Mitte zwischen der exuberanten Weltlichkeit des Barock und der Innerlichkeit des Sturm und Drang, als führe von entgegengesetzten Seiten ein langer Weg zum Ziel.

Wir verfolgen hier nur den Goetheschen Zugang. Da sollte es leicht sein einzusehen, daß die Antike und mit ihr die klassische Kunst der Renaissance in Fülle die Gegenstände bietet, die Goethes Schauen fordert, in denen sich sein beschwichtigter Rhythmus erfüllt. Er hatte von dem geschichtlichen Wandel, der sich innerhalb der Antike abspielt, jene summarische Kenntnis, die Winckelmanns Errungenschaft war, und bediente sich hin und wieder seines bescheidenen historischen Wissens mit Glück, so vor den Tempeln in Paestum, deren «stumpfe, kegelförmige, enggedrängte Säulenmassen[54]» ihm zuerst «lästig» (was so viel bedeutet wie ‚lastend‘), «ja furchtbar erschienen», mit denen er sich aber «in weniger als einer Stunde befreundet fühlte», indem er «sich zusammennahm», «der Kunstgeschichte erinnerte» und «der Zeit gedachte, deren Geist solche Bauart gemäß fand». Im allgemeinen ist ihm jedoch die Antike eine große Einheit. Unter den Werken, die er aufzählt und mit gleichmäßiger Zustimmung als Zeugen des Wahren und Schönen preist, befinden sich die Tempel in Agrigento vom 6. und 5. Jahrhundert v. Chr., der Apoll von Belvedere und die Medusa Rondanini, römische Kopien nach griechischen Originalen des 5. und 4. Jahrhunderts, der frühhellenistische Widder des Museums in Palermo, der späthellenistische Pferdekopf von Neapel, die sogenannte Juno Ludo-

[53] 9. April 1787.
[54] 23. März 1787.

visi, die sich neuerdings als Kopf einer Kolossalstatue der Mutter des Kaisers Claudius herausgestellt hat[55], und endlich sogar der Hippolytussarkophag vom 2. Jahrhundert n. Chr. In Schöpfungen so verschiedener Zeiten und Geister, die wir heute nicht gern auf einen gemeinsamen Nenner bringen, empfand er ein und dasselbe Glück und sah er das Heil der Menschheit umschlossen.

Zum erstenmal hören wir den vollen Klang des Entzückens in der Beschreibung des Maffeianums zu Verona. Der Anblick, den die Sammlung von späten Grabdenkmälern, Säulenresten und Inschriften bietet, ist dürftig genug. Goethe aber, vorbereitet durch die Schriften Lessings und Herders «Wie die Alten den Tod gebildet», prägt die unvergeßlichen Sätze, die uns die schönsten Grabreliefs des attischen Raums in Erinnerung rufen:

«Der Wind, der von den Gräbern der Alten herweht, kommt mit Wohlgerüchen wie über einen Rosenhügel. Die Grabmäler sind herzlich und rührend und stellen immer das Leben her. Da ist ein Mann, der neben seiner Frau aus einer Nische wie zu einem Fenster heraussieht. Da stehen Vater und Mutter, den Sohn in der Mitte, einander mit unaussprechlicher Natürlichkeit anblickend. Hier reicht sich ein Paar die Hände. Hier scheint der Vater, auf seinem Sofa ruhend, von der Familie unterhalten zu werden. Mir war die unmittelbare Gegenwart dieser Steine höchst rührend. Von späterer Kunst sind sie, aber einfach, natürlich und allgemein ansprechend. Hier ist kein geharnischter Mann auf den Knien, der eine fröhliche Auferstehung erwartet. Der Künstler hat mit mehr oder weniger Geschick nur die einfache Gegenwart der Menschen hingestellt, ihre Existenz dadurch fortgesetzt und bleibend gemacht. Sie falten nicht die Hände, schauen nicht in den Himmel, sondern sie sind hienieden, was sie waren und was sie sind[56].»

Wie Winckelmann vor den schlecht gepflegten Antiken in Dresden sieht Goethe hier «im ersten Zeichen Vollendetes schon» und fliegt «seinen kommenden Göttern voraus[57]». Denn alles

---

[55] Kommentar von Herbert von Einem, Hamburger Goethe-Ausgabe, XI, S. 616.
[56] 16. Sept. 1786.
[57] Hölderlin, Rousseau.

Wesentliche ist in dieser Schilderung bereits enthalten. Zweimal hebt Goethe die «Gegenwart» hervor, die Gegenwart der Steine und der dargestellten Menschen. Sie weisen nicht über sich hinaus in eine Sphäre, die unsere Phantasie sich beliebig ausmalen könnte. Sie schließen die Vorstellungskraft bestimmt mit ihrem Gegenstand zusammen. Aus demselben Grunde nennt er die Himmelfahrt Mariæ von Tizian im Dom zu Verona «lobenswert[58]», weil «die angehende Göttin nicht himmelwärts, sondern herab nach ihren Freunden blickt», der Künstler es also vermieden hat, in unbegrenztem Aufschwung in die himmlischen Räume die Willkür subjektiven Empfindens zu entfesseln. Mantegna in Padua, in der Kirche der Eremitaner[59] reiht sich an. Wieder fällt hier zweimal hintereinander das Stichwort «Gegenwart»:

«Was in diesen Bildern für eine scharfe, sichere Gegenwart dasteht! Von dieser ganz wahren, nicht etwa scheinbaren, effektklügelnden, bloß zur Einbildungskraft sprechenden, sondern derben, reinen, lichten, ausführlichen, gewissenhaften, zarten, umschriebenen Gegenwart, die zugleich etwas Strenges, Emsiges, Mühsames hatte, gingen die folgenden Maler aus...»

In einem Brief aus Bologna vernehmen wir dann die später noch oft wiederholte Klage über die falschen Gegenstände der christlichen Malerei:

«Man ist immer auf der Anatomie, dem Rabenstein, dem Schinanger, immer *Leiden* des Helden, nie *Handlung*. Nie ein gegenwärtig Interesse, immer etwas phantastisch Erwartetes[60].»

«Phantastisch von außen Erwartetes[61]» setzt die Buchausgabe noch hinzu, um keinen Zweifel darüber zu lassen, daß nur die Gegenwart des Kunstwerks die Einbildungskraft bestimmen soll.

Und diese Gegenwart wieder soll eine in sich selber ruhende, befriedigte, ausgeglichene sein. Wir kommen hier noch einmal auf den «geharnischten Mann auf den Knien» zurück, der «eine fröhliche Auferstehung erwartet». Goethe lehnt ihn ab, zunächst, weil durch den Harnisch etwas Historisch-Vergängliches auf

[58] 17. Sept. 1786.
[59] 27. Sept. 1786. Die Kapelle ist während des Zweiten Weltkriegs zerstört worden.
[60] Reisetagebuch, 19. Okt. 1786.
[61] 19. Okt. 1786.

Kosten der Natur, die in dem männlichen Körper sichtbar werden könnte, zu sehr betont ist, also aus demselben Grund, aus dem er die losere Kleidung der italienischen Bauern wohlwollend bemerkt und in der Beschreibung des Karnevals am Ende allen Reiz der Kostüme in dem allgemeinen Bild des natürlichen Lebens verschwinden läßt. Doch außerdem ist ihm der Ritter fatal, weil er sich überhaupt nicht als ein Wesen eigenen Rechts behauptet, sondern, schon durch das Knieen, seine irdische Existenz verleugnet und durch den Blick nach oben die Gegenwart der himmlischen Zukunft opfert. Wir sehen jetzt davon ab, daß eine solche Haltung die Phantasie in Räume verleitet, wo sie den Wünschen des Herzens nach Willkür frönen darf. Der Gegenstand an sich rückt aus dem Spielraum wahrer Kunst heraus, weil er sich selber in dem Augenblick seines Erscheinens nicht genügt, sondern, dem christlichen Geist gemäß, über alle Erscheinung hinaus gespannt ist. Und so verhält es sich mit jeder Darstellung von Leiden und Tod, sofern sie Tod und Leiden nicht – wie Raffaels «Transfiguration», die Goethe aufs höchste bewundert und gegen alle Kritik als Einheit verteidigt [62] – in einem größeren Ganzen, das gleichfalls erscheinen muß, aufzuheben vermag. Die Steine im Maffeianum machen auch deshalb einen so tiefen Eindruck, weil es Grabsteine sind, weil hier die holde Gegenwart des Lebens sogar die Schrecken des Todes besiegt:

«Der Wind, der von den Gräbern der Alten herweht, kommt mit Wohlgerüchen wie über einen Rosenhügel.»

Vor der Todesnacht der Katakomben dagegen weicht Goethe mit unüberwindlichem Widerwillen zurück.

Es fragt sich, ob auch nur das Alter ein würdiger Gegenstand der Kunst sei. Die antiken Meister haben kaum je Greise dargestellt. Der älteste unter den Göttern der großen griechischen Skulptur ist Zeus, ein Mann in der vollen Entfaltung der Kraft. Die meisten Götter und Göttinnen aber sind jugendlich, Artemis und Apoll, Athene, Hermes, Aphrodite. Raffaels Madonnen blühen in unbeschreiblichem Jugendreiz. Der $\dot{\alpha}\varkappa\mu\dot{\eta}$, dem höchsten Punkt der Erscheinung, wendet ein Schaffen sich zu, das «Schönes» – bedeute das Wort nun ‚Scheinendes‘ oder ‚Beschaubares,

[62] Bericht Dez. 1787.

Sehenswertes, Ansehnliches'[63] – hervorbringen will. Es liegt im Wesen der Kunst, die vollkommene Gegenwart dem Unentwikkelten oder Entschwindenden vorzuziehen.

Wir sind es heute nicht mehr gewohnt, dem Gegenstand des Künstlers solche Bedeutung zugeschrieben zu finden. Die impressionistische sowohl wie die expressionistische Malerei, erst recht die Neigung zum Abstrakten in der Kunst der letzten Jahrzehnte hat uns dem Kunstbedürfnis entfremdet, das nur durch schöne Darstellung des Schönen, das Simonideische ἄγαλμα καλοῦ καλόν, zu befriedigen ist. Eher fühlen wir uns versucht, die Leistung des Künstlers um so höher einzuschätzen, je unansehnlicher die Gegenstände sind, die er wählt. Das Eigentümliche seiner Begabung, das Seltene, Außerordentliche seiner schöpferischen Persönlichkeit, die uns vor allem anzieht, feiert dann den glänzendsten Triumph. Goethe weist auch da den übertriebenen Anspruch des Einzelnen ab; ein Übergewicht der schöpferischen Freiheit ist ihm verdächtig und unangenehm wie alles unüberprüfbare Schalten einer entfesselten Phantasie. Unzählige Male versichert er, die Wahl der Gegenstände sei das A und O der bildenden Kunst, und ohne rechte Gegenstände vermöge der Künstler nichts Rechtes zu schaffen. Im Norden, wo schöne, wahre, natürliche Gegenstände selten sind, mag dieser Rat einschüchternd wirken. Im Süden empfiehlt er sich von selbst und weist den künftigen Meister auf den Weg des geringsten Widerstands. Freilich wird oft nur der Begabte den Wert eines Gegenstandes erkennen, wie Goethe selber erst das zweite Mal im römischen Karneval Sinn und Zusammenhang wahrgenommen hat. Die Frage vertieft und verflicht sich, je länger die italienische Reise währt. In den Loggien und Stanzen und in der Sistina fällt die Antwort, ob der Künstler recht gehandelt habe, bei aller Gewalt der Wirkung nicht ebenso leicht wie vor den Steinen im Maffeianum. Grundsätzlich ändert sich aber nichts. Mit einer Hartnäckigkeit, die neuere Kunsthistoriker irritiert, hält sich Goethe in seinen Würdigungen der großen Meisterwerke bei der Beschreibung des Gegenstands auf. Man mag dies freilich auch daraus erklären, daß er den Freunden in Weimar,

[63] Nach Kluge und Grimm.

die noch keine Kunsthandbücher besitzen, die Sache zuerst einmal vorstellen muß. Doch selbst wenn er auf die Größe des Künstlers und seine Leistung zu sprechen kommt, ist immer nur von dem Einen die Rede, ob er der Forderung seines Gegenstands gerecht geworden ist, ob er den Vorfall, das Ereignis ins günstigste Licht zu rücken gewußt hat. Dann ist ihm dies nach Goethe geglückt, wenn er das Mannigfaltige, das ihm die Bibel oder die Sage bietet, in einer Einheit zusammenfaßt, die alle Momente klar gruppiert und uns an keiner Stelle nötigt, über das Bild hinauszugehen, uns etwas noch hinzuzudenken, und wenn das Ganze in einem Augenblick kulminiert, der sich selber genügt. Gelegentlich finden sich Andeutungen über verschleierte Symmetrie, Faltenwurf und, bei einigen Fresken, über die Ausnützung des Raums. Im allgemeinen bestimmt sich aber für Goethe der Wert eines Bildes nach der Art, wie der Maler das Sukzessive ins Simultane des Raums auflöst. Als Beispiel diene die Beschreibung des Raffaelschen Kartons, der den Tod des Ananias, nach Apostelgeschichte, Kapitel 5, darstellt:

«Wenig Kompositionen wird man dieser an die Seite setzen können; hier ist ein großer Begriff, eine in ihrer Eigentümlichkeit höchst wichtige Handlung in ihrer vollkommensten Mannigfaltigkeit auf das klarste dargestellt.

Die Apostel als fromme Gabe das Eigentum eines Jeden, in den allgemeinen Besitz dargebracht, erwartend; die heranbringenden Gläubigen auf der einen, die empfangenden Dürftigen auf der andern Seite, und in der Mitte der Defraudierende gräßlich bestraft: eine Anordnung, deren Symmetrie aus dem Gegebenen hervorgeht und welche wieder durch die Erfordernisse des Darzustellenden nicht sowohl verborgen als belebt wird; wie ja die unerläßliche symmetrische Proportion des menschlichen Körpers erst durch mannigfaltige Lebensbewegung eindringliches Interesse gewinnt.

Wenn nun bei Anschauung dieses Kunstwerkes der Bemerkungen kein Ende sein würde, so wollen wir hier nur noch ein wichtiges Verdienst dieser Darstellung auszeichnen. Zwei männliche Personen, welche herankommend zusammengepackte Kleidungsstücke tragen, gehören notwendig zu Ananias; aber wie will man hieraus erkennen, daß ein Teil davon zurückgeblieben und dem Gemeingut unterschlagen worden? Hier werden wir aber auf eine junge hübsche Weibsperson aufmerksam gemacht, welche mit einem heitern Gesichte aus der rechten Hand Geld in die linke zählt; und sogleich erinnern wir uns an das edle Wort: ‚Die Linke soll nicht wissen, was die Rechte gibt‘, und zweifeln nicht, daß hier Saphira gemeint sei, welche das den Aposteln einzureichende Geld abzählt, um noch einiges zurückzubehalten, welches ihre heiter listige Miene anzudeuten scheint. Dieser Gedanke ist erstaunenswürdig und furchtbar, wenn man sich ihm hingibt. Vor uns der Gatte, schon verrenkt und bestraft am Boden in gräßlicher Zuckung sich windend; wenig hinterwärts, das Vorgehende nicht gewahr werdend, die Gattin, sicher arglistig sinnend, die Göttlichen zu bevorteilen, ohne Ahnung, welchem Schicksal sie entgegengeht. Überhaupt steht dieses Bild als ein ewiges Problem vor uns da, welches wir immer mehr bewundern, je mehr uns dessen Auflösung möglich und klar wird [64].»

So beschreibt ein Bild der Dichter, der seine der Zeit verschriebene Kunst, die nie verharrt und in jedem Augenblick Kommendes vorbereitet und an vergangene Augenblicke erinnert, in die stehende Gegenwart der bildenden Künste aufzulösen oder noch lieber, ohne seinen Vorteil einzubüßen, mit ihren Vorteilen zu vereinigen sucht. Und so beschreibt ein Bild der Denker, der einen zuverlässigen Grund seiner Urteile zu gewinnen versucht und am sichersten zu verfahren glaubt, wenn er die Größe des Künstlers nach der Kraft der Sachlichkeit bemißt. Er wird uns Bedeutendes über große Kompositionen zu sagen wissen, doch wenig über das Kolorit. Es fällt denn auch auf, daß Goethe sich in der Regel über die Farben ausschweigt. Nur am Anfang seiner Reise, wo er noch tastet und Eindrücke nicht genau von Erkenntnissen unterscheidet, so bei den Guercinos in Cento und Bologna, ist öfter von Farben die Rede, dann wieder zuletzt, im Frühling 1788 in Rom, wo es heißt:

«Ferner habe ich allerlei Spekulationen über Farben gemacht, welche mir sehr anliegen, weil das der Teil ist, von dem ich bisher am wenigsten begriff. Ich sehe, daß ich mit einiger Übung und

[64] Zweiter römischer Aufenthalt, Päpstliche Teppiche.

anhaltendem Nachdenken auch diesen schönen Genuß der Welt-
oberfläche mir werde zueignen können[65].»

,Zueignen' bedeutet: begreifen, etwas in seiner Gesetzlichkeit
verstehen, der Willkür und dem Belieben entrücken. Der «schöne
Genuß» war schon immer vergönnt. Er harrt nun seiner Rechtfertigung. Unter Angelika Kauffmanns freundlichem Beistand
setzen die Studien ein, die später zu dem ästhetischen Abschnitt
der Farbenlehre gediehen sind. Freilich kommt das Begreifen hier
nie über gröbste Allgemeinheiten hinaus. In ihren zarteren Abstufungen bleiben die Farben der Maler für Goethe immer ein
unlösbares Problem. Und zweifellos bestimmt auch dies wo nicht
die Richtung seines Geschmacks so doch die Richtung seines
höheren, auf das Ganze des Kosmos zielenden Interesses an der
Kunst. Er äußert sich lieber über Bilder, in denen die Zeichnung
wesentlich ist; und vielleicht noch unbesorgter sieht er sich um
im Bereich der Skulptur[66], wo er mit seinen osteologischen Kennt-
nissen weiter zu kommen hofft.

Den letzten Schlüssel glaubt er aber schon früh in der Baukunst gefunden zu haben, und zwar in den Bauten Palladios.

Es ist bekannt, wie unbedingt er diesen letzten großen Meister
der Renaissancearchitektur verehrte. Schon vor dem Antritt der
italienischen Reise war ihm der Name aus den Erzählungen seines
Vaters und aus Kupferstichdarstellungen bekannt. Doch erst in
Vicenza und Venedig bekam er jenen kanonischen Klang, der
noch im Jahre 1815 Sulpice Boisserée zur Verzweiflung brachte
und zu dem Ausruf bewog: «Bis ins Grasseste nichts als Palladio
und Palladio[67]!» Palladio ist für Goethe «ein recht innerlich und
von innen heraus großer Mensch[68]». Palladio eröffnet ihm «den
Weg zu aller Kunst und Leben», «wie Jakob Böhme bei Erblik-
kung einer zinnernen Schüssel über das Universum erleuchtet
wurde[69]». Palladio und Raffael verdienen «unbedingt ... das Beiwort ,groß'[70]». Noch in Rom nennt Goethe das «größte Werk

[65] 1. März 1788.
[66] Vgl. den Brief an Herder vom 27. Dez. 1788.
[67] Gespräche, 8. Aug. 1815.
[68] Reisetagebuch, 19. Sept. 1786.
[69] Reisetagebuch, 4. Okt. 1786.
[70] Reisetagebuch, 19. Okt. 1786.

der innern Großheit nach[71]», das er je gesehen, die Villa Rotonda. Und wäre die Carità in Venedig «fertig, so würde vielleicht kein vollkommner Stück Baukunst jetzt auf der Welt existieren[72]».

Ein solches Ausmaß von Verehrung ist für uns Heutige, so hoch wir Palladio schätzen mögen, schwer verständlich, und gerne wüßten wir genau, wie Goethe sie begründet hat. Aber da geben uns die Dokumente keine genügende Auskunft. Der Aufsatz «Baukunst», der die Summe ziehen sollte, blieb Fragment. Und aus den Briefen aus Italien ist wenig zu holen, was über Versicherungen und Beteuerungen hinausgeht. Dies Wenige immerhin sei vermerkt.

Wir haben uns damit abzufinden, daß Goethe Palladio gegen die einst so hochgeschätzte Gotik ausspielt. In Straßburg war ihm das Münster als «notwendiges», «schönes» Kunstwerk erschienen; und wenn er es damals mit einem erhabenen, zum Himmel strebenden Baum verglich[73], so galt es ihm offenbar auch als «Natur». Dieselben Prädikate überträgt er jetzt auf Palladio. Nichts könnte uns den Wandel seiner Anschauungen deutlicher machen. «Schön», «notwendig» und «natürlich» ist jetzt nicht mehr, was in einem gewaltigen Zug nach oben, in die blaue Unendlichkeit Gottes wächst, sondern was sich im Widerspiel von Vertikale und Horizontale, von Säulen und Giebeln das Gleichgewicht hält, was wohl sogar, wie die Villa Rotonda, dieser klassische Zentralbau, in sich selber kreisende Vollkommenheit dem Auge darstellt[74]. Goethe wirft sodann der Gotik die «kauzenden, auf Kragsteinlein übereinandergeschichteten Heiligen ... die Tabakspfeifensäulen, spitzen Türmlein und Blumenzacken[75]» vor. Kleinlich also ist diese Kunst, gerade sie, die so hoch hinaus will. Sie steht in schroffem Gegensatz zu Palladios Kirchen und Palästen, bei denen *ein* Gesims die ganze Breite und oft genug *eine* Säulenordnung die Höhe zusammenfaßt. Ein gotisches Gebäude zwingt uns, vom einen zum anderen überzugehen, bis die gleitende

[71] Reisetagebuch, 7. Nov. 1786.
[72] Reisetagebuch, 5. Okt. 1786.
[73] Vgl. Bd. I, S. 137.
[74] Vgl. Peter Meyer, Europäische Kunstgeschichte, Zürich 1948, S. 110f.
[75] 8. Okt. 1786.

Betrachtung sich im Grenzenlosen verliert. Ein Renaissance-
bau verschafft der denkenden, Nahes und Fernes in ein gediegenes Simultanes verbindenden Umsicht das klar antwortende
Gegenbild.

Außerdem enthält der Vorwurf gegen die Gotik eine Kritik
am Gebrauch des Materials, des Steins. «Tabakspfeifensäulen»
werden der Würde des Baustoffs nicht gerecht. Dieselbe Be-
schwerde richtet sich gegen jene Gebäude des Hochbarock, die
Goethe überhaupt noch ansieht, und gegen die «Taschenkrebs-
fassade[76]» von San Marco in Venedig. Man darf vermuten, daß
auf dieser Würdigung des Baustoffs, wenigstens zum Teil, auch
der Vorzug beruht, den Goethe Palladio gegenüber anderen
Renaissancearchitekten gewährt. Sansovino mochte ihm schon zu
zierlich erscheinen, und Samichelis Fassaden, von denen er
einige in Verona zu sehen Gelegenheit hatte, mochten ihm auf-
geklebt vorkommen. Jedenfalls fand er die Säulen nirgends so
selbstverständlich in das Ganze eines Gebäudes einbezogen wie
bei dem Meister, der für ihn der Meister aller Meister war.
Darüber äußert er sich bereits, wie er kaum in Vicenza angelangt ist:

«Die größte Schwierigkeit ist immer, die Säulenordnungen in
der bürgerlichen Baukunst zu brauchen. Säulen und Mauern zu
verbinden, ist ohne Unschicklichkeit beinahe unmöglich... Aber
wie er das durcheinander gearbeitet hat, wie er durch die Gegenwart seiner Werke imponiert und vergessen macht, daß es Ungeheuer sind! Es ist wirklich etwas Göttliches in seinen Anlagen,
völlig die Force des großen Dichters, der aus Wahrheit und Lüge
ein drittes bildet, das uns bezaubert[77]».

Von dieser Bildung eines Dritten aus Wahrheit und Lüge handelt dann insbesondere der Aufsatz über die Baukunst. Goethe
spricht von «Fiktion» und meint damit also in erster Linie die
Anwendung antiker Säulen, wo Säulen nach der gesamten Struktur des Bauwerks nicht mehr nötig sind.

«Hierinne hat niemand den Palladio übertroffen, er hat sich
in dieser Laufbahn am freiesten bewegt, und wenn er ihre Gren-

[76] Reisetagebuch, 29. Sept. 1786.
[77] Reisetagebuch, 19. Sept. 1786.

zen überschritt, so verzeiht man ihm doch immer, was man an ihm tadelt[78].»

Ein Satz, der uns nachdenklich stimmen muß. Man könnte ihn so auslegen, daß die Antike bei Palladio, in der veränderten neuen Zeit, überhaupt nichts anderes mehr als Fiktion sei, und hätte damit ein Hauptproblem der Kunst der Renaissance und des ihr folgenden Klassizismus berührt.

Aufgewogen wird dies nun aber, für Goethe wenigstens, wieder dadurch, daß Palladio seine Kunst, im Geist der Renaissance, zugleich als Wissenschaft verstanden und sich in seinen «Vier Büchern von der Architektur» darüber geäußert hat. Goethe haben die Schriften ebenso viel geboten wie die Bauten. Ja, erst nach der Lektüre fällt es ihm «wie Schuppen von den Augen ... geht der Nebel auseinander ... und erkennt er die Gegenstände[79]». Denn er macht sich ja selber daran, die Kunst in der Wissenschaft zu verankern, und hofft, des Ruhms der Wahrheit in jedem Sinne des Wortes teilhaftig zu werden. Wenn aber Palladio «das» Wahre, bewiesene Proportionen und Maße, in seinen Gebäuden verwirklicht hat, dann spricht es nicht mehr gegen ihn, sondern gegen die neuere Zeit, wenn seine Kunst in ihrem Rahmen nur noch Fiktion sein kann.

Vielleicht noch nicht in seinen Begriffen, aber in seinen Anschauungen finden wir Goethe also bereits gefestigt, als er in Rom ankam. Er war nicht ausgezogen, um fremde Länder und Menschen zu bestaunen und einen Vorrat von Seltsamkeiten für seine Freunde heimzubringen. Auch das historische Interesse, das für das folgende und für unser Jahrhundert so selbstverständlich ist, daß wir uns eine Reise kaum mehr anders vorzustellen vermögen, war für Goethe, obwohl er in Herders Schule gewesen, nicht verbindlich. Eher drohte ihm von dieser Seite die Gefahr der Zerstreuung, des Irrewerdens an seinem Ziel, wie Faust in einem ersten Entwurf der «Klassischen Walpurgisnacht» Gefahr läuft, über dem ungeheuren Andrang der verschiedenartigsten Gestalten der Vergangenheit das *eine* Bild, das ihm bestimmt ist, Helena, aus dem Blick zu verlieren. Wer dies bedenkt, wird

[78] XIII, 112.
[79] Reisetagebuch, 30. Sept. 1786.

40

Goethe nicht tadeln, daß er so vieles gar nicht zu sehen begehrte und so vieles, was er sah, nicht wahrnahm und bewahrte, daß er in Padua an Giottos Fresken blind vorüberging, in Florenz sich – auf dem Hinweg – nur flüchtig umzusehen wagte, in Assisi von den «ungeheuren Substruktionen der babylonisch übereinander getürmten Kirchen[80]» mit Verachtung sprach und statt dessen architektonische Reize von Maria della Minerva herauszutüfteln versuchte, daß endlich in Sizilien die ganze normannische Kultur vor seinem landschaftstrunkenen, von Homer erfüllten Auge verschwand. Denn es ging hier wahrhaftig nicht darum, neue Blätter der Kultur- und Kunstgeschichte zu beschreiben. Dies mochte nebenbei, in sehr begrenzter Weise, zwar auch geschehen, so, daß die «Italienische Reise» immerhin in den Archiven der Kunstgeschichte verzeichnet werden muß. Doch vollen Sinn gewinnt sie nur als lebensgeschichtliches Dokument. Schritt um Schritt verfolgen wir, wie Goethe sich von einer ihm ungemäß gewordenen Welt befreit und eine beklemmende Einsamkeit mit dem Gefühl vertauscht, einer ungeheuren Weite gegenwärtigen und vergangenen Lebens mit Leib und Geist und Seele anzugehören.

Nach vielen einzelnen Bestätigungen steigerte dieses Gefühl sich zu unerschütterlicher Gewißheit in Rom, und zwar so, wie längst Geahntes, Vorhergesehenes, in tausend Zeichen Angedeutetes schließlich doch über den Menschen hereinbricht: als ein Wunder, das alle Erwartung übertrifft. Goethe verstummt und entschuldigt sich seinen Freunden gegenüber, wenn er «künftig wortkarg erfunden[81]» werden sollte. «Ja, man täte wohl», so meint er, «wenn man, jahrelang hier verweilend, ein pythagoreisches Stillschweigen beobachtete.» Dazu durfte er sich in seiner Lage freilich nicht entschließen. In Weimar wollte man wissen, was er mit seiner freien Zeit anfange. So fuhr er denn fort zu berichten, aber, wie leicht zu erkennen ist, nicht mit derselben Beredsamkeit wie zu Beginn. Er hatte zu sehr das Bewußtsein, die große Schule von vorn anfangen zu müssen, und mochte auch, mit Grund, bezweifeln, daß die Freunde imstande seien, in ihrem kläglichen deutschen Zustand seinen Anschauungen zu

[80] 26. Okt. 1786.
[81] 7. Nov. 1786.

folgen. Auf gründliche Belehrung scheint er ein für allemal zu verzichten. Doch für sich selber gewinnt er während des zweiten römischen Aufenthalts Klarheit. Das spricht er aus in Worten, die das letzte Glück der Erkenntnis besiegeln:

«Ihr wollt von *mir* wissen!» schreibt er am 23. August 1787, «Wie vieles könnt' ich sagen! denn ich bin wirklich umgeboren und erneuert und ausgefüllt. Ich fühle, daß sich die Summe meiner Kräfte zusammenschließt, und hoffe noch etwas zu tun.»

Und am 6. September desselben Jahres:

«Diese hohen Kunstwerke sind zugleich als die höchsten Naturwerke von Menschen nach wahren und natürlichen Gesetzen hervorgebracht worden. Alles Willkürliche, Eingebildete fällt zusammen, da ist die Notwendigkeit, da ist Gott.»

Es lag in Goethes Natur, sich mächtigen Einwirkungen gegenüber sogleich produktiv zu verhalten. So nahm er in Italien seine Zeichenkünste wieder hervor, strebte sich unter Hackerts Leitung zum Landschaftsmaler auszubilden und ging in den letzten Wochen des zweiten römischen Aufenthalts zum Modellieren des menschlichen Körpers über. Hin und wieder ist jemand bereit, auch diesen Versuchen eine gewisse künstlerische Bedeutung zuzubilligen. Aber schon über Tischbein und Hackert würde man heute kaum mehr sprechen, hätten sich ihre Bahnen nicht zufällig mit Goethes Bahn gekreuzt. Und Goethe bleibt zweifellos sogar hinter diesen bescheidenen Künstlern zurück. Mehr als einen sorgfältigen Dilettantismus wird in den unzähligen Zeichenblättern niemand erkennen, der nicht von seinem Namen bestochen ist.

Doch wenn sie an sich kaum Wert besitzen, sind sie um so bedeutungsvoller für die Ausbildung des Dichters. Im Zeichnen übt und kräftigt sich der Sinn für gegenständliche Darstellung, für reinliche Konturen, der in den Werken der neunziger Jahre sein Licht über alle Dinge verbreitet. Erst nach der Rückkehr erntet Goethe also die Früchte seiner Geduld. In Italien war das Klima seiner Poesie nicht günstig. Zwar berichtet er immer wieder von einigen größeren dichterischen Plänen, als gelte es, in Weimar über den Urlaub Rechenschaft abzulegen. Aber nur wenig kommt zustande. Die «Iphigenie auf Tauris» wird in jambische Blankverse umgegossen, in eine Form, der sich bereits die letzte voritalienische Fassung beträchtlich angenähert hat. Die «Iphigenie in Delphi» dagegen, die eine Szene enthalten sollte, wie «nicht leicht etwas Größeres und Rührenderes auf dem Theater gesehen worden[82]», bleibt schon im ersten Anlauf stecken. Auch «Torquato Tasso» wird in Italien noch nicht abgeschlossen. «Erwin und Elmire» und «Claudine von Villa Bella» nehmen sich in der loseren älteren Fassung eher vorteilhafter aus als in den klassischen, ihrer Rokokoanmut ungemäßen Versen. Von einer «Nausikaa» liegen Skizzen und einige fragmentarische Szenen von freilich zartester Schönheit vor. Die Arbeit am «Faust» beschränkt sich auf eine erste Fassung der «Hexenküche» und Teile der Szene «Wald und Höhle». Der «Egmont» wird mit Energie, aber auch gewaltsam, ohne Glück und Schöpferruhe, zu Ende geführt.

Abgesehen von der «Nausikaa» und von der «Iphigenie in Delphi» ist es also noch immer das unerledigte Programm einer Komplettierung der bei Göschen erscheinenden Gesamtausgabe, das Goethe zu bewältigen hofft[83]. Er macht sich nebenbei an das Geschäft, wenn er seekrank ist oder wenn ihn das Schauen und Zeichnen ermüdet hat. Spuren einer gewissen Nachlässigkeit, eines Mangels an Konsequenz und langanhaltender Besinnung lassen sich, bei herrlichen Einzelheiten, überall leicht erkennen.

Auffällig, aber dann wohl begreiflich ist insbesondere der Umstand, daß der lyrische Quell fast ganz versiegt. Während der eineinhalb Jahre einer unbeschränkten Muße sind, außer den beiden für eine Oper bestimmten «Cophtischen Liedern», die hier nicht zählen, nur zwei Gedichte zustande gekommen. Begreiflich ist das insofern, als die Goethesche Lyrik, unmittelbarer als epische und dramatische Dichtung, dem leidenschaftlich aufgeregten, liebestrunkenen Herzen entströmt und alle Leidenschaft nun der Willkür und Zufälligkeit bezichtigt wird.

Unter diesem neuen Zeichen steht die Begegnung mit Maddalena Riggi, der schönen Mailänderin. In den Briefen äußert sich

[82] Vgl. Bd. I, S. 384.
[83] Vgl. Bd. I, S. 526.

Goethe darüber, aus Scheu vor Frau von Stein, nur mit der größten Zurückhaltung. Wir sind also angewiesen auf den Jahrzehnte später entstandenen Bericht, in dem die Episode sich zu einer von Innigkeit durchströmten, von der Wehmut des Versäumten und dem Glück verschwiegener Liebesgewißheit erfüllten Novelle gestaltet. Danach hat sich Goethes Neigung «blitzschnell und eindringlich genug[84]» entschieden, «wie es einem müßigen Herzen zu gehen pflegt, das in selbstgefälligem ruhigem Zutrauen nichts befürchtet, nichts wünscht, und das nun auf einmal dem Wünschenswertesten unmittelbar nahe kommt». Alsbald beschäftigt den Liebenden aber der Einfluß, den die Liebe auf sein Schauen und Erkennen übt:

«Ich schweifte mit meinem Blick in die Runde, aber es ging vor meinen Augen etwas anders vor als das Landschaftlich-Malerische; es hatte sich ein Ton über die Gegend gezogen, der weder dem Untergang der Sonne noch den Lüften des Abends allein zuzuschreiben war. Die glühende Beleuchtung der hohen Stellen, die kühlende blaue Beschattung der Tiefe schien herrlicher als jemals in Öl oder Aquarell; ich konnte nicht genug hinsehen, doch fühlte ich, daß ich den Platz zu verlassen Lust hatte, um in teilnehmender kleiner Gesellschaft dem letzten Blick der Sonne zu huldigen[85].»

Die Gegenstände verwandeln sich! Ein Seelenlicht liegt auf der Landschaft, das sich der Künstler und Kenner in gültiger Weise nicht zu erklären vermag, das sachlich nicht begründet ist und doch ganz objektiv zu sein scheint. Aus dieser Verwirrung ist das Gedicht «*Amor als Landschaftsmaler*» entstanden, das halb im Scherz, halb resigniert die angenehme Störung schildert, die der Mutwille des Liebesgottes in einer gesicherten Gegenständlichkeit anzurichten sich untersteht. Es ist ein deskriptives Stück, ganz ohne lyrischen Schmelz und Klang, in leichten ungereimten Trochäen, die ebensowenig Musik aufkommen zu lassen wie feste Bilder zu sondern und zu umreißen imstande sind. Beispiel also eines noch unentschiedenen, übergänglichen Stils.

Zwischen freien Rhythmen und der Ordnung von antiken

[84] Bericht Okt. 1787.
[85] Bericht Okt. 1787.

44

Strophen schwankt auch das zweite Gedicht: «*Cupido, loser eigensinniger Knabe!*» Es dürfte ein paar Tage später entstanden sein, als Goethe wußte, die schöne Mailänderin sei Braut, und gezwungen war, «sich zusammenzunehmen». In dem Bericht erzählt er, wie er die Einsamkeit aufsuchte und, durch Jahre und Erfahrung belehrt, sein Schicksal mit den Worten bedachte:

«Es wäre wunderbar genug, wenn ein wertherähnliches Schicksal dich in Rom aufgesucht hätte, um dir so bedeutende, bisher wohlbewahrte Zustände zu verderben.»

Er war, trotz allem, weit von einem wertherähnlichen Zustand entfernt. Sogar in den ziemlich trübseligen Strophen meldet sich etwas von dem, was Werther völlig abgeht, von Humor. Und bald ist die Gegenwart der großen Kunst und Natur wieder mächtig genug, ihn seinen Schmerzen zu entreißen und das Bild der bezaubernden, von Trauer und Güte verklärten Fremden in den Hintergrund zu drängen und jenem seltenen, stillen, geheimen Erinnerungsspiel zu überlassen, das menschliche Tage und Nächte als kaum verstandene Melodie durchzieht.

Viel stimmungsträchtiger als die Gedichte ist das Fragment «*Nausikaa*», das, vor der Begegnung mit Maddalena Riggi entworfen und in den wenigen Versen vermutlich auch ausgeführt, das nahe Schicksal ähnlich voraussagt wie «Jägers Abendlied» die Begegnung mit Frau von Stein und die ersten Lieder des «Divan» die Nähe Suleikas. Der unbeschreibliche, gleichsam unter dem blauen Himmel Siziliens schwingende, von Erinnerung bebende und dennoch in dem Gleichmaß homerischer Verse, den großen epischen Vokabeln aufgefangene Klang der ersten Rede des Ulysses, die «sirenenhafte[86]» Süße in den Worten Nausikaas, das weite Feld, das Schemata und Skizzen der Phantasie eröffnen, Bewunderung und Liebe also haben schon manchen Erklärer bewogen, eine tragische Erfindung von besonderem Tiefsinn aus den wenigen Blättern herauszulesen, als ob der Tiefsinn und zumal die «Tragik» in jener Bedeutung des Worts, die erst die idealistische Philosophie herausgearbeitet hat, an sich schon irgend etwas zum Wert eines Dramas beizutragen vermöchten.

[86] Vgl. Rud. Bach, Nausikaa, Geschichte eines Fragments, Goethe-Viermonatsschrift, 1940, 1. Heft, S. 3 ff.

Nun läßt sich freilich nicht leugnen, daß die «Nausikaa» ein uns bereits aus Goethes Jugend wohlbekanntes und oft bedachtes Schicksal darstellt: die Annäherung des ruhelosen, wandernden, im übertragenen Sinne «wandelbaren» Mannes an die Frau, die «sich immer gleich bleibt[87]», in fest umzirkten Räumen wohnt und, da jener fortzuschreiten, immer nur zu bewahren gedenkt. Ähnlich standen sich schon Weislingen und die Schwester Götzens, Clavigo und Marie Beaumarchais, Stella und Ferdinand, Faust und Gretchen gegenüber. Jedesmal hat Goethe, zu seiner Buße, den Mann so schwer belastet, daß das Gleichgewicht von Spiel und Gegenspiel gefährdet war. Doch wesentlicher als die allzu schwere einzelne Verschuldung blieb die Unvereinbarkeit der Liebe, die sich ewig fühlt und auch am Ewigen Anteil hat, in der die Zeit erlischt, mit dem Gesetz des Werdens, das ebenso tief im menschlichen Leben begründet ist und gleiche Anerkennung heischt. Insofern durfte man jene Stücke freilich «tragisch» im metaphysischen Sinne des Begriffes nennen.

In der «Nausikaa» jedoch ist Goethe entschlossen, einen antiken Stoff nach Möglichkeit antik zu behandeln, also in jenem Geist, den ihm die italienische Reise eben erst erschlossen hat. Das bedeutet aber, daß er sich auf die nordischen Selbstquälereien, auf die Gewissensskrupel und das auswegslose Hin und Wider des verdüsterten Gemüts nicht mehr einzulassen gedenkt, sondern den Konflikt aus der Innerlichkeit in die äußere Lage verlegt und durchaus objektiv begründet, was ja durch die Wahl des Stoffes ohnehin geboten schien. Müßig ist es demnach, lange über Schuld und Unschuld des Ulysses zu Gericht zu sitzen und zu fragen, ob die Ausführungen der «Italienischen Reise» sich in dieser Hinsicht von den ersten Entwürfen unterscheiden. Die «Schuld» des Helden ist denkbar einfach. Er tritt als der erstaunliche Fremde in einen Kreis idyllischen Glücks, regt ihn durch sein bloßes Dasein auf und richtet Unheil an. Ob er sich durch Lügen zu schützen versucht oder nicht, bekümmert uns wenig. Was wir sittlichen Charakter nennen, spielt hier keine Rolle. Ulysses ist nicht mehr der *wandelbare*, er ist nur der *wandernde* Mann. Nicht ein Geist, der zu den Sternen greift, der die Geliebte sogar im Augen-

[87] Vgl. Bd. I, S. 259.

blick der Umarmung um einer höheren Ahnung willen verrät, sondern die Geschichte seiner abenteuerlichen Fahrten ist es, was Nausikaa betört; und nicht einmal das Bleiben oder Scheiden liegt in seiner Wahl.

Für seelische Konflikte also bietet sich hier wenig Raum. Auch was sich in Nausikaa ereignet, das Erwachen ihrer Liebe, das übereilte Geständnis, Scham und Verzweiflung, ist alles so schlicht, daß man sich fragt, wie Goethe fünf Akte hätte damit bestreiten können. Er rechnete aber mit dem Zauber, von dem er selber durchdrungen war, dem Reiz der sizilischen Küsten und Berge, des gartengleichen Landes, und vertraute der Überredungskraft, die homerischen Szenen innewohnt.

Schon auf einer der ersten Etappen der Reise kommt Homer zur Sprache. Der Plan zu einem Trauerspiel «Ulysses auf Phäa» begleitet Goethe auf dem Weg von Bologna nach Rom. In Foligno fühlt er sich «völlig in einer homerischen Haushaltung, wo alles um ein Feuer in einer großen Halle versammelt ist und schreit, lärmt, an langen Tischen speist, wie die Hochzeit von Kana gemalt wird [88]». Er scheint sich aber doch nicht sehr klar an die Odyssee erinnert zu haben. Denn in den ersten Entwürfen verwechselt er den Namen seiner Heldin noch mit dem Namen ihrer Mutter und läßt eine Königstochter Arete dem göttlichen Dulder entgegentreten. Erst wie er sich in Sizilien einen Homer beschafft, bricht die homerische Welt auf seine Einbildungskraft herein, nun aber so, daß es kein Entrinnen gibt und daß er über dem Vorsatz, eine aus Homer geschöpfte Tragödie zu schaffen, «den größten Teil seiner sizilianischen Reise verträumt [89]». Angesichts der schaumbereiften Buchten und Inseln, zwischen Skylla und Charybdis, unter Fischern und Hirten versenkt er sich so innig in das göttliche Gedicht, daß er selber mehr und mehr in Odysseus' Namen denkt und fühlt. Der botanische Park in Palermo wird ihm zum Garten des Königs Alkinoos, das Wirtshaus «Zum Goldenen Löwen» in Catania zur Höhle des Polyphem; und wieder glaubt er dem Kyklopen bei dem cholerischen Gouverneur in Messina ausgeliefert zu sein. Unbedingter haben

[88] Reisetagebuch, 26. Okt. 1786.
[89] 8. Mai 1787, aus der Erinnerung.

sich Wilhelm Meister und der junge Goethe nicht an Shakespeare angeschlossen, als der reife Mann sich nun der dichterischen Welt Homers überläßt. Er selber mochte sich freilich jetzt in einer ganz anderen Lage sehen. Als er Shakespeare las, steigerte sich sein Selbstbewußtsein ins Ungeheure. Unter der Sonne Homers dagegen fand er sich von sich selber erlöst und gleichsam ausgegossen in das wahre, ewige Gefühl, das allen Menschen, die sich selbst nicht Zwang antun, gemeinsam ist und das der Held der Odyssee, der unvergängliche Wanderer, allen Zeiten und Völkern vorgefühlt hat. Vielleicht hat Goethe sich in Sizilien nur deshalb dem Zauber der sonst vermiedenen Stimmung anzuvertrauen gewagt und in der «Nausikaa» so gelöste, musikalische Verse geschrieben, weil er sein eigenes Dasein im homerischen aufgehoben und so gegen Willkür und Zufall gesichert glaubte.

Heute meinen wir zu wissen, daß dieser Glaube eine glückliche Illusion gewesen sei. Denn wenn, von Goethe aus betrachtet, die italienische Reise als Erlösung vom «Ich, des unbefriedigten Geistes düstern Wegen», erschien, so werden wir den Goetheschen Zug in der Antike, die ihm aufging, und zumal in seinen homerischen Spiegelungen nicht verkennen. Er griff die Nausikaa-Szenen heraus und bewies damit, daß ihm ein Liebesgeschick des Odysseus besonders naheliege. Doch was *er* unter Liebe verstand, ist im Homer noch nicht zu finden. Odysseus eignet sich ohnehin wenig, so wenig wie der Faust der Sage, für die Rolle des liebenden und noch weniger des verzichtenden Mannes. Er staunt bei Homer zwar die den Unsterblichen ähnliche Bildung Nausikaas an. Doch seine Verehrung gibt er, so heißt es, «in schlau ersonnenen Worten[90]» kund. Und bei Alkinoos wundert er sich darüber, daß das Mädchen so handelte,

«wie kaum ihr jugendlich Alter
Hoffen ließ; denn selten sind jüngere Leute verständig[91]».

Er wahrt durchaus die Besinnung, die dem viel Älteren, Weitgereisten geziemt, und nimmt seinen Vorteil unbeirrt wahr. Bei Nausikaa fällt es uns schwerer, die Einbildungskraft in den Gren-

[90] Odyssee, 6. Gesang, v. 148, nach Vossens Übersetzung.
[91] Odyssee, 7. Gesang, v. 293.

zen zu halten, die epischer Kunst gezogen sind. Sie träumt von
der baldigen Hochzeit und schämt sich, dem lieben Vater den
Traum zu gestehen. Beim Anblick des Fremdlings regen sich
Wünsche:

> «Würde mir doch ein Gemahl von solcher Bildung bescheret,
> Unter den Fürsten des Volks; und gefiel es ihm selber,
>   zu bleiben[92].»

Und wie Odysseus dem Bad entsteigt und zu den trinkenden
Männern geht, erscheint sie unter der hohen Pforte des Saals und
redet ihn an mit den Worten:

> «Lebe wohl, o Fremdling, und bleib in der Heimat auch meiner
> Eingedenk, da du mir zuerst dein Leben verdanktest[93].»

Kein moderner Leser kann sich versagen, hier zwischen den Zeilen
zu lesen. Aber Homer verschweigt uns nichts. Für das, was wir
hinzuzudenken versucht sind, gibt es in der alten epischen Dichtung noch gar keine Sprache. Und wo die Sprache fehlt, kann da
von einem eigentlichen seelischen Vorgang und von Verschweigen die Rede sein? Goethe stellte die Frage sich nicht. Er scheint
überzeugt gewesen zu sein, nur auf den Spuren Homers zu wandeln, und schuf doch eine Gestalt, von der der Grieche sich nichts
träumen ließ. Auf eine besonders zarte Wendung sei hier noch
aufmerksam gemacht. Bei Homer empfiehlt Nausikaa dem Fremdling, nicht mit ihr zusammen in die Stadt zu gehen:

> «Siehe, da mied ich gerne die bösen Geschwätze, daß niemand
> Uns nachhöhnte; man ist sehr übermütig im Volke!
> Denn es sagte vielleicht ein Niedriger, der uns begegnet:
> Seht doch, was folgt Nausikaen dort für ein schöner und großer
> Fremdling? Wo fand sie den? Der soll gewiß ihr Gemahl sein!
> Holte sie diesen vielleicht aus seinem Schiffe, das fernher
> Sturm und Woge verschlug? Denn nahe wohnet uns niemand.
> Oder kam gar ein Gott auf ihr inbrünstiges Flehen
> Hoch vom Himmel herab, bei ihr zeitlebens zu bleiben?

[92] Odyssee, 6. Gesang, v. 82f.
[93] Odyssee, 8. Gesang, v. 461f.

4   49

Besser wars, daß sie selber hinausging, sich aus der Fremde
Einen Gemahl zu suchen; denn unsre phäakischen Freier
Sind ihr wahrlich zu schlecht, die vielen Söhne der Edlen!
Also sagten die Leut', und es wäre auch wider den Wohlstand.
Denn ich tadelte selber an andern solches Verfahren,
Wenn man, der Eltern Liebe mit Ungehorsam belohnend,
Sich zu Männern gesellte vor öffentlicher Vermählung [94].»

Hier findet die Gestalt Homers in holdester Unbefangenheit
Worte, wo Goethes Nausikaa stockt und zu Verschweigendes ins
Bewußtsein tritt:
«Der erste Akt begann mit dem Ballspiel. Die unerwartete
Bekanntschaft wird gemacht, und die Bedenklichkeit, den Fremden nicht selbst in die Stadt zu führen, wird schon ein Vorbote
der Neigung [95].»
Man läßt die Blicke hin und wider gehen und sinnt dem Zwiegespräch des Deutschen mit dem Griechen nach, des Deutschen,
der es bei allem Willen zur Gegenständlichkeit nicht lassen kann,
tief in den Abgrund der Seelen zu spähen, dem Griechen, der
es darauf anlegt, aus der Einkehr des Odysseus bei den Phäaken
eine möglichst wechselvolle Geschichte zu machen, jedem Moment
das höchste gegenwärtige Interesse abzugewinnen und die Ereignisse geistreich und natürlich aneinanderzureihen.
Nicht ebenso deutlich, aber doch fühlbar unterscheiden sich
auch die Goetheschen Landschaften von den homerischen. Die
Schilderung von Alkinoos' Garten aus dem Mund der Nausikaa
im vierten Auftritt des ersten Aktes nähert sich den Versen aus
dem siebenten Gesang der Odyssee (112–132); nur daß in den
Jamben alles schwebender, duftiger klingt als in den breit aus-
ladenden Hexametern, die ihrerseits eine reichere, dichtere Anschauung aufzunehmen vermögen. Weit von Homer, sogar von
der schon leise lyrisch getönten Beschreibung des Hains der
Kalypso im fünften Gesang (62–74), entfernen sich aber die Verse
aus dem vierten Auftritt des dritten Aktes, in denen man von
jeher mit Recht den Gehalt des Fragments verdichtet fand:

[94] Odyssee, 6. Gesang, v. 273 ff.
[95] 8. Mai, aus der Erinnerung.

«Ein weißer Glanz ruht über Land und Meer,
Und duftend schwebt der Äther ohne Wolken.

Und nur die höchsten Nymphen des Gebirgs
Erfreuen sich des leichtgefallnen Schnees
Auf kurze Zeit.»

Diese traumhaft zitternde Schönheit, die südliche Wärme und die vorübergehende leichte Kühlung von oben, zarte silberne Krone des Ätnas an dem unendlichen Horizont, das ist – wie homerische Dichtung sie niemals kennt – die Landschaft als Zustand der Seele, einer berückten und entrückten und in der höchsten Zone doch immer noch klarer Besinnung versicherten, der Seele Goethes, die so glücklich war, wie früher und später nie.

Kaum zu glauben, aber wahrscheinlich, wahrscheinlich wie so manches, was wir als sicher vorauszusetzen gewohnt sind, ist der Umstand, daß Goethe in Italien auch den «*Faust*» wieder vornimmt und eine Szene wie die «*Hexenküche*» im Garten der Villa Borghese niederzuschreiben imstande ist. Man möchte sagen, wie das Auge in sich selber die Komplementärfarbe eines hell beleuchteten angeschauten Gegenstands produziert, so habe er hier, benommen von der Helle des italienischen Himmels, in sich das Gegenbild erzeugt, ein trübes, dumpfes, in Rauch und Ruß geschwärztes nordisches Fabelwesen, phantastische Machenschaften und Unsinn, bei dem sogar dem Eingeweihten, Mephisto, der Kopf zu schwanken beginnt – und mitten aus der beklemmenden Düsternis bilde sich, abermals komplementär, das Bild der nackten Frau im Spiegel, das an Giorgione, Tizian, Paolo Veronese erinnern mag und Faust zu höchstem Entzücken hinreißt: ein Spiel von Gegensätzlichkeiten, das wir erst ermessen, wenn wir uns Goethe bei der Niederschrift denken, in römischer Landschaft, unter dem Zwang, die Gesamtausgabe seiner Werke bei Göschen endlich abzuschließen, sich in das angegilbte Magierstück, das schwer auf ihm lastet, versenkend, in dieser Versenkung wieder von dem Verlangen nach dem Süden erfüllt und dieses Verlangen in Worte fassend – dann blickt er auf und findet sich dort, wohin die alte Sehnsucht, «l'antica fiamma», ihn gezogen hat.

Bemerkenswert ist, daß Goethe schon hier, wie später in der «Walpurgisnacht» und erst recht im zweiten Teil des «Faust», die durch den Stoff geforderten abenteuerlichen Exzesse der Phantasie gleichsam unschädlich zu machen versucht, indem er politische, literarische und theologische Satiren einflicht und so die Illusion zerstört. Als er in den neunziger Jahren die «Hexenküche» wieder vornahm, half er hier noch ein wenig nach. Aber schon das Fragment vom Jahre 1790 enthält den Hinweis auf die Halsbandgeschichte, den Spott über närrischen Tiefsinn moderner Dichter und über das Dogma der Trinität. Komischerweise hatte das aber oft den entgegengesetzten Effekt. Es gibt noch heute Kommentatoren, die sich von den Scherzen unwiderstehlich angezogen fühlen und in ihnen Goethesche Geheimlehren wittern zu müssen glauben. Doch nichts lag Goethe damals ferner, als einen Nebel von Geheimnis und Rätsel um seine Person zu verbreiten. Die Geheimnisse, die er noch anerkannte, lagen für jedermann offen da und konnten gerade mit Worten nicht ausgesprochen noch angedeutet werden.

Ganz anders sind die Voraussetzungen für die zweite in Italien entstandene Szene, «*Wald und Höhle*», wenigstens für den Eingang, die Verse 3217–3239. Die «Hexenküche» wurde gedichtet in der Absicht, den Anfang mit der Gretchentragödie zu verbinden. Eine Lücke mußte, so gut es sich irgend machen ließ, ausgefüllt werden. Für einen Monolog dagegen, wie ihn Faust in «Wald und Höhle» spricht, lag keine Notwendigkeit vor. Hier fiel Goethe wieder in die Gewohnheit seiner Jugend zurück, dem Helden seiner unberechenbarsten Dichtung anzuvertrauen, was ihn selber augenblicklich bewegte und zu bekennen drängte. Und was ihn nun bewegte, war seine italienische Erfahrung. Er fühlte sich verwandelt, und so tritt auch Faust als Verwandelter auf.

Mit den ersten Worten gedenkt er der früheren Begegnung mit dem Erdgeist und mißt die lange Strecke des Wegs, den er seither zurückgelegt hat[96]. Im «hochgewölbten engen gotischen

---

[96] Trotz E. Grumachs Aufsatz im Jahrbuch der Goethe-Gesellschaft 1953, S. 92ff., kann man kaum daran zweifeln, daß mit dem «erhabenen Geist», dem Faust «sein Angesicht im Feuer zugewendet hat», der Erd-

Zimmer» ist der Erdgeist in «widerlicher Gestalt», als übermächtiges, bedrohliches Flammenwesen erschienen, weil der Magier unmittelbar aus seiner Endlichkeit zum Unendlich-Einen vorzudringen begehrte. Jetzt begegnet er ihm huldreich, weil der Gereifte auf ein umfangendes Umfangenwerden verzichtet, sich mit der Anschauung begnügt und so den Weg zum Unendlichen durch das ausgebreitete Endliche nimmt. Die «Reihe der Lebendigen» führt der Geist an seinem Blick vorbei, die Reihe, eines nach dem andern, in gelassener Sukzession, so wie es dem an Raum und Zeit gebundenen endlichen Auge frommt, nicht alles zumal, wie der «Übermensch» es einst sich anzueignen getraute. Indem das Auge aber über die Reihe gleitet und die Besinnung das Wechselnde und Wandelbare vom Wiederkehrenden, Dauernden sondert, hebt sich von dem Vielen immer deutlicher das Eine ab, das Sein, in dem die ganze Natur und auch der Mensch beschlossen ist. So ist das Schauen nicht mehr überschwänglich, wie es früher war: um das Eine wahrzunehmen, ist Besinnung unerläßlich. Es ist aber auch kein «kaltes Staunen», wie es ein uns durchaus fremder Gegenstand erwecken müßte. In dem alles umfassenden Einen ist die Natur mit dem Menschen verwandt. Er schaut «in ihre tiefe Brust wie in den Busen eines Freunds» und lernt «im stillen Busch, in Luft und Wasser seine Brüder kennen». Indem er ihre Kräfte spürt, versichert er sich der eigenen Kraft; indem er sich seiner Kraft versichert, fühlt und genießt er die Kraft der Natur. Die Schalen Ich und Du der großen Waage ruhen im Gleichgewicht.

Ähnlich hat Goethe selbst sowohl der Natur wie der Kunst gegenüber die Mitte zwischen Abstand und Nähe gewonnen. An die «Brüder im stillen Busch, in Luft und Wasser» erinnern die Worte über die Minerva im Palazzo Giustiniani in Rom: die Frau des Kustos hat von der Dame erzählt, die sich niedergeworfen und die Statue angebetet habe. Ihn selber, der nicht weg will,

geist gemeint ist. Lucifer scheidet schon deshalb aus, weil Goethe eben zur Zeit des Monologs «Wald und Höhle» im «Urfaust» die letzte Erinnerung an Lucifer getilgt hat. Den Anfang der Szene «Wald und Höhle» aber in eine Zeit zurückzuverlegen, in der Lucifer im «Faust» noch eine Rolle spielen sollte, verbieten die Verse und der ganz von neuesten naturwissenschaftlichen Einsichten durchwirkte Gehalt.

fragt sie, ob er «eine Schöne hätte, die diesem Marmor ähnlich
sähe». Goethe aber bemerkt dazu:

«Das gute Weib kannte nur Anbetung und Liebe, aber von
der reinen Bewunderung eines herrlichen Werkes, von der brüderlichen Verehrung eines Menschengeistes konnte sie keinen
Begriff haben [97].»

Brüderliche Verehrung! Das ist das befreiende, Dauer verbür-
gende Wort! Bald im Wald, bald in der Höhle wird Faust sich
dieses Glücks bewußt, im Wald, wo die Natur ihm ihre Schrift
zu entziffern erlaubt, in der Höhle, wo sich ihm «der eignen
Brust geheime, tiefe Wunder öffnen». Und wenn die Lust der
Betrachtung zu «streng», das heißt zu gespannt, zu anstrengend
wird, beschwichtigt ihn der Gedanke, im Wahren mit der Vorwelt verbunden zu sein [98]. Die Last des Glücks verteilt sich auf
die Schultern der Großen vergangener Zeiten, die dasselbe dachten und fühlten. Wo die Zeit erschlossen ist, da hebt die bedrängte
Brust sich freier, so wie sie leichter atmet, wo kein enges gotisches
Zimmer, sondern der offene Himmel sich über ihr wölbt.

In alledem sieht Faust sein Verlangen auf menschenmögliche
Weise gestillt. Der Erdgeist hat ihn zwar niedergeschmettert,
aber ihm
«nicht umsonst
Sein Angesicht im Feuer zugewendet.»

Damals, im Versagen, ist ihm aufgegangen, worauf es ihm ankommt. Unfaßliche, tumultuarische Ahnung ist, indem sie die
Aufgabe stellte, schon der Beginn der Erkenntnis gewesen, die
nun, gegliedert und bewährt, sein sicheres Eigentum bleiben
wird. Vom Begriff bis zum Nachweis hat er den hermeneutischen
Zirkel durchlaufen, den alles menschliche Verstehen, um in
Gang zu kommen und einen Abschluß zu finden, durchlaufen
muß [99].

Nun fragt es sich aber, wie dieser Monolog sich in die Dichtung
einfügt. Goethe leitet zwar sehr geschickt durch Fausts Erinne-

---

[97] 13. Jan. 1787.

[98] Schon oft bemerkt worden ist der Anklang dieses Verses an den
Aufsatz von Karl Ph. Moritz über die bildende Nachahmung des Schönen.

[99] Vgl. Martin Heidegger, Sein und Zeit, Halle 1927, S. 152 ff.

rung an Mephisto wieder zur Gretchentragödie über und führt den Auftritt, absichtsvoll, in einer dem hohen Frieden des Eingangs entgegengesetzten Stimmung zu Ende. Es ist indes nicht einzusehen, was gerade Mephisto hier noch soll. Er hatte seinen Platz als realistischer Kritiker neben dem Faust, der alle Realität überflog und zwischen Wirklichkeit und Anspruch maßlos hin und wider schwankte. An dem beruhigten Gemüt muß seine Macht zuschanden werden. Faust kann überhaupt nicht mehr die Schuld an Gretchen auf sich laden, nachdem er so mit der Welt und mit sich selber ins Reine gekommen ist.

Auch sprachlich fügt der Monolog sich nicht in die Szenen des «Urfaust» ein. Die ruhevoll getragenen Verse, ungereimte Jamben, gehören in die Nähe der «Iphigenie», des «Tasso» und der «Nausikaa». Die auf weite Strecken disponierten, langsam sich steigernden, langsam einen Höhepunkt überschreitenden, dann wieder niedersinkenden Sätze bewegen sich in einer Rhythmik und setzen eine Umsicht voraus, die nichts mit den jähen Dehnungen und den heftigen, stets überraschenden Stößen des Jugendwerks zu schaffen hat. Darüber täuschen uns keine noch so sophistischen Auslegungen, wie sie die Unitarier lieben, hinweg. Je aufmerksamer wir den Text von «Wald und Höhle» untersuchen, desto mehr widerstrebt er dem Geist, der die früher entstandenen Szenen beherrscht. Dagegen scheint er nahe verwandt mit der ersten Szene des zweiten Teils, wo Faust dem Licht der Sonne, dem «Flammenübermaß», den Rücken kehrt und sich mit des «Bogens Wechseldauer», dem «farbigen Abglanz», begnügt. Da sind die Schrecken der Gretchentragödie aber vorüber und vergessen, und Mephisto behauptet sich in der Rolle des Gegenspielers nur mühsam.

Goethe selber war verlegen, wie er die Szene einordnen sollte, und kam zu keinem rechten Entschluß. In dem Fragment von 1790 lesen wir «Wald und Höhle» nach der Szene «Am Brunnen», also wie Gretchen von Faust bereits verführt worden ist. 1808 dagegen bereitet sie die Verführung Gretchens vor. Beides ist gleich schwer verständlich. Das Dankgebet des Glücklichen bildet eine verlorene Lichtung auf dem nordischen Dunst- und Nebelweg.

Hier aber liegt die Frage nahe, wie sich Goethe selber nach dem langen Aufenthalt im Süden wieder in Deutschland einfügen wird. Ja, allgemeiner ist zu bedenken, wie er sich als Verwandelter, an der Antike und der Renaissance Gebildeter in der unverwandelten Gegenwart zu behaupten hofft. Denn wenn er in Rom sich auch einreden mochte, er lebe zwar im Widerspruch zum Norden, aber im Einklang mit der Gegenwart Italiens, beruhte doch auch dieser Glaube auf einer gewaltigen Abstraktion. Gelegentlich verdroß oder amüsierte ihn der katholische Kultus. Meist sah er aber darüber hinweg. Von den politischen Schwierigkeiten des Kirchenstaats nahm er keine Notiz, kaum daß er sich zu Zeiten, etwa beim Besuch der Familie Cagliostros und während der Arbeit am «Großcophta», der Gefahren erinnerte, die am westlichen Horizont aufstiegen. Auch um das soziale Elend, das ihn in Weimar so lange beschäftigt hatte, kümmerte er sich wenig. Erst während der zweiten italienischen Reise, in Venedig, 1790, gingen ihm die Augen für diese Hintergründe auf. 1786–88 sah er im allgemeinen nur, was seinem Wesen entsprach und sein tiefstes Verlangen befriedigte. Das war die Landschaft, waren gewisse Züge des italienischen Volks und war die Poesie und Kunst der Alten und einiger als kanonisch betrachteter italienischer Meister, ein Querschnitt also durch den unendlichen Raum der Geschichte und der Natur, den viele zwar mit ihm als geometrischen Ort der Wahrheit ehrten, der aber einem, der sich nicht als Kind gerade dieses Hauses fühlte, nur als beliebige Auswahl aus dem Schatz der historischen Möglichkeiten des Menschen erscheinen mußte. War es denkbar, daß ein Dichter, der in dieser Auswahl aufging, nicht nur in dem deutschen Norden, sondern überhaupt in der mannigfaltig verschlungenen, angespannten, unanschaulichen Gegenwart das Wort aussprechen würde, das für seine Zeit verbindlich wäre, in dem die Mitwelt und die Nachwelt sich verstanden fühlen könnte?

Während der ersten Wochen der Reise dachte Goethe darüber nach, selbstlos und in großer Ruhe. Aus Venedig schreibt er am 10. Oktober 1786 an Frau von Stein:

«Die Baukunst steigt vor mir wie ein alter Geist aus dem Grabe, sie heißt mich ihre Lehren wie die Regeln einer *aus-*

gestorbnen Sprache studieren, nicht um sie zu üben oder mich in ihr lebendig zu freuen, sondern nur, um die ehrwürdige und ewig abgeschiedne Existenz der vergangenen Zeitalter in einem stillen Gemüt zu verehren.»

Und schon am 5. Oktober lesen wir folgende erstaunliche Sätze:

«Auf dieser Reise, hoff ich, will ich mein Gemüt über die schönen Künste beruhigen, ihr heilig Bild mir recht in die Seele prägen und zum stillen Genuß bewahren. Dann aber mich zu den Handwerkern wenden, und wenn ich zurückkomme, Chymie und Mechanik studieren. Denn die Zeit des Schönen ist vorüber, nur die Not und das strenge Bedürfnis erfordern unsre Tage.»

Je weiter er aber nach Süden kam, desto weniger war er bereit, sich dieser Frage zu erinnern. Bald genug verstummt sie ganz. Und wie er sich zur Heimkehr rüstet, ist er überzeugt, die größte Leistung stehe ihm noch bevor:

«Ich bin fleißig und vergnügt und erwarte so die Zukunft. Täglich wird mir's deutlicher, daß ich eigentlich zur Dichtkunst geboren bin, und daß ich die nächsten zehen Jahre, die ich höchstens noch arbeiten darf, dieses Talent exkolieren und noch etwas Gutes machen sollte, da mir das Feuer der Jugend manches ohne großes Studium gelingen ließ[100].»

«Meine titanischen Ideen waren nur Luftgestalten, die einer ernsteren Epoche vorspukten[101].»

Dennoch schien es ihm so furchtbar, die ewige Stadt und den Süden verlassen zu müssen, daß er die Fassung verlor. Herders Gattin gestand er, vierzehn Tage vor der Abreise täglich wie ein Kind geweint zu haben[102]. Und als er sein Leiden aussprechen wollte, entsann er sich der Elegie Ovids, «der, auch verbannt, in einer Mondnacht Rom verlassen sollte»:

«Cum subit illius tristissima noctis imago,
    Quae mihi supremum tempus in urbe fuit,
Cum repeto noctem, qua tot mihi cara reliqui,
    Labitur ex oculis nunc quoque gutta meis.

[100] 22. Febr. 1788.
[101] 10. Jan. 1788.
[102] Gespräche, 7. Aug. 1788.

Iamque quiescebant voces hominumque canumque
Lunaque nocturnos alta regebat equos.
Hanc ego suspiciens, et ab hac Capitolia cernens,
Quae nostro frustra iuncta fuere Lari[103].»

Aus der Heimat also meinte er in die Verbannung, ins Elend
zu ziehen, als er dem Norden, seinem Vaterland, als er Weimar,
seinen Freunden und seinem Herrn entgegenfuhr. Da mochte
seine Sorge freilich das in dieser Stunde so schreckliche Wort in
der letzten Zeile von Ovids Gedicht umkreisen: Frustra!

Aber Erfreuliches drängte sich während der langen Reise wieder heran: die älteren Meister in Florenz, das Abendmahl Leo-
nardos in Mailand, das ihm als «rechter Schlußstein in das Gewölbe der Kunstbegriffe[104]» erschien, dann die Begegnung mit
Barbara Schultheß; und als er am 18.Juni 1788 in Weimar ankam, dürfte sich alles in jener Verwirrung und Ermüdung aufgelöst haben, die, zum Glück, den Menschen oft wie im Traum
über Schwellen des Schicksals geleitet.

[103] Bericht April 1788.
[104] An Carl August, 23. Mai 1788.

RÖMISCHE ELEGIEN

Ein Jahr vor Antritt der italienischen Reise hatte Goethe geträumt:

«Ich landete mit einem ziemlich großen Kahn an einer fruchtbaren, reich bewachsenen Insel, von der mir bewußt war, daß daselbst die schönsten Fasanen zu haben seien. Auch handelte ich sogleich mit den Einwohnern um solches Gefieder, welches sie auch sogleich häufig, getötet, herbeibrachten. Es waren wohl Fasanen, wie aber der Traum alles umzubilden pflegt, so erblickte man lange, farbig beaugte Schweife, wie von Pfauen oder seltenen Paradiesvögeln. Diese brachte man mir schockweise ins Schiff, legte sie mit den Köpfen nach innen, so zierlich gehäuft, daß die langen, bunten Federschweife, nach außen hängend, im Sonnenglanz den herrlichsten Schober bildeten, den man sich denken kann, und zwar so reich, daß für den Steuernden und die Rudernden kaum hinten und vorn geringe Räume verblieben. So durchschnitten wir die ruhige Flut, und ich nannte mir indessen schon die Freunde, denen ich von diesen bunten Schätzen mitteilen wollte. Zuletzt in einem großen Hafen landend, verlor ich mich zwischen ungeheuer bemasteten Schiffen, wo ich von Verdeck auf Verdeck stieg, um meinem kleinen Kahn einen sichern Landungsplatz zu suchen[1].»

Die Briefe aus Italien kommen öfter auf den Traum zurück. Goethe hofft, es sei ihm nun vergönnt, die Ernte einzubringen. Das Rad der farbig beaugten Schweife, wie es vielleicht in Erinnerung an alchemistische Symbole der höchsten Stufen vor seiner Seele erschien[2], verhieß ihm Glück und Vollendung. Dagegen dachte er kaum je über das Ende seiner Traumfahrt nach, das doch verriet, der Schläfer wisse, wie wenig unsere köstlichste Habe inmitten der längst geborgenen Güter der Menschheit zu bedeuten hat, wie fast zu nichts verschwindet, was für uns allein eine Quelle namenloser Wonne gewesen ist. Und nicht einmal der Träumer vermochte sich vorzustellen, daß die Freunde, die er so reich zu beschenken gedachte, seine Gaben verschmähen

[1] Italienische Reise, 19. Okt. 1786.
[2] Vgl. Ronald D. Gray, Goethe the Alchemist, Cambridge 1952, S. 65.

oder mit Übelwollen vergelten würden. Doch unter den Nacharbeiten zur «Metamorphose der Pflanzen» beginnt der Abschnitt «Schicksal der Handschrift» mit den Worten:

«Aus Italien, dem formreichen, war ich in das gestaltlose Deutschland zurückgewiesen, heiteren Himmel mit einem düsteren zu vertauschen; die Freunde, statt mich zu trösten und wieder an sich zu ziehen, brachten mich zur Verzweiflung. Mein Entzücken über entfernteste, kaum bekannte Gegenstände, mein Leiden, meine Klagen über das Verlorne schien sie zu beleidigen, ich vermißte jede Teilnahme, niemand verstand meine Sprache. In diesen peinlichen Zustand wußt ich mich nicht zu finden, die Entbehrung war zu groß, an welche sich der äußere Sinn gewöhnen sollte, der Geist erwachte sonach und suchte sich schadlos zu halten[3].»

Jeder Satz dieses Textes ist gesättigt mit langer bittrer Erfahrung. «Der trübe Himmel verschlingt alle Farben», lesen wir in einem Brief vom 22. Juli 1788 an Frau von Stein; am 4. September 1788 in einem Brief an Herder: «Man wird des Lebens weder gewahr noch froh ... Wenn das Barometer tief steht und die Landschaft keine Farben hat, wie kann man leben?» Die Freunde, die solche Klagen vernahmen, waren keineswegs bereit, den Heimgekehrten aufzuheitern und ihm durch ihren menschlichen Wert seinen großen Verlust verschmerzen zu helfen. Sie waren «beleidigt», wie Goethe sagt. Sie nahmen ihm übel, daß er in der Fremde und nicht in ihrer Mitte das höchste Glück gefunden hatte. Sie gönnten ihm den Vorsprung einer gewaltigen Welterfahrung nicht. Dies letztere gilt vor allem von Herder, der sich denn auch beeilte, das Versäumte nachzuholen, und *seine* italienische Reise antrat, das unglückselige Abenteuer, das eigentlich auf den Nachweis hinauslief, nur einem kindischen und leichtfertigen Menschen wie Goethe werde das südliche Land und Rom zum Paradies. Der Herzog, am ehesten noch bereit, die Reiseberichte anzuhören und die Sinnesänderung seines Freundes sich gefallen zu lassen, dachte an preußisches Militär und machte sich und andern durch einen verletzten Fuß – «es ist wieder ein rechtes Probestückchen[4]» – das Leben sauer.

[3] XVII, 84.
[4] An Frau von Stein, 24. Aug. 1788.

Den größten Schwierigkeiten begegnete Goethe aber bei Frau von Stein, und zwar schon in den ersten Tagen, also bevor er den Bund mit Christiane Vulpius geschlossen hatte und lange, bevor sie etwas von diesem folgenschweren Schritt erfuhr. Offenbar war er der Meinung – mit welchem Recht ist schwer zu sagen –, sie habe ihm endlich seine Flucht verziehen. Er schlägt die alten Töne an und hofft wie früher mit leisen Andeutungen auf liebevolles Verständnis:

«Heute früh komm ich auch noch einen Augenblick. Gerne will ich alles hören, was Du mir zu sagen hast, ich muß nur bitten, daß Du es nicht zu genau mit meinem jetzt so zerstreuten, ich will nicht sagen zerrißnen Wesen nehmest. Dir darf ich wohl sagen, daß mein Innres nicht ist wie mein Äußres [5].»

Solche verhaltene Worte wiegen schwerer als der leidenschaftlichste Ausbruch des genialischen Jünglings. Doch Frau von Stein verschloß ihr Herz. Im ungünstigsten Augenblick erhob sie den Anspruch, immer noch das einzige Glück ihres Freundes zu sein. Sie schien zu erwarten, daß das Bild Italiens in ihrer Gegenwart wie ein Nebel am Horizont zerfließe. Jede frohe Erinnerung an die Reise, jeder Nachhall des Entzückens war ihr widerwärtig. Und alle Klagen über den Norden empfand sie als persönliche Kränkung. Doch wenn dies noch verständlich wäre – kaum verständlich ist es, daß es ihr Lust bereitete, weh zu tun, mit Absicht ungerecht zu sein und einen endgültigen Bruch zu erzwingen. Die Briefe, die ihr Goethe schrieb, lassen keine andere Deutung zu:

«Leider warst Du, als ich ankam, in einer sonderbaren Stimmung, und ich gestehe aufrichtig: daß die Art, wie Du mich empfingst, wie mich andre nahmen, für mich äußerst empfindlich war. Ich sah Herdern, die Herzogin verreisen, einen mir dringend angebotnen Platz im Wagen leer, ich blieb um der Freunde willen, wie ich um ihrentwillen gekommen war, und mußte mir in demselben Augenblick hartnäckig wiederholen lassen, ich hätte nur wegbleiben können, ich nehme doch keinen Teil an den Menschen usw. Und das alles, eh von einem Verhältnis die Rede sein konnte, das Dich so sehr zu kränken scheint...

[5] Mitte Juli 1788.

Wenn ich gesprächig war, hast Du mir die Lippen verschlossen, wenn ich mitteilend war, hast Du mich der Gleichgültigkeit, wenn ich für Freunde tätig war, der Kälte und Nachlässigkeit beschuldigt. Jede meiner Mienen hast Du kontrolliert und mich immer mal à mon aise gesetzt[6].»

In diesen Tagen hat Goethe den «Torquato Tasso» abgeschlossen. Frau von Stein sowohl wie die Prinzessin sind von nun an dem Bann seiner schöpferischen Phantasie entrückt. Es gelang ihm nicht mehr, Charlottes Worte und Handlungen aufzuheben in jenem Sinn, den Liebe gewährt. Mißlang es ihm aber, weil die Freundin nun diesem Sinn zu rücksichtslos widersprach oder weil er für ihn erschöpft war? Eines ist so wahr wie das andre. In seinem letzten Brief – vom 8. Juni 1789 – heißt es:

«Ich habe kein größeres Glück gekannt als das Vertrauen gegen Dich, das von jeher unbegrenzt war; sobald ich es nicht mehr ausüben kann, bin ich ein andrer Mensch und muß in der Folge mich noch mehr verändern.»

Man könnte ebenso sagen, weil er ein anderer Mensch war, vermochte er das Vertrauen nicht mehr auszuüben und wurde ihm das Vertrauen gekündigt. Und damit freilich schritt die Veränderung wieder unaufhaltsam weiter. Das Leben forderte alle Geschenke des Südens mit schweren Zinsen zurück.

Vor der Reise hatte sich Goethe um der Idee des Reinen willen auf den engsten Kreis beschränkt. In den «Geheimnissen» schien er sich gar zu der strengsten Askese bekennen zu wollen. Aber er hoffte! Er sah die Rosen der Zukunft am Stamm des Kreuzes blühen. Er glaubte, den sehnsuchtsvoll gesuchten Weg den Brüdern zeigen und mit dem Schleier der Wahrheit den Erschöpften Trost und Segen spenden zu dürfen. Von dem Heimgekehrten wendet die göttliche Hoffnung ihr Antlitz ab. Das der Gegenwart gewidmete Leben im Süden verkehrt sich, ohne seine Struktur zu ändern, in eine fahle Gleichgültigkeit. Goethe blickt verdrossen in das einst so geliebte Ilmtal hinaus. Die Freunde hat er aufgegeben. Von dem deutschen Publikum erwartet er längst nichts Rechtes mehr. Der Ausbruch der Französischen Revolution nun aber scheint die Welt bedrohlicher verändern zu wollen und

[6] 1. Juni 1789.

seinem Dasein die letzten erträglichen Möglichkeiten zu entziehen. Daß die Zeit des Schönen vorüber sei, hat er noch in
Venedig gewußt, in Rom und Sizilien aber vergessen. Alles erinnert ihn jetzt daran. Es lohnt sich nicht, dagegen kämpfen zu
wollen; die Mühe ist vergeblich.

In diesen Jahren schließt sich der Ring der Einsamkeit um
Goethes Herz. Wohl hat er auch später noch Freunde gefunden:
Heinrich Meyer, der ihm bereits in Italien nahegetreten ist,
Schiller, Zelter, Boisserée, Reinhard. Aber keinem einzigen wagt
er sich mehr so restlos anzuvertrauen, keinem eröffnet er sich so
ganz, wie er sich einst dem Herzog, Herder, Knebel und Merck
eröffnet hat. Ein nicht unfreundlicher Vorbehalt, resignierte
Herzlichkeit bestenfalls, eine unüberwindliche Scheu, den letzten
Zweifel beiseitezuschieben, aus seinem tiefsten Geheimnis herauszutreten und die Gefahr des Irrewerdens an der Welt und an sich
selber in angemessener Sprache, das heißt, in erschütternder
Klage zu verraten: das scheint von nun an alle menschlichen An-
näherungen leicht zu beschatten; das ist es, was ihm immer wieder den Tadel der Kühle und Selbstsucht einträgt.

Auch den Frauen tritt Goethe nun anders, behutsamer, skeptischer gegenüber. Von Ulrike von Levetzow abgesehen, könnte
man vielleicht mit einer leichten Übertreibung sagen, er nehme
sie menschlich nicht mehr ganz ernst, er unterscheide nun zwischen dem Spiel seiner Einbildungskraft und der Wirklichkeit und
gebe sich alle Mühe, daß die letztere nicht zu deutlich werde. So
bei Minna Herzlieb, die als Persönlichkeit kaum sichtbar wird und
von Goethes Liebe wohl gar nichts wußte, so bei Marianne von
Willemer, die hinter Suleikas Reizen verschwindet.

Diese Geschicke gehören aber erst einer ferneren Zukunft an.
Am 12. Juli 1788, vier Wochen nach der Heimkehr, verbindet
sich Goethe mit Christiane. Er nimmt sie mit den Ihrigen in sein
Haus auf und lebt mit ihr zusammen in einer Gemeinschaft, die
er selbst als Ehe anerkennt und von andern als Ehe anerkannt
wissen will. Es wäre verfrüht, schon hier die ganze Bedeutung
dieses Bundes ermessen und Christiane würdigen zu wollen. Erst
allmählich wuchs sie in die ihr zugedachte Stellung hinein und
fand sie sich im Hause sowohl wie in der Öffentlichkeit zurecht.

So fragen wir vorerst nur, wie das Ereignis sich am Anfang darstellt. Da bleibt nicht viel zu erklären übrig. Was wäre begreif-
licher als das Bedürfnis des mit Befremden aufgenommenen, un-
sanft zurückgewiesenen, in die Einsamkeit verstoßenen Mannes,
Zärtlichkeit und Liebe zu finden und sie dort zu genießen, wo es
alle Probleme, die ihn mit seinen Freunden entzweiten, gar nicht
gab, wo es nur Stunden des Behagens, die sonst überall versagte
Fühlbarkeit des Lebens zu gewähren und zu empfangen galt?
Und was wäre verständlicher, als daß der Enttäuschte, Hoffnungs-
lose den morgenden Tag noch kaum bedachte, von der Entwicklung der Dinge sich noch keine Rechenschaft ablegte, sondern
sich ganz dem letzten Rest erfreulicher Gegenwart überließ?

Und doch mußte er bald erkennen, daß es nicht anging, eine
südliche Insel auf deutschem Boden zu schaffen. Es schien geboten, den Liebesbund so lange wie möglich geheim zu halten.
Eine Maitresse hätte zwar die Gesellschaft Goethe nicht verübelt.
Doch daß die Geliebte in seinem Hause wohnte, daß er ihr gegenüber sittliche Pflichten auf sich nahm, das würde, so war vorauszusehen, eine Zumutung bedeuten. Als die Sache ruchbar wurde,
blieb ihm denn auch nichts erspart. Bedenklicher aber war, daß
sich der Geist der Zeit von diesem Augenblick an sogar in der
engsten Gemeinschaft nicht mehr ganz verleugnen ließ. Goethe
nannte Christiane «Du». «Du, Lieber, Bester» nennt auch Christiane Goethe schon in den ersten Briefen, die wir besitzen. Wenn
aber andere Menschen zugegen waren, sagte sie «Sie» und «Geheimrat». Und da sie den Haushalt führte und verschwand, wenn
Gäste kamen, konnte man eher meinen, sie sei die Magd. Das
schiefe Licht war unvermeidlich, unvermeidlich die mannigfaltige Pein und Qual, die daraus erwuchs. Gerade bei dem Versuch, ein Stück antiker Heiterkeit zu retten, drängte sich das
Widerwärtige desto unbarmherziger auf.

In diesem «peinlichen Zustand erwachte der Geist und suchte
sich schadlos zu halten». Goethe wendet sich wieder seinen wissenschaftlichen Arbeiten zu. Da der Herzog ihn von allen Regie-
rungsgeschäften entbunden hat – nur das Bergwerk von Ilmenau
untersteht noch seiner persönlichen Aufsicht – schreiten sie rüsti-
ger fort als je. Schon 1790 schließt er die Schrift «Die Meta-

morphose der Pflanzen» ab. Osteologische, bald auch optische Studien laufen daneben her. Darüber werden wir später im Zusammenhang zu berichten haben. Hier beschäftigt uns nur, wie Goethes Geist sich dichterisch schadlos hält. Als ein Werk ganz neuer Art entstehen die «*Römischen Elegien*», von gegenwärtigem Liebesglück mit Christiane und Erinnerungen an Rom erhellte Gedichte. Es sind die ersten Proben einer im stilgeschichtlichen Sinne «klassischen» oder, wie Übelwollende sagen, «klassizistischen» Poesie. «Klassisch», das würde eine natürliche Wiederbelebung der Antike, «klassizistisch» einen künstlichen, problematischen Rückgriff bedeuten. Die Frage, welches Wort am Platz sei, lassen wir einstweilen offen, wie es ja immer rätlich scheint, allgemeine Begriffe, sofern man sie lieber nicht ganz vermeidet, dann erst einzuführen, wenn der Gegenstand schon in seinem eigentümlichen Wesen verstanden und ausgelegt ist.

Goethe hat die «Römischen Elegien» in Distichen abgefaßt. Er war darauf vorbereitet durch die voritalienischen Epigramme auf Plätze des Weimarer Parks, auf «Philomele», auf «Anakreons Grab». Doch jene Epigramme ließen metrisch manches zu wünschen übrig und mußten für die Gesamtausgabe noch einmal überarbeitet werden. Die Herrschaft des Hexameters und des Distichons beginnt doch eigentlich erst mit den «Römischen Elegien». Sie behauptet sich etwa ein Jahrzehnt. Dann scheint ihre Kraft erschöpft zu sein. Im neuen Jahrhundert hat Goethe, obwohl es ihn manchmal lockte, außer der «Metamorphose der Tiere» kein nennenswertes Gedicht in Hexametern mehr geschrieben.

Wie haben wir das zu verstehen? Kein Zweifel, er war entschlossen, sich in antiken Formen zu bewähren. Doch dieser Vorsatz, durch den er sich den nicht eindeutigen Ruhm erwarb, ein Philologendichter[7] zu sein, genügt uns als Erklärung nicht. Derselbe Dichter hat es verschmäht, horazische Strophen nachzubilden, obwohl der Geist horazischer Poesie ihm sicher auch gemäß war und Anspielungen auf die Oden sich in den Elegien finden, so auf die über alles geliebten, sein römisches Glück vollkommen treffenden Verse des «Carmen saeculare[8]»:

[7] Nietzsche, Wir Philologen, Aphorismus 148.
[8] Vgl. Elegie XV.

«Alme Sol, curru nitido diem qui
Promis et celas aliusque et idem
Nasceris, possis nihil urbe Roma
Visere maius.»

Goethe bildet dergleichen nicht nach. Ebensowenig hat er sich
später, in der Epoche des «Divan», dem regelrechten Ghasel bequemt. Wenn er also Hexameter und Distichen so beharrlich
pflegte, so dürften ihm diese Verse besonders freundlich entgegen-
gekommen sein.

Noch ohne Hintergedanken und Zweifel setzt er in seinen ersten Elegien antike Länge und Kürze in deutsche Hebung und
Senkung um, «bürstet den Vers» nie «gegen den Strich [9]», indem
er etwa wie Voß und Schlegel deutsche Spondeen herausklügeln
würde, und läßt es unbedenklich geschehen, daß der antike Spon-
deus sich manchmal in einen deutschen Trochäus verwandelt.
Das dürfte die einzig sprachgerechte Form des deutschen Hexameters sein [10], dem römischen und griechischen eher analog als
gleich oder ähnlich. Und dieser ungezwungene Hexameter, dieses
ungelehrte und prosodisch klare Distichon ist es, das Goethes
Rhythmus während der neunziger Jahre entspricht und dessen
künstlerischen Sinn wir allein zu würdigen haben. Denn nur da
begegnen sich Gesetz und Freiheit in der Mitte und ist es möglich,
einer Ordnung fast improvisierend genug zu tun, also das Ziem-
liche und das Gefällige, Regel und Willkür so zu vereinen, wie
es bereits im «Tasso» das höhere, schöne und sittliche Leben erfordert [11]. Bei einer antiken Odenstrophe muß das metrische
Schema aufgezeichnet und jeder Vers mit dem Blick auf die unverbrüchliche schwierige Folge von Hebung und Senkung angelegt werden. Wenigstens zu Goethes Zeiten war das noch so,
wie Klopstocks Schemata und die Notizen Hölderlins zeigen. Heute

[9] Vgl. R. A. Schröder, Nachwort zur Ilias, Gesammelte Werke, Berlin
und Frankfurt a.M. 1952, Bd. IV, S. 615.
[10] Vgl. A. Heusler, Deutsche Versgeschichte, Berlin u. Leipzig 1929,
3. Bd., S. 244 ff. A. W. Schlegels Anteil an der Versgestaltung der Römischen Elegien läßt sich nicht mehr genau feststellen, dürfte sich aber in
bescheidenem Rahmen halten.
[11] Vgl. Bd. I, S. 412.

haben wir schon so viele alkäische und sapphische Strophen im Ohr, daß der Geübte sich auch auf diesem Felde unbehindert fühlt. Leichter ist aber immer noch der Hexameter, dessen Silbenzahl sich zwischen dreizehn und siebzehn bewegt und der die Zäsur an vier Stellen erlaubt, und leichter sogar der Pentameter, der immerhin in der ersten Hälfte einige Varianten gestattet und in der zweiten, festgelegten, mühelos überblickt werden kann. Wenn Goethe sich solcher Maße bediente, mochte er meinen, es wiege ihn von selber ins Antike ein; er sei dafür vorausbestimmt. Er beugte sich dem Hexameter zu wie der Geliebten der «Elegien»:

«Oftmals hab ich auch schon in ihren Armen gedichtet
Und des Hexameters Maß leise mit fingernder Hand
Ihr auf den Rücken gezählt...»

Odenstrophen ließen sich kaum in so lieblicher Lage schmieden.

Die wechselnde Zäsur, die bei dem ersten Vers des Distichons nie genau in die Mitte des Verses fällt, verhindert, daß sich jene scharfen logischen Antithesen bilden, zu denen der Alexandriner neigt. Auch Gedachtes wirkt nie nur gedacht; immer bleibt es von einer holden Zufälligkeit des Lebens umspielt, zumal bei Goethe, der, im Gegensatz zu Schiller, schwach betonte Hebungen gerne zuläßt und so einen etwas weicheren Fall gewinnt. Freilich geht er nie so weit wie Hölderlin, der schwächste Silben sogar an der heikelsten Stelle, vor der Zäsur im Pentameter, nicht vermeidet[12], der gleichsam der Flut des Herzens über den Rand des Bechers wo nicht überzuströmen, so doch zu schäumen erlaubt.

Andrerseits fehlt hier der Reim. Sofern der Reim, wie meist bei Schiller, die metrische Gliederung unterstützt, ist er überflüssig in Versen, die ohnehin deutlich genug gegliedert sind. Sofern er aber eigentlich ausschwingt, sofern er, wie in romantischen Liedern und Romanzen, musikalische Schleier über die Aussage breitet, die kommenden Klänge vorbereitet und zu den eben verhallten zurückwinkt: als Ahnung und Erinnerung wider-

---

[12] Vgl. in ‚Brot und Wein‘ den Pentameter:
«Sohn der Syrier unter die Schatten herab»
in ‚Heimkunft‘:
«Herzen der alternden Menschen erfrischt und erfreut.»

spräche der Reim einer Poesie, die, wie die «Römischen Elegien», in einer festen, sich selbst genügenden Gegenwart zu verweilen und alles in Anschauung zu verwandeln gedenkt. Da benötigt der Dichter eine Form, in der die einzelne Zeile mehr oder minder in sich selber ruht und sich so weit erstreckt, daß sie leicht ein Ganzes oder selbständige Teile des Ganzen aufzunehmen vermag. Eine solche Zeile ist der Hexameter, der sich klar in den ihm zugewiesenen Raum auseinandersetzt, den die Zäsur wie ein kleiner Stift befestigt und gegen den Fortriß schützt und dessen Länge ungefähr der eines einfach gebauten, übersichtlichen Haupt- oder Nebensatzes entspricht. Paart er sich mit dem Pentameter, so bieten sich noch reichere Möglichkeiten der Gliederung und Entfaltung. Pentameter können als ebenbürtige Teile auf die Hexameter folgen; sie können ihnen, als schärfer profilierte Verse, entgegentreten und epigrammatisch zugespitzt sein; oder sie können, durch Zeilensprünge an die Hexameter angeschlossen, mit ihnen vereint in einem größeren Ganzen, im Distichon, untergehen. Alle diese Gelegenheiten hat Goethe freudig wahrgenommen, schon in der ersten Elegie:

«Saget, Steine, mir an, o sprecht, ihr hohen Paläste!
    Straßen, redet ein Wort! Genius, regst du dich nicht?
Ja, es ist alles belebt in deinen heiligen Mauern,
    Ewige Roma; nur mir schweiget noch alles so still.
O wer flüstert mir zu, an welchem Fenster erblick ich
    Einst das holde Geschöpf, das mich versengend erquickt?
Ahn' ich die Wege noch nicht, durch die ich immer und immer,
    Zu ihr und von ihr zu gehn, opfre die köstliche Zeit?
Noch betracht ich Kirch' und Palast, Ruinen und Säulen,
    Wie ein bedächtiger Mann schicklich die Reise benutzt.
Doch bald ist es vorbei; dann wird ein einziger Tempel,
    Amors Tempel, nur sein, der den Geweihten empfängt.
Eine Welt zwar bist du, o Rom; doch ohne die Liebe
    Wäre die Welt nicht die Welt, wäre denn Rom auch nicht Rom.»

Höchstens in der Mitte des Pentameters, in dem Zusammentreffen zweier starkbetonter Silben, von denen, wie man weiß, die erste nie stark genug betont sein kann, glaubt man Goethe manchmal einem äußeren Zwang unterworfen und ohne innere Zustimmung handeln zu sehn:

«Falconieri hat mir oft in die Augen gegafft» (VI),

«Gerne denk ich mir dich als ein besonderes Kind» (VIII).

Von solchen Mängeln abgesehen – und abgesehen vielleicht von späteren Änderungen, die wir dem Tadel der Metriker zu verdanken haben –, scheinen die Distichen ebenso wie früher die Lied- und Knittelverse aus Goethes Wesen hervorgegangen und keineswegs das Resultat philologisch gelehrter Besinnung zu sein. Sie sind die metrische Wirklichkeit der italienischen Erfahrung und sind für das, was sie zu fassen haben, schlechterdings unentbehrlich. Darüber äußert sich Goethe noch spät in einem Gespräch mit Eckermann:

«Es liegen in den verschiedenen poetischen Formen geheimnisvolle große Wirkungen. Wenn man den Inhalt meiner ‚Römischen Elegien‘ in den Ton und in die Versart von Byrons ‚Don Juan‘ übertragen wollte, so müßte sich das Gesagte ganz verrucht ausnehmen[13].»

Es müßte sich so verrucht ausnehmen wie Venus in antiker Nacktheit inmitten einer modernen Gesellschaft, von flackerndem Lampenlicht bestrahlt. Die «Römischen Elegien» büßten den unvergleichlichen Vorzug ein, daß sie weder prüde noch lüstern sind.

«Stille, anmutige, schüchterne Lüsternheit, wie sie aus den engeren Umgebungen des bürgerlichen Lebens hervorsprießt», hat Goethe in Vossens lyrischen Gedichten bemerkt; und weniger freundlich hat Gottfried Keller dasselbe an Mörike festgestellt[14]. Fast unvermeidlich damit verbunden ist der Gegensatz: Prüderie. Und wo uns beides zu deutlich sichtbar wird, wie etwa in dem

[13] 25. Febr. 1824.
[14] XIV, 195f. und G. Keller, Sämtl. Werke, Bd. XV, 2. Abt. hg. von C. Helbling, Bern 1949, S. 176:

> «Und um all das Gute zu vollenden,
> Wenn er wie ein Grieche zierlich tändelt,
> Ist er auch noch wie ein Pfäfflein lüstern...»

Gemälde «Amor und Psyche» von François Gérard, da dürfte das Interesse am Antiken nicht ganz in Ordnung sein; da blickt ein Mensch der neueren Zeiten in eine fremde Welt hinüber, liebäugelt mit ihr, verwandelt sich aber in der Betrachtung des Gegenstands nicht und gibt sich selbst und uns, halb mit Begehrlichkeit und halb mit Wehmut, den Reiz des Widerspruchs zum Besten. Gérards Amor und Psyche schauern unter dem kühleren Himmel und scheinen rings umgeben von modernen Zeugen ihres scheuen Glücks.

Wenn dagegen Goethe die «Freuden des echten nacketen Amors[15]» preist, brechen die Moden und die Gesinnungen seines eigenen Jahrhunderts zusammen und die «wahre, seiende» Natur behauptet ihr ewiges Recht. Im Gefühl, mit der Natur verbündet zu sein, gewinnt er seine köstliche Unbefangenheit, das für die Deutschen in solchen Dingen empörend unbeschwerte Gewissen. Mit der Natur verbündet findet er aber auch die alten Dichter, die Triumvirn der römischen Elegie: Ovid, Tibull, Properz. Der «Vorwelt silberne Gestalten», mit Faust in «Wald und Höhle» zu reden, gesellen sich zu ihm und bestärken ihn in dem verwegenen Unterfangen, eine Poesie zu schaffen, wie sie bis jetzt auf deutschem Boden, vielleicht überhaupt seit der Antike, kein Dichter je geschaffen hat.

Der philologischen Untersuchung öffnet sich hier ein weites Feld. Man wird nicht müde, einzelne Motive, Verse, ja Substantive und Adjektive herauszugreifen, die Goethe seinen lateinischen Mustern nachgebildet haben dürfte. Solche Bemühungen sind verdienstlich. Doch die Gefahr besteht, daß sie dem Mißverständnis Vorschub leisten, Goethe habe sich als poeta doctus in alte Texte vertieft und ein artistisches Vergnügen aus ihrer Umbildung und Anwendung auf sein eigenes Leben bereitet. Ganz wird man ihm ein solches artistisches Schalten freilich nicht absprechen wollen. Doch wichtiger ist, daß er im ganzen, aus dem Grund, das Leben der römischen Dichter zu wiederholen glaubt: zu wiederholen, wie in der Natur das gleiche immer wiederkehrt. Da werden Zitate und Anspielungen zu freudig überraschten Grüßen und Ähnlichkeiten der Stimmung und Lage zur Quelle der tiefsten

[15] In der nachgelassenen Elegie: «Mehr als ich ahndete schön...»

Genugtuung. Da ist dem Vorbild gegenüber auch eine vollkommene Freiheit möglich. Goethe verzichtet zum Beispiel auf Motive rein literarischer Art, wie Schiffbrüche, Löwenjagden und dergleichen, die der Römer im Anschluß an hellenistische Dichtung pflegt. Keinen Augenblick verläßt er den festen Boden der eigenen Erfahrung. Er führt auch keine Klagen über die römischen Zustände[16], über die üblen Gebräuche und Sitten der ewigen Stadt, wie sie Properz des öftern anstimmt; so fällt auch, was dazu gehört, die Poesie des «olim», der arkadischen Romantik, weg[17]. Keine Sehnsucht in die Ferne, sei's der Zeit oder sei's des Raumes, trübt die reine Lust des Daseins.

Cynthia und Corinna sind von zweifelhaftem Ruf; die römischen Dichter beschweren sich immer wieder über die Käuflichkeit ihrer Geliebten, ihre Untreue, ihre Geldgier, ihre Grausamkeit und Laune. Wie anders die Faustina Goethes! «Den Wünschen des Mannes, dem sie sich eignete, nachzuspähn» (II) ist ihr genug, auch wenn es ihr Freude bereitet, daß er «das Gold nicht wie der Römer bedenkt», daß ihr Tisch nun besser bestellt ist und daß es ihr nicht an Kleidern fehlt. Nur einmal wirft ihr der Dichter Untreue vor (VI); doch der Verdacht ist grundlos; sie weist ihn schmerzlich entrüstet zurück; er steht beschämt, und der Auftritt endet mit einer innigeren Umarmung. Niemals aber artet die Wonne des Paars in solche zügellose, wüste, man möchte beinahe sagen, in solche erbitterten Feste aus, wie sie Properz und Cynthia, beide im Bewußtsein der eigenen Haltlosigkeit und der des anderen, feiern. Goethe fühlt sich in seiner Liebe geborgen. In einem milderen, aber dauerhaften Klima genießt er mit Faustina die Tage und Nächte.

Und so ist alles verschoben, alles auf eine andere Ebene gerückt. Aber es bleibt noch immer genug, was Goethe berechtigt, von «Elegien im Geschmack des Properz» zu sprechen[18]. Es ist vor allem auch die Spiegelung gegenwärtigen Lebens in einem älteren und bedeutenderen, die der Deutsche nachzuahmen versucht. Properz beruft sich auf die Griechen von Kallimachos bis

---

[16] Propertius, III, 14.
[17] Propertius, III, 13.
[18] Gräf, Goethe über seine Dichtungen, Lyrik, II, 1, 496.

71

Homer. Die Griechen wiederum finden das Ihrige größer in Göttern vorgelebt. Stufenweise senkt sich das menschliche Dasein von der homerischen Zeit in unsre bürgerliche herab, wo nur noch wenige fähig sind, die Spur des Wahren zu erkennen. Den wenigen schließt sich Goethe an. Wie Properz sich auf die Griechen, die Griechen sich auf die Götter berufen, so werden Properz und die ihm nahestehenden Dichter nun ihrerseits für Goethe zu gern berufenen Mustern. Und alle Hintergründe der Römer leuchten damit abermals auf. Eine neue Spiegelung kommt dazu. Was dies bedeutet, erläutere eine spätere Tagebuchnotiz:

«Betrachtungen über den Reflex von oben oder außen gegen das Untere und Innere der Dichtkunst, z. E. die Götter im Homer nur ein Reflex der Helden... Doppelte Welt, die daraus entsteht, die allein Lieblichkeit hat, wie denn auch die Liebe einen solchen Reflex bildet. Und die Nibelungen so furchtbar, weil es eine Dichtung ohne Reflex ist; und die Helden wie eherne Wesen nur durch und für sich existieren[19].»

Die Spiegelungen sind beglückend, wie die Liebe, selber eine Spiegelung, ein Reflex, beglückt. So hat sich Goethe auf Sizilien träumerisch in Odysseus gespiegelt. So spiegelt sich jetzt für ihn die Geliebte, die sich ihm so schnell ergeben, in Rhea Silvia, Venus und Luna und leuchtet in der nächtlichen Lampe der Widerschein der Ampel, die einst die Nächte der römischen Dichter erhellt hat. Dies alles ist aber keine Vermischung von Gegenwärtigem und Vergangenem. Eine solche würde gerade Goethe sich entschieden verbitten[20]. Sondern die Zeit ist aufgehoben. Der klassische Boden bewährt sich als «sinnlich-geistige Überzeugung, daß hier das Große war, ist und sein wird[21]», ein ständiges Sein, in das ein Leben eintritt, aus dem es wieder verschwindet.

Da die Spiegelung sich fortsetzt bis in olympische Regionen, können die Götter hier kein mysterium tremendum et fascinosum, nicht das Heilige als das «Ganz andre» sein. Sie sind so menschlich, wenn auch in höherer Weise menschlich, wie bei Properz und eher noch wie bei Homer. Die neunzehnte Elegie erinnert

[19] 16. Nov. 1808.
[20] Vgl. S. 28.
[21] Vgl. S. 28

mit Vergnügen an Götterstreiche und -streitigkeiten der Odyssee und reiht den bekannten Geschichten eine ähnliche, frei erfundene an. Ja, Goethe schreckt in einer apokryphen Elegie[22] nicht davor zurück, gegen gewisse Gefahren des Liebesgenusses Hermes anzurufen, weil Hermes identisch ist mit Merkur, Merkur jedoch nach alchemistischer Terminologie Quecksilber bedeutet. Man stelle sich dergleichen im Rahmen von Hölderlins Hymnendichtung vor und überzeuge sich dann von Goethes durchaus humanistischer Welt, wo der Mensch der Schlüssel von allem und alles nur auf den Menschen bezogen ist.

Es läßt sich sogar eine Neigung bemerken, die Götterwelt im Hinblick auf den Menschen in ein System zu bringen. So insbesondere in der schwer verständlichen elften Elegie:

«Euch, o Grazien, legt die wenigen Blätter ein Dichter
    Auf den reinen Altar, Knospen der Rose dazu,
Und er tut es getrost. Der Künstler freuet sich seiner
    Werkstatt, wenn sie um ihn immer ein Pantheon scheint.
Jupiter senket die göttliche Stirn und Juno erhebt sie;
    Phöbus schreitet hervor, schüttelt das lockige Haupt;
Trocken schauet Minerva herab, und Hermes, der leichte,
    Wendet zur Seite den Blick, schalkisch und zärtlich zugleich.
Aber nach Bacchus, dem weichen, dem träumenden, hebet
                                                [Cythere
    Blicke der süßen Begier, selbst in dem Marmor noch feucht.
Seiner Umarmung gedenket sie gern und scheinet zu fragen:
    Sollte der herrliche Sohn uns an der Seite nicht stehn?»

Der etwas künstliche Zusammenhang der Verse ist wohl so zu verstehen: Die Werkstatt eines Künstlers läßt sich einem Pantheon vergleichen. Feierliche, gestrenge, heitere, schalkische Götter stehen da. Die Statue der Liebesgöttin, Cytheres, blickt zu Bacchus hinüber. Da fühlt sich der Künstler gedrängt, auch eine Statue des Priap, des Sohnes der beiden, des Gottes der Zeugungslust und der Fruchtbarkeit der Felder, zu schaffen und so die Götterversammlung um einen neuen Charakter zu bereichern.

[22] «Zwei gefährliche Schlangen...»

Im selben Sinne legt der Dichter seine «Römischen Elegien» auf dem Altar der Grazien nieder. Es sind keine feierlichen Gedichte. Sie preisen die sinnlichste Liebeslust. Aber auch diese ist wert des Ruhms, den ein Dichter auszusprechen vermag, wie auch Priap, in nachgelassenen Stücken, des Preises gewürdigt wird. So reiht die erotische Elegie sich unter Hymnen, Lieder und Oden, wie Priapus im Pantheon neben Jupiter, Hermes und anderen steht.

Voraussetzung für diesen Gedanken ist der Glaube, daß die griechisch-römische Götterwelt ein geschlossenes und vollständiges Ganzes bilde und daß in diesem Ganzen sich der gleichfalls geschlossene Kreis der fundamentalen menschlichen Leidenschaften, Neigungen und Bestrebungen spiegle. Darüber hat sich Goethe im Anschluß an Schillers «Götter Griechenlands» mit Herders Gattin unterhalten. Goethe, so schreibt Caroline am 4. September 1788 an Herder, «kam auf die Eigenschaften, die die Alten in ihren Göttern und Helden in der Kunst dargestellt haben, wie es ihm geglückt sei, den Faden des Wie hierin gefunden zu haben... Die ganze Idee liegt, wie es mir dünkt, wie ein großer Beruf in seinem Gemüt. Er sagte endlich: Wenn Ludwig XIV. noch lebte, so glaubte er durch seine Unterstützung die ganze Sache ausführen zu können; er hätte einen Sinn für das Große gehabt.»

Offenbar meinte Goethe, daß ein Künstler in königlichem Auftrag den Götterkreis in Statuen aufstellen sollte. Es wäre darauf angekommen, jeden Gott so zu individualisieren, daß er die unentbehrliche Ergänzung zu allen übrigen Göttern bilden und so dem ringsum gleitenden Blick *das* Göttliche schlechthin als Vorbild des Menschenwesens sichtbar würde. Doch diese Idee lag wirklich erst «wie ein großer Beruf in Goethes Gemüt». In den «Römischen Elegien» vermochte er sie nur dunkel anzudeuten. Ebensowenig gelang es ihm schon, ein Gedicht nach den Bildungsgesetzen der Metamorphose aus einem Keim zu entwickeln und in die Blüte zu entfalten. Der Metamorphose der Pflanzen gedenkt die kurze achte Elegie:

«Wenn du mir sagst, du habest als Kind, Geliebte, den Menschen
   Nicht gefallen, und dich habe die Mutter verschmäht,

Bis du größer geworden und still dich entwickelt, ich glaub es:
Gerne denk ich mir dich als ein besonderes Kind.
Fehlet Bildung und Farbe doch auch der Blüte des Weinstocks,
Wenn die Beere, gereift, Menschen und Götter entzückt.»

Mit ähnlichen Worten äußerte Goethe sich damals über Jacobis
Sohn:
«Ein Blatt, das groß werden will, ist voller Runzeln und Knit-
tern, eh es sich entwickelt; wenn man nun nicht Geduld hat
und es gleich so glatt haben will wie ein Weidenblatt, dann ists
übel[23].»

Die Absicht Goethes ist klar, das Wachstum der Menschen wie
das der Pflanzen zu deuten. Der großen Fragen von Kunst und
Natur, die sich in Italien aufgedrängt haben, bleibt er sich also
als Dichter bewußt. Noch aber ist es ihm nicht möglich, ein
eigenes größeres Kunstwerk nach den anerkannten Gesetzen zu
schaffen. Die «Römischen Elegien» sind nicht, wie die späteren
«Alexis und Dora», «Euphrosyne», «Amyntas», organisiert, das
heißt, zu Gebilden gestaltet, in denen alles Mittel und Zweck
zugleich, jeder Teil selbständig und dennoch auf das Ganze bezogen ist. Es gibt hier noch keine prägnanten Momente, noch
keine auf weite Sicht mit großer Weisheit ersonnene Komposition. Im Gegenteil! Goethe gedachte sich von der «unerlaubten
Sorgfalt[24]» und der allzu «konsequenten» (freilich noch durchaus voritalienischen) Komposition des «Tasso» zu erholen. Da
war ihm die «Fragmentenart erotischer Späße» eben recht.

Er pflegte sie um so unbedenklicher, als er sich auch darin wieder eng mit den Römern verbunden wußte. Ja, um der Fragmentenart willen scheint ihm Properz noch lieber zu sein als
Tibull. Denn die Gedichte Properzens sind kürzer. Auch haben
die Latinisten Mühe, sie gegeneinander abzugrenzen[25]. Als Ganzes überlieferte Stücke hat man entzweigeschnitten, weil man sie
nicht als Ganzes zu sehen vermochte; oft hat man den Schluß als

[23] An Jacobi, 9. Sept. 1788.
[24] An Herder, 10. Aug. 1789.
[25] Vgl. dazu E. Howald, Das Wesen lateinischer Dichtung, Erlenbach-
Zürich, 1948, S. 62f.

Anfang zu dem folgenden Stück herübergenommen und Anfänge wieder als Schlüsse betrachtet. Natürlich fühlt sich niemand versucht, Goethes Elegien ähnlichen Prozeduren zu unterziehen, nicht nur deshalb, weil wir ja wissen, wie sie der Dichter abgegrenzt hat, sondern auch, weil fast jede einzelne einem ohne große Mühe erkennbaren Thema gewidmet ist. Doch dieses Thema scheint oft genug nicht mehr als ein geschickter Vorwand, um alles Mögliche, was dem Dichter gerade am Herzen liegt, auszusprechen. Oder wer würde im Zusammenhang mit der synkretistischen Götterwelt der Römer das liebenswürdige Bildnis Christianes erwarten (IV), wer den Übergang von der Heimkehr der Schnitter zur eleusinischen Feier (XII) oder gar nach der sophistischen Übereinkunft Amors mit dem Dichter die unvergleichlich schöne, an Properz I, 3 erinnernde Szene (XIII) und wieder im Anschluß an das schelmische Spiel der Geliebten in der Schenke den Lobgesang auf die ewige Stadt (XV)? Gewiß, die Übergänge sind sinnvoll. Es fällt nicht schwer, sie zu erklären. Aber sie sind doch oft nur vom Verstand für den Verstand geschaffen. Gerade die für Goethe sonst selbstverständliche Einheit, die in der Stimmung und Anschauung liegen würde, lassen die längeren Elegien vermissen. Er macht es sich leicht; er bewegt sich nach Lust und Laune und kümmert sich wenig darum, ob wir bereit sind, seine meist überraschenden Schwenkungen nachzuvollziehen. Wir lassen uns gern so lässig führen. Nur haben wir manchmal etwas Mühe, beim Blättern bekannte Stellen zu finden, eben weil der Eingang selten in gewohnter Weise die Mitte und diese das Ende vorbereitet. Mit einiger Vorsicht dürfen wir sagen: Auch bei Goethe – freilich aus ganz anderen Gründen als bei Properz – fallen die größeren Elegien in einzelne Blöcke auseinander[26]. Zwar versucht er uns immer wieder durch einen abstrakten Rahmen zu täuschen. Doch dichterisch mächtig werden als Einheit nur einzelne Verse und Gruppen von Versen, eine halbe und dann und wann vielleicht einmal eine ganze Seite. Glückliche Stunden in Rom! Das ist der Inhalt der «Römischen Elegien», der geistreich, aber doch mit ziemlich äußerlichen Veranstaltungen über die einzelnen Stücke verteilt wird.

[26] a.a.O. S. 62.

Dem entspricht, daß der Liebesbund mit Faustina keine Geschichte hat. Der Dichter ist im ersten Gedicht soeben eingetroffen in Rom und fordert angesichts der Ruinen, Paläste, Kirchen und Säulen die Liebe, die alles erst zu beseelen vermag – wie immer bei Goethe nur in der Liebe von Mensch zu Mensch die Welt aufleuchtet. In der zweiten Elegie ist die Liebste bereits mit ihm verbunden und behaglich eingerichtet. Der Norden – mit seinem lästigen Interesse an den Leiden Werthers in einer früheren, mit Mode, Gesellschaft und Politik in der letzten Fassung – verblaßt zum Schatten am Horizont und dient nur noch als Folie für das Glück, das die südliche Welt beschert. Da ist von keiner Entwicklung, von keinen Stufen und Übergängen die Rede. In einem Sprung hat der «Barbar» die Höhe des neuen Daseins erreicht, wo keine Sorge mehr regiert, kein Rückblick und keine Vorsicht mehr den Genuß der Gaben des Lebens stört. Und wie die Geliebte meint, ihr rasches Einverständnis bereuen zu müssen, erklärt der deutsche Humanist:

«In der heroischen Zeit, da Götter und Göttinnen liebten,
Folgte Begierde dem Blick, folgte Genuß der Begier» (III).

Und in der zwölften Elegie erlaubt er sich sogar, die Präliminarien der eleusinischen Feier, die düsteren, vielbedeutenden Einweihungsriten, die der Neuling über sich ergehen lassen muß, als Umständlichkeiten darzustellen, deren Scherz darauf hinausläuft, den unbeschwertesten Genuß des letzten, des Liebesfests, zu gewähren. Nichts als solche Präliminarien sind die deutschen Jahre gewesen. Ihr Sinn erschöpft sich im Kontrast.

Ebensowenig wie vom Werden ist die Rede vom Vergehen. Das Ende wird so unvermittelt sein, wie der Anfang gewesen ist. Die Sorge um den Besitz der Geliebten verstummt, nachdem sich ein Verdacht als unberechtigt erwiesen hat. Gewöhnung, Ermüdung, Alter, alle diese gefährlichen Feinde der Liebe, zieht der Elegiker nicht in Betracht. Er scheint zu erwarten, daß ihm Anakreons günstiges Schicksal beschieden sei, der Frühling, Sommer und Herbst genoß und den vor dem Winter der Hügel, seines Grabes geehrte Stätte, beschützte[27]. So schließt die siebente Elegie:

[27] Vgl. «Anakreons Grab».

«Dulde mich, Jupiter, hier, und Hermes führe mich später,
Cestius' Mal vorbei, leise zum Orkus hinab.»

Am Mal des Cestius, an der kleinen Pyramide neben dem protestantischen Friedhof in Rom, vorbei. Zwischen dem Dunkel des Nordens und dem Dunkel der Pforte zur Unterwelt spielen die «Römischen Elegien» sich ab, die Dichtung der vollkommensten und unbeschwertesten Gegenwart, die Goethe je geschaffen hat. Sie, die Gegenwart, wird gepriesen in der «Göttin Gelegenheit» (IV), die Goethe als Christiane erschien – mit kurzen Locken und ungeflochtenem Kraushaar, wie sie nach römischer Allegorie vorn lange, hinten wenig oder keine Haare hat («Ne tenear fugiens[28]») und auch im Deutschen beim Schopf gepackt sein will. Beherzt ergriffener Gegenwart gilt wieder die dritte Elegie. Das Herrlichste, Rom, entspringt der unbedenklichen Lust eines liebenden Paars. Und selbst Roms bedürfte es zur Rechtfertigung der Liebenden nicht. Sie sind sich überall selbst genug.

Es ist uns nicht neu, daß Goethe sich so dem Augenblick widmet. Im «Mailied», in «An Schwager Kronos», sogar im «Werther» ging es darum, der Stunde den höchsten Sinn zu entnehmen, im gegenwärtigen Augenblick eines ewigen Lebens versichert zu sein. Doch in den Jugendwerken beruhte die Gunst des Augenblicks auf Zufall, auf dem unberechenbaren Wellenschlag des Gefühls und dem der Macht des Menschen entrückten Einklang der inneren und der äußeren Welt. Jetzt, in Rom – genauer, in dem von Weimar aus erträumten Rom – erscheint die äußere Welt in wandellosem Glanz als klassischer Boden, der unerschöpflich ein wahres und schönes Leben hervorbringt. Und das Gemüt ist ausgeglichen, auf das Mögliche abgestimmt und so gegen Schwankungen ziemlich geschützt. Man mag es erstaunlich finden, wie offen sich Goethe zu einer vernünftigen Sicherung seines Liebesglücks bekennt. Aus der sechsten Elegie erfahren wir, daß Faustina eine junge Witwe mit einem Kind ist. Das kann in Rom nicht anders sein, weil, wie Goethe dem Herzog schreibt, die Mädchen unzugänglich sind, für Debauchen also nur das ver-

[28] Vgl. Goethe, Gedichte mit Erläuterungen von E. Staiger, Zürich 1949, I, 483.

heiratete Frauenzimmer, Witwen und öffentliche Geschöpfe in Frage kommen. Die letzteren wiederum sind aus Gründen bedenklich, die die achtzehnte und eine nachgelassene Elegie umständlich auseinandersetzen. Bei den Ehefrauen hat man sich mit dem Ehemann abzufinden, der immer eine Störung bedeutet. Es bleiben also nur Witwen, wenn es gut geht, junge Witwen übrig. Und damit fallen nun freilich alle emotionalen Umständlichkeiten, das ganze «Brimborium», das, nach Mephisto, den Jüngling entzückt und aufregt, weg.

«Reizendes Hindernis will die rasche Jugend; ich liebe,
Mich des versicherten Guts lange bequem zu erfreun.»

Wenn eine Liebe so vernünftig eingerichtet wird, dann kann sie allerdings nicht auf die Erkenntnis der menschlichen Einzigartigkeit des geliebten Wesens gegründet sein. Faustina ist zwar treu, herzlich, schalkhaft, gutmütig, lebensfroh. Sie ist aber nicht, wie Belinde und Lida, wie Gretchen oder gar die Prinzessin im «Torquato Tasso», eine unverwechselbare Individualität. Mit anderen Worten: Ihre Seele ist weniger wichtig als ihre Gestalt, das Ebenmaß ihres Gliederbaus, das «holde Verborgene» ihres Leibs, das ewig gültigen Maßen entspricht. «Individuum est ineffabile» lautet ein alter Satz. In diese Unaussprechlichkeit vertieft sich nordische Phantasie. Sie findet nie ein Ende und wird durch Taten und Worte kaum je widerlegt. Denn auch die Taten und Worte sind in dieser Richtung unergründlich und schillern in seelischer Vieldeutigkeit. So hat sich Goethes Phantasie in die Einzigkeit Frau von Steins vertieft und ihre himmlische Seele selbst dann noch in ihren Augen zu lesen vermeint, wenn alles erweisbar Wirkliche seinem liebenden Glauben schroff widersprach. In Italien aber versucht er, aus solchen Ungewißheiten herauszukommen. Er wittert überall Willkür seines eigenen anspruchsvollen Gemüts, wo er nicht ganz von dem wahrnehmbaren, fest umrissenen Wesen der Dinge bestimmt ist. Er fordert vom Künstler, daß er ihm nirgends erlaube, über das Dargestellte hinaus in Träume auszuweichen. Er hält sich am Gegenständlichen fest. Und so nun auch in seiner Liebschaft. Faustinas Körper ist kein Trug und nicht, wie die Seele, unendlich deutbar.

Solang er verhüllt ist, könnte er noch zu ungewisser Ahnung und vagen, begehrlichen Einbildungen verführen. Die nackte Geliebte aber stellt sich dem Dichter in zarten und großen Konturen, in gültigen plastischen Formen dar, an denen es nichts zu enträtseln gibt. Was ihn mit ihr verbindet, verbindet ihn mit dem Bereich der Kunst und Natur, mit dem, was «wahr» und «seiend» ist. Die Gegensätze zwischen dem Ich und dem Allgemeinen sind sogar in intimster Zone hold überbrückt. Ergötzen und Belehren werden in der Anschauung so eines, wie sie früher, als die Aufklärung noch blühte, im Bezirk des Denkens eins gewesen sind.

«Froh empfind ich mich nun auf klassischem Boden begeistert;
   Vor- und Mitwelt spricht lauter und reizender mir.
Hier befolg ich den Rat, durchblättre die Werke der Alten
   Mit geschäftiger Hand, täglich mit neuem Genuß.
Aber die Nächte hindurch hält Amor mich anders beschäftigt;
   Werd ich auch halb nur gelehrt, bin ich doch doppelt beglückt.
Und belehr ich mich nicht, indem ich des lieblichen Busens
   Formen spähe, die Hand leite die Hüften hinab?
Dann versteh ich den Marmor erst recht; ich denk und vergleiche,
   Sehe mit fühlendem Aug, fühle mit sehender Hand.» (V)

Das scheint eine Liebe ganz im Stil der «seelenlosen» Antike zu sein. Dennoch kann der nordische Dichter sich auch hier so wenig ganz verleugnen wie in der «Nausikaa», die den Manen Homers gewidmet ist und das Homerische fast unmerklich, aber doch unwiderstehlich in moderne Innerlichkeit umbiegt[29]. Wir sehen dies am deutlichsten in den Versen, die an das dritte Gedicht im ersten Buch des Properz erinnern. In deutscher Übersetzung lautet die lateinische Elegie:

«Wie die Kreterin einst, als Theseus' Kiel sich entfernte,
   Tiefermattet lag an dem verlassenen Strand –
Wie Andromeda auch, des Kepheus Tochter, im ersten
   Schlummer, eben befreit, ruhte auf hartem Gestein –
Minder auch nicht als wie, von währendem Reigen ermüdet,
   Die Mänade ins Gras, nah dem Apidanus, sank –

[29] Vgl. S. 48.

80

So schien Cynthia mir gelöste Ruhe zu atmen,
  Lag ihr Haupt, auf unsichere Hände gestützt,
Als, von Bacchus voll, die trunkenen Sohlen ich schleifte
  Und die Knaben mir spät schwangen die Fackel zur Nacht.
Ihr – denn ich hatte noch nicht die sämtlichen Sinne verloren –
  War ich, gelinde den Pfühl pressend, zu nahen bemüht.
Aber wie sehr mich doppelte Glut überwältigt und Amor
  Drängte mit Liber zugleich, jeder ein herrischer Gott,
Untergeschobenen Arms die Liegende leicht zu versuchen,
  Ihr mit genäherter Hand Küsse zu rauben und Lust,
Wagte ich dennoch nicht, die Ruhe der Herrin zu stören –
  Denn ich scheute den Zank öfter erfahrener Wut –
Sondern ich hing an ihr mit forschenden Augen befestigt,
  So wie das fremde Gehörn Argus an Io besah.
Alsbald löste ich los von meiner Stirne die Kränze;
  Deinen Schläfen sodann, Cynthia, wand ich sie um.
Bald ergötzte es mich, die gleitenden Locken zu ordnen;
  Äpfel legt' ich geheim ihr in die offene Hand.
Aber die Gaben zumal, ich schenkte sie danklosem Schlummer:
  Oft von sich neigender Brust rollten die Gaben herab.
Immer wenn dir in seltner Bewegung sich Seufzer entwanden,
  Schenkte ich wieder, erstarrt, trügendem Zeichen Gehör,
Daß Gesichte dich schreckten mit fremden Ängsten, daß einer,
  Widerwillige dich, zwänge die Seine zu sein –
Bis, vorübergleitend der Mond an den Feldern des Fensters –
  Allzu geschäftig, obgleich zögernden Lichtes der Mond –
Ihre geschlossenen Augen mit zarten Strahlen geöffnet.
  Also sprach sie, den Arm stützend auf weichlichen Pfühl:
,Bringt dich endlich zurück zu meinem Lager das Schelten
  Einer andern, die dich wies von verriegelter Tür?
Denn wo vertriebst du der Nacht, die mein war, lange Gezeiten,
  Von dem vollendeten Lauf, wehe, der Sterne erschlafft?
Daß du solche Nächte doch auch verbrächtest, du Schnöder,
  Wie du zu dulden sie mir immer, der Ärmsten, befiehlst!
Bald mit dem glänzenden Faden versucht' ich den Schlummer
                                        [zu täuschen;
  Wieder zu orphischem Spiel sang ich ermüdet ein Lied,

Klagte mit leiser Stimme dazwischen mit mir, die Verlaßne,
Wie du mit Fremden so oft lange der Liebe gepflegt –
Bis mit erquickenden Schwingen der Schlaf die Erschöpfte berührte.
Meine Tränen, zuletzt wurden sie also gestillt.' »

Dieses Gedicht schwebt Goethe vor in dem schon vor den «Römischen Elegien» entstandenen *Der Besuch*», das Stoff zu einer nicht so bald zu endenden Betrachtung böte. Es wäre darauf hinzuweisen, wie der mythische Hintergrund von Cynthias Schlummer im Deutschen noch einer bescheidenen Häuslichkeit weichen muß, wie Goethe, weit entfernt, den Zorn der schlafenden Geliebten zu fürchten – er gibt dafür auch keinen Anlaß; er kommt ja nüchtern, in freundlichster Absicht – ihr Inneres, die «Unschuld eines guten Herzens» aus ihrem Gesicht und ihren Gliedern zu lesen versucht und «sachte, sachte» sich wieder davon schleicht, nachdem er Rosen und Pomeranzen auf das Tischchen niedergelegt hat.

Wie nah und fern ist hier Properz! Wir lassen dies aber auf sich beruhen, weil wir doch allzuweit hinter den in dem Zyklus der «Römischen Elegien» erreichten Stil zurückgehen müßten. Dagegen beschäftige uns die Elegie, die mit dem Vers beginnt:

«Amor bleibet ein Schalk, und wer ihm vertraut, ist betrogen.»

Die erste Hälfte greift ein altes, schon aus den Jugendwerken Goethes wohlbekanntes Thema auf: den eigentümlichen Widerstreit nämlich, daß die Liebe zwar den Stoff zu Gesängen liefert, das Singen aber durch ihren zeitraubenden Anspruch verhindert. Es wird gelassen, halb scherzhaft behandelt, so wie es sich für den Glücklichen, der nordischen Sorge Entwöhnten ziemt. Dann aber leitet Goethe zur Schilderung eines Morgens der Liebenden über:

«Dich, Aurora, wie kannt ich dich sonst als Freundin der Musen!
Hat, Aurora, dich auch Amor, der lose, verführt?
Du erscheinest mir nun als seine Freundin, und weckest
Mich an seinem Altar wieder zum festlichen Tag.
Find ich die Fülle der Locken an meinem Busen! Das Köpfchen
Ruhet und drücket den Arm, der sich dem Halse bequemt.

Welch ein freudig Erwachen, erhieltet ihr, ruhige Stunden,
  Mir das Denkmal der Lust, die in den Schlaf uns gewiegt! –
Sie bewegt sich im Schlummer und sinkt auf die Breite des Lagers,
  Weggewendet; und doch läßt sie mir Hand noch in Hand.
Herzliche Liebe verbindet uns stets und treues Verlangen,
  Und den Wechsel behielt nur die Begierde sich vor.
Einen Druck der Hand, ich sehe die himmlischen Augen
  Wieder offen! – o nein! laßt auf der Bildung mich ruhn!
Bleibt geschlossen! ihr macht mich verwirrt und trunken, ihr
                                                    [raubet
  Mir den stillen Genuß reiner Betrachtung zu früh.
Diese Formen, wie groß! wie edel gewendet die Glieder!
  Schlief Ariadne so schön: Theseus, du konntest entfliehn?
Diesen Lippen ein einziger Kuß! O Theseus, nun scheide!
  Blick ihr ins Auge! Sie wacht! – Ewig nun hält sie dich fest.»

Das ist abermals das Motiv des Properz, der Blick auf die Liebste,
die schlafend ruht. Und diesmal versagt sich auch Goethe die
mythische Spiegelung der Szene nicht. Er schließt mit Theseus
und Ariadne, mit denen der römische Dichter beginnt. Doch wie
ganz anders ist alles gewendet! Der Deutsche findet vor der Geliebten den «stillen Genuß der reinen Betrachtung», ein fast pro-
grammatisches, «klassisches» Glück, das nicht mehr allzu weit
vom «interesselosen Wohlgefallen» Kants und Schillers entfernt
zu sein scheint. Immerhin wäre es schwer, von den «großen Formen», den «edlen Gliedern» zu scheiden. Es würde ihm aber
wohl gelingen, so wie es Theseus gelungen ist. Doch nun erwacht
die Geliebte und schlägt das seelenvolle Auge auf. Und diese
feuchte Unergründlichkeit ist unwiderstehlich für ihn und triumphiert über alles, was im Raum der reinen Antike und der folge-
rechten Klassik gilt.

Ob Goethe sich bewußt war, daß er hier im Geist der neueren
Zeiten spreche, ist wieder schwer zu ermitteln. Im Rahmen seiner
eigenen Elegien liegt kein Stilbruch vor. Denn derselbe seelische
Zauber, der diesmal leicht zu fassen ist, breitet in wechselnder
Dichte, meist ungreifbar, sich über den ganzen Zyklus aus und
verschmilzt mit antiker Tradition zu einer unauflöslichen, neuen,

man kann nur sagen Goetheschen Einheit. August Wilhelm Schlegel behält mit seiner Charakterisierung Recht:

«Das ist es eben, was an diesen Elegien bezaubert, was sie von den zahlreichen und zum Teil sehr geschickten Nachahmungen der alten Elegiendichter in lateinischer Sprache wesentlich unterscheidet: sie sind originell und dennoch echt antik. Der Genius, der in ihnen waltet, begrüßt die Alten mit freier Huldigung; weit entfernt, von ihnen entlehnen zu wollen, bietet er eigene Gaben dar, und bereichert die römische Poesie durch deutsche Gedichte. Wenn die Schatten jener unsterblichen Triumvirn unter den Sängern der Liebe in das verlassne Leben zurückkehrten, würden sie zwar über den Fremdling aus den germanischen Wäldern erstaunen, der sich nach achtzehn Jahrhunderten zu ihnen gesellt, aber ihm gern einen Kranz von der Myrte zugestehn, die für ihn noch eben so frisch grünt, wie ehedem für sie [30].»

Die Römer würden erstaunen, meint Schlegel, den Fremdling aber freudig begrüßen. Daß man ihn auch in Deutschland, wo er jetzt gleichfalls zum Fremdling geworden war, mit ungeteilter Freude begrüßen würde, stand freilich nicht zu erwarten. 1791 war Goethe bereit, die Elegien herauszugeben. Herder widerriet, und sogar Carl August hatte große Bedenken. Er fand, es wäre besser, «einige zu rüstige Gedanken ... bloß erraten zu lassen, andere unter geschmeidigeren Wendungen mitzuteilen, noch andere ganz zu unterdrücken». Er wollte es französisch haben – das dürfte damit doch wohl gesagt sein – und sah in dem Büchlein eine Gefahr für den Fortschritt der deutschen Literatur [31]. So hielt es Goethe einstweilen zurück. Erst als das Bündnis mit Schiller in ihm erstorbene Hoffnungen wieder erweckte, entschloß er sich zur Veröffentlichung. Die Elegien erschienen 1795 in den «Horen». Ein Kreis von Kennern war entzückt. Die breite deutsche Öffentlichkeit dagegen wandte sich befremdet, mit sittlicher Entrüstung, ab.

[30] Vgl. A. W. Schlegels Sämtl. Werke. 10. Bd., Leipzig 1846, S. 64.
[31] Carl August an Schiller, 9. Juli 1795.

Die Arbeit an den «Römischen Elegien» und das Liebesglück mit Christiane täuschten Goethe zu Zeiten darüber hinweg, daß eine vollkommene Gegenwart, so wie er sie in Rom erfahren, in Weimar nur ein Traum oder eine so dürftige Wirklichkeit sein könne, daß es sich nicht mehr lohnte, sein ganzes Dasein ihrem Dienst zu weihen. An Jacobi schrieb er am 3. März 1790, er «studiere die Alten und folge ihrem Beispiel, so gut es in Thüringen gehen wolle», und an Stolberg schon am 2. Februar 1789, er für seine Person bekenne sich mehr oder weniger zu Lukrez und schließe alle Prätentionen in den Kreis des Lebens ein. Das war indes leichter gesagt als getan. Denn dieser Kreis des Lebens zog sich immer beängstigender zusammen. Den deutschen Frühling von 1789 wußte Goethe zu schätzen. Sonst aber brachte Phöbus im Norden selten «Formen und Farben hervor». Er beleuchtete keine große Kunst und kein südländisches heiteres Volk. Wieder einmal düsterte es von außen, wenn es von innen glänzte[1]. Und diesmal war die Lage aussichtsloser als sie je gewesen. Denn die ganze würdige Fülle der deutschen Tradition, in die sich Goethe früher tastend und erwartungsvoll vertieft, die eine Gemeinschaft des Strebens mit nahen und fernen Freunden begründet hatte, sie war für ihn einstweilen erledigt; sie schien ihm nur eine Chimäre zu sein.

Doch mit entbehrlichen Ideen verlor er die unentbehrlichen Menschen. Er, der in Rom vielseitige Geselligkeit gekostet hatte, der ein urbanes Leben als das Gültige und Wahre ansah und als «antik» den nordischen Sonderlingen und brütenden Käuzen empfahl, war auf sich selber angewiesen und in so völliger Einsamkeit wie nie in den voritalienischen Jahren. Damals dürfte einem Manne wie Heinrich Meyer gegenüber das Gefühl von beinahe unbegreiflicher Dankbarkeit erwacht sein, das ihn bis zum Tod beseelte. «Von Ihnen ganz allein», schrieb er ihm im Januar 1789, «höre ich einen ernsthaften Widerklang meiner echten italienischen Freuden.» Doch Heinrich Meyer kam erst im Jahre 1791 nach Weimar. Bis dahin blieb für Goethe einzig seine Lieb-

[1] Vgl. Bd. I, S. 67.

schaft und blieb die Natur in Farben, Steinen, Pflanzen und Tieren. Das war beglückend, alles übrige gleichgültig, fremd oder unangenehm.

Und wenn die Erinnerung an Italien noch ein Trost gewesen war, so sollte auch diese Quelle wehmutsvoller Wonne verschüttet werden. Im Frühling 1790 wurde Goethe beauftragt, Anna Amalia in Venedig abzuholen. Er brach in zwiespältiger Stimmung auf. Einerseits redete er sich ein, mit der Reise geschehe ihm ein großer Gefallen, und glaubte, für dieses Gefühl sogar Herder um Verzeihung bitten zu müssen[2]. Andrerseits mußte er sich gestehen, er gehe «diesmal ungern von Hause[3]». Christiane und den vor einem Vierteljahr geborenen August zu verlassen, fiel ihm schwer. Und in dieser Empfindung sprach das Herz. Die zweite italienische Reise wurde zu einer großen Enttäuschung. Goethe ging sogar so weit, dem Herzog zu erklären, seiner Liebe zu Italien habe sie den Todesstoß versetzt[4]. Das will aber richtig verstanden sein. Erschüttert wurde nicht die Einsicht in das Wesen von Kunst und Natur, die Goethe 1786–88 gewonnen hatte, nicht seine auf die Antike ausgerichtete Auffassung des Lebens. Nur das Bild Italiens, das Erinnerung bereits verklärte, hielt der Wirklichkeit nicht stand. Es gab wieder Staub und holperige Straßen, sinnlosen Lärm und Unreinlichkeit. Das Wetter verschlechterte sich, und die Ankunft der Herzoginmutter zog sich hinaus. Die Sorge um die kleine Familie, Sehnsucht, Heimweh, Unrast ließen selten ein reines Behagen aufkommen. Was niemand erwartet hätte, geschah: Goethe langweilte sich in Venedig. Die Langeweile aber war die Muse, der wir die *«Venetianischen Epigramme»* zu danken haben.

«Wie man Geld und Zeit vertan,
Zeigt das Büchlein lustig an.»

Dieses Motto hat Goethe für die Gesamtausgabe darübergesetzt. Ein Zeitvertreib waren die kleinen Gedichte. Nicht weniger und nicht viel mehr sind sie für den Leser auch heute noch. Venedig

[2] Brief vom 10. März 1790.
[3] Brief vom 12. März 1790.
[4] 3. April 1790.

im Regen, katholische Feste, «Lazerten», die kleine Gaukler-
truppe mit der reizenden Bettina, Ausfälle gegen die Politik, das
Christentum, die deutsche Sprache, das löst sich in raschem Wechsel ab und ist kurzweilig – wenn man vergißt, wie wenig Freude
hier dem Dichter der «Elegien» noch übrig bleibt und wie, was
sich so leicht zu geben versucht, im Grund ein tiefer Unmut, ja
eine Art Verzweiflung ist. Mit dem Norden ist es nichts und mit
dem Süden auch nichts mehr. Die Könige haben ihre Würde verloren; das Volk ist begehrlich und frech. In der Wissenschaft
herrscht ein verderblicher Geist. Schwärmerei verhindert im
Norden, revolutionäre Gärung im Westen, abstruser Aberglaube
im Süden jede echte ruhige Bildung. Man möchte meinen, Goethe
habe damals irgendwie geahnt, sein Reich – der zeitentrückte
klassische Raum – sei nicht von dieser Welt. Es war ihm aber
nicht gegeben, als Dichter darüber Klage zu führen. Die Behauptung, Kunst sei bildende Sehnsucht, trifft für ihn in dieser Zeit
noch weniger zu als je. Weder die Sehnsucht nach Christiane
noch die Sehnsucht nach der nicht mehr aufzufindenden Heimat
seines Geistes wurde produktiv. Keine Lieder an die ferne Geliebte und keine Hyperiongesänge entwinden sich der beklom-
menen Brust. Er war gezwungen, sich auch hier an das gegenwärtige Leben zu halten und Widerwärtiges abzuwehren. Vielleicht verrät sich in dem Gefallen an den heimatlosen Gauklern
etwas von seiner verschwiegenen Not. Aber auch das wird um-
gebogen in ein spärliches Vergnügen an den gelenkigen Gliedern
Bettinas.

So stehen die «Epigramme» unter demselben Gesetz wie die
«Elegien». Sofern sie nicht rein satirisch sind, umschreiben die
Distichen wieder den in sich selber ruhenden Augenblick. Doch
da die Gunst der Stunde fehlt, sind diese Augenblicke stumpf.
Die Kürze des Epigramms gegenüber der Elegie bringt keine Ver-
dichtung. Sie zeigt nur den Verlust an Fülle, an sinnlich-sittlicher
Heimat an. Am erfreulichsten sind die Stücke, die ebensogut dem
Corpus der Elegien einverleibt werden könnten, so das erste,
hunderteinte und hundertzweite Epigramm[5], so insbesondere
auch die Huldigung an Carl August, in der sich die Huldigungs-

[5] Zählung nach der Artemis-Ausgabe.

verse der römischen Dichter an Maecenas und Augustus spiegeln. In den satirischen Stücken aber bewegt sich Goethe auf einem Feld, auf dem er es nie zur Vollendung gebracht hat. Da ist ihm Lessing und sind ihm später Kleist und Schiller weit überlegen. Das rasche Tempo lag ihm nicht, und eine Spitze so zu schärfen, daß sie lebendiges Leben verwunde, widerstrebte seiner Natur. Statt launig gibt er sich übelgelaunt; und wie er selber freudlos ist, so kann er auch wenig Freude bereiten. Sogar die gemeineren Belustigungen, denen er sich zu widmen und hin und wieder zu entziehen vorgibt, sind kaum je ergötzlich und werden mehr um des Kunststücks willen in die oft widerstrebenden Metren eingepaßt. Wie er selbst darüber dachte, zeigt das fünfte Epigramm:

«In der Gondel lag ich gestreckt und fuhr durch die Schiffe,
    Die in dem großen Kanal, viele befrachtete, stehn.
Mancherlei Ware findest du da für manches Bedürfnis,
    Weizen, Wein und Gemüs, Scheite, wie leichtes Gesträuch.
Pfeilschnell drangen wir durch; da traf ein verlorener Lorbeer
    Derb mir die Wangen. Ich rief: Daphne, verletzest du mich?
Lohn erwartet ich eher! Die Nymphe lispelte lächelnd:
    Dichter sündgen nicht schwer. Leicht ist die Strafe. Nur zu!»

Daphne, der Lorbeer, gebührt dem Dichter; den Dichter der Epigramme aber ehrt und züchtigt der Lorbeer zugleich, ohne ihn freilich abschrecken zu wollen. Er soll nur weiterfahren. «Dichter sündgen nicht schwer.» Das liberale Verhältnis zu dem poetischen Spiel, das Goethe von den meisten deutschen Dichtern so fühlbar unterscheidet, wird damit wieder einmal betont.

Am 18. Juni, am selben Tag wie zwei Jahre früher, traf Goethe wieder in Weimar ein. Doch «kaum nach Hause gelangt, ward» er von seinem Herzog «nach Schlesien gefordert, wo eine bewaffnete Stellung zweier großen Mächte den Kongreß von Reichenbach begünstigte[6]». Inmitten des militärischen und politischen Treibens, das Europa mit einem Krieg zu bedrohen schien, in dem «lärmenden, schmutzigen, stinkenden Breslau» beschäftigte Goethe sich unaufhörlich mit vergleichender Anatomie und

[6] Annalen 1790.

führte er ein Einsiedlerleben, aus dem er einmal an Herder den für seine ganze damalige Lage bezeichnenden Stoßseufzer gelangen ließ:

«Auch bei mir hat sich die vis centripeta mehr als die vis centrifuga vermehrt. Es ist all und überall Lumperei und Lauserei, und ich habe gewiß keine eigentlich vergnügte Stunde, bis ich mit euch zu Nacht gegessen und bei meinem Mädchen geschlafen habe. Wenn ihr mich lieb behaltet, wenige Gute mir geneigt bleiben, mein Mädchen treu ist, mein Kind lebt, mein großer Ofen gut heizt, so hab ich vorerst nichts weiter zu wünschen.[7]»

Viel mehr ist über diese Zeit in einer Darstellung nicht zu berichten, welche die Biographie nur beizieht, wo dies zum Verständnis des wesentlichen Schaffens unerläßlich scheint. Eine Zusammenkunft mit Schiller am 31. Oktober hatte noch keine bedeutenden Folgen.

Unter der Überschrift 1791 heißt es in den «Annalen»: «Ein ruhiges, innerhalb des Hauses und der Stadt zugebrachtes Jahr.» Die naturwissenschaftlichen Studien werden emsig fortgesetzt. Das Interesse wendet sich mehr den chromatischen Phänomenen zu. Mit der Übernahme der Leitung des neugegründeten Hoftheaters setzt eine neue Entwicklung ein, auf die sich Goethe zunächst nur zögernd, mit einigem Widerstreben einläßt. Er hatte die Theaterfragen in «Wilhelm Meisters theatralischer Sendung» einstweilen zu Ende gedacht und alle Illusionen verloren. Er traute eben jetzt dem deutschen Publikum keinen Geschmack mehr zu. So konnten ihn nur das Pflichtgefühl und der Gehorsam seinem Fürsten gegenüber bewegen, den unerfreulichen Auftrag anzunehmen. Die *Prologe* vom 7. Mai und 1. Oktober, auch der *Epilog* vom letzten Dezember des Jahres verraten denn nur wenig Liebe, oder besser, sie verbergen Gleichgültigkeit und Unglauben hinter bescheidentlicher Zurückhaltung. Immerhin versuchte Goethe mit Ernst das Mögliche zu leisten! Am 30. Mai schrieb er an Reichardt:

«Im ganzen macht mir unser Theater Vergnügen, es ist schon um vieles besser als das vorige, und es kommt nur darauf an, daß

[7] An Herder 11. September 1790.

sie sich zusammenspielen, auf gewisse mechanische Vorteile aufmerksam werden und nach und nach aus dem abscheulichen Schlendrian, in dem die mehrsten deutschen Schauspieler bequem hinleiern, nach und nach herausgebracht werden. Ich werde selbst einige Stücke schreiben, mich darinne einigermaßen dem Geschmack des Augenblicks nähern und sehen, ob man sie nach und nach an ein gebundenes, kunstreicheres Spiel gewöhnen kann.»

Der «Geschmack des Augenblicks» ist durch Namen wie Iffland, Kotzebue, Schröder, Babo, Ziegler, Wall bezeichnet. Diesen nähert sich Goethe an in Stücken wie *Die Aufgeregten*», «*Der Bürgergeneral*», «*Der Groß-Cophta*», Werken, in denen sich kaum die leiseste Spur von seinem Genius findet, die nicht einmal als Auseinandersetzung mit der Französischen Revolution von Interesse sind. Mehr konnte er sich nicht verleugnen. Mit dem, was *er* unter Kunst verstand, mit seinen klassischen Ideen hatte dies nicht das geringste zu tun. Er schien entschlossen, auf ihre Durchführung in Deutschland zu verzichten. Das gilt auch von einem Prosawerk, das er ohne äußeren Anlaß schrieb, der «*Reise der Söhne Megaprazons*», die sich, im Stil des Rabelais, wieder mit politischen Fragen herumquält. Weil sich hier gewisse allegorische Motive finden, die in «Faust II» bedeutsam werden, sind wir dankbar, daß das Fragment aus dem Nachlaß zutage getreten ist. An sich bedeutet es wenig. Niemand riete auf eine Goethesche Schrift, es sei denn auf Grund der Prosa, deren königliche Gelassenheit sich selbst bei einem so durchaus fremden Gegenstand einigermaßen behauptet.

Wenn wir aber erfahren wollen, wie es Goethe zumute war, so müssen wir weder die Bühnenstücke noch die Erzählungen oder die wenigen Gedichte dieser Jahre lesen, sondern die «*Campagne in Frankreich 1792*», die freilich erst später zum Kunstwerk gediehen ist, die aber die Stimmung, das Wollen und Vollbringen und Versagen einer der trübsten Epochen von Goethes Leben diskret, doch tiefergreifend festhält. Zwischen den im Jahre 1792 geschriebenen Briefen und der selbstbiographischen Schrift bestehen gewisse Widersprüche[8]. So zeigen die Briefe, daß

[8] Vgl. G. Roethe, Goethes Campagne in Frankreich 1792, Berlin 1919.

Goethe zu Beginn des Feldzugs die allgemeine optimistische Erwartung teilte, während die «Campagne» von Anfang an begründete Zweifel am Erfolg der Alliierten äußert. Ferner scheint aus den Briefen hervorzugehen, daß er sich bei Jacobi in Pempelfort äußerst wohl gefühlt habe, während das Buch gerade da von der tiefsten inneren Einsamkeit spricht. Ersteres ist aber wohl aus dem Wunsch nach künstlerischer Geschlossenheit zu erklären – und nebenbei aus dem Bedürfnis, sich nachträglich überlegen zu finden, was leicht zu Gedächtnistäuschungen führt. Letzteres gehört in das Kapitel von Goethes zunehmender Schweigsamkeit. In Briefen legte er sozusagen den öffentlich gültigen Maßstab an und sprach die Gefühle aus, die man erwartet, wenn einer sich nach den Strapazen des Kriegs in einem wohlwollenden Freundeskreis findet. Das Buch dagegen dürfte in diesem Abschnitt die wesentlichere Wahrheit enthalten, die tiefe seelische Lähmung, die Goethe in jenen Jahren befallen und die er, wie es oft geschieht, in einer auch äußerlichen Misere eher leichter ertragen hatte.

Und doch war auch diese furchtbar genug. Das noch immer auf antike Schönheit ausgerichtete Auge fand sich einem trostlos-häßlichen, quälenden Anblick preisgegeben. Regen, Schlamm, Abfälle, Unrat, eine nach unseren Begriffen kaum mehr vorstellbare Unreinlichkeit, Hunger und Elend überall, außerdem, wo man hinsah, die Spuren der Krankheit, die Goethe sogar in seinem Bericht nur mit Schaudern erwähnt, der Ruhr: das war die Wirklichkeit, auf die es nach allem Enttäuschenden, das sich bereits ereignet hatte, nun hinauslief. Und alles geschah in einem Krieg, in einem Zustand also, den Goethe sinnlos und unnatürlich fand, selbst wenn er nicht mit besonderen Widerwärtigkeiten verbunden war. Er nennt ihn verderblich für das Gemüt, weil man «den Kühnen, Zerstörenden, dann wieder den Sanften, Belebenden» spielt; «man gewöhnt sich an Phrasen, mitten in dem verzweifeltsten Zustand Hoffnung zu erregen und zu beleben; hierdurch entsteht nun eine Art von Heuchelei, die einen besondern Charakter hat und sich von der pfäffischen, höfischen, oder wie sie sonst heißen mögen, ganz eigen unterscheidet[9].»

[9] XII, 266.

Unerträglich ist sodann die völlig abstrakte Maschinerie, in die der Einzelne eingepaßt wird, das unanschaulich-allmächtige Schicksal, das alle Besinnung auf die Würde des plastischen Einzelwesens verwehrt und das dem Objektiven eine so ungeheure Gewalt verleiht, daß sich der Mensch, bei wachem Selbstbewußtsein, gänzlich vernichtet sieht. Immer wieder kommt Goethe auf die Ohnmacht des echt Lebendigen gegenüber dem Wesenlosen irgendwelcher Institutionen zurück. Bekannt ist – aus den Annalen 1795 – jener Bauer, der im Bereich der Kanonen ganz naiv die Feldarbeit verrichtet. Weniger glücklich sind die Schäfer, die Goethe an seinem Geburtstag im Lager bei Pillon zu sehen Gelegenheit hatte:

«Man fragte nach den verschiedenen Besitzern, man sonderte und zählte die einzelnen Herden. Sorge und Furcht, doch mit einiger Hoffnung, schwebte auf den Gesichtern der tüchtigen Männer. Als sich aber dieses Verfahren dahin auflöste, daß man die Herden unter Regimenter und Kompanien verteilte, den Besitzern hingegen, ganz höflich, auf Ludwig XVI. gestellte Papiere überreichte, indessen ihre wolligen Zöglinge von den ungeduldigen fleischlustigen Soldaten vor ihren Füßen ermordet wurden; so gesteh ich wohl, es ist mir nicht leicht eine grausamere Szene und ein tieferer männlicher Schmerz in allen seinen Abstufungen jemals vor Augen und zur Seele gekommen. Die griechischen Tragödien allein haben so einfach tief Ergreifendes[10].»

Die lebendigen Geschöpfe und das Papier! So geht das überzeugende, faßliche, wahre Dasein, die gute Natur in der modernen Welt an einer anonymen Macht zugrunde, die überall und nirgends ist und ohne Sinn und ohne Folge sich ein dämonisches Recht anmaßt. Ähnliches könnte freilich, in milderen Formen, auch im Frieden geschehen. Der Krieg zieht nur die letzten Schleier von dem Gesicht der Neuzeit weg.

Und wiederum ist es nicht ein Krieg, wie es deren schon viele gegeben hat, sondern, nach Goethes Ansicht, ein Kampf, sogar *der* entscheidende Kampf um die fundamentalen Ordnungen der Gesellschaft. Die Frage stellt sich: Wie verhielt sich Goethe zur Französischen Revolution? – diese Frage, die wie die andere nach

[10] XII, 252 f.

Goethes Verhältnis zur Religion um so leidenschaftlicher diskutiert wird, je weniger man bereit ist, sich dem Dichterischen als solchem anzuvertrauen, je mehr man Goethe für seine eigenen vergänglichen Interessen mißbraucht. Wer selbstlos an die Frage herantritt[11] und sie von Goethe aus, nicht von unsern Problemen aus zu beantworten sucht, der wird zunächst zugeben müssen, daß Goethe die Revolution als eine ungeheure Störung empfand, als eine Ablenkung von Dingen, die größere Aufmerksamkeit verdienen. So schrieb er am 18. August 1792 aus Frankfurt an Jacobi:

«Gegen mein mütterlich Haus, Bette, Küche und Keller wird Zelt und Marketenderei übel abstechen, besonders da mir weder am Tode der aristokratischen noch demokratischen Sünder im mindesten etwas gelegen ist.»

Zugleich aber konnte er sich der allgemeinen Erregung nicht entziehen und sah wohl ein, daß es ungeheuerlich, ja im Grunde unmöglich sei, als Einzelner stumm beiseitezustehen und in Gleichgültigkeit zu verharren. Er fand seine eigene Existenz und die unzähliger andrer, fremder und nahestehender Menschen bedroht und war, wie alle, gezwungen, über Recht und Unrecht nachzudenken, der «unvermeidlichen Wirklichkeit» sich «halb verzweifelnd hinzugeben[12]». Er tat dies in einer Weise, in der ihm nicht viele nachzufolgen bereit sind, und sprach sich darüber aus in Worten, die mitten im Sturm des Geschehens niemand und selbst in ruhigen Jahren nur wenige zu hören und zu beherzigen wagen:

«Übrigens läßt sich hiebei bemerken, daß in allen wichtigen politischen Fällen immer diejenigen Zuschauer am besten dran sind, welche Partei nehmen; was ihnen wahrhaft günstig ist, ergreifen sie mit Freuden; das Ungünstige ignorieren sie, lehnen's ab oder legen's wohl gar zu ihrem Vorteil aus. Der Dichter aber, der seiner Natur nach unparteiisch sein und bleiben muß, sucht sich von den Zuständen beider kämpfender Teile zu durchdringen, wo er denn, wenn Vermittlung unmöglich wird, sich entschließen muß, tragisch zu endigen. Und mit welchem Zyklus

[11] Vgl. W. Mommsen, Die politischen Anschauungen Goethes, Stuttgart 1948.
[12] Annalen 1793.

von Tragödien sahen wir uns von der tosenden Weltbewegung bedroht[13]!»

In diesem Sinne gab er eine Schuld der herrschenden Klasse und ein Recht des leidenden Volkes zu. Mit aller Entschiedenheit lehnte er aber die revolutionären Methoden ab. Mochte es stehen, wie es wollte, den Terror entschuldigte keine Not! Hinter dieser Überzeugung traten die sozialen Sympathien und Antipathien zurück. Goethe sah mit Besorgnis, daß ein «gewisser Freiheitssinn ... sich» sogar «in die hohen Stände verbreitet hatte; man schien nicht zu fühlen, was alles erst zu verlieren sei, um zu irgend einer Art zweideutigen Gewinnes zu gelangen... So seltsam schwankte schon die Gesinnung der Deutschen[14].»

Dieselbe Gesinnung hat er, wie bekannt ist, öfter ausgesprochen. Noch das Epos «Hermann und Dorothea» ist von ihr durchströmt und schließt mit einer beschwörenden Gebärde der Abwehr und der Bewahrung. Weniger bekannt ist vielleicht der Ausspruch in einem Brief an Fritz von Stein vom 23. Oktober 1793:

«Herr Sibeking mag ein reicher und gescheuter Mann sein, so weit ist er aber doch noch nicht gekommen, einzusehen, daß das Lied ,Allons, enfants etc.' in keiner Sprache *wohlhabenden* Leuten ansteht, sondern bloß zum Trost und Aufmunterung der armen Teufel geschrieben und komponiert ist.»

Das klingt im ersten Augenblick hart, wendet sich aber, recht besehen, gar nicht gegen die «armen Teufel», sondern gegen das Bemühen, Reichtum mit dem Luxus demokratischer Gefühle verbinden, also gleichsam den Vorteil beider Parteien in einer Hand vereinigen zu wollen. Dagegen sträubte sich Goethes Redlichkeit. Er war zu tapfer, auch sich selber gegenüber, um mit solchen Phrasen sein Gewissen zu beschwichtigen und sozusagen dem Zeitgeist hinter den Ohren zu krauen.

Im übrigen hielt er es für naiv, von irgendwelchen politischen Ereignissen eine bedeutende Änderung der Lage des Menschen zu erwarten. Was immer man über Goethes historische Einsicht sagen mag, es läßt sich nicht leugnen, daß es ihm ziemlich schwer fiel, an etwas schlechterdings Neues zu glauben. Hegels Idee, wo-

[13] XII, 423.
[14] XII, 376 f.

nach sich die Weltgeschichte in großen Katastrophen dialektisch dem Ziel, dem vernünftigen Endzweck, entgegenentwickelt, blieb ihm fremd. Er sah die Wiederkehr des gleichen in allem, was sich hienieden regt, und schaute dem ewigen Kreislauf zu, mißmutig dem Einerlei der Kriege und des Haders der Parteien, beglückt dem Einerlei der Natur.

Aus der Natur erwuchs ihm denn auch diesmal wieder der schönste Trost. Zum Erstaunen der höheren Offiziere war die Aufmerksamkeit des Dichters statt auf die Wechselfälle des Feldzugs und seine zu Beginn noch glänzende, bald aber düstere Poesie auf chromatische Phänomene gerichtet, als auf den einzigen Schein, in dem das Wesen noch erkennbar wurde, in dem noch Gott zum Menschen sprach.

«Glückselig aber der, dem eine höhere Leidenschaft den Busen füllte[15]!»

Mit diesen und ähnlichen Worten leitet er öfter von den soldatischen Dingen zu den Naturwissenschaften über, mit einer für seine ganze Umwelt unbegreiflichen Einschätzung des gewaltigen welthistorischen Vorgangs. Auch sein berühmter Ausspruch nach der Kanonade von Valmy – an dem zu zweifeln doch wohl kein Grund besteht[16] – weicht nicht von der großen Linie ab, auf der er sich während des Feldzugs bewegte. Nach der erfolglosen Schießerei verbreitet sich die größte Bestürzung über die alliierte Armee. Freunde finden sich zusammen.

«Die meisten schwiegen, einige sprachen, und es fehlte doch eigentlich einem jeden Besinnung und Urteil. Endlich rief man mich auf, was ich dazu denke, denn ich hatte die Schar gewöhnlich mit kurzen Sprüchen erheitert und erquickt; diesmal sagte ich: ,Von hier und heute geht eine neue Epoche der Weltgeschichte aus, und ihr könnt sagen, ihr seid dabei gewesen.'[17]»

«Ihr», sagt Goethe, als ob er selber nicht dabei gewesen wäre. So sind auch die Worte von der «neuen Epoche der Weltgeschichte» im Geist des zu erheiternden oder irgendwie aufzurichtenden Kreises gesprochen. Sie geben einem Denken nach,

[15] XII, 272.
[16] Vgl. Roethe, a.a.O.
[17] XII, 289.

das Goethe zwar als möglich anerkennen, aber für seine Person nicht als wesentlich gelten lassen will. Es ist, als klinge etwas Eulenspiegelhaft-Spöttisches in den Worten, eine verborgene Ironie, die zwar von Überlegenheit im Augenblick, aber zugleich von einer allgemeinen Verzweiflung zeugt.

Die allgemeine Verzweiflung tritt zutage im zweiten Teil des Buchs, das etwas Seltenes, eine umfassende Selbstbesinnung Goethes enthält. In den voritalienischen Jahren wäre dergleichen noch eher denkbar gewesen. Seit er sich aber der unzweideutigen Anschauung verpflichtet hatte, schien ihm die Devise «Erkenne dich selbst!» in hohem Grade bedenklich. Den Blick nach innen zu richten und eine Tiefe ergründen zu wollen, die erst dann sich bildet und mit angst- oder wunschgeborenen Schemen bevölkert, wenn wir sie, in unnatürlicher Wendung, überhaupt beachten, davon versprach er sich gar nichts mehr; und eine solche Selbstbesinnung findet freilich auch jetzt nicht statt. Sondern Goethe versucht, sich selbst in seiner Ratlosigkeit zu verstehen, indem er seine Herkunft, die Geschichte seiner Jugend, seine Beziehung zu alten und neuen Freunden, sein Leben in Weimar, Gunst und Ungunst seines Schicksals überdenkt und gleichsam eine Bilanz vorlegt, die ihm erlauben soll, der Zukunft mit klarem Blick entgegenzugehen.

Ein solcher Rückblick wurde ihm schon durch den Besuch bei seiner Mutter, in seinem Vaterhaus, nahegelegt und wieder, als sich Gelegenheit bot, in jene Kreise zurückzukehren, die er vor siebzehn Jahren, als er nach Weimar zog, verlassen hatte. Die Mutter hatte nämlich den Auftrag, anzufragen, ob er die Stelle eines Ratsherrn annehmen würde, wenn ihm die goldene Kugel zufiele. «Ich war betroffen, in mich selbst zurückgewiesen», bemerkt Goethe dazu. Eine Aussicht eröffnete sich, gleichsam aus dem bangen Traum der letzten Jahre zu erwachen und von vorn zu beginnen, dort, wo seinem Auge alles noch von Frühlicht überglänzt erschien. In alte Zeiten zurückversetzt, sah er den Großvater Textor im Garten mit Rosen und Aprikosen beschäftigt, «dem edlen Laertes gleich, nur nicht wie dieser sehnsüchtig und kummervoll[18]». Sollte es nicht möglich sein, eines solchen Friedens

[18] XII, 348.

teilhaftig zu werden? Früher oder später hätte Goethe die Frage kaum erwogen. Er wußte zu gut, daß niemand das Rad der Zeit zurückzudrehen vermag und daß ein Kindheitszauber nie die Entschlüsse des Mannes bestimmen darf. Damals aber hing er den schönen Träumen nach «wie ein Kranker oder Gefangener sich wohl im Augenblick an einem erzählten Märchen zerstreut». Dann kehrte die Besinnung wieder. Er sah die Vaterstadt bedroht, das Gartenparadies gefährdet. Er mußte sich gestehen, daß er dem Amt wohl gar nicht gewachsen wäre, als Fremder, der er schließlich nun doch in Frankfurt am Main geworden war. Und zuletzt, wie immer in solchen Lagen, gab der Gedanke an Carl August, an die Gunst und das Vertrauen seines Herrn den Ausschlag.

«Dieser von der Natur höchst begünstigte, glücklich ausgebildete Fürst ließ sich meine wohlgemeinten, oft unzulänglichen Dienste gefallen und gab mir Gelegenheit, mich zu entwickeln, welches unter keiner andern vaterländischen Bedingung möglich gewesen wäre; meine Dankbarkeit war ohne Grenzen, so wie die Anhänglichkeit an die hohen Frauen Gemahlin und Mutter, an die heranwachsende Familie, an ein Land, dem ich doch auch manches geleistet hatte[19].»

So traten die Bilder der jüngsten und fernsten Vergangenheit nebeneinander hervor. An manches, was dazwischen lag, erinnerte das Wiedersehen mit Plessing, mit jenem Wertherkranken, den Goethe während der Harzreise aufgesucht und unter etwas sonderbaren Veranstaltungen beruhigt hatte[20]. Die Sturm- und-Drang-Epoche, Lavaters «Menschenkenntnis und Menschenliebe», Glanz und Elend des Gefühls, die große Idee der Reinheit auf dem schneebedeckten Gipfel des Brockens, die Feier allmächtiger Liebe auf den Saiten der hymnisch gestimmten Harfe, die erste Kunde von der Offenbarung Gottes im Urgestein: dies alles drängte sich heran und schien zu fragen, was aus so ungeheurer Verheißung geworden sei.

Doch über die Unvereinbarkeit von Einst und Jetzt war Goethe bereits durch den Besuch bei Jacobi belehrt. Helene Jacobi hat,

[19] XII, 349.
[20] Vgl. Bd. I, S. 498.

gewiß im Sinne Fritz Jacobis, versichert: «Ihm war unendlich wohl unter uns[21]». Goethe sagt, er sei «unerträglich und liebenswürdig zugleich» gewesen. Nun war Jacobi von früher her an unerträgliche Züge gewöhnt. So ist es wohl möglich, daß er diesmal nur die liebenswürdigen wahrnahm, das Höfliche und Verbindliche, das ihm neu war und das er sogleich als Sprache des Herzens verstehen zu dürfen meinte. Ein anderer hätte sich kaum so leicht über Goethes verborgene Gefühle getäuscht.

Schon daß er gerade Jacobi besuchte, daß er ihm nicht lieber auswich, ist nur aus seiner Not verständlich. Er hatte ihn jugendlich-vage geliebt und hatte sich über ihn in sehr verletzender Weise lustig gemacht und immer wieder mit ihm versöhnt. Briefe gingen noch hin und her. Er konnte sich nicht darüber täuschen, daß Jacobi, wie Bürger, Klinger und Lavater, zu den Gefährten gehöre, die zurückgeblieben waren, von denen jedes Wort ihm nichtig und unstatthaft vorkommen mußte. Und dennoch suchte er ihn auf und wahrte das Gesicht bei seiner hilflos-rührenden Bemühung, dem Jugendfreund gefällig zu sein.

Man bat ihn, die «Iphigenie» vorzulesen. «Das wollte mir aber gar nicht munden, dem zarten Sinne fühlt' ich mich entfremdet, auch von andern vorgetragen war mir ein solcher Anklang lästig[22].» Die von dem zarten Sinn verkündete Botschaft der Humanität, das schöpferische Vertrauen hatte sich nicht bewährt. Schon damals dürfte Goethe sein Stück als unantik empfunden und diese Empfindung ausgesprochen haben. Jedenfalls fühlte sich Jacobi veranlaßt, nun etwas Antikes zu wählen. Als Homo religiosus schlug er den «Ödipus auf Kolonos» vor und griff damit abermals völlig fehl, da «dessen erhabene Heiligkeit meinem gegen Kunst, Natur und Welt gewendeten, durch eine schreckliche Campagne verhärteten Sinn ganz unerträglich schien; nicht hundert Zeilen hielt ich aus». So blieben nur die Gespräche über Italien und die vergangene Zeit, die wieder nicht für beide zugleich erfreulich und fruchtbar werden konnten, wie freundlich man sich auch betrug. Und Goethe mußte sich sagen, daß es

[21] Goethe in vertraulichen Briefen seiner Zeitgenossen, hg. von W. Bode, 1. Bd., Berlin 1918, S. 476.
[22] XII, 370.

offenbar nicht an den Weimarer Freunden, sondern nur an ihm selber lag, wenn er Ärgernis und Befremden erregte. Er hatte den Zauber des Hochbegünstigten, Unwiderstehlich-Liebenswürdigen ein für allemal eingebüßt und noch die unbedingte Achtung und Verehrung nicht erworben, die seine späteren Jahre beglänzte. Darüber äußert er sich in einer allgemeinen Betrachtung so:

«Der sittliche Mensch erregt Neigung und Liebe nur insofern, als man Sehnsucht an ihm gewahr wird; sie drückt Besitz und Wunsch zugleich aus, den Besitz eines zärtlichen Herzens, und den Wunsch, ein gleiches in andern zu finden; durch jenes ziehen wir an, durch dieses geben wir uns hin.

Das Sehnsüchtige, das in mir lag, das ich in früheren Jahren vielleicht zu sehr gehegt, und bei fortschreitendem Leben kräftig zu bekämpfen trachtete, wollte dem Manne nicht mehr ziemen, nicht mehr genügen, und er suchte deshalb die volle endliche Befriedigung. Das Ziel meiner innigsten Sehnsucht, deren Qual mein ganzes Inneres erfüllte, war Italien, dessen Bild und Gleichnis mir viele Jahre vergebens vorschwebte, bis ich endlich durch kühnen Entschluß die wirkliche Gegenwart zu fassen mich erdreistete.»

«In Italien fühlt' ich mich nach und nach kleinlichen Vorstellungen entrissen, falschen Wünschen enthoben und an die Stelle der Sehnsucht nach dem Lande der Künste setzte sich die Sehnsucht nach der Kunst selbst; ich war sie gewahr geworden, nun wünscht' ich sie zu durchdringen.

Das Studium der Kunst wie das der alten Schriftsteller gibt uns einen gewissen Halt, eine Befriedigung in uns selbst; indem sie unser Inneres mit großen Gegenständen und Gesinnungen füllt, bemächtigt sie sich aller Wünsche, die nach außen strebten, hegt aber jedes würdige Verlangen im stillen Busen; das Bedürfnis der Mitteilung wird immer geringer, und wie Malern, Bildhauern, Baumeistern, so geht es auch dem Liebhaber: er arbeitet einsam, für Genüsse, die er mit andern zu teilen kaum in den Fall kommt [23].»

Zuletzt ist Goethe glücklich, über konfessionelle Schranken

[23] XII, 367.

hinweg sich mit der Fürstin Gallitzin in einer allgemeinen, schwer zu fassenden Sympathie zu begegnen und von ihr, indem sie ihm die Gemmensammlung anvertraut, ein gültiges Zeugnis seiner bürgerlichen Ehrbarkeit ausgestellt zu bekommen.

Auch diesen Jahren haben wir aber ein liebenswürdiges Werk zu verdanken, ein Epos, das uns versichert, große Schöpferkraft finde wie eine Pflanze selbst auf schlechtem Boden eine Möglichkeit, sich durchzusetzen und zu Licht und Luft zu gelangen. Es ist die Geschichte von «*Reineke Fuchs*», die Goethe nach Gottscheds Prosaübersetzung des niederdeutschen Gedichts, mildernd zugleich und behaglich erweiternd, in Hexameter übertrug. Einen glücklicheren Gedanken hätte er schwerlich fassen können.

«Aber auch aus diesem gräßlichen Unheil suchte ich mich zu retten», so heißt es in der «Campagne in Frankreich», «indem ich die ganze Welt für nichtswürdig erklärte, wobei mir denn durch eine besondere Fügung Reineke Fuchs in die Hände kam. Hatte ich mich bisher an Straßen-, Markt- und Pöbelauftritten bis zum Abscheu übersättigen müssen, so war es nun wirklich erheiternd, in den Hof- und Regentenspiegel zu blicken: denn wenn auch hier das Menschengeschlecht sich in seiner ungeheuchelten Tierheit ganz natürlich vorträgt, so geht doch alles, wo nicht musterhaft, doch heiter zu, und nirgends fühlt sich der gute Humor gestört [24].»

In den «Annalen» hat Goethe das Epos eine «unheilige Weltbibel» genannt und erklärt, die ihr gewidmete Arbeit habe ihm zu Hause und auswärts Trost und Freude bereitet. Er nahm sie mit zur Blockade von Mainz und führte sie rasch und sicher zu Ende. Der Stoff bestätigte seine bitteren Erfahrungen mit der Welt und den Menschen, so aber, daß kein Stachel zurückblieb und alles sich in Spiel auflöste. Da nämlich Tiere die Menschen vertreten, kann niemand mehr ernsthaft angeklagt werden. Jeder handelt, wie er muß. Statt uns moralisch zu entrüsten, erfreuen wir uns an der unbeugsamen Konsequenz der lebendigen Geschöpfe und sind sogar Reineke Fuchs nicht gram, wenn er zuletzt, gewandt und listig, über die andern, die nicht besser, nur nicht so schlau sind, triumphiert.

[24] XII, 421 f.

Außerdem aber half das Tierepos Goethe aus einer Schwierigkeit künstlerischer Art, die ihm kaum schon deutlich war und die er bewußt erst in «Hermann und Dorothea» ganz überwunden hat: Zwischen dem klassischen, auf vollkommene Gegenwart ausgerichteten Stil und dem Leben der neueren Zeit, das keine reine Gegenwart mehr kennt, das von Erinnerungen durchsetzt und auf abstrakte Zwecke, die jenseits des Einzelnen liegen, bezogen bleibt, eröffnet sich eine tiefe Kluft, so, daß es ausgeschlossen scheint, in homerischen Versen etwa die Französische Revolution, den Siebenjährigen Krieg, die deutsche Gesellschaft, Staat und Kirche zu besingen. Die Spannung des modernen Menschen widerstrebt dem Hexameter, der gediegen in sich selber ruht. In den «Römischen Elegien», die auf antike Räume eingeschränkt waren, blieb der Widerspruch noch verborgen. Sobald sich Goethe aber dem breiten Leben des Tages zuwenden wollte, wurde der klassische Stil zum Problem. Die «Reise der Söhne Megaprazons» und die Theaterstücke, die sich mit dem politischen Wesen befassen, dürfen als unglückselige Beweise der dichterischen Verlegenheit gelten. Im «Reineke Fuchs» dagegen fielen solche Fragen von selber dahin. Die Tiere sind in allen ihren Äußerungen so gegenwärtig, sie gehen so ganz im Augenblick auf und haben ihr Schwergewicht in sich selbst wie die Helden der Ilias und Odyssee. Dem listenreichen Odysseus Homers steht Reineke Fuchs vielleicht sogar näher als der Ulyß der «Nausikaa». Wie Goethe die Italiener als aristophanische Vögel agieren sah, ist auch im Tierepos das menschliche Treiben zurückgeholt in die Natur und also wieder von dem Rahmen der klassischen Kunstmöglichkeiten umschlossen. Und dennoch sind alle Bilder Spiegel der «unvermeidlichen Wirklichkeit», also in jedem Sinne versöhnlich, Mittler von Kunst, Natur und Weltlauf, erheiternd für die bloße Betrachtung, bedeutend für den besinnlichen Geist.

Aber freilich, Goethe hat den «Reineke Fuchs» nicht selber erfunden. Seine Leistung beschränkte sich auf «eine zwischen Übersetzung und Umarbeitung schwebende Behandlung[25]». Dichterisches Erfinden blieb ihm versagt, bis er den Bund mit Schiller schloß. Und noch aus der ersten Zeit der Freundschaft

[25] Annalen 1793.

mit Schiller stammt ein Werk, in dem er sich auf weite Strecken mit einer Bearbeitung älterer Literatur begnügt, die «*Unterhaltungen deutscher Ausgewanderten*», die für die Entstehung einer deutschen Novellistik zwar höchst bedeutsam, innerhalb seines Schaffens jedoch nur von untergeordnetem Wert sein dürften. Wieder ist es die Sorge um die von der Französischen Revolution bedrohte gute Gesellschaft, die in der Folge seltsamer, wunderbarer und moralischer Geschichten die Feder führt. Die Stimmung der «Campagne in Frankreich» verstört einen Kreis sonst gesitteter Menschen und regt sie gegeneinander auf. Die Novellen, die der Abbé als «leichten Nachtisch» zum besten gibt, sind zunächst nur bestimmt, die Gemüter von den politischen Vorgängen abzulenken. Das gelingt am ehesten mit gespenstischen und skurrilen Motiven, über deren Möglichkeit zu streiten ein beliebtes Thema halbgebildeter oder des Gleichgewichts beraubter Menschen ist, die aber der Abbé, und mit ihm Goethe, mit jener dem Ja wie dem Nein gegenüber gleichgültigen inneren Ruhe betrachtet, die allein dem freien, in sich selbst gegründeten Geist geziemt. So ist es nicht Goetheschem Sinn gemäß, hier ein Geheimnis enträtseln zu wollen. Gerade weil es sich nur um dunkle, nicht offenbare Geheimnisse handelt, ist nur beiläufig, am Vorabend, jugendlicher Neigung zuliebe, davon die Rede. Der eigentliche Tag des Erzählens, an dem auch die Baronin teilnimmt, die Hüterin der guten Gesellschaft, ist sittlichen Problemen gewidmet. Da wird die Prokurator-Novelle und die Geschichte von Ferdinands Verirrung und Wandlung vorgetragen, Meisterstücke novellistischer Pointierung und Prägnanz, die für die romantischen Erzähler und auch für Goethe selbst, für die in die «Wanderjahre» eingelegten Novellen, vorbildlich geworden sind. Trotz ihrer hohen Vollendung aber nehmen sich diese Stücke um 1794 befremdlich aus. Sie sind gleichfalls, wie der «Reineke Fuchs», aus einer Verlegenheit, auch aus dem Bedürfnis, sich von der Mühsal mit «Wilhelm Meister» zu erholen, entstanden. Erst viel später rückt die Form der Novelle mehr in den Mittelpunkt und wird zum unentbehrlichen Instrument, um Wesentliches zu sagen.

Dasselbe gilt von der Symbolik des «*Märchens*», das die Novellenreihe beschließt. Es wäre ein sinnloses Unterfangen, den ungezählten, von Goethe selbst belächelten und später immer wieder versuchten Interpretationen eine neue beifügen zu wollen. Erst im Zusammenhang mit «Faust II» dürfte es möglich sein, darüber etwas Triftiges auszusagen. So sei denn hier nur angemerkt, daß schon 1794 eine Dichtung möglich war, die sich fast ganz auf außermenschliche Bilder und Symbole beschränkt, daß ein gewisser Leichtsinn, ein spielender Übermut es dem Dichter erlaubte, sich einer Darstellungsart zu bedienen, der er erst spät den Charakter höchster Notwendigkeit zu geben verstand.

Den eigentlichen Ertrag der ersten neunziger Jahre haben wir auf dem Feld der Naturwissenschaft zu suchen. Zu einem gewissen Abschluß ist da die morphologische Forschung gelangt, die nun gewürdigt werden soll.

MORPHOLOGIE

Die Rechtmäßigkeit und Bedeutung von Goethes naturwissenschaftlichem Werk im Rahmen der heute gültigen Forschung zu prüfen, ist Aufgabe der Naturwissenschaft. Der Literarhistoriker wird sich allein mit der Frage beschäftigen, wie die Naturforschung zu Goethe gehört und was er sich von ihr versprach. Sie spielt nicht immer dieselbe Rolle. In Italien fügte sie sich harmonisch in eine umfassende Tätigkeit ein. Die Kunst, die Gebräuche und Sitten des Volks, Steine, Pflanzen und Tiere nahmen Goethes Aufmerksamkeit in Anspruch, wie es sich gerade fügte, und ohne daß die eine Neigung je der anderen widersprach. Alles schloß sich in dem großen Reich der Notwendigkeit, «Gottes», zusammen. In Deutschland aber brach die überzeugende Einheit auseinander. Gebäude, Bilder und Skulpturen von jenem klassischen Ebenmaß, das Goethe einzig noch als wahre Kunst zu schätzen vermochte, gab es im Norden kaum, und wo es sie gab, da fröstelten sie in fremder Umgebung. Noch weniger konnte von einem «Volk» in dem heiteren Sinne die Rede sein, der sich im Süden dem Reisenden einprägt. Der Deutsche stellte sich nicht dar; sein Leben schwebte nicht in einem Gleichgewicht, das sich selber genügt. Er trachtete über das Nächste hinaus und versank in den Tiefen der Innerlichkeit. Sein Wesen erschien nicht, er war nicht schön.

So blieb denn Goethe als einzige sinnerfüllte Wirklichkeit die Natur. Sie zu betrachten, in ihrem gewaltigen, unermüdlichen, stillen Geschäft zu verstehen, war – außer der Liebe zu Christiane, die fast dazu gehörte – in diesen Jahren sein höchstes Glück. Die botanischen Forschungen wurden schon 1790 in der Schrift «Die Metamorphose der Pflanzen» zusammengefaßt. Im Jahre 1791 erscheinen die ersten Beiträge zur Optik. Daneben gehen fast ununterbrochen die osteologischen Studien weiter. Wir lassen hier die erst viel später abgeschlossene Farbenlehre einstweilen beiseite und wenden uns den Bereichen zu, die das von Goethe geprägte Wort «Morphologie» bezeichnet. Von den ersten Schriften bis zu dem Urteil über den Streit zwischen Cuvier und Geoffroy de Saint Hilaire von 1830 wurde die Lehre in Einzelheiten modifiziert. Doch öfter ändert sich nur die ohnehin bewegliche Ausdrucksweise. So ist es erlaubt, die Goethesche Morphologie als Ganzes darzustellen.

Wenn der Fachmann in der Regel, seiner Sache gewiß, zu Werk geht, ohne sich über die Gründe seines Tuns zu viel Gedanken zu machen, so sah sich Goethe als Autodidakt und Außenseiter auf Schritt und Tritt zu methodischer Überlegung genötigt. Er nahm die magna charta der Wissenschaft nicht als etwas Gegebenes hin; er prüfte ihre Herkunft, ihre Leistungsfähigkeit, ihren Sinn und fand, sie sei begrenzt und auf bestimmte Zwecke zugeschnitten. Das erste Heft des ersten Bandes zur Morphologie beginnt mit den Sätzen:

«Wenn der zur lebhaften Beobachtung aufgeforderte Mensch mit der Natur einen Kampf zu bestehen anfängt, so fühlt er zuerst einen ungeheuren Trieb, die Gegenstände sich zu unterwerfen. Es dauert aber nicht lange, so dringen sie dergestalt gewaltig auf ihn ein, daß er wohl fühlt, wie sehr er Ursache hat, auch ihre Macht anzuerkennen und ihre Entwicklung zu verehren[1].»

«Unterwerfen» und «Verehren» werden hier gegeneinandergestellt. Wenn das «Unternehmen» einer morphologischen Betrachtung, wie der Titel besagt, mit diesen Worten «entschuldigt» werden soll, so dürfen wir bereits vermuten, daß Goethe statt einer Wissenschaft, die unterwerfen möchte, eine verehrende auszuarbeiten gedenkt. Auf Unterwerfung der Natur scheint aber die ganze Verfassung der neueren Wissenschaft ausgerichtet zu sein. Die Botaniker schulden Linné Dank, daß er die Pflanzen nach seiner binären Nomenklatur geordnet hat. Doch jedem Forscher, der klassifiziert, ist es im Grunde um Herrschaft zu tun. Er will das Einzelne übersehen, um darüber bequem zu verfügen. Gerade so aber bleibt ihm der Segen einer Begegnung mit der Natur als ebenbürtigem Wesen versagt.

Er bleibt nicht minder dem versagt, der an die Gebilde der Natur mit künstlichen Zurüstungen herantritt.

«Der Mensch an sich selbst, insofern er sich seiner gesunden Sinne bedient, ist der größte und genauste physikalische Apparat,

[1] XVII, 11.

den es geben kann; und das ist eben das größte Unheil der neuern Physik, daß man die Experimente gleichsam vom Menschen abgesondert hat und bloß in dem, was künstliche Instrumente zeigen, die Natur erkennen, ja was sie leisten kann, dadurch beschränken und beweisen will[2].»

Daß der Mensch der größte und genauste physikalische Apparat sei, wird heute niemand mehr zugeben und mußte schon in der Goethe-Zeit als reichlich kühne Behauptung wirken. Für Goethe selber aber war es unvermeidlich, so zu denken. Man soll die Natur mit den Mitteln erforschen, die sie uns selbst zur Verfügung stellt. Noch der greise Faust, der die Magie von seinem Pfad entfernt, findet es nur der Mühe wert, Mensch zu sein, wenn er «ein Mann allein» der Natur gegenübersteht, im Gleichgewicht von Ich und Du. Mit Apparaten – das dürfte wohl der verborgene Sinn des Wortes sein – verschafft der Forscher sich eine Überlegenheit, die unfair ist und das Spiel von Empfangen und Geben stört, aus dem das lebendige Leben besteht. Es ist, wie wenn ein Mensch mit einer Brille zu uns ins Zimmer tritt[3]. Dennoch hat Goethe die Apparate nicht völlig ausgeschlossen und sich zum Beispiel hin und wieder des Mikroskops mit Interesse bedient. Doch damit nähern wir uns dem Rand seiner wissenschaftlichen Tätigkeit. Wesentlich blieb für ihn, was er mit unbewaffnetem Auge sah.

Weil er mit Augen schauen wollte, war es ihm auch nicht gegeben, mit Maßen und Zahlen umzugehen. Wer berechnet, unterwirft mit rücksichtslosester Konsequenz. Der Gegenstand entschwindet; er löst sich in lauter Relationen auf, und wir behalten nichts als algebraische Zeichen in der Hand. Darüber wird die Farbenlehre das letzte und schärfste Wort aussprechen. Aber auch in dem Aufsatz «Tibia und Fibula» stoßen wir auf den Satz:

«Zahl und Maß in ihrer Nacktheit heben die Form auf und verbannen den Geist der lebendigen Beschauung[4].»

Eine Bemerkung, wie diese, als methodischer Grundsatz formuliert, bleibt unverständlich für eine Zunft, die seit Galilei der

[2] XVII, 728.
[3] Zu Eckermann, 5. April 1830.
[4] Sophien-Ausgabe, II. Abt., 8. Bd., S. 219.

Ansicht ist, die Wissenschaft habe zu «messen, was man messen könne[5]», und die mit Kant behauptet, daß in jeder Wissenschaft nur soviel «eigentliche Wissenschaft enthalten sei, als Mathematik darin» stecke. Goethe dagegen erklärt:

«Es ist vieles wahr, was sich nicht berechnen läßt[6].»

Und damit dürfte der Gegensatz zwischen ihm und dem Geist der Wissenschaft, die seit der Renaissance die eigentliche sein will, genau bezeichnet sein. Wollte man Stellung dazu beziehen, so müßte man sich darüber einigen, was als «wahr» zu gelten habe und welche zusammenhängende Mitteilung von Wahrem den Anspruch erheben dürfe, als «Wissenschaft» aufzutreten. In dieser Frage kann die zünftige Wissenschaft kein Machtwort sprechen, da sie ja selber zur Diskussion steht. Sie könnte höchstens erwidern, das, was Goethe treibe, liege außerhalb ihres Rahmens und sei für ihre besonderen Forschungsziele nicht brauchbar. Dagegen wäre nichts einzuwenden. Aber gerade auf Brauchbarkeit hat Goethe es nicht abgesehen. Das hieße abermals, die Natur ihres eigenen Daseinsrechts berauben und den Blick über ihre Bereiche hinaus auf etwas anderes richten.

Endlich verrät den Willen zur Herrschaft auch die teleologische Deutung, die Erklärung der Beschaffenheit der Geschöpfe aus ihrem Zweck. Darüber hat sich Goethe vor allem in dem «Versuch einer allgemeinen Vergleichungslehre» ausführlich geäußert:

«Der Mensch ist gewohnt, die Dinge nur in dem Maße zu schätzen, als sie ihm nützlich sind, und da er, seiner Natur und seiner Lage nach, sich für das Letzte der Schöpfung halten muß: warum sollte er auch nicht denken, daß er ihr letzter Endzweck sei? Warum soll sich seine Eitelkeit nicht den kleinen Trugschluß erlauben? Weil er die Sachen braucht und brauchen kann, so folgert er daraus: sie seien hervorgebracht, daß er sie brauche... Eher wird er die Entstehung der Distel, die ihm die Arbeit auf seinem Acker sauer macht, dem Fluch eines erzürnten guten Wesens, der Tücke eines schadenfrohen bösen Wesens zuschreiben, als eben diese Distel für ein Kind der großen allgemeinen Natur zu halten, das ihr eben so nahe am Herzen liegt als der

[5] Vgl. A. Meyer-Abich, Biologie der Goethe-Zeit, Stuttgart 1949, S.18.
[6] Sophien-Ausgabe, II.Abt., 11.Bd., S.118.

sorgfältig gebauete und so sehr geschätzte Weizen. Ja, es läßt sich bemerken, daß die billigsten Menschen, die sich am meisten zu ergeben glauben, wenigstens nur bis dahin gelangen, als wenn doch alles wenigstens mittelbar auf den Menschen zurückfließen müsse, wenn nicht noch etwa eine Kraft dieses oder jenes Naturwesens entdeckt würde, wodurch es ihm als Arznei oder auf irgendeine Weise nützlich würde... Glaubt er ferner, daß alles, was existiert, um seinetwillen existiere, alles nur als Werkzeug, als Hülfsmittel seines Daseins existiere, so folgt, wie natürlich, daraus, daß die Natur auch ebenso absichtlich und zweckmäßig verfahren habe, ihm Werkzeuge zu verschaffen, wie er sie sich selbst verschafft[7]. »

Mit diesen Worten wendet sich Goethe gegen den Geist der Aufklärung, für den die Kategorie des Zwecks den Schlüssel des Verstehens bildet: in der Ästhetik, die erklärt, die Kunst sei nützlich und ergötzlich, in der Ethik, die jede Tat im Hinblick auf die Gesellschaft beurteilt, in der Auffassung der Geschichte als eines immerwährenden Fortschritts, und so auch in einer Naturwissenschaft, die immer nach einem «um zu» fragt, immer ins Künftige gravitiert und, wie sie selbst von Absicht geleitet ist, überall eine Absicht annimmt. Sie kann sich freilich auf die Bibel, auf die von Gott am sechsten Tag verfügte Unterwerfung aller Geschöpfe unter Adam berufen. Und Goethe ist sich dieses religiösen Hintergrunds bewußt. Er spricht mit Vorsicht von der zwar «trivialen», doch «frommen» Vorstellungsart und billigt jedermann das Recht zu, sich die Dinge so zu denken. Ihm selber aber, wenn er schon den Menschen als Gipfel der Schöpfung betrachtet, ist es tief zuwider, das Eigenrecht der anderen Kreaturen zugunsten des Menschen aufzuheben; und so wenig er bereit ist, anzunehmen, die Menschen der Vorzeit hätten nur unseretwegen gelebt, damit wir uns des Fortschritts freuen, ebensowenig ist er bereit, die Tiere und Pflanzen nur im Hinblick auf menschliche Zwecke anzuerkennen. Er fordert reine Gegenwart, ein Dasein, das sich selbst genügt. Und was er selber fordert, billigt er allen lebendigen Wesen zu. Wie könnte er sie sonst als Brüder im Busch, in Luft und Wasser grüßen?

[7] XVII, 226f.

Doch damit eröffnet sich erst der Weg zu seinem eigentlichen Problem. Die teleologische Idee war für das Denken seiner Zeit das Band, das die Erscheinungen der Natur zu einem Ganzen verknüpfte. Eines diente dem andern, und zuoberst thronte Gott, der alles seinen Zwecken dienstbar machte. Die Einheit der mannigfaltigen Schöpfung war beschlossen in ihrem Ziel. Wenn Goethe auf eine Erklärung des Lebens aus Endursachen verzichtete, so drohte es unverständlich zu werden und in unverbundene Einzelheiten auseinanderzufallen. Nur eine «zerstückelte Art, die Natur zu betrachten[8]», schien noch übrigzubleiben, jene beschränkte Empirie, die Schiller als Affektation des Weimarer Kreises um Goethe auffiel[9]. Doch damit war Goethe so wenig wie seinem spekulativeren Freunde gedient. Er fühlte das Bedürfnis, «das Einzelne in übersehbarer Ordnung zu erkennen, um das Ganze, nach Gesetzen, die unserm Geiste gemäß sind, zusammenzubilden[10]». Das heißt, ihm war darum zu tun, die Natur im einzelnen und im ganzen als seinesgleichen zu verstehen.

Wir selbst aber sind uns unser leiblich und geistig als einer Einheit bewußt. Ist es möglich, nachzuweisen, daß die Natur im ganzen und einzelnen unserer menschlichen Einheit entspricht? Auf diese Frage spitzte sich das Interesse Goethes zu. Und ebenso auf die umgekehrte: Entspricht der Mensch, der sich als Einheit weiß, der Einheit der Natur?

Daraus ergeben sich weitere Fragen. Im «Urfaust» hatte Goethe gesagt:

> «Was ihr den Geist der Zeiten heißt,
> Das ist im Grund der Herren eigner Geist,
> In dem die Zeiten sich bespiegeln.»

Das war als Kritik am Wesen der rationalen Geschichtsschreibung gemeint. Jetzt, auf dem Gebiet der Naturwissenschaft, gestand er offen, daß er sich selbst am Gegenstand zu erkennen hoffe.

[8] Glückliches Ereignis.
[9] An Körner, 12. Aug. 1787.
[10] Sophien-Ausgabe, II. Abt., 8. Bd., S. 67.

«Der Mensch kennt nur sich selbst, insofern er die Welt kennt, die er nur in sich und sich nur in ihr gewahr wird[11].»

So heißt es in dem Aufsatz «Bedeutende Fördernis durch ein einziges geistreiches Wort». Und in dem Abschnitt «Priorität» in «Meteore des literarischen Himmels»:

«Der Mensch erlangt die Gewißheit seines eigenen Wesens dadurch, daß er das Wesen außer ihm als seinesgleichen, als gesetzlich anerkennt.»

Das sind wohl spätere Äußerungen. Aber die ganze Energie von Goethes naturwissenschaftlicher Forschung stammt von Anfang an aus dieser zuerst vielleicht nur dunklen, dann immer klareren und faßlicheren Einsicht. Er wollte Gewißheit seiner selbst und hoffte, sie in der Natur zu finden.

Darauf könnte man entgegnen: die Teleologie des Rationalismus habe wohl auch nichts anderes getan. Sie habe das Ganze sich gleichfalls in einer Weise zusammengebildet, die den Gesetzen des eigenen Geists gemäß war, eines zweckgerichteten, eines nicht in der Gegenwart ruhenden, sondern ins Künftige gravitierenden Geistes, einer futurischen Einbildungskraft. Dann hätte sich nur der Geist und mit dem Geist der Gegenstand oder doch der Sinn des Gegenstandes verändert. Auf diesen Gedanken kam Goethe nicht und konnte er nicht kommen, ohne jene Sicherheit einzubüßen, die eine große Leistung verlangt. Trotz der Nähe Herders blieben ihm alle historischen Zweifel und die damit oft verbundenen Anwandlungen von Nihilismus erspart. Die italienische Reise hatte ihm seinen Geist als den wahren bestätigt.

Doch schließlich kam es darauf an, nachzuweisen, daß das Ganze, wenn es sich zur Einheit fügte, «richtig» zusammengebildet sei, nicht nach Willkür, sondern auf Grund genauer Kenntnis der Natur. Nur der gediegene Nachweis schützte den Forscher gegen den Vorwurf, ein subjektives, beliebiges Spiel zu treiben. Meist ist es aber möglich, verschiedene Auffassungen nachzuweisen. Dann wird man zugestehen: diese ist so objektiv wie jene; Verschiedenes widerspricht sich nicht; es liegt auf einer anderen Ebene. In der Farbenlehre weigerte Goethe sich, dies einzuräumen. In der Botanik und Zoologie dagegen schloß er

[11] XVI, 880.

andere Auffassungen der Natur nicht aus. Er forderte nur, daß auch die seine als berechtigte und gründlich nachgewiesene anerkannt werde.

Die Morphologie «muß sich als eine besondere Wissenschaft erst legitimieren, indem sie das, was bei andern gelegentlich und zufällig abgehandelt ist, zu ihrem Hauptgegenstande macht, indem sie das, was dort zerstreut ist, sammelt, und einen neuen Standort feststellt, woraus die natürlichen Dinge sich mit Leichtigkeit und Bequemlichkeit betrachten lassen; sie hat den großen Vorteil, daß sie aus Elementen besteht, die allgemein anerkannt sind, daß sie mit keiner Lehre im Widerstreit steht, daß sie nichts wegzuräumen braucht, um sich Platz zu verschaffen, daß die Phänomene, mit denen sie sich beschäftigt, höchst bedeutend sind, und daß die Operationen des Geistes, wodurch sie die Phänomene zusammenstellt, der menschlichen Natur angemessen und angenehm sind, so daß auch ein fehlgeschlagener Versuch darin selbst noch Nutzen und Anmut verbinden könnte[12]».

Goethe führt nun aber den Nachweis, indem er die Gegenstände in eine «übersehbare Ordnung» bringt, die «Phänomene zusammenstellt». Damit scheint er sich selber jenes Willens zur Herrschaft schuldig zu machen, der alles Klassifizieren begleitet. Indes, sein Ordnen ist anderer Art. Es handelt sich nicht um Unterordnung wie in Linnés Nomenklatur, die nur das logische Prinzip der Definition «per genus proximum et differentiam specificam» auf die Botanik überträgt und damit freilich ein Maximum von Übersichtlichkeit erzielt, das Einzelne aber in einem Allgemeineren, also Höheren, und dies in dem leersten Begriff aufhebt.

Goethe ordnet die Gegenstände auch nicht in einer Reihe an, die von unentwickelten Anfängen bis zur höchsten Vollendung führen und so die naturwissenschaftliche Wiederholung der Fortschrittsidee darstellen würde. Er kennt zwar das Prinzip der Steigerung. Aber es fragt sich, ob Steigerung als Sukzession zu verstehen sei; und außerdem ist das Prinzip der Steigerung nicht identisch mit dem der Ordnung. Die Urpflanze ist nicht die erste Pflanze, aus der sich die andern Pflanzen in aufwärtsführender Reihe entwickelt hätten. Goethes Reihe ist reversibel. Der Blick

[12] XVII, 118 f.

geht vorwärts und zurück, vergleicht die verschiedenen Bildungen von dem einfachsten Moos bis zum Wunder der Rose, vom Pferd bis zur Robbe, vom Reh bis zum Löwen, und sucht das Gleiche im Verschiedenen – nicht begrifflich festzulegen, sondern «mit Augen des Geistes zu sehen[13]». Dieses mit Augen des Geistes Geschaute, Gleiche im Verschiedenen wird in der osteologischen Forschung «Typus», in der Botanik «Urpflanze» genannt. Über die Urpflanze hat sich Goethe nicht so ausführlich und so deutlich ausgesprochen wie über den Typus. Wir gehen darum vom Typus aus.

Es scheint zunächst, als handle es sich bei dem «mit Augen des Geistes Geschauten» um eine beliebige Vorstellung, der keine Wirklichkeit entspricht; und Goethe selber bestätigt uns in diesem Zweifel, wenn er erklärt:

«Große Schwierigkeit, den Typus einer ganzen Klasse im allgemeinen festzusetzen, so daß er auf jedes Geschlecht und jede Species passe; da die Natur eben nur dadurch ihre Genera und Species hervorbringen kann, weil der Typus, welcher ihr von der ewigen Notwendigkeit vorgeschrieben ist, ein solcher Proteus ist, daß er einem schärfsten vergleichenden Sinne entwischt und kaum teilweise, und doch nur immer gleichsam in Widersprüchen gehascht werden kann[14].»

Dann aber lassen wir uns durch eine einfache Überlegung belehren, daß die Vorstellung des Typus unvermeidlich, ja notwendig ist. Jedermann spricht von Knie und Fuß, von Schenkel, Schulter und so fort und zögert nicht, diese Bezeichnungen auf verschiedene Tiere anzuwenden. Da zeigt sich, daß sich «Gelehrte, Stallmeister, Jäger, Fleischer[15]» über die Namengebung oft nicht einigen können. Der Laie redet vom Knie des Pferdes und meint damit jenen Körperteil, den der Gelehrte Handwurzel nennen muß, weil er im Huf die Zehenspitzen erkennt und das Pferd von Sohlengängern wie dem Menschen unterscheidet. Terminologische Hindernisse sind es also, die uns nötigen, eine Vergleichsbasis zu fordern. Es wäre aber Willkür, ein bestimmtes

[13] XVII, 252.
[14] XVII, 128.
[15] XVII, 232.

Tier, vielleicht sogar den Menschen, als solche anzusetzen. Das hieße abermals, die Geschöpfe ihres eigenen Rechts berauben und dieses jenem oder vielmehr alle einem unterordnen. «Kein Einzelnes kann Muster des Ganzen sein[16].» Als Muster des Ganzen kommt allein ein «allgemeines Bild[17]» in Frage, das über dem Mannigfaltigen schwebt und alle Verschiedenheiten der Tiere als Möglichkeiten in sich enthält. Dieses allgemeine Bild gibt keinen Hinweis auf die relative Größe der Körperteile. Bei dem einen Tier erscheint ein Knochen in mächtiger Ausdehnung. Bei dem andern zieht sich dasselbe Glied bis zur Unkenntlichkeit zusammen. Da ist es aussichtslos, das Verschiedene auf einen Nenner bringen zu wollen. Wohl aber bleibt die Anordnung der Teile überall dieselbe. Ob ein Knochen groß oder klein, verwachsen oder gesondert erscheint, er hat im Körperbau aller Tiere denselben unverrückbaren Platz:

«Die Knochenbildung ist unbeständig:
  a) in ihrer Ausbreitung oder Einschränkung;
  b) in dem Verwachsen der Knochen;
  c) in den Grenzen der Knochen gegen die Nachbarn;
  d) in der Zahl;
  e) in der Größe;
  f) in der Form...

Die Knochenbildung ist beständig:
  a) daß der Knochen immer an seinem Platz steht;
  b) daß er immer dieselbe Bestimmung hat[18].»

Demnach ist der Typus das von Zahl und Form und Größe abstrahierende Bild der Anordnung der Knochen im Körperbau der Tiere, und weiterhin, wenn die Betrachtung die Grenzen der Osteologie überschreitet, der Anordnung der Teile überhaupt.

Daraus ergibt sich eine Schwierigkeit, die Goethe selbst viel-

[16] XVII, 233.
[17] XVII, 277.
[18] XVII, 247.

leicht nicht aufgefallen wäre, wenn er nur immer für sich allein naturwissenschaftliche Forschung getrieben hätte, die aber wesentlich werden mußte, sobald die Kantianer, unter ihnen Schiller, ihr Wort dazu sagten. Wir wissen, wie sehr sich Goethe immer auf die Anschauung berief und wie skeptisch er sogar der Sprache gegenüber blieb, weil sie nie imstande ist, der Anschauung in ihrer ganzen lebendigen Fülle gerecht zu werden. Nun gelingt es ohne weiteres, den Typus mit den Mitteln der Sprache bis ins Einzelne festzusetzen. Das geschieht zum Beispiel in der großen Tabelle der «Einleitung in die vergleichende Anatomie[19]», die jeden einzelnen Knochen verzeichnet und jedem seinen Platz anweist. Unmöglich aber ist es, diesen so genau beschriebenen Typus auch den Sinnen darzustellen. Sobald nämlich Goethe den Stift zur Hand nimmt und den Typus zu zeichnen beginnt, ist er genötigt, Knochen von bestimmter Größe und Form zu umreißen; und damit gibt er die geforderte Allgemeinheit des Bildes preis. Dasselbe gilt von der Urpflanze, wenn er sie, noch in Italien, nicht nur mit den Augen des Geistes, sondern auch mit denen des Körpers zu sehen hofft und wenn er sie «mit manchen charakteristischen Federstrichen[20]» vor den Augen Schillers entstehen läßt. Es war unweigerlich eine Pflanze mit runden oder länglichen Blättern, mit großer oder kleiner Blüte. Gerade davon aber sollte der Betrachter abstrahieren. Schiller erwiderte bekanntlich: «Das ist keine Erfahrung, das ist eine Idee» und meinte damit im Sinne des Kritizismus einen «Vernunftbegriff, dem kein kongruierender Gegenstand in den Sinnen gegeben werden kann[21]», also etwas, das nicht zum Objekt, sondern zum Subjekt der Erkenntnis gehört. Goethe stutzte und gab zurück: «Das kann mir sehr lieb sein, daß ich Ideen habe, ohne es zu wissen, und sie sogar mit Augen sehe[22].» Und damit schien ein unüberwindlicher Gegensatz aufgerissen zu sein.

Wir glauben ihn jetzt überbrücken zu können. Wir würden sagen, der Typus sei tatsächlich eine Idee, der keine einzelne

[19] XVII, 258 ff.
[20] Glückliches Ereignis.
[21] Kritik der reinen Vernunft, Von den transzendentalen Ideen.
[22] Glückliches Ereignis.

Wirklichkeit je entspricht. Wir würden jedoch nicht zugeben, daß er deshalb nur ein Vernunftbegriff sei, betonen vielmehr, daß *ἰδέα* mit *ἰδεῖν* zusammenhängt, und lassen den Typus als Anschauung – wenn auch als nicht empirische, als zwar *anhand* der Erfahrung, aber nicht *aus* der Erfahrung gewonnene – gelten. Daß wir sie a priori gewinnen, heißt keineswegs, sie sei subjektiv. Die Unterscheidung von Subjekt und Objekt ist hier, zum mindesten so, wie Schiller sie vornimmt, nicht am Platz. Auch eine Idee in dem eben umschriebenen Sinne des Wortes ist objektiv, obgleich auf andere Weise als ein einzelner sinnlicher Gegenstand. Wir nennen sie ein «Universale[23]». Und eben, weil sie ein Universale ist, wird ihr die Sprache vollkommen gerecht, nie aber die sinnliche Wahrnehmung. Goethe hätte Grund gehabt, sich wenigstens in dieser Richtung der Sprache dankbar anzuvertrauen. Eigentümlichkeiten seines Stils, der geistige Hauch seiner Prosa und nicht selten sogar seiner Verse, die Neigung, auf ein Allgemeines hinzudeuten, das nicht begrifflicher, aber doch rein ideeller Art ist, der Wunsch, das Wechselvolle aufzuheben in einem Dauernden, das alles Wirkliche durchwaltet und jedem seinen Platz anweist: das hängt aufs engste mit seiner Bemühung, den Typus herauszuarbeiten, zusammen und grenzt seine Sprache ebenso deutlich gegen die mehr logische Lessings und Wielands wie gegen die mehr sinnliche vieler Romantiker ab.

Aber den Typus herauszuarbeiten, ist nicht das Ziel, oder nicht das einzige Ziel von Goethes Naturwissenschaft. Wenn der Blick die Reihe ungezählter Gebilde durchlaufen und das Eine im Mannigfaltigen mit den Augen des Geistes gesehen hat, dann gilt es ebenso, das Mannigfaltige aus dem Einen in verständlicher Folge zu entwickeln, das heißt, die Gesetze der Umbildung, der Metamorphose zu verstehen.

Da haben wir, was oft übersehen wird, zwei verschiedene Fragen zu prüfen, zwei Prozesse zu unterscheiden, die zwar in einem höheren Sinne sich als identisch erweisen mögen, auf einer ersten Stufe aber noch gesondert werden müssen:

[23] Vgl. B. Russell, Probleme der Philosophie, Wien 1950, und E. Husserl, Ideen zu einer reinen Phänomenologie und phänomenologischen Philosophie, 1913.

1. die Umbildung eines einzigen Urorgans zu den Teilen, aus denen die Urpflanze oder der Typus besteht;

2. die Umbildung des Typus oder der Urpflanze zu den mannigfaltigen Tier- und Pflanzengestalten, die uns in der Natur begegnen.

Die erste Frage führt zunächst noch weiter in der bisherigen Richtung vom Mannigfaltigen auf das Eine. Gegliederte Gebilde, wie sie auch Typus und Urpflanze immer noch sind, sollen sich als Entfaltung eines einzigen Keims begreifen lassen. Auf osteologischem Gebiet hat Goethe die Frage zu lösen versucht, indem er die Knochen des Schädels als Abwandlungen des Halswirbelknochens verstand. Doch früher und ausführlicher kam sie schon in der botanischen Forschung zur Sprache. Die Schrift «Die Metamorphose der Pflanzen» nämlich ist einzig ihr gewidmet und sollte deshalb wohl genauer «Die Metamorphose der Pflanze» heißen. Alle Gewächse, die Goethe beizieht, um seinen Gedanken zu erläutern, dienen nur als Beispiel für den Prozeß, der sich in jeder Pflanze, als solcher, immer gleich vollzieht: für die Umbildung des Einen Urorgans in Stengel, Blatt und Kelch, in Blüte, Frucht und Samen:

«Vom Samen bis zu der höchsten Entwicklung des Stengelblattes bemerkten wir zuerst eine Ausdehnung, darauf sahen wir durch eine Zusammenziehung den Kelch entstehen, die Blumenblätter durch eine Ausdehnung, die Geschlechtsteile abermals durch eine Zusammenziehung; und wir werden nun bald die größte Ausdehnung in der Frucht und die größte Konzentration im Samen gewahr werden. In diesen sechs Schritten vollendet die Natur unaufhaltsam das ewige Werk der Fortpflanzung der Vegetabilien durch zwei Geschlechter[24].»

Das Urorgan wird «Blatt» genannt. Doch Goethe weiß sehr wohl, daß diese Bezeichnung ganz zufällig ist:

«Es versteht sich hier von selbst, daß wir ein allgemeines Wort haben müßten, wodurch wir dieses in so verschiedene Gestalten metamorphosierte Organ bezeichnen und alle Erscheinungen seiner Gestalt damit vergleichen könnten: gegenwärtig müssen wir

[24] Metamorphose der Pflanzen, § 73.

116

uns damit begnügen, daß wir uns gewöhnen, die Erscheinungen vorwärts und rückwärts gegen einander zu halten. Denn wir können ebensogut sagen: ein Staubwerkzeug sei ein zusammengezogenes Blumenblatt, als wir von dem Blumenblatte sagen können: es sei ein Staubgefäß im Zustande der Ausdehnung; ein Kelchblatt sei ein zusammengezogenes, einem gewissen Grad der Verfeinerung sich näherndes Stengelblatt, als wir von einem Stengelblatt sagen können: es sei ein durch Zudringen roherer Säfte ausgedehntes Kelchblatt[25].»

Das Urorgan ist das Identische aller Teile – und sonst nichts; als das Identische aber in gewissem Sinne noch nachweisbar, sei es auch nur dadurch, daß sich jeder Teil der Pflanze, wenn die Bedingungen günstig sind, in jeden anderen Teil umbilden kann.

Ebenso unangemessen wie die Bezeichnung «Blatt» sind die Begriffe «Ausdehnung» und «Zusammenziehung». Goethe schlägt darum sogar vor, «nach algebraischer Weise» sich mit x oder y zu behelfen:

«Besser wäre es, ihr ein x oder y nach algebraischer Weise zu geben, denn die Worte Ausdehnung und Zusammenziehung drücken diese Wirkung nicht in ihrem ganzen Umfange aus. Sie zieht zusammen, dehnt aus, bildet aus, bildet um, verbindet, sondert, färbt, entfärbt, verbreitet, verlängt, erweicht, verhärtet, teilt mit, entzieht und nur allein, wenn wir alle ihre verschiedenen Wirkungen in Einem sehen, dann können wir das anschaulicher kennen, was ich durch diese vielen Worte zu erklären und auseinanderzusetzen gedacht habe. Sie tut das alles so stückweise, so sacht, so unmerklich, daß sie zuletzt uns vor unseren Augen einen Körper in den andern verwandelt, ohne daß wir es gewahr werden[26].»

Mit x und y kommen wir an die äußerste Grenze der Abstraktion. Der Satz steht in den Vorarbeiten zur Morphologie und ist in die gültige Schrift nicht aufgenommen worden. Goethe scheint die etwas zu bestimmten und darum ungenauen, aber noch vorstellbaren Begriffe den allgemeinen, doch völlig leeren Zeichen vorgezogen zu haben.

[25] a.a.O., § 120.
[26] XVII, 137.

Zugleich berühren wir aber die Grenzen der Sprache auch in der anderen Richtung, zum Konkreten hin, wo uns die Skepsis Goethes, die uns eben noch befremdete, mehr einleuchten wird. Metamorphose ist ein Werden, ein «unmerklicher», «sachter» Prozeß, den nicht einmal das Auge in den feinsten Übergängen verfolgen, geschweige denn die Sprache in allen Phasen festzuhalten vermag.

> «Siehe, er geht vor mir über,
> ehe ichs gewahr werde,
> und verwandelt sich,
> ehe ichs merke.»

Die Worte aus dem Buch Hiob stehen als Motto über der Morphologie, sowohl um auszudrücken, daß der Betrachter der Metamorphose sich dem Wesen Gottes zu nähern hofft, wie um die fast unüberwindlichen Schwierigkeiten der Wahrnehmung, die auch Schwierigkeiten der Sprache sind, anzudeuten. Wie soll sie das Übergängliche fassen? Goethe versucht es mit jenen eigentümlichen Reihen von Adjektiven, von denen eins das andere stets um ein geringes überschneidet:

«... so erschlafft sie hier gleichsam und läßt unentschlossen ihr Geschöpf in einem unentschiedenen, weichen, unsern Augen oft gefälligen, aber innerlich unkräftigen und unwirksamen Zustande[27].»

So auch in unwissenschaftlicher Prosa, besonders schön in dem folgenden Satzanfang aus der Schilderung Winckelmanns:

«Wenn die gesunde Natur des Menschen als ein Ganzes wirkt, wenn er sich in der Welt als in einem großen, schönen, würdigen und werten Ganzen fühlt...[28].»

Hier gleiten wir unmerklich von einem Wertbereich zum nächsten hinüber, da jedes Adjektiv, nicht ganz, doch zum Teil sich mit dem benachbarten deckt. Das gleiche leisten Substantivreihen:

«Demohngeachtet bleibt unser ewiges Bestreben, diesen Hiatus mit Vernunft, Verstand, Einbildungskraft, Glauben, Gefühl,

[27] Metamorphose der Pflanzen, § 7.
[28] Im Abschnitt Antikes.

118

Wahn und, wenn wir sonst nichts vermögen, mit Albernheit zu überwinden[29].»

Und wieder denselben Sinn entdecken wir in der Wendung, deren sich Goethe so gern bedient: «wo nicht ... so doch»:

«In gleicher Zeit sehen wir wo nicht die Räume des Stengels von Knoten zu Knoten merklich verlängert, doch wenigstens denselben gegen seinen vorigen Zustand viel feiner und schmächtiger gebildet[30].»

Hier ist die Unmerklichkeit des Prozesses am glücklichsten in der Sprache bewahrt: Vielleicht sind die Räume des Stengels verlängert; aber das läßt sich nicht sicher sagen; nur so viel wagen wir festzustellen, daß er jetzt feiner gebildet ist. Das liegt in dem «wo nicht ... so doch». Halten wir daneben Goethes Neigung zu zarter Abstraktion, so finden wir in seiner Sprache die ganze elastische Spannung wieder, die in der Naturwissenschaft zwischen Typus und Metamorphose, dem Dauernden, den leiblichen Sinnen Entrückten und dem unendlich Wechselvollen, die irdischen Räume erfüllenden Leben besteht.

Doch damit kommen wir bereits zu der zweiten Art von Metamorphose, die Goethe vor allem in seinen osteologischen Schriften dargestellt hat. Hier stellt die Frage sich so: Was ist der Grund, daß sich das Eine, der Typus, in die verwirrende Mannigfaltigkeit der Tiere umgestaltet? Die Zweckmäßigkeit der Tiere für den Menschen als Erklärung beizuziehen, hat Goethe abgelehnt. Auch wenn wir den Menschen beiseite lassen, scheint es nicht geraten, die Eigenart eines Lebewesens einzig aus seiner Bestimmung abzuleiten:

«Der Fisch ist für das Wasser da, scheint mir viel weniger zu sagen als: der Fisch ist in dem Wasser und durch das Wasser da; denn dieses letzte drückt viel deutlicher aus, was in dem erstern nur dunkel verborgen liegt, nämlich: die Existenz eines Geschöpfes, das wir Fisch nennen, sei nur unter der Bedingung eines Elementes, das wir Wasser nennen, möglich, nicht allein, um darin zu sein, sondern auch, um darin zu werden. Eben dieses gilt von allen übrigen Geschöpfen[31].»

[29] Bedenken und Ergebung.
[30] Metamorphose der Pflanzen, § 29.
[31] XVII, 229.

«So bildet sich der Adler durch die Luft zur Luft, durch die Berghöhe zur Berghöhe[32].»

Das heißt: der Zweckbegriff erklärt die Bildung zwar nicht, bleibt aber bestehen. «Der Fisch *im* Wasser *durch* das Wasser», «der Adler *durch* die Luft *zur* Luft»: in solchen und ähnlichen Formeln wird die kausale mit der finalen Begründung zu einer Einheit zusammengeschlossen. Der Typus und die Umwelt bestimmen beide die Gestalt des Tiers; und weil die Umwelt an der Bildung der Gestalt beteiligt ist, ist das Geschöpf für seine Umwelt unübertrefflich ausgestattet.

Nach demselben Grundsatz beurteilt Goethe die einzelnen Teile des Tiers:

«Man wird nicht behaupten, einem Stier seien die Hörner gegeben, daß er stoße, sondern man wird untersuchen, *wie* er Hörner haben könne, um zu stoßen[33].»

Die Untersuchung gelangt zum Ergebnis, daß der Stier nur Hörner haben kann, weil er weniger Zähne besitzt als etwa ein Löwe oder ein Hund:

«Denn so hat kein Tier, dem sämtliche Zähne den obern
Kiefer umzäunen, ein Horn auf seiner Stirne getragen,
Und daher ist den Löwen gehörnt der ewigen Mutter
Ganz unmöglich zu bilden und böte sie alle Gewalt auf:
Denn sie hat nicht Masse genug, die Reihe der Zähne
Völlig zu pflanzen und auch Geweih und Hörner zu treiben[34].»

Ebenso entbehrt die Schlange der Füße; ihr Körper «ist gleichsam unendlich, und er kann es deswegen sein, weil er weder Materie noch Kraft auf Hilfsorgane zu verwenden hat[35]». Bei der Giraffe ist der Hals auf Kosten des Körpers begünstigt, während beim Maulwurf das Umgekehrte stattfindet.

Insofern sind der proteischen Kraft des Typus gewisse Grenzen gesetzt. Nur innerhalb dieser Grenzen, des Gesetzes der Kompen-

---

[32] XVII, 240.
[33] XVII, 238.
[34] I, 520.
[35] XVII, 239.

sation, bildet er sich mit großer Freiheit um, kann er diese Glieder verlängern und jene Glieder zusammenziehen. Und nur deshalb macht die Natur in ihrer Werdelust nie Bankrott.

Alle Glieder, auch jene, deren Zweck wir unmittelbar erkennen, sind also von innen, durch den ganzen Bau des Körpers des Tieres, bedingt. Und jedes bedingt wieder seinerseits eine Modifikation des ganzen Skeletts. Die Lebensumstände des Tiers jedoch bedingen wieder den Körperbau. So muß die Betrachtung von innen nach außen sowohl wie von außen nach innen gehen und eine wechselseitige Bestimmung der Teile gelten lassen. Jeder Teil ist um des andern willen und durch den anderen da.

Diese Lehre deckt sich nun aber mit der von Goethe freudig begrüßten Auffassung des Organismus in Kants «Kritik der Urteilskraft»:

«Zu einem Körper ... der an sich und seiner innern Möglichkeit nach als Naturzweck beurteilt werden soll, wird erfordert, daß die Teile desselben einander insgesamt ihrer Form sowohl als Verbindung nach wechselseitig und so ein Ganzes aus eigener Kausalität hervorbringen, dessen Begriff wiederum umgekehrt (in einem Wesen, welches die einem solchen Produkt angemessene Kausalität nach Begriffen besäße) Ursache von demselben nach einem Prinzip sein, folglich die Verknüpfung der *wirkenden Ursachen* zugleich als *Wirkung durch Endursachen* beurteilt werden könnte...

Ein organisiertes Produkt der Natur ist das, in welchem alles Zweck und wechselseitig auch Mittel ist [36]. »

Kant spricht freilich nur von der Denkbarkeit, nicht von der Wirklichkeit der Natur. Goethe ist überzeugt, ihr wahres Schaffen zutiefst begriffen zu haben:

«Zweck sein selbst ist jegliches Tier [37]. » Causa finalis und Causa efficiens fallen in der Betrachtung zusammen. Woraus und Worumwillen, Herkunft und Bestimmung vereinigen sich zu einem lebendig spielenden Da. Was bedingt ist, entspricht dem Zweck; und was dem Zweck entspricht, ist bedingt. Freiheit und Notwendigkeit sind eins im Leben der Natur. Alles ist Mittel und

[36] Kritik der Urteilskraft, § 65 u. 66.
[37] I, 519.

Zweck zugleich. Jede funktionale Spannung läuft wieder in sich selber zurück. Organische Gebilde behaupten eine vollkommene Gegenwart.

Ein Forscher, der so weit gelangt ist, wird schwer der Versuchung widerstehen, die ganze Natur als einen einzigen Organismus zu begreifen. Romantiker, die Goethe nahestanden, sind ihr später erlegen, so Novalis, der sich so unbedenklich der Analogie bediente, daß schließlich alles mit allem verwandt, ja alles mit allem identisch schien, so in gewissem Sinne auch Schelling, dem es nicht schwer fiel, Tiere als Pflanzen und Pflanzen als Tiere aufzufassen, und der, im Bestreben, Nahes und Fernes in eine Einheit zusammenzudenken, sich etwa zu folgendem Satz verstieg:

«Die Pflanze läßt sich definieren als ein organisches Wesen, dessen Gehirn in der Sonne ist.»

Goethe dagegen hält sich, in seinen wissenschaftlichen Schriften, zurück. Er ist sich durchaus darüber klar, daß das Verhältnis eines Geschöpfs zu seiner Umwelt sich anders gestaltet und anders aufgefaßt werden muß als das Verhältnis eines Teils eines Organismus zu allen übrigen. Ebensowenig ist er bereit, den osteologischen Typus etwa auf die Pflanze, die Pflanze auf mineralische Formen zurückzuführen. Gegen eine solche Vermischung spricht er sich schon mit Entschiedenheit aus[38], wie Seidel, sein treuer Diener und Jünger, die Bildung des Pflanzenorganismus durch die Beobachtung des Wachstums von Eisblumen klären zu können hofft. Nur in Andeutungen, die mehr den Charakter von Fragen und Vorschlägen haben, erlaubt sich Goethe manchmal, einen Zusammenhang zur Sprache zu bringen. Ein solcher Vorschlag ist zum Beispiel das Prinzip der Steigerung in seinen letzten Konsequenzen. Bei unvollkommenen Geschöpfen, etwa den Würmern, sind die Teile einander gleich oder ähnlich und gleichen dem Ganzen.

«Je vollkommner das Geschöpf wird, desto unähnlicher werden die Teile einander. In jenem Falle ist das Ganze den Teilen mehr oder weniger gleich, in diesem das Ganze den Teilen unähnlich. Je ähnlicher die Teile einander sind, desto weniger sind

[38] 29. Dez. 1787.

122

sie einander subordiniert. Die Subordination der Teile deutet auf ein vollkommneres Geschöpf [39]. »

Hier kündigt sich eine Möglichkeit an, die ganze Natur als kontinuierlich sich steigernde Reihe zu verstehen. Aber den Übergang von Pflanzen zu Tieren oder vom Typus niederer Tiere zum Typus der Säugetiere hat Goethe zu zeigen doch nie unternommen. Er hielt sich streng an die Erfahrung und half nicht aus mit Philosophie, wo die Erfahrung ihn nicht stützte.

So in den naturwissenschaftlichen Schriften. Der Dichter und der Denker dagegen versagt es sich nicht, eine Summe zu ziehen. Das Blatt, das sich in Stengel, Kelch und Blüte, Frucht und Samen verwandelt und so die Pflanze auferbaut; der Halswirbel, dessen Modifikationen die Schädelknochen bilden, so daß wir gehalten sind zu vermuten, der ganze osteologische Typus komme durch Umgestaltung eines einzigen Urorgans, in simultaner Metamorphose, zustande; die Umbildung der Urpflanze und des Typus je nach ihrer Umgebung: das schien genug für den Gedanken, die unermeßliche Mannigfaltigkeit der Natur sei in Einem beschlossen; jedes besondere Lebewesen sei ein Repräsentant des Ganzen, ein Symbol des allgemeinen ewigen Spiels von Form und Stoff, von Bildungstrieb und Materie; im Ganzen wie im Einzelnen sei alles und jedes Zweck sein selbst, vollkommene göttliche Gegenwart.

> «Soweit das Ohr, soweit das Auge reicht,
> Du findest nur Bekanntes, das Ihm gleicht,
> Und deines Geistes höchster Feuerflug
> Hat schon am Gleichnis, hat am Bild genug;
> Es zieht dich an, es reißt dich heiter fort,
> Und wo du wandelst, schmückt sich Weg und Ort;
> Du zählst nicht mehr, berechnest keine Zeit,
> Und jeder Schritt ist Unermeßlichkeit [40]. »

Das Eine im Mannigfaltigen, also das Blatt als Urorgan der Pflanze, die Urpflanze und der Typus als Variationsbasis der Pflanzen und Tiere, und darüber das x, in dem sich das Blatt und

[39] XVII, 15.
[40] Gott und Welt, Prooemion.

die Kraft, die es umgestaltet, die Urpflanze und der Typus und ihre Metamorphosen für die Augen des Geistes als identisch erweisen, dies Eine heißt bei Goethe, vermutlich im Anschluß an Kant und Schiller: *Idee*, und zwar Idee im Singular, da nun nicht mehr die Urpflanze neben dem osteologischen Typus bedacht wird, sondern eben jenes x, in dem der Geist von allen Unterschieden der Wirklichkeit abstrahiert.

«Die Idee ist ewig und einzig; daß wir auch den Plural brauchen, ist nicht wohlgetan. Alles, was wir gewahr werden und wovon wir reden können, sind nur Manifestationen der Idee[41].»

Wie «ist» nun aber diese Idee? Welche Seinsart kommt ihr zu? Das Wort bedeutet Anschauung. Anschauung kann aber das Angeschaute und das Anschauende heißen. Beides ist in der Idee, wie Goethe sie aufgefaßt hat, eins. Das Prinzip der Ordnung alles Lebens ist zugleich der Inbegriff der geistigen Struktur, in der sich diese Ordnung spiegelt – um einen Kantischen Terminus mit Läßlichkeit zu brauchen: der synthetischen Einheit der Apperzeption in ihrer spezifisch Goetheschen Prägung. Wie die Natur sich auf das Mannigfaltige proteisch einläßt, ohne das Eine einzubüßen, und das Eine festhält, ohne die Mannigfaltigkeit zu beschränken, so schließt die Sprache Goethes das ewige Sein und das wechselnde Leben zusammen. Wie die Natur, sich steigernd und emporgestaltend, doch auf jeder Stufe in sich selber ruht und keiner Ergänzung von außen bedarf, erfüllt sich Goethes Wesen bei allem unablässigen Streben in einer sich selbst genügenden Gegenwart.

Die Idee ist Gegenstand und Organ der Naturbetrachtung in einem. Schon in einem Brief an Sömmering vom 28. August 1796 schreibt Goethe:

«Eine Idee über Gegenstände der Erfahrung ist gleichsam ein Organ, dessen ich mich bediene, um diese zu fassen, um sie mir eigen zu machen.»

Was hier von einer besonderen Idee gesagt ist, gilt in ausgezeichnetem Sinne von der einzigen, höchsten. Ein Mißverständnis aber wäre es anzunehmen, erst sei die Idee als Organ vorhanden und trete uns dann aus den Dingen als Angeschautes entgegen. Dem Satz an Sömmering entspricht ein anderer:

[41] IX, 539.

«Jeder neue Gegenstand, wohl beschaut, schließt ein neues Organ in uns auf [42].»

Indem wir schauen, bildet sich – im wahrsten Sinne des Wortes – unser Geist und bildet sich die Welt zu einer alles umfassenden Einheit.

Um Selbstgewißheit ging es Goethe in seiner naturwissenschaftlichen Forschung. Nun stellt sich die Natur als Gegenbild seines eigenen Wesens dar. Sofern sein Dasein wahr ist, stimmt es mit dem Sein der Natur überein; und sofern er die Natur mit reinem und treuem Blick betrachtet, wird sie ihn immer wieder des Ewig-Einen, das alles umfaßt, versichern. Wie auch die Welt im übrigen beschaffen sein mag, in der Natur hat Goethe sich eine Heimat erschlossen.

Nun drängt sich aber die Frage auf, was an diesem Ergebnis Illusion, was wohlbegründete Wahrheit ist. Die moderne Naturwissenschaft bezweifelt das Kompensationsgesetz, die Wirbeltheorie des Schädels und anderes mehr – zum mindesten lehnt sie die Fassung ab, die Goethe diesen Lehren gab. Darüber ein Urteil abzugeben, versagen wir uns nach wie vor. Dagegen scheint es erlaubt, die innere Folgerichtigkeit der Schriften zur Morphologie zu untersuchen.

Am nächsten liegt der Einwand, Goethe finde nur, was er vorausgesetzt habe. Tatsächlich ist die Idee bereits im «Urfaust», in der Rede des Erdgeists, vorausgesetzt, bevor ihr Schöpfer die erste Pflanze untersucht und die ersten Knochen verglichen hat. Neuerdings hat man sogar bemerkt, daß alchemistische Vorstellungen, wie sie Goethe am Ende der sechziger Jahre in Frankfurt kennenlernte, die Darstellung der Metamorphose an entscheidenden Punkten bestimmen [43]. Doch damit wird die Gültigkeit der Forschungsergebnisse nicht widerlegt. Wenn Goethe gelegentlich sagt, es zeige sich immer, «daß der Mensch dasjenige voraussetzt, was er gefunden hat, und dasjenige findet, was er voraussetzt [44]», so weiß er über den Gang des Erkennens besser Bescheid als alle, die von voraussetzungsloser Forschung sprechen und jeden Zirkel unbesehen als Circulus vitiosus verdammen. Alles mensch-

[42] XVI, 880.
[43] Vgl. dazu R. D. Gray, Goethe the Alchemist, Cambridge 1952.
[44] Sophien-Ausgabe, II. Abt., 6. Bd., S. 351.

liche Erkennen spielt sich in einem Zirkel ab[45]. Es gilt nur, richtig in den Zirkel hineinzukommen und die Voraussetzung, die völlig dunkel sein mag, abzuklären und nachzuweisen. Wir haben hier nur die Ergebnisse der naturwissenschaftlichen Arbeit geschildert. Von der sorgfältigen Empirie, dem unermüdlichen Sammeln und Ordnen, dem jahrelangen Vergleichen und Prüfen und Sondern und In-Erwägung-Ziehen ist überhaupt nicht die Rede gewesen. Man bedenke, daß Goethe in seinem langen Leben viel mehr Zeit an die Erforschung der Natur als an die Dichtung gewendet hat. Seine wissenschaftliche Treue wird denn auch von den zunftgerechtesten Forschern, sofern sie mit den Quellen vertraut sind, kaum in Frage gestellt.

Nachdenklich werden wir erst, wenn Goethe die wissenschaftlichen Resultate als Schlüssel für den Bau des ganzen Kosmos benützen zu dürfen glaubt, also mehr bei der Auslegung, die er den morphologischen Studien gibt, dem Sinn, den er ihnen entnehmen zu dürfen glaubt, als bei den Studien selbst. Hier gilt es, genau den Punkt zu bezeichnen, wo sachgetreue Wissenschaft in Dichtung und Spekulation übergeht.

Die Morphologie betrachtet die Natur in einer bestimmten Hinsicht und ist auch mehr oder minder imstande, ihre Voraussetzung nachzuweisen. Aber nur bestimmte Gegenstände sind morphologisch erschließbar, und selbst diese werden durch morphologische Deutung niemals erschöpft. In den naturwissenschaftlichen Schriften gibt Goethe dies unumwunden zu, nicht aber in vielen Aphorismen und erst recht nicht in den Gedichten «Gott und Welt», «Gott, Gemüt und Welt». Da gilt, was die Morphologie erfaßt, als letzter Grund der Natur schlechthin. Und kaum ist dieses «Wahre» als das einzig Gültige angenommen, da muß sich ein «Unwahres» als beängstigende Wirklichkeit aufdrängen. Die Welt der Bildung wird von einer ungebildeten, nicht aus der Idee verständlichen Welt bedroht, den Elementen, die ihren «eigenen wilden wüsten Gang zu nehmen immerhin den Trieb» haben[46]. In Krankheiten und Entartungen kündigt ein mäch-

[45] Vgl. M. Heidegger, Sein und Zeit, Halle 1927, S. 153.
[46] Versuch einer Witterungslehre, Bändigung und Entlassen der Elemente.

tiger Widersacher sich an. Und insbesondere ist der Mensch befähigt, aus dem Naturgesetz herauszutreten und frei das Falsche,
Unangemessene, Böse zu wählen. Einigermaßen glaubt Goethe
auch solche Erscheinungen noch erklären zu können. So deutet
er das Abnorme als ein Übergewicht des einzelnen Teils im Ganzen des organischen Körpers, ein Gedanke, der für den späteren
Schelling bedeutsam werden wird:

«Im Pflanzenreiche nennt man zwar das Normale in seiner
Vollständigkeit mit Recht ein Gesundes, ein physiologisch Reines;
aber das Abnorme ist nicht gleich als krank oder pathologisch zu
betrachten. Nur allenfalls das Monstrose könnte man auf diese
Seite zählen. Daher ist es in vielen Fällen nicht wohl getan, daß
man von Fehlern spricht, so wie auch das Wort *Mangel* andeutet,
es gehe hier etwas ab: denn es kann ja auch ein Zuviel vorhanden
sein, oder eine Ausbildung ohne oder gegen das Gleichgewicht.
Auch die Worte Mißentwickelung, Mißbildung, Verkrüppelung,
Verkümmerung sollte man mit Vorsicht brauchen, weil in diesem
Reiche die Natur, zwar mit höchster Freiheit wirkend, sich doch
von ihren Grundgesetzen nicht entfernen kann[47].»

Oder wir finden das Böse und das Unglück aus der grenzenlosen Produktivität der Natur erklärt, die «nicht allem Entstehen-
den Raum geben, noch weniger ihm Dauer verleihen kann».
Des Unzulänglichen solcher Deutungen blieb sich Goethe aber
bewußt. Es gehört zu seiner Größe und unterscheidet ihn von
allen frühromantischen Abenteurern, daß er sich immer wieder
gedrängt sah, das Reich der Bildung, seine Wahrheit, gegen die
Unwahrheit zu behaupten und feindliche Mächte sei es abzuwehren, sei es in Schranken zu halten. So betrachtet, nimmt sein
Bild der Natur den Charakter des Vorbilds an, des gültigen Maßes,
nach dem sich Wert und Unwert alles Lebens bemißt. Zumal die
menschliche Welt, die deutsche, nordische, christliche, die sich
am Anfang der neunziger Jahre Goethes Blick als ungeheueres
ἄπειρον darstellt, wird gemessen an der Natur, obwohl noch
wenig Hoffnung besteht, daß sich auch hier zuletzt die sanfte
Gewalt der Bildung bewähren werde.

[47] XVII, 105f.

127

WILHELM MEISTERS LEHRJAHRE

Schon in Italien hoffte Goethe, den «Wilhelm Meister» vollenden zu können, sobald die Gesamtausgabe seiner Schriften nach dem Plan von 1786 abgeschlossen wäre. Ende 1790 mahnte ihn Anna Amalia an das Buch, das, menschlich-allzumenschlich, geistreich, unterhaltend, leicht ironisch, ihrer Sinnesart entsprach, so manches Rätsel in sich barg und eine sonderbare Lösung sonderbarer Konflikte verhieß. In den ersten Tagen des Jahres 1791 bemühte sich Goethe, der verehrten Fürstin den Gefallen zu erweisen. «Früh Wilhelm» verzeichnet das Tagebuch vom 3. bis 10. Januar. Dann scheint er das schwierige Unternehmen wieder beiseite gelegt zu haben. Am 7. Dezember 1793 aber schreibt er an Knebel:

«Jetzt bin ich im Sinnen und Entschließen, womit ich künftiges Jahr anfangen will, man muß sich mit Gewalt an etwas heften. Ich denke, es wird mein alter Roman werden.»

Das klingt, als ob es sich nur um eine jener Aufräumungsarbeiten handle, wie sie sich Goethe in Jahren des Unmuts öfter zur leidigen Pflicht gemacht hat. Auch der Brief an Schiller vom 27. August 1794, der schon das erste Buch ankündigt, verrät noch keinen lebendigeren Anteil:

«Die Schrift ist schon so lange geschrieben, daß ich im eigentlichsten Sinne jetzt nur der Herausgeber bin.»

Als «Herausgeber» finden wir Goethe für einen Ausgleich der Sprache besorgt, die in den ersten Büchern der «Theatralischen Sendung» noch unsicher ist. Er tilgt die fühlbarsten Widersprüche, Zufälligkeiten und Wucherungen, die dadurch entstanden waren, daß er sich seinerzeit die Welt des Romans erst während der Arbeit von Abschnitt zu Abschnitt mit langen Pausen erschlossen hatte. Auch begegnen wir dem Kunstgriff, den Wieland öfter angewendet, den schon die Odyssee empfiehlt: an einem bedeutenden Punkt zu beginnen und die Vorgeschichte in einem Bericht des Helden nachzutragen. Mit solchen Mitteln wurde die «problematische Komposition[1]» gestrafft, das Ganze «gesteigert» – in dem genauen naturwissenschaftlichen Sinn des Begriffs, der eine

[1] An Schiller, 27. Aug. 1794.

entschiedenere Unterordnung der Teile des Organismus bezeichnet[2].

Allein, schon im ersten Buch ist Goethe keineswegs nur als Herausgeber tätig. Der «Unbekannte» tritt auf, der Wilhelm an die Kunstgegenstände erinnert, die sein Großvater einst gesammelt, und der sich später als Abgesandter der Gesellschaft vom «Turm» entpuppt. Damit wird ein neuer Anfang und ein neues Ende gesetzt und mit dem neuen Anfang und Ende alles anders ausgerichtet. Wilhelm arbeitet sich nicht mehr aus trüben Zuständen mühsam empor. Er stammt aus einem guten Haus und hat in seiner frühesten Kindheit Schönes und Wahres mit Augen gesehen. Seine Bahn läuft nicht mehr einem ungewissen Ziel entgegen. Man wird ihn würdig finden, einem edlen Kreis anzugehören. Dieser Kreis hat freilich mit der Bühne gar nichts mehr zu schaffen. Wilhelm selbst, sobald er sich ihm nähert, wird seinen alten Ehrgeiz nur noch als fruchtbaren Irrtum und das Theater als Stufe seines zu Höherem angelegten Lebens betrachten. Die «Theatralische Sendung» verwandelt sich in die Geschichte einer Bildung.

So aber kann man nicht mehr sagen, Goethe habe den Roman, wie etwa den «Torquato Tasso», nachträglich vollendet, um auch diese Sorge endlich loszuwerden. Er fügt sich folgerichtig in die Entwicklung der neunziger Jahre ein. Die «Römischen Elegien», zum Teil auch die «Venetianischen Epigramme», hatten Geist und Stimmung der italienischen Jahre noch glücklich bewahrt. Mit den naturwissenschaftlichen Schriften wurde der neu gewonnene Sinn des Daseins in Bereichen erprobt, zu denen Goethe auch im Norden leicht den Zugang finden konnte. Der menschlichen Welt dagegen stand er vorerst ratlos gegenüber. Die «Reise der Söhne Megaprazons» und «Reineke Fuchs» sind zwar Versuche, die Problematik der Gesellschaft und des Staates ins Auge zu fassen. Beide Werke weichen aber dem wirklichen deutschen Leben aus. Und dort, wo es zur Sprache kommt, wie in den Revolutionslustspielen, versagt der Dichter so vollständig, daß

[2] Vgl. E.M.Wilkinson, Tasso, ein gesteigerter Werther im Licht von Goethes Prinzip der Steigerung, Jahrb. der Goethe-Gesellschaft, 1951, S. 28ff.

wir ihn nur mit Schmerzen die dürftigen Szenen ausarbeiten sehen.

Nun wendet er sich in dem Bildungsroman derselben Aufgabe abermals zu, um sie mit anderen Mitteln und in weise begrenzter Sphäre zu lösen. Es handelt sich nicht um Weltpolitik. Vom Staat ist nur beiläufig die Rede. Aber die Frage wird gestellt, ob und wie es dem Einzelnen auch in der nordischen Gegenwart möglich sei, natur- und kunstgerecht zu leben, oder, allgemeiner, ob es möglich sei, den Wandel eines deutschen Zeitgenossen als gesetzlichen, in den gültigen Kosmos einbezogenen zu verstehen. Damit sind die Voraussetzungen des Werks nun allerdings so verändert, daß Zweifel erwachen, ob es der neuen Absicht dienstbar gemacht werden könne, ob sich nicht allzu viele Schwierigkeiten und Unstimmigkeiten ergeben und eine Last zu schleppen sei, die kaum die Anstrengung mehr lohnt. Darüber müssen wir Klarheit gewinnen.

Der Goethe der vorweimarischen Jahre hatte noch mit der Hoffnung gespielt, die Welt zu verwandeln und so sein Inneres mit dem Äußeren zu versöhnen. Die dramatischen Entwürfe «Sokrates», «Prometheus», «Mahomet» legen davon Zeugnis ab. «Wilhelm Meisters Theatralische Sendung» bekundet sodann den ernsten Willen zu wissen, was es mit diesem prophetischen Anspruch eigentlich auf sich habe. Kein Weiser und Dichter der frühen Zeiten, sondern ein Deutscher des 18. Jahrhunderts wird einer nüchtern aufgefaßten Wirklichkeit gegenübergestellt. Er bedient sich des Theaters, um das Höhere durchzusetzen, einer fragwürdigen Einrichtung, die ebenso der Prüfung bedarf wie die Öffentlichkeit, an die sie sich wendet. Das Ergebnis wäre sicher nicht ermutigend ausgefallen. Doch das Fragment bricht ab, bevor die letzte Bilanz gezogen ist.

In den «Lehrjahren» steht die Verwandlung der Welt überhaupt nicht zur Diskussion. Goethe glaubt schon längst nicht mehr an etwas Neues unter der Sonne. Sitten und Moden mögen sich ändern; im Grunde bleibt der Mensch sich gleich, befangen in Einbildungen und Torheit; und nur selten ist es Einzelnen, noch seltener ganzen Epochen gegönnt, das Alte-Wahre anzufassen. Am wenigsten hofft er, daß das deutsche Theater imstande sei, eine lebenswürdigere Zukunft anzubahnen. Er hat seit einigen Jahren den Platz, den Wilhelm Meister sucht, erreicht. Er leitet selber ein Theater, ohne rechten Glauben, und findet, mehr als ihm lieb ist, Gelegenheit, die Ohnmacht einer solchen vielfach bedingten Einrichtung kennenzulernen.

Damit fallen nun aber alle theatergeschichtlichen Fragen weg. Es lohnt sich nicht mehr, die Situation eines deutschen Dramatikers in der Mitte des 18. Jahrhunderts zu erkunden. Was daran eigentümlich und unwiederholbar sein mag, ist zufällig und verschwindet hinter der immer gleichen Misere des nordischen und des menschlichen Lebens überhaupt. Gestrichen werden demnach alle dramaturgischen Probleme, die nur für die Epoche zwischen Gottsched und Lessing bedeutsam waren. Von Wilhelm Meisters frühen dichterischen Versuchen ist nicht mehr ausführlich die Rede. Madame de Retti und ihr famoser Anhang, die ganze Schilderung eines Theaterwesens in der Art der Neuberin, wird ausgemerzt. Auch jener gebildete Offizier, das Porträt eines Mannes vom Schlage des Majors von Kleist, fällt weg. Andrerseits ist es nun aber erst möglich, das Theater an seinem mit aller Vorsicht umgrenzten Platz im Ganzen der Gesellschaft ernst zu nehmen. Der Erzähler, der seine phantastischen Hoffnungen längst verabschiedet hat, braucht es nicht mehr ständig in einem schmerzlich-ironischen Licht zu zeigen. Die Aufführung von Shakespeares «Hamlet» ist ein würdiges Unternehmen. Wir finden sie in der neuen Fassung mit größerer Sorgfalt vorbereitet. Ein Mann wie Serlo ist es wert, in seiner außerordentlichen Existenz genetisch erklärt zu werden. Man kann ihm hohe Einsicht zutrauen und kann ihn Erkenntnisse aussprechen lassen, die jeder Regisseur, der eine Kunst im Geiste Goethes anstrebt, wohl zu beherzigen Anlaß hätte. So geschieht es, daß die «Lehrjahre» über den Mimen und die Bühne Gültigeres zu sagen wissen als die «Theatralische Sendung», die doch diesem Lebenskreis ausdrücklicher gewidmet war. Die Unrast im Verfolgen des historischen Prozesses weicht der ruhevollen Wahrnehmung des Möglichen und Verbindlichen.

Wilhelm Meister soll als Schauspieler und Theaterdichter scheitern, aber sich als Mensch erfüllen. Das Werk ist ausgerichtet auf eine Vollendung des Menschlichen, die der Vollendung eines Naturgeschöpfs oder eines klassischen Kunstgebildes entspricht. Damit schwinden auch alle Interessen kulturgeschichtlicher Art. So wenig es noch sinnvoll ist, den unerquicklichen Werdegang des deutschen Theaters nachzuzeichnen, so wenig liegt jetzt dem Erzähler daran, ein möglichst genaues Gemälde des dumpfen Zustands des deutschen Volks zu entwerfen. Ganz kann er freilich nicht auf die Atmosphäre von Ort und Zeit verzichten. Er muß sich glücklich schätzen, daß die frühere Fassung mit den «niederländischen» Schilderungen vorliegt. Denn auf diesem Hintergrund spielt sich Wilhelm Meisters Geschichte ab. Doch was in der «Theatralischen Sendung» Errungenschaft gewesen ist, Triumph des realistischen Willens, das wird in der zweiten Fassung zur Basis eines behutsamen Klärungsprozesses. Aus einem widerstrebenden Stoff hat Goethe das Wesentlich-Menschliche, was war und ist und sein wird, entschlossen und schonend zugleich herauszuarbeiten. Es wird zwar nicht in reinen Konturen, auch nicht in homerischer Art erscheinen. Das hieße einem Roman, zumal einem solchen Roman, zu viel zumuten und wäre in Prosa nie zu leisten. Aber es soll doch durch den Nebel der Zeitgeschichte erkennbar sein. Geübte Augen sollen die Linien sehen, die zum zeitlos gültigen Bilde nachzuziehen und im Geist zu isolieren wären.

In dieser Absicht setzt der Erzähler manchmal allgemeinere Wörter für allzu charakteristische ein und drängt er, wie in seiner Sprache, in vielen Szenen und Gestalten das Individuelle ein wenig zurück. Das heißt: er idealisiert – mit Maß, zögernd, von dem Boden seiner realistischen Darstellung aus. Wenn nämlich der realistische Stil den Menschen vor allem in seiner Bedingtheit, von Dingen umstellt und beeinflußt, im Zufall seiner Herkunft und seiner besonderen augenblicklichen Lage zeigt, erfaßt ihn der idealistische Stil vorzüglich im Hinblick auf eine Bestimmung, auf eine verpflichtende höhere Ordnung, und läßt beiseite, was mit dieser Ordnung, sei es im Guten, sei es im Bösen, nichts zu schaffen hat. Über diese Ordnung, über das, worauf es ankommt und hinauswill, war sich der Schöpfer der «Theatralischen Sendung» noch nicht im klaren – so wenig sich neuere Realisten über dergleichen im klaren sind. Erst in Italien schließt sich ihm das ewige Sinngefüge zusammen. So kann es auch erst jetzt gelingen, jetzt sogar erst erstrebenswert sein, aus der Entdeckungsfahrt ins deutsche Leben, die Wilhelm Meister antritt, das Wesentliche herauszufiltrieren. Denn was wesentlich sei, ergibt sich nur im Hinblick auf einen Sinn. Und damit erst geraten die Gestalten des Romans in jenen eigentümlichen Schwebezustand zwischen Bedingtheit und Bestimmung, Besonderem und Allgemeinem, der Goethes hochklassischem Glauben genügt. Er liest die «Sendung» wieder durch, verirrt sich in dem Labyrinth der unübersehbaren Wirklichkeit und findet sich zurecht, indem er die vage Lebendigkeit seiner Geschöpfe in Begriffen zusammenfaßt, Begriffen, die ausgerichtet sind auf eine Idee des Menschlichen, ein System der Möglichkeiten des Daseins: So lesen wir auf einem zufällig erhaltenen Blatt der Vorarbeiten:

«Laertes   unbedingter Wille
Philine   gegenwärtige Sinnlichkeit, Leichtsinn
Aurelie   hartnäckiges selbstquälendes Festhalten
Mignon   Wahnsinn des Mißverhältnisses...[3]»

Aus Individuen verwandeln die Gestalten sich in Repräsentanten. Sie werden symbolisch – wenn ein «Symbol» nach Goethes Sprachgebrauch das Allgemeine und das Besondere eint.

Symbolisch werden nun aber auch ganze Lebenskreise aufgefaßt, zum Beispiel die aristokratische Welt im Schloß des Grafen, die als schöner Schein aufleuchtet und, innerlich leer, in religiösem Wahn erlischt; so insbesondere das Theater, dessen breite, aus der «Sendung» übernommene, wenn auch ernstere und bedeutendere Darstellung im Rahmen der neuen Konzeption nur dann berechtigt war, wenn es gelang, sie den reineren Absichten unterzuordnen. Das geschieht im dritten Kapitel des siebenten Buches, wo Wilhelm Meister mit heftigen Worten die Zeit beklagt, die er dem Schlendrian der Bühne und im Umgang mit eiteln, empfindlichen, albernen Künstlern geopfert hat. Seine Litanei wird unterbrochen von Jarnos «unmäßigem Gelächter»: «Die armen Schauspieler! rief er aus, warf sich in einen Sessel

[3] Sophien-Ausgabe, I. Abt., 21. Bd., S. 332.

und lachte fort: die armen Schauspieler! Wissen Sie denn, mein Freund, ... daß Sie nicht das Theater, sondern die Welt beschrieben haben, und daß ich Ihnen aus allen Ständen genug Figuren und Handlungen zu Ihren harten Pinselstrichen finden wollte?»

Wir sollen also das Bühnenwesen als Symbol der «Welt» und ihrer unausrottbaren Torheit betrachten. Maskiert betreten die Menschen den Schauplatz der Gesellschaft; sie verbergen, was sie sind, und versuchen zu scheinen; sie brauchen die Worte und Zeichen der Würde, des Edlen und Erhabenen, ohne erhaben und edel und würdig zu sein. Keiner gönnt den Platz dem andern. Jeder kehrt beklommen von der Stätte der Herrlichkeit in die nüchterne Einsamkeit seiner Stube zurück, um schon am nächsten Abend wieder das Publikum und sich selber zu täuschen. Das Gleichnis ist ergiebig und durch Überlieferung geadelt. Wilhelm hat als Schauspieler Glanz und Elend des Welttheaters in einem gehaltvollen Auszug kennengelernt.

Dennoch genügt die Erklärung nicht ganz, um die Ökonomie des Romans zu begründen. Schiller dürfte recht behalten, wenn er darüber an Goethe schrieb:

«Das einzige, was ich gegen dieses fünfte Buch zu erinnern habe, ist, daß es mir zuweilen vorkam, als ob Sie demjenigen Teile, der das Schauspielwesen ausschließend angeht, mehr Raum gegeben hätten, als sich mit der freien und weiten Idee des Ganzen verträgt. Es sieht zuweilen aus, als schrieben Sie *für* den Schauspieler, da Sie doch nur *von* dem Schauspieler schreiben wollen. Die Sorgfalt, welche Sie gewissen kleinen Details in dieser Gattung widmen, und die Aufmerksamkeit auf einzelne kleine Kunstvorteile, die zwar dem Schauspieler und Direktor, aber nicht dem Publikum wichtig sind, bringen den falschen Schein eines *besondern Zweckes* in die Darstellung, und wer einen solchen Zweck auch nicht vermutet, der möchte Ihnen gar schuld geben, daß eine Privatvorliebe für diese Gegenstände Ihnen zu mächtig geworden sei[4].»

Solche Bedenken sind am Platz. Denn obgleich das Antiquarische ganz beseitigt und viele nebensächliche Züge ausgelöscht sind, obgleich das Theater als Symbol des Welttheaters aufgefaßt

[4] 15. Juni 1795.

wird und so die Transparenz gewinnt, die allgemein den «Lehrjahren» einen geistigeren Charakter verleiht, so fehlt doch nun gerade das – oder büßt doch viel an Bedeutung ein –, was in der «Sendung» die reichste Quelle der epischen Kraft gewesen ist: der kaum überbrückbare Gegensatz von Ideal und Wirklichkeit, den eine neuzeitliche Guckkastenbühne mit hellbeleuchteten Kulissen und mit dem verdunkelten Zuschauerraum und mit der Rampe, die Welten scheidet, so mächtig einzuprägen vermag. Gewiß, auch in den «Lehrjahren» ist, zum mindesten in den ersten Büchern, die Kunst dem Leben entgegengesetzt; und Wilhelm bemüht sich nach wie vor vergebens um eine Annäherung. Wir werden aber schon früh darüber verständigt, daß es in Wahrheit sich nicht um die Spannung von Bühne und Publikum handelt, daß nur ein ahnungslos bestrebter Jüngling diesen Gegensatz, der nie zu reinem Ausgleich kommt, mit dem von Idee und Erfahrung verwechselt, dem Gegensatz von Idee und Erfahrung, der gleichfalls schwer zu bewältigen, aber in der Natur begründet ist und Blüten und Früchte des Lebens zeitigt. Wenn Meister nun zwar noch immer eine Enttäuschung nach der andern erlebt, so wird er doch nur auf einem von vornherein preisgegebenen Feld und nicht auf dem seiner eigentlichen Bestimmung, der neuen menschlichen Sendung enttäuscht. Von dieser weiß er vorerst gar nichts. Nur wir, die Leser, wissen, dank den Gesandten des «Turms», schon früh Bescheid. Die Fehlschläge sind keine ernste Gefahr wie früher, wo es noch möglich schien, daß alles in Verzweiflung ende. Wir finden eine Führkraft wirksam, das Telos der menschlichen Entelechie, die Wilhelm Meister heißt, und glauben an ein gesundes Wachstum, das einem erreichbaren Ziel entgegendrängt.

Ein Wachstum des Helden ist freilich bereits in der früheren Fassung angedeutet. Die Menschen, denen er begegnet, fallen nicht wieder von ihm ab nach der Art eines Abenteurerromans. Sie ziehen mit, ein langer Schweif, der anzeigt, wie sich sein Wesen erweitert. Die Lagen, in die er hineingerät, behandelt er nicht als Episoden. Erinnernd und bedenkend, versteht er aus jeder einen Gewinn zu ziehen. So wächst er zwar. Er wächst jedoch nach unerfindlichen Gesetzen; und immer wenn das Glück ihm untreu wird und er den Mut verliert, befürchten wir, er könnte sich verbiegen, welken und verderben. Denn Mignon und der Harfner sind ihm beigesellt und weisen auf das Tor, das in die Nacht hinabführt. Dieses Tor bleibt immer offen bis zum Ende des Fragments.

Die «Lehrjahre» deuten Wilhelms Wachstum nach den Gesetzen der Metamorphose, nicht ausdrücklich, aber deutlich genug, um uns größere Zuversicht einzuflößen. Goethe spricht von der Natur, die mit den Menschen ihre eigenen Zwecke langsam und stetig verfolgt. Er überträgt die Begriffe Keim, Knospe, Frucht auf Stufen der Seele. Nun nehmen wir ein Versagen und Zeiten des Unglücks viel gelassener hin. Wir wissen, daß der Wechsel von Ausdehnung und Zusammenziehung zum Leben der Pflanze gehört und das Wunder der Blüte sich aus dem Unscheinbaren entfaltet, und hoffen demnach, es werde ähnlich mit der Entwicklung des Helden bestellt sein. Vielleicht beruht das ganze neue Vertrauen Goethes zu seinem Roman auf diesem fundamentalen Gedanken. Es wäre ihm noch nicht geglückt – wie später in «Hermann und Dorothea» –, den deutschen Zustand auf einer beharrenden Fläche vor uns auszubreiten. Das Unbequeme und Unnatürliche drängte sich noch zu mächtig auf und widersetzte sich noch zu sehr der künstlerischen Abstraktion. Wenn es aber – wenigstens in den ersten Büchern – noch nicht gelang, das *Sein* gesetzlich, das besagt, als typisches aufzufassen, so war doch das *Werden*, als Metamorphose, verständlich. Da nämlich hatte auch der Irrtum und das Falsche seinen Platz. Es mußte nicht nur sichtbar werden, was zu Wilhelms Bildung beiträgt, sondern ebenso vieles, was seine Gestalt *nicht* assimiliert und was sich als unbekömmlich und schädlich erweist. Gerade dafür lieferte die erste Fassung Stoff genug. Und wenn es unerfreulich war, zu lange bei der Schilderung des schlechten Erdreichs zu verweilen, lebte der Glaube wieder auf, wenn sich ergab, daß ein glücklich angelegter seelischer Organismus mehr zu assimilieren vermag, als man zunächst erwarten möchte. Das Theater etwa ist dem wahren Dasein Wilhelms fremd. Es liegt ihm nicht, wie Serlo, sich in hundert Rollen zu verwandeln und jeden Tag ein anderer wo nicht zu sein so doch zu scheinen. Er ist zu redlich für diesen

Beruf, zu sehr ein Wesen eigener Art. Dann aber hören wir, er habe immer nur sich selbst gespielt, und sehen ein, daß eben dies, was ihn zum Dilettanten stempelt, den Menschen fördert und belebt. In seinem Spiel stellt er sich dar. Er schafft ans Licht, was unklar in der Tiefe seines Herzens ruht, und gewinnt damit eine innere Freiheit, die anders schwer zu finden wäre.

Freilich gilt dies alles nur für eine begünstigte Individualität. Daß Wilhelm eine solche sei, obwohl es lange nicht so aussieht, wird in den «Lehrjahren» deutlich gesagt. Seine glückliche Jugend ist ein Zeichen. Der Genius der Frühe verläßt auch den irregeleiteten Menschen nie. Die Kindheit ist fast eine Weissagung. Ja, sie erinnert in der Art, wie sie dem Strebenden immer vorschwebt, wie sie ihn schützt, mehr als ihm bewußt ist, an die Gewalt des Bildungstriebs, der eine Pflanze bestimmt, die Stoffe, die sie fördern, aufzunehmen, die unzuträglichen auszuscheiden. In einem Kreislauf von Blüte zu Blüte oder vom Samen wieder zum Samen spielt sich das Leben der Pflanze ab. Ein ähnlicher Kreislauf bildet das Schema, in dem sich ein menschliches Leben erfüllt. Die Frühe, die wir als ein verlorenes Paradies zu betrauern geneigt sind, begegnet uns wieder am Ziel der Bahn. Wir sind, um ein Lieblingswort Goethes zu brauchen, «in dem, was unseres Vaters ist[5]».

Das ist denn wohl auch der Sinn des Motivs, das auf die Tiefenpsychologie so große Anziehungskraft ausübt: des Bildes von dem kranken Königssohn, der die Braut seines Vaters liebt. Wilhelm hat es als Knabe in der Kunstsammlung seines Vaters betrachtet und besonders ins Herz geschlossen. Er findet es wieder, wie er zum erstenmal Nataliens Haus betritt, und zwar abermals vereinigt mit den Werken der großen Meister, die seine ersten Jahre beglänzten. Hohe Abstammung, Verlust und Wiedervereinigung ist das Thema, das Goethe auf diese Weise umspielt. Wer aber in der Braut des Vaters darüber hinaus die πολλῶν ὀνομάτων μορφὴ μία erkennen will, das Eine Weibliche, das Natur und Mutter und Geliebte heißt, der möge es tun; wir unsererseits begnügen uns mit einem Hinweis auf die Szene in «Faust II», wo Faust die Geburt der Helena träumt, Homunculus den Traum erfaßt und

[5] Lukas 2, 49.

137

ihm den Weg nach Hellas zeigt. Auch da hat Goethe in einem Gesicht, das Großes weissagt, die Wirksamkeit der Entelechie, die unbegreiflich-zielstrebige Kraft zu gestalten versucht.

Das schließt die Möglichkeit nicht aus, daß einem Gewächs der Boden fehlt, auf dem es so zu gedeihen vermöchte, wie es der Genius der Frühe, wie seine Bestimmung es ihm verheißt. Mignon eignet sich, ohne daß allzu viel geändert werden müßte, zum erschütternden Beispiel dessen, was Goethe in seinen Vorarbeiten «Wahnsinn des Mißverhältnisses» nennt. Der tiefste Sinn ihrer Liebe zu Wilhelm, ihr «stellvertretendes Leiden[6]» freilich kann nicht mehr ganz verständlich werden, wenn Meister in der neuen Fassung sich selber nicht mehr untreu wird, sondern nur noch Fehler begeht, die einigermaßen sinnvoll sind. Noch weniger läßt sich der Harfner in die Ordnung der «Lehrjahre» einbeziehen. Er ist in der «Sendung» als Dichter erschienen, der jeden Kompromiß verschmäht und eine leidenschaftliche, maßvergessene Treue zu seiner Kunst, wie Tasso, mit seinem Glück bezahlt. Wenn Wilhelm nicht mehr Dichter sein soll, verliert der Harfner an Bedeutung und muß mit anderen Mitteln auf das Ganze ausgerichtet werden. Das geschieht im zweiten Teil, den Goethe unabhängig von dem Fragment der «Sendung» geschaffen hat.

Die Überleitung bilden die *«Bekenntnisse einer schönen Seele»*. Als das Buch erschienen war, schrieb Frau von Stein an ihren Sohn:

«Wenn du den dritten Band von ,Wilhelm Meister' lesen wirst, so gib acht auf das Glaubensbekenntnis einer schönen Seele. Ich wollte schwören, es ist nicht von Goethe, sondern er hat nur Stellen hineingesetzt, und es hat ihm vermutlich jemand einmal gegeben. Und ... wie die Schnecke in ihr Haus nur Alles um sich zum Nutzen zieht, so hat er dieses wie vom Himmel gefallen in die Komödiantengesellschaft gebracht, weil diese Bogen auch bezahlt werden[7].»

[6] Vgl. Bd. I, S. 456.
[7] Bode, Goethe in vertraulichen Briefen seiner Zeitgenossen, Berlin 1918, I, 541 f.

138

Mit der Meinung, Goethe habe ein fremdes Manuskript benutzt, behielt die gekränkte Freundin recht. Aufzeichnungen Susanne von Klettenbergs liegen dem sechsten Buch zugrunde. Wenn sie aber hinzufügt – Fritz von Stein gegenüber, der Goethe wie einen Vater liebte und verehrte –, es sei geschehen, weil man diese Bogen auch bezahle, so war das ebenso häßlich wie ahnungslos. Viel eher trifft die Vermutung zu [8], Frau Rat habe ihrem Sohn im Jahre 1792 in Frankfurt Erinnerungen der längst verstorbenen Pietistin ausgehändigt, und Goethe habe nach der Lektüre eine Möglichkeit wahrgenommen, den unvollendeten «Wilhelm Meister» auf höherer Stufe fortzusetzen. Denn so befremdlich auf den ersten Blick das sechste Buch auch wirkt – sieht man genauer zu, so kann man den Kunstgriff nicht genug bewundern, mit dem sich der Erzähler hier über große Verlegenheiten hinweghalf.

Es galt zunächst einmal, einen allzu fühlbaren Stilbruch zu verschleiern. Obwohl die ersten Bücher retuschiert und zu einer geistigeren Prosa emporgeläutert werden konnten, blieben doch noch immer Spuren der voritalienischen Sprache übrig, so, daß der Wechsel zu dem Ton, der Goethe nun natürlich war, und den die Sphäre des siebenten und des achten Buches verlangte, den Leser empfindlich hätte stören müssen. Nun vertiefen wir uns in eine Erbauungsschrift von ziemlicher Länge, der ein besonderer Charakter gebührt; und wenn wir uns ihrem Ende nähern, ist uns das Frühere fern gerückt. Wir sind mit Wilhelm Meister, der die «Bekenntnisse» gleichfalls liest, gewachsen und treten an seiner Seite gereift, eines gnadenhaften Vergessens gewürdigt, in einen edleren menschlichen Kreis.

Zugleich hat uns die Schrift mit diesem edlen Kreis bekannt gemacht. Natalie, Lothario, die Gräfin, Friedrich und der Oheim, auch der Abbé, hinter dem bereits die Gesellschaft vom Turm erscheint, sind in der Welt der schönen Seele, noch flüchtig und seltsam beleuchtet, sichtbar. Einige dieser Gestalten haben uns aber auch schon früher beschäftigt, Friedrich in der Umgebung Philines, die Gräfin auf dem gräflichen Schloß, Lothario als

[8] Vgl. R. Hering, Wilhelm Meister und Faust, Frankfurt a.M. 1952, S. 117 ff.

Aureliens Freund. Von Natalie ist ein überirdischer Glanz auf den im Wald verwundet und hilflos liegenden Wilhelm gefallen. Es wird uns zwar etwas schwer, an eine Identität dieser Menschen zu glauben. So ganz anders sehen sie alle in der neuen Umgebung aus. Dann schieben wir aber unsere Zweifel auf eine Befangenheit des Blicks, die wir als Leser der ersten Bücher mit Wilhelm Meister teilen sollten: Insofern sind wir gewachsen, als sich das Bild der alten Bekannten vertieft. So wird ein Notbehelf zur Tugend. Wie so oft in Werken Goethes laden gewisse Schwierigkeiten, die sich aus ungewöhnlich langer Entstehungsgeschichte erklären lassen, zu angenehmstem Sinnen ein und breiten das Zwielicht über die Szene, in dem wir die in Tiefen sich verlierende Wahrheit des Lebens verehren.

Besonders sinnvoll scheint es aber, daß uns die «schöne Seele», eine Pietistin, auf das Reich vollkommener Bildung vorbereitet. Das ist zunächst historisch richtig. Die zarteste Kultur des Herzens war in dem Deutschland jener Zeit in Herrnhutischen Kreisen zu finden. Nur da vereinigten sich die Gleichgesinnten in einer Geselligkeit, die nicht auf mühevoller Nachahmung ausländischer Muster beruhte, sondern einem deutschen Bedürfnis, Wünschen des Gemüts entsprach. Goethe selbst hat, wie wir wissen[9], sein Eigenstes zuerst in pietistischen Vokabeln erfaßt. Die Straßburger und die Frankfurter Lyrik wäre nicht denkbar ohne die Worte «Fülle», «Strom», «Stille», «innig», «rein», «sich öffnen» und «verschließen», Worte, die mit vielen andern, erst durch die Beredsamkeit der Frommen ihr Gewicht erhielten[10]. So wendet sich der Dichter denn auch hier dem Geist der Frühe zu und schließt das Letzte mit dem Ersten in holder Kreisbewegung zusammen, ähnlich wie schon die Naturwissenschaften zu einer Wiederholung mancher im Verein mit Susanne von Klettenberg ahnungsvoll gehegter alchemistischer Ideen führten[11] und wie noch spät Wilhelm Meisters Entschluß, ein Wundarzt zu werden, mit einer Erinnerung seiner Jugend begründet wird.

[9] Vgl. Bd. I, S. 246ff.
[10] Vgl. A. Langen, Deutsche Sprachgeschichte vom Barock bis zur Gegenwart, in Deutsche Philologie im Aufriß, 7. Lieferung, Kolonne 1266.
[11] Vgl. R.D.Gray, Goethe the Alchemist, Cambridge 1952.

Doch Wiederholung ist nicht Rückkehr. Wir tauchen nur ins Vergangene ein, um uns, im Jugendbad gestärkt, auf höhere Stufen zu erheben. Wie fern er einem Geist wie dem Susanne von Klettenbergs gerückt war, konnte Goethe, so sehr ihn die Schrift gerührt haben mag, doch nicht übersehen. Und da er einen möglichst weichen Übergang zu erzielen versuchte, hatte er zwei Probleme zu lösen: Er mußte die eigentümlichen Verhältnisse würdigen, unter denen eine so lautere und doch wieder verwirrende Spielart des wahren Menschen wie die schöne Seele heranwächst; alsdann mußte er ihre Denkart der des weltlichen Kreises, insbesondere seines Stifters und Hauptes, des Oheims, anzunähern bestrebt sein. Bei der ersten Aufgabe scheint die Lebensbeschreibung der geistlichen Freundin wertvolle Hilfe geleistet zu haben. Wir hören Töne, die wir mit Goetheschen kaum zusammenzureimen vermögen, und begegnen Motiven, die er nicht erfunden haben kann, Andeutungen intimster Art, die einzufügen Goethe sein stets bewährter Takt verboten hätte, wenn sie ihm nicht als dokumentarische Wahrheit, als Auskunft über ein seltsames Wesen beachtlich erschienen wären. Dazu gehört etwa der Satz: «Ein Huhn, ein Ferkel aufzuschneiden, war für mich ein Fest», gehört die beängstigende Verbindung von fließendem Blut und Liebe beim Erwachen der Neigung zu Narziß, eine Verbindung, die zwar nicht die schöne Seele, aber der Leser in der Andacht zu Christi blutenden Wunden wiedererkennen wird. Ebenso gehört dazu die unbefangene Deutlichkeit in der Schilderung sexueller Probleme, der Neugier des Mädchens, das heikle Stellen aus der Bibel kombiniert, und seiner Angst vor Syphilis. Von solchen Dingen mochte Goethe selber mit zynischem Unmut sprechen, wie in den «Römischen Elegien» und apokryphen Epigrammen. Doch völlig fremd ist ihm die unappetitliche Aufrichtigkeit als Pflicht, Erforschung des Herzens und Bekenntnis der Sünde inmitten der sündigen Welt. Wenn er hier daran rührte, mit Handschuhen, möchte man sagen, und dergleichen in seinen Bildungsroman aufnahm, geschah es, weil nirgends erschütternder als in solchen Bekenntnissen deutlich wurde, wie im Bereich des Christentums die kräftige Sinnlichkeit vergiftet wird und sich nach innen wendet und in den Nebelgründen des Herzens alle

Wonnen und Schmerzen bereitet, die sich im Licht der Sonne und im freien Spiel der schönen Geschöpfe der Natur entfalten sollten. Körperliche Schwäche vermehrt das Übel. Mit einer Krankheit beginnt das Buch. Ein «neunmonatiges Krankenlager» bringt einen geistigeren Menschen hervor, so wie die Zeit im Mutterleib den natürlichen Menschen hervorgebracht hat. Die Erinnerung an die Schwangerschaft ist alchemistischem Denken gemäß. Christi Wort zu Nikodemus über die «neue Geburt» klingt nach. Was freilich in der Ordnung der christlichen Welt eine höhere Stufe bildet, bedeutet für Goethe einen Verlust und ein Entweichen aus der Mitte, in welcher dem Menschen zu wohnen bestimmt ist. Er hat die Verwirrung in einem Brief an Schiller[12] als «edelste Täuschung» und als «zarteste Verwechslung des Subjektiven und Objektiven» bezeichnet. Das kann nur heißen, die schöne Seele schreibe einem Objektiven, einem unendlichen Wesen zu, was in Wahrheit ihr eigenstes Wesen ist. Sie wäre so ein Beispiel des «unglücklichen Bewußtseins», wie es Hegels «Phänomenologie» beschreibt.

Das Unglück aber, dem innig geliebten Höchsten unangemessen zu sein, die Qual der Sünde weicht zuletzt einem ungetrübten Frieden in Gott. Und da besteht die Möglichkeit, ein vollendetes religiöses Dasein vollendeter Bildung anzunähern, wie sie der Oheim repräsentiert.

«Ich erinnere mich kaum eines Gebotes; nichts erscheint mir in Gestalt eines Gesetzes; es ist ein Trieb, der mich leitet und mich immer recht führet; ich folge mit Freiheit meinen Gesinnungen und weiß so wenig von Einschränkung als von Reue.»

So schließt das Buch, mit Worten, die hinzuzufügen Goethe vermutlich durch Schillers Brief vom 17. August 1795 bewogen wurde. Er hält zwar in seiner Antwort vom folgenden Tag einen Nachtrag nicht für nötig und meint, daß auch der Freund «am Ende nichts Wesentliches vermissen werde», besonders wenn sie die Sache noch einmal miteinander besprechen würden. Doch gibt er zu, er sei «sehr leise aufgetreten und habe vielleicht dadurch, daß er jede Art von Dogmatisieren vermeiden und seine Absichten völlig verbergen wollte, den Effekt aufs große Publikum

[12] 18. März 1795.

etwas geschwächt». Dann scheinen ihn neue Gespräche vollends umgestimmt und veranlaßt zu haben, Schillers Rat zu beherzigen. Dieser lautete nämlich so:

«Ich finde in der christlichen Religion virtualiter die Anlage zu dem Höchsten und Edelsten, und die verschiedenen Erscheinungen derselben im Leben scheinen mir bloß deswegen so widrig und abgeschmackt, weil sie verfehlte Darstellungen dieses Höchsten sind. Hält man sich an den eigentümlichen Charakterzug des Christentums, der es von allen monotheistischen Religionen unterscheidet, so liegt er in nichts anderm als in der *Aufhebung des Gesetzes* oder des Kantischen Imperativs, an dessen Stelle das Christentum eine freie Neigung gesetzt haben will. Es ist also in seiner reinen Form Darstellung *schöner* Sittlichkeit oder der Menschwerdung des Heiligen, und in diesem Sinn die einzige *ästhetische* Religion; daher ich es mir auch erkläre, warum diese Religion bei der weiblichen Natur so viel Glück macht, und nur in Weibern noch in einer gewissen erträglichen Form angetroffen wird. Doch ich mag in einem Brief über diese kitzlichte Materie nichts weiter vorbringen, und bemerke bloß noch, daß ich diese Saite ein wenig hätte mögen klingen hören.»

Nichts konnte Goethe willkommener sein als diese Interpretation. Den «klassischen» Zug des Christentums, den er nur zögernd angedeutet hatte, stellte sie mit Entschiedenheit fest und zog damit in einer scheinbar weit entlegenen großen Provinz die Fahne des Menschlich-Wahren auf. Die «Bekenntnisse einer schönen Seele» bildeten einen noch milderen Übergang zum siebten und achten Buch. Der Ausdruck «schön» war mehr als nur ein ehrfurchtgebietendes Prädikat. Er galt nun in einem buchstäblichen, ästhetisch ausweisbaren Sinn.

Indes begreifen wir, daß Schiller eher imstande war als Goethe, einen solchen Gedanken zu fassen. Denn Schiller fragte auch in der Ästhetik zunächst nach dem sittlich handelnden Menschen und kam nur mühsam, über die Schönheit des Herzens, zur Schönheit der Kunst und Natur. Goethe dagegen legte den Nachdruck auf sinnlich-geistige Anschauung und fühlte leises Unbehagen, wo es nichts zu schauen gab. Dieses Unbehagen meldet sich in den Gesprächen des Oheims mit der frommen Nichte – höf-

143

lich, aber unmißverständlich – und bestätigt, «daß die Freundin des sechsten Buchs aus der Erscheinung des Oheims sich nur soviel zueignet, als in ihren Kram taugt[13]». Angesichts der Kunstgegenstände fühlt sie sich zum ersten Mal durch weltliche Dinge nicht zerstreut, sondern «auf sich selbst zurückgeführt». Sie hätte die Möglichkeit, ihrer inneren Schönheit im irdischen Reich zu begegnen, sich zu spiegeln und in der Spiegelung aus der Innerlichkeit zu befreien. Dann spricht aber wieder das Gefühl des unermeßlichen Abstands von Gott. Vergeblich erinnert der Oheim daran, daß uns der Mensch doch als unendlich vollkommenes Geschöpf erscheinen müsse, weil «der Schöpfer der Welt selbst die Gestalt seiner Kreatur angenommen, und auf ihre Art und Weise sich eine Zeitlang auf der Welt befunden habe... Es muß also in dem Begriff des Menschen kein Widerspruch mit dem Begriff der Gottheit liegen, und wenn wir auch oft eine gewisse Unähnlichkeit und Entfernung von ihr empfinden, so ist es doch um desto mehr unsere Schuldigkeit, nicht immer wie der Advokat des bösen Geistes nur auf die Blößen und Schwächen unserer Natur zu sehen, sondern eher alle Vollkommenheiten aufzusuchen, wodurch wir die Ansprüche unsrer Gottähnlichkeit bestätigen können».

Für solche Worte bringt die schöne Seele kein Verständnis auf, weil ihr am Ebenbild der Gottheit gerade das *Bild*, der wunderbare Bau des Körpers, nicht wesentlich ist. Ihren verkümmerten Sinnen bleibt die Lust an der schönen Erscheinung versagt. Auch Gemälde vermag sie nur wie Buchstaben eines Buchs zu betrachten:

«Ein schöner Druck gefällt wohl; aber wer wird ein Buch des Druckes wegen in die Hand nehmen? So sollte mir auch eine bildliche Darstellung etwas sagen, sie sollte mich belehren, rühren, bessern; und der Oheim mochte in seinen Briefen, mit denen er seine Kunstwerke erläuterte, reden was er wollte, so blieb es mit mir doch immer beim alten.»

Das Gleichnis führt uns tief in das mittlere und frühe achtzehnte Jahrhundert zurück, dem alle Dinge zu etwas dienten und das noch keinen Begriff von einer freien, in sich selber ruhenden Gegenwart des Lebens besaß.

[13] An Schiller, 18. August 1795.

144

Eine solche soll nun aber Wilhelm Meister beschieden sein. Wir sehen ihn mit Zuversicht seiner höheren Bestimmung entgegenziehen. Wir atmen auf bei dem Gedanken, daß ihm die Last der Vergangenheit nun von den Schultern fallen und seine Kraft sich freudiger regen werde. Doch was geschieht? In allen Wechselfällen des wechselvollen Romans verblüfft, verwirrt uns nichts so sehr wie das, was der Erzähler uns im folgenden zuzumuten wagt. Wilhelm Meister hat die Bekenntnisse einer schönen Seele gelesen. Er hat Aurelie, deren Kräfte schwinden, mit dem Buch getröstet und von der Sterbenden den Auftrag erhalten, dem ungetreuen Lothar einen Brief zu überbringen und mit wenigen Worten ihr Ende zu schildern und ihre Leiden zu rächen. Er denkt sich eine passende Rede aus und macht sich auf den Weg. Ein Regenbogen leuchtet auf.

«Ach! sagte er zu sich selbst, erscheinen uns denn eben die schönsten Farben des Lebens nur auf dunklem Grunde? Und müssen Tropfen fallen, wenn wir entzückt werden sollen?»

Dann holt ihn der Geistliche ein, der in dem improvisierten Schauspiel während der lustigen Wasserfahrt mitgewirkt hat. Sie wechseln einige Worte. Wilhelm bedauert die Zeit, die er völlig ergebnislos auf dem Theater verloren habe. Der Geistliche beruhigt ihn:

«Alles, was uns begegnet, läßt Spuren zurück, alles trägt unmerklich zu unserer Bildung bei; doch es ist gefährlich, sich davon Rechenschaft geben zu wollen... Das Sicherste bleibt immer, nur das Nächste zu tun, was vor uns liegt, und das ist jetzt, fuhr er mit einem Lächeln fort, in unser Quartier zu kommen.»

Wilhelm überlegt sich das und findet, der Fremde habe recht.

«An das Nächste soll man denken, und für mich ist jetzt wohl nichts Näheres als der traurige Auftrag, den ich ausrichten soll. Laß sehen, ob ich die Rede noch ganz im Gedächtnis habe, die den grausamen Freund beschämen soll.»

Dann kommt er auf Latharios Gut. Er übergibt den Brief. Doch seine Rede kann er nicht beginnen, da eben der Abbé das Zimmer betritt und Lothario ihn mit diesem allein läßt. Wie er zu Bett geht, zieht er den Schleier des Geistes aus seinem Gepäck hervor.

«Der Anblick vermehrte seine traurige Stimmung. Flieh! Jüngling, flieh! rief er aus, was soll das mystische Wort heißen? was fliehen? wohin fliehen? Weit besser hätte der Geist mir zugerufen: Kehre in dich selber zurück!»

All dem folgt der Leser mit Vertrauen und herzlicher Sympathie. Leicht befremdend ist höchstens der Umstand, daß die geplante Rede als «pathetisch» und «Kunstwerk» bezeichnet wird und der Gegner in günstigem Licht erscheint. Was sollen wir aber nun dazu sagen, wenn eine Liebesgeschichte Lotharios nach der andern zur Sprache kommt, wenn wir ihn in der Gesellschaft der unangenehmen hysterischen Lydie finden und zusehen, wie er diese Person mit der fühlbarsten Gleichgültigkeit behandelt, wie er dennoch immer der «treffliche», «tüchtige», «edle» Lothario heißt und wie derselbe Mann in seiner kühn entschlossenen Tätigkeit, in seinem Sinn für Hier und Jetzt sowohl die Achtung vieler schätzenswerter Gestalten des Romans wie sichtlich auch des Erzählers genießt, wie er, der «Schuldige», ferner Aureliens Tod nur mit wenigen Worten berührt und endlich Wilhelm sich herbeiläßt, Lydie gröblich zu betrügen und aus dem Hause zu entfernen? Goethe hält es nicht für nötig, eine Erklärung abzugeben. Er macht sich ein Vergnügen daraus, auf einmal mit anderen Maßen zu messen. Daß dies geschieht, kann freilich auch dem blödesten Leser nicht entgehen.

Man hat in Lothario, wohl mit Recht, Züge des Herzogs Carl August erkannt[14]. Die vielen Liebesgeschichten sowohl wie die blitzende Tatkraft sprechen dafür. Mit dem Herzog hat sich Goethe am Anfang der neunziger Jahre hin und wieder auf einen Ton eingelassen, der früher zwischen dem Fürsten und seinem Freund und Minister nicht üblich war. Er sendet ihm – mit gutem Grund lateinisch geschriebene – Anmerkungen zu der Sammlung der Priapeia und andere Schriften ähnlichen Inhalts[15]. In den Briefen erlaubt er sich die unbefangensten Anzüglichkeiten. Man hat den Eindruck, der Herzog finde es lustig, daß Goethe endlich der Aufsicht der Frau von Stein entronnen sei, und Goethe seinerseits gefalle sich nun in dem neuen lockeren Stil. Ist es erlaubt, daran

14 R. Hering, a.a.O., S. 146.
15 XIV, 605.

zu denken, daß er Charlotte öfter unter dem Namen «Lida» gefeiert hat und daß das lästige Frauenzimmer, als ob er sich seine
schönsten Erinnerungen mit Fleiß verderben wollte, nun aus-
gerechnet Lydia heißt? Wie dem auch sei, es klingt etwas von der
Stimmung des zynischen Xenions auf:

> «Was gibst du dir mit Liebe und Ehre
> Und all den Dingen so viel Pein...»

Wilhelm Meister soll mit einer Welt, in der man «all die
Dinge» leichter nimmt, bekannt gemacht werden und soll die
Männer schätzen lernen, deren Energie sich nicht in der Sorge um
weibliche Herzen erschöpft. Er hat sich um Mariane gequält, sich
aus dem Umgang mit Philine lange genug ein Gewissen gemacht.
Er hat das seltsame Abenteuer mit der Gräfin noch nicht ver-
wunden und Aurelie vergeblich zu trösten und zu heilen versucht. Dies alles lastet schwer auf ihm. Er bekommt die Wahrheit des Wortes zu fühlen:

«Wenn die Männer sich mit den Weibern schleppen, so werden
sie so gleichsam abgesponnen wie ein Wocken[16].»

Nun führt die Einkehr bei Lothario, nachdem er sich von dem
ersten Schrecken erholt hat, zu einem befreienden Ruck. Er wird
die weiche Empfindsamkeit der vergangenen Jahre zwar nicht
verlieren. Er wird sie aber einer männlicheren Haltung unterzuordnen wissen und so erst wahrhaft würdig sein, Natalie gegenüberzutreten.

Von da aus sehen wir seine Reise nun freilich in einem anderen
Licht. Goethe hat uns irregeführt. Was unserer Teilnahme würdig schien, ist eine einzige Kette von Fehlern. Der Regenbogen
soll nicht verkünden, daß «eben die schönsten Farben des Lebens
nur auf dunklem Grunde erscheinen». Er ist, im Sinne der Farbenlehre, das höchste Zeichen der Versöhnung, für Wilhelm
Meister der Versöhnung von Ideal und Wirklichkeit. Der Geister-
ruf «Flieh! Jüngling, flieh!» soll nicht in die Mahnung «Kehre
in dich selbst zurück!» umgedeutet werden. Von Einkehr in sich
selbst hält Goethe seit Italien nicht mehr viel: Man lernt sich
einzig an den Dingen und im Umgang mit Menschen kennen.

[16] IX, 537.

Das sollte Wilhelm Meister einsehen, der sich ohnehin schon zu lange fruchtlos mit seinem Innern beschäftigt und seine eigene Person umkreist. Und er könnte es bei Lothario lernen, der völlig objektiv, als wäre er selbst überhaupt nicht beteiligt, seine weitläufigen Reisegeschichten erzählt. Völlig naiv ist endlich der Plan, Lothario mit einer Rede über Aureliens Tod zu beschämen. Er ist nur von einer Seite, und sicher nicht von der vertrauenswürdigeren, über den Vorgang unterrichtet worden. Und was seine ganze sittliche Sendung vollends in ein ironisches Licht rückt: Er tadelt Lothario, daß er sich nicht einmal des Sohnes annehme, den Aurelie ihm geboren habe. Felix aber ist Marianes und sein eigener, Wilhelms, Sohn. Eine gründlichere Lektion könnte das Schicksal ihm nicht erteilen. Lothario entschließt sich, wo es not tut, und hilft sich selbst und anderen handelnd über die unlösbaren Fragen hinweg, die jeden Menschen bedrängen. Wilhelm sinnt über alles nach und glaubt, mit seinen Gewissensskrupeln und seinem verdienstlichen Prüfen und Sondern die Schuld schon halb gesühnt zu haben. Nun ist es, als teile der Nebel sich und werde das wirkliche Leben erst sichtbar. «Wilhelm ästhetischsittlicher Traum», so heißt es in den Vorarbeiten. Aus diesem Traum wacht er jetzt auf.

Doch das Vergangene ist noch mächtig. Die alte Barbara beschwört das Bild der toten Mariane mit geradezu magischen Mitteln herauf. Sie übergibt die letzten schmerzlichen Aufzeichnungen ihrer Herrin. Sie schildert die entschwundenen Tage mit einer wilden Beredsamkeit. Sie stellt sogar ein drittes Glas auf den Tisch und füllt es mit Champagner, genau so, wie es damals dastand, als Wilhelms Liebesglück noch blühte. Nun aber ist es für erstarrte, auf ewig verblaßte Lippen bestimmt. Etwas Scheußliches und Dämonisches liegt in diesen Veranstaltungen. Der Leser glaube ja nicht, daß nun die Stunde des gerechten Gerichts für Wilhelm Meister gekommen sei, daß Barbara als rächender Geist nach Gebühr sein verstörtes Gemüt umzingle. Gewiß, er soll die Blätter lesen und soll sich sagen, daß er seine Geliebte falsch beurteilt und ihr bitteres Unrecht zugefügt habe. Er soll aber das Vergangene nicht an sich heranzuziehen versuchen, sich nicht zerknirscht und in schmerzlicher Wonne daran verlieren,

wie Barbara will. Ob es in Reuequalen oder in trunkenen Sehn-
suchtsträumen geschieht: jede Art von magischer Beschwörung
dessen, was gewesen und unwiderruflich vorüber ist, alle Aus-
schreitungen der Phantasie hält Goethe für bedenklich. Sie hem-
men den Gang des Lebens, der Zeit, die unser menschliches
Schicksal ist.

Auch hier gibt uns Lothario ein Beispiel richtigeren Verhal-
tens. Gegen die geisterhafte Beschwörung der Toten setzt Goethe
dessen Begegnung mit einer früheren Geliebten. Noch nicht von
einer Verwundung erholt, in seiner Schwäche besonders empfänglich und zur Betrachtung aufgelegt, reitet er in ein Dorf
hinaus, mit dem ihn Erinnerungen an ein frühes Abenteuer verbinden. Unter «einigen hohen Zweigen wilder Rosen, die eine
leise Luft hin und her wehte», unter den ewigen Liebesboten
der Natur, die immer welken und wieder blühen, glaubt er die
Gestalt zu erkennen, die es ihm damals angetan hat. Aber unbegreiflich scheint es, daß sie «fast jünger, fast schöner» aussieht,
als sie vor zehn Jahren war. Ein Kind ist in der Nähe beschäftigt.
Doch dieses Kind gehört nicht ihr; und sie selber ist gar nicht
seine Geliebte, sondern ihre Muhme, in der sich ihr Jugendreiz
wiederholt. Seine Geliebte sieht Lothario erst am folgenden Tage
wieder, und zwar als glückliche Frau und Mutter, inmitten einer
Schar von Kindern. Von der Muhme hieß es, sie sei errötet, als
sie Lothario sah. Die reife Frau schlägt ihre Augen nieder, «aber
keine Röte verkündigte eine innere Bewegung des Herzens». Das
Vergangene ist vorüber. Doch eben deshalb, als Vergangenes,
bleibt es immer gegenwärtig, entrückt dem Wechsel der Gefühle
und unberührt von den Gebrechen des Tags.

«Ich gab dem ehemals so geliebten Geschöpfe die Hand und
sagte zu ihr: Ich habe eine rechte Freude, Sie wieder zu sehen. –
Sie sind sehr gut, mir das zu sagen, versetzte sie; aber auch ich
kann Ihnen versichern, daß ich eine unaussprechliche Freude
habe. Wie oft habe ich mir gewünscht, Sie nur noch einmal in
meinem Leben wiederzusehen; ich habe es in Augenblicken gewünscht, die ich für meine letzten hielt. Sie sagte das mit einer
gesetzten Stimme, ohne Rührung, mit jener Natürlichkeit, die
mich ehemals so sehr an ihr entzückte.»

149

Die beiden sitzen in einer Stube, in der auch die Muhme zugegen ist, außerdem «ein kleines Mädchen, das seiner Mutter vollkommen glich ... und so stand ich in der sonderbarsten Gegenwart, zwischen der Vergangenheit und Zukunft, wie in einem Orangenwalde, wo in einem kleinen Bezirk Blüten und Früchte stufenweis nebeneinander leben.»

Hier ist die Zeit in Wahrheit aufgehoben, nicht mit magischen Künsten, sondern dank der Natur, die ihren Kreislauf unbeirrbar fortsetzt. Auch da kehrt freilich vergangenes Leben nicht wieder; aber es wiederholt sich, wie sich in neuen Blüten die Pracht des vergangenen Frühlings wiederholt. Nur der Einzelne geht dem Alter und Tod entgegen, unaufhaltsam, doch beruhigt in der Anschauung der Wiederkehr des Gleichen – wie Goethe selbst beim Anblick der Kaiserin Maria Ludovika erklärte:

«Eine solche Erscheinung gegen das Ende seiner Tage zu erleben, gibt die angenehme Empfindung, als wenn man bei Sonnenaufgang stürbe und sich noch recht mit inneren und äußeren Sinnen überzeugte, daß die Natur ewig produktiv, bis ins Innerste göttlich, lebendig, ihren Typen getreu und keinem Alter unterworfen ist[17].»

In Goethes mit dem Alter wachsender Angst vor der Vergänglichkeit, in der Sorge um die Bewahrung des Schönen, werden wir immer wieder diesen beiden Möglichkeiten begegnen. Noch in «Faust II» folgt auf die magische Beschwörung der Helena – die falsch und nicht von Dauer ist – die Auferstehung nach dem Gesetz, das alle Naturgeschöpfe bestimmt.

Lothario genest vor dem reizenden Bild. An Wilhelm Meister würde seine Heilkraft sich noch nicht bewähren. Wie Aurelie hält er sich noch zu hartnäckig und selbstquälend fest. Er müßte der Zeit erlauben, die Spuren des Zufalls und des Ungemäßen in seinem Bewußtsein auszulöschen; er müßte sich zuerst vergessen, um sich eigentlich wiederzufinden. In einem solchen Vergessen liegt der Sinn des Bundes mit Therese. Schiller glaubte, dieser Frauengestalt wenig Gönner versprechen zu dürfen. Er kannte die Leser seiner Zeit und ihre Empfindsamkeit, die durch Romane im Stil Rousseaus und Richardsons befriedigt werden wollte.

[17] An den Grafen Reinhard, 13. Aug. 1812.

Heute gibt es vermutlich Leser, die nur noch an Therese glauben und sie in dem ganzen Buch die Einzige finden, mit der vielleicht ein vernünftiges Wort zu reden wäre. Sie nennt sich selbst mit einem eigentümlichen Nachdruck ein «deutsches Mädchen». Kann dies anders aufgefaßt werden, als daß auch ein solcher Charakter, wider Erwarten, in Deutschland möglich sei? Denn ihr fehlt sozusagen alles, was Goethe seit den römischen Tagen als nordisch und deutsch zu bezeichnen pflegt. Sie ist nicht «innerlich»; sie hängt keinen Träumen nach, die einen Ersatz für die schale Wirklichkeit bieten sollen. Sie liebt das Geheimnis nicht; sie spricht gern. Wie man durch ihre Augen auf den Grund ihrer Seele zu blicken glaubt, so offenbart sie sich immer ganz, in jeder Rede und jeder Gebärde. An Büchern hat sie keine Freude. Sie kann sich schwer davon überzeugen, daß Gott durch Bücher und Geschichten zu den Menschen gesprochen habe. Am unbegreiflichsten ist ihr das Schauspiel, die Zumutung, diesen Baron und jenen Sekretär für einen Fürsten, Grafen oder Bauern zu halten und sich Gefühle einreden zu lassen, welche die Darsteller gar nicht besitzen. Therese hat kein Organ für den Schein. Sowohl der moralische wie der ästhetische Schein bleibt ihrem Wesen fremd. Ihr Sinn ist ganz auf Tätigkeit, auf die Bewirtschaftung ihres Guts und auf die Erziehung junger Mädchen gerichtet, eine Erziehung wiederum, die genau umschriebene Zwecke verfolgt. Dies alles hat mit Wilhelm Meisters Vergangenheit überhaupt nichts zu schaffen, und eben deshalb fühlt er sich zu Therese hingezogen und meint, sein Leben mit ihr verbringen zu können. Auch sich selber findet er von einem schweren Bann erlöst, dem Bann des trügerischen ästhetischen Scheins. Ein neuer Irrtum, aber ein Irrtum, der einen fast unwahrscheinlich großen und raschen Schritt seines Wachstums bedeutet! Was er eigensinnig ferngehalten, sogar verachtet hat, die andere Hemisphäre einer vollendeten Menschlichkeit, vermag er wahrzunehmen, anzuerkennen und anerkennend sich anzueignen. Wieder berufen wir uns auf Schiller, der in seinen nie genug zu bewundernden Briefen zu «Wilhelm Meister» schon nach der ersten Lektüre das heute noch gültige Urteil niedergelegt hat:

«Von jener unglücklichen Expedition an, wo er ein Schauspiel aufführen will, ohne an den Inhalt gedacht zu haben, bis auf den Augenblick, wo er – Theresen zu seiner Gattin wählt, hat er gleichsam den ganzen Kreis der Menschheit *einseitig* durchlaufen; jene zwei Extreme sind die beiden höchsten Gegensätze, deren ein Charakter wie der seinige nur fähig ist, und daraus muß nun die Harmonie entspringen[18].»

Aber, so fragen wir, wie war es uns möglich, Wilhelm Meisters Weg bis zur Vorhalle der Vollendung zu schildern, ohne auch nur einmal ernstlich auf den «Turm» zu sprechen zu kommen, auf die Gesellschaft, die sein Schicksal in Händen zu halten, zu überwachen und gelinde zu lenken vorgibt? Bedeutet sie so wenig neben den anderen Mächten, die Meister bilden? Wie fügt sie sich ins Ganze ein? Diese Fragen können nicht mit kurzen Worten erledigt werden.

Wir haben zunächst daran zu erinnern, daß für die Zeitgenossen Goethes das Motiv nicht so befremdlich war wie für Leser unserer Tage. Es gehörte fast zum Schema einer gewissen Art von Romanen. Schiller hatte sich seiner im «Geisterseher» mit größtem Erfolg bedient, Jean Paul seinen fragmentarischen Erstling vom Jahre 1792 «Die unsichtbare Loge» genannt. Die Lust am Geheimnis, in einem aufgeklärten Jahrhundert besonders geschäftig[19], die Neigung, den lieben Gott zu spielen und im Vertrauen auf die Vernunft Schicksale ineinanderzuflechten, die Macht des Gedankens pädagogisch oder verführerisch zu erproben: dies alles fließt in dem Interesse an den vielen Geheimgesellschaften, Freimaurern, Illuminaten, zusammen und klingt noch in den ebenso tugendklaren wie weihevollen Chören aus Mozarts «König Thamos» und im Sarastro der «Zauberflöte» nach. Goethe durfte also hoffen, dem Roman, der seine Erfindungsgabe nicht mehr stark erregte, mit solchen Mitteln aufzuhelfen. Etwas von der Äußerlichkeit der «Reise der Söhne Megaprazons», des «Großcophta», eine Spur des lässigen Schaffens der Jahre des Unmuts ist hier in die «Lehrjahre» eingedrungen, gerade an den Stellen, auf die sich die Neugier schlichter und der Tiefsinn gelehrter Leser zu stürzen pflegt, wo es unklar bleibt, wer dieser

[18] 8. Juli 1796.
[19] Vgl. Bd. I, S. 476.

und jener geheime Sendling sei, wieso der Abbé über Wilhelms Schritte jederzeit Bescheid weiß, wie weit die Macht des Turmes reicht – wo also der Erzähler ein künstliches Dunkel über die Dinge breitet.

Doch dann erwies sich das Motiv als brauchbar in einem reineren Sinn. Es ist bereits von dem eigentümlichen Schwebezustand zwischen Bedingtheit und Bestimmung die Rede gewesen, in dem die Prosa des Romans und viele Gestalten sich bewegen. Er wird im großen wieder sichtbar in dem Widerstreit und Ausgleich des Schicksals und der Vorsehung. Das Ungefähr des Schicksals hatte die «Sendung» fast über Gebühr gewürdigt. Da brauchte nichts nachgetragen zu werden. Die «Vorsehung» dagegen, wie sie in Goethes Welt noch denkbar war, als Voraussicht, Überschau – als «Geist», wie der «Divan» ihn auffaßt: «Vorwalten des oberen Leitenden» – und nicht als individuell beschränkter, sondern als allgemein-menschlicher Geist, in dem die Gattung zum Bewußtsein ihres höchsten Ziels gelangt: dies wurde dargestellt im Turm, der schwer zugänglichen, der Sammlung und dem Weitblick gewidmeten Stätte, wo alle Geschicke aufbewahrt sind, und in dem Kreis, der sich zusammengefunden hat, um das Gute zu stiften.

Auch so bleibt die Geheimgesellschaft ein rationalistisches Motiv. Man würde es noch immer Lessing und Wieland eher zutrauen als Goethe. Und in der Tat, die Gefahr besteht, daß alles Besondere nun vom Allgemeingültigen überwältigt, das blühende Leben von der Vernunft verzehrt wird, daß der ganze Reichtum der Erzählung sich in einige Sätze, in eine abstrakte Moral auflöst. Wie behutsam stellt Goethe aber auch jetzt das Gleichgewicht wieder her! Es steht dem Menschen nicht an, auf seine geistige Kraft zu verzichten und sich und andere plan- und ziellos treiben zu lassen, wie der Zufall will. Doch ebensowenig steht es ihm an, das drängende Leben gewaltsam zu regeln und seine unaussprechliche, unwiederholbare individuelle Natur, die animula vagula blandula, vorbehaltlos Geboten zu unterwerfen, die ohne Ansehen der Person bestimmen, was falsch und richtig ist.

So darf die Autorität der Gesellschaft vom Turm nicht jedem Zweifel entrückt sein. Der Abbé ist ein bedeutender Mann, ein weiser, gegen den Irrtum aber dennoch nicht ganz gefeiter Erzieher. Er verspricht sich zum Beispiel zu viel von der Wirkung des Geistes auf Wilhelm Meister, während Jarno da richtig urteilt. Jarno dagegen, der kühle und kluge Weltmann, als der er bereits in der «Theatralischen Sendung» erschienen ist, entbehrt der Rücksicht, die jeder einzelne Mensch als solcher fordern darf, und äußert sich in unbarmherzigen Worten über den Harfner und Mignon. Seine Verlobung mit Lydia, der er früher so übel mitgespielt hat, setzt seine fast an Zynismus grenzende Gleichgültigkeit ins grellste Licht.

Unbedingt vertrauenswürdig ist also diese Vorsehung nicht. Auch ihre Einrichtungen und Riten, die maurerischen Gepflogenheiten werden nicht ganz ernst genommen, sogar von ihnen selber nicht:

«Alles, was Sie im Turme gesehen haben», sagt Jarno zu Wilhelm Meister, «sind eigentlich nur noch Reliquien von einem jugendlichen Unternehmen, bei dem es anfangs den meisten Eingeweihten großer Ernst war, und über das nun alle gelegentlich nur lächeln.»

Diesen Satz hatte Schiller im Sinn, als er am 8. Juli 1796 an Goethe schrieb:

«Daß Sie aber auch selbst bei diesem Geschäfte, diesem Zweck – dem einzigen in dem ganzen Roman, der wirklich ausgesprochen wird, selbst bei dieser geheimen Führung Wilhelms durch Jarno und den Abbé, alles Schwere und Strenge vermieden und die Motive dazu eher aus einer Grille, einer Menschlichkeit, als aus moralischen Quellen hergenommen haben, ist eine von den Ihnen eigensten Schönheiten. Der *Begriff* einer Maschinerie wird dadurch wieder aufgehoben, indem doch die *Wirkung* davon bleibt, und alles bleibt, was die Form betrifft, in den Grenzen der Natur; nur das Resultat ist mehr, als die bloße sich selbst überlassene Natur hätte leisten können.»

Innerhalb der Natur zu bleiben, auch wenn die Vernunft das Steuer führt, war offenkundig Goethes Absicht. Und er löste die Aufgabe so, daß er sogar die Vernunft des Turms Naturbedingungen unterwarf und neben gediegener Einsicht auch Jünglingslaunen und Einfälle walten ließ. Alles könnte ebenso gut eine etwas andere Richtung nehmen.

Außerdem wissen die Meister selber über die Grenzen des Lehrens Bescheid. In dem Lehrbrief, der Wilhelm Meister vom Abbé überreicht wird, heißt es:

«Die Worte sind gut, sie sind aber nicht das Beste. Das Beste wird nicht deutlich durch Worte.»

Wie zur Bestätigung dieser Sätze wird die Lektüre abgebrochen, bevor der Brief zu Ende ist. Wilhelm Meister stellt eine Frage. Er bittet nicht um einen Rat. Er möchte wissen, ob Felix sein Sohn sei. Und mit dieser Frage, die auf das wirklichste Leben zielt, erntet er Lob. Felix streckt sein «Kindergesicht schalkhaft durch die Teppiche des Eingangs hervor». Der Vater schließt ihn in die Arme. Der Abbé segnet den lieblichen Auftritt:

«Heil dir, junger Mann! deine Lehrjahre sind vorüber; die Natur hat dich losgesprochen.»

Die Natur, nicht die Vernunft! Was die Worte des Abbé bedeuten, verstehen wir erst im achten Buch, wo Wilhelm Meister in seinem Knaben das Leben neu beginnt und alles mit dessen frischen Augen sieht, der Genius der Frühe also die Flügel abermals über ihm regt.

Schiller war nun aber mit diesem Ergebnis doch nicht ganz zufrieden. Er hatte bei wiederholtem Lesen den Eindruck, Goethe sage vielleicht zu wenig klar, was er eigentlich meine, und lasse den «philosophischen Inhalt», die «Hauptidee», zu unbestimmt.

«Was ich also hier wünschte, wäre dieses, daß die Beziehung aller einzelnen Glieder des Romans auf jenen philosophischen Begriff [der Lehrjahre und der Meisterschaft] noch etwas klärer gemacht würde. Ich möchte sagen, die Fabel ist vollkommen wahr, auch die Moral der Fabel ist vollkommen wahr, aber das Verhältnis der einen zu der andern springt noch nicht deutlich genug in die Augen[20].»

Die Antwort Goethes ist erstaunlich:

«Der Fehler, den Sie mit Recht bemerken», schrieb er Schiller am 9. Juli, «kommt aus meiner innersten Natur, aus einem gewissen realistischen Tic, durch den ich meine Existenz, meine Handlungen, meine Schriften den Menschen aus den Augen zu rücken behaglich finde... Es ist keine Frage, daß die scheinbaren,

[20] 8. Juli 1796.

von mir ausgesprochenen Resultate viel beschränkter sind als der Inhalt des Werks, und ich komme mir vor wie einer, der, nachdem er viele und große Zahlen übereinander gestellt, endlich mutwillig selbst Additionsfehler machte, um die letzte Summe, aus Gott weiß was für einer Grille, zu verringern.»

Endlich ging er sogar so weit, Zusätze Schillers ins Auge zu fassen: «Und sollte mirs ja begegnen, wie denn die menschlichen Verkehrtheiten unüberwindliche Hindernisse sind, daß mir doch die letzten bedeutenden Worte nicht aus der Brust wollten, so werde ich Sie bitten, zuletzt mit einigen kecken Pinselstrichen das noch selbst hinzuzufügen, was ich, durch die sonderbarste Naturnotwendigkeit gebunden, nicht auszusprechen vermag[21].»

Dazu kam es dann freilich nicht. Goethe begnügte sich damit, den Lehrbrief wieder aufzunehmen und einige unterdrückte Sentenzen im achten Buch noch nachzutragen. Auch dies geschieht indes mit sonderbaren, auf zarteste Schonung des Lebens berechneten Veranstaltungen. Jarno erzählt die Geschichte des Turms. Wilhelm, der gerade Grund hat, verdrießlich und ungeduldig zu sein, erlaubt sich eine scharfe Kritik:

«Haben Sie das Pergament nicht bei der Hand? fragte Jarno, es enthält viel Gutes: denn jene allgemeinen Sprüche sind nicht aus der Luft gegriffen; freilich scheinen sie demjenigen leer und dunkel, der sich keiner Erfahrung dabei erinnert. Geben Sie mir den sogenannten Lehrbrief doch, wenn er in der Nähe ist. – Gewiß ganz nah, versetzte Wilhelm, so ein Amulett sollte man immer auf der Brust tragen. – Nun, sagte Jarno lächelnd: wer weiß ob der Inhalt nicht einmal in Ihrem Kopf und Herzen Platz findet.

Jarno blickte hinein und überlief die erste Hälfte mit den Augen. Diese, sagte er, bezieht sich auf die Ausbildung des Kunstsinnes, wovon andere sprechen mögen; die zweite handelt vom Leben, und da bin ich besser zu Hause.

Er fing darauf an Stellen zu lesen, sprach dazwischen und knüpfte Anmerkungen und Erzählungen mit ein.»

So geht das eine Weile fort. Doch jedesmal, wenn Jarno etwas aus dem Lehrbrief zum besten gibt, fällt ihm Wilhelm erbittert ins Wort:

[21] 9. Juli 1796.

«Lesen Sie mir von diesen wunderlichen Worten nichts mehr! Diese Phrasen haben mich schon verwirrt genug gemacht.»

Ein denkwürdiges Gegenüber: Jarno, mit halbem Blick auf die Rolle, immer noch, wenn auch nicht mehr ganz, vom Glauben an Ordnung und Leitung durchdrungen, und neben ihm der lebendige Mensch in seiner Drangsal, mit Tiefen des Herzens, die kein Verstand zu ergründen, Erschütterungen und Schwankungen des Gemüts, die keine Regel zu fassen vermag! Bedeutende Sprüche liest Jarno vor, ein Evangelium reinster Humanität, das gereift ist in langer Erfahrung und einen bildungswilligen Geist wohl bis zum Tode beschäftigen könnte:

«Der Sinn erweitert, aber lähmt; die Tat belebt, aber beschränkt!»

«Nur alle Menschen machen die Menschheit aus, nur alle Kräfte zusammengenommen die Welt.»

«Wir sind nur insofern zu achten, als wir zu schätzen wissen.» Das sind beliebig gewählte Proben aus diesem Füllhorn erlesenster Weisheit. Doch Wilhelm wehrt ab:

«Halten Sie inne! ... Um Gottes willen! Keine Sentenzen weiter!»

Und beides, das Ja und das Nein, ist Goethe, der Mensch der Mitte, voll Vertrauen auf das verborgene Spiel der Natur und auf die Herrschaft des Gedankens, und gegen diesen wie jene skeptisch, wenn eines allein die Macht begehrt.

Eine ähnliche Skepsis verblüfft uns auch bei anderen Gelegenheiten. Es ist unmöglich, dem kleinen Felix gewisse Unarten abzugewöhnen. Er macht die Türen nicht hinter sich zu; er trinkt aus der Flasche, statt aus dem Glas. Doch eben diese oft gerügte Unart rettet ihm das Leben. Andrerseits stiftet der Graf mit seinem Organisationstalent nur Unheil; die praktischen Anordnungen führen zum Tod des kaum geheilten Harfners. Und wiederum heißt es von Friedrich, Nataliens Bruder, er werde vermutlich das Opfer der pädagogischen Experimente. Derselbe leichtsinnige Bursche jedoch, dem niemand etwas Rechtes zutraut, führt durch seine unverfrorenen Späße das glückliche Ende herbei. Die besser Erzogenen hätten sich noch lange hin und her gequält.

Mit einem Ausdruck im Gesicht, den man kaum Ironie zu

nennen wagt, gibt Goethe so zu bedenken, daß das holde Ungefähr vielleicht eine eigene Intelligenz besitzt, die der menschlichen überlegen ist. Vielleicht! Es wäre kaum zu empfehlen, sich
jedesmal darauf zu verlassen. Doch der Gedanke mag uns beruhigen, wenn uns die Unzulänglichkeit unseres Planens und
Wollens zu sehr bedrückt.

Die schon öfter erwähnten Entwürfe bestätigen diese Auslegung. Auf die Charakterisierung Wilhelms («ästhetisch sittlicher Traum») folgen die Worte über Lothario: «Heroisch akti-
ver Traum» und über den Abbé: «pädagogischer Traum». Zwei
bedeutende Gestalten des Turms sind also gleichfalls Träumer.
«Traum» besagt hier freilich nicht «Wahn», doch etwas wie
«Befangenheit», ein Beharren auf Vorstellungen, Hoffnungen
und Entschließungen, das der Fülle der Wirklichkeit nicht gerecht wird. «Wirklichkeit», «weiblich ästhetisch sittliche praktische» und «häuslich reine» wird nur zwei Frauen zugebilligt,
die noch Emilie und Julie heißen und die wir nicht ohne weiteres
mit Natalie und Therese gleichsetzen dürfen.

Nach alledem finden wir es begreiflich, daß Wilhelms Bildung
mit dem siebenten Buch noch nicht zu Ende ist, obwohl der Abbé
ihren Abschluß mit feierlichen Worten verkündet hat. Auch die
Gesellschaft vom Turm und ihre auf das sittliche Ganze zielende
Weisheit ist nur eine Stufe. Sie selbst weist über sich hinaus.
«Das Beste wird nicht deutlich durch Worte.»

Zu dem, was nicht durch Worte deutlich werden kann, gehört
die Kunst, die Wilhelm nur aus Knabenmorgenblütenträumen
flüchtig kennt und jetzt in ihrer stillen Größe im «Saal der Vergangenheit» gewahrt. Goethe erinnert sich der Gräber im Maffeianum zu Verona. Angesichts jener schlichten Darstellungen ist
ihm aufgegangen, daß wahre Kunst den Tod besiegt. Auch der
Kunstraum im Hause des Oheims ist dem Wandel der Zeit entrückt. Der Eingang scheint uns zunächst auf eine düstere Stätte
vorzubereiten. Vor der Türe liegen Sphinxe. «Die Türe selbst
war auf ägyptische Weise oben ein wenig enger als unten, und
ihre ehernen Flügel bereiteten zu einem ernsthaften, ja zu einem
schauerlichen Anblick vor. Wie angenehm ward man daher überrascht, als diese Erwartung sich in die reinste Heiterkeit auflöste,

indem man in einen Saal trat, in welchem Kunst und Leben jede Erinnerung an Tod und Grab aufhoben.»

Mit ähnlichen Kontrasten hat Goethe immer wieder das Klassisch-Schöne gegen den Schein des Mühelosen, der Kraftlosigkeit einer Umrißzeichnung und bläßlicher Marmorkälte geschützt. Alexis und Dora heben sich ab von der bläulichen Wasserwüste des Meers; Hermann und Dorothea, das herrliche Paar auf der Scheitelhöhe des Lebens, betreten das Zimmer nach den ernsten Worten des Pfarrers über den Tod. Und noch Helena im «Faust» hat ihre Schönheit gegen das nächtige Grauen der Phorkyas zu behaupten. Überall sind die Konturen der Öde, dem Nichts, dem Chaos abgerungen; und alle Mühsal dieses Kampfes wächst ihnen als innere Mächtigkeit zu. Ebenso gewinnen die Worte «Gedenke zu leben!», mit denen der Kunstraum seine Gäste empfängt, an Kraft im Gegensatz zu dem «Memento mori», das christliche Stätten des Todes verkünden.

«So schien jeder, der hineintrat, über sich selbst erhoben zu sein, indem er durch die zusammentreffende Kunst erst erfuhr, was der Mensch sei und was er sein könne.»

«Vom ersten frohen Triebe der Kindheit, jedes Glied im Spiele nur zu brauchen und zu üben, bis zum ruhigen abgeschiedenen Ernste des Weisen konnte man in schöner lebendiger Folge sehen, wie der Mensch keine angeborne Neigung und Fähigkeit besitzt, ohne sie zu brauchen und zu nutzen. Von dem ersten zarten Selbstgefühl, wenn das Mädchen verweilt, den Krug aus dem klaren Wasser wieder heraufzuheben, und indessen ihr Bild gefällig betrachtet, bis zu jenen hohen Feierlichkeiten, wenn Könige und Völker zu Zeugen ihrer Verbindungen die Götter am Altare anrufen, zeigte sich alles bedeutend und kräftig.

Es war eine Welt, es war ein Himmel, der den Beschauenden an dieser Stätte umgab.»

Es ist dieselbe «Lehre», die schon die Gesellschaft vom Turm dem Adepten mitteilt. Aber sie wird hier nicht in Gedanken, sondern in Anschauungen vermittelt, und spricht darum den Menschen als sinnlich-sittliches Wesen vollständiger an. Auch auf Lotharios liebliches Abenteuer weisen die Bilder zurück. Wilhelm bricht in die Worte aus:

«Welch ein Leben in diesem Saale der Vergangenheit! Man könnte ihn ebensogut den Saal der Gegenwart und der Zukunft nennen. So war alles und so wird alles sein! Nichts ist vergänglich als der eine, der genießt und zuschaut. Hier dieses Bild der Mutter, die ihr Kind ans Herz drückt, wird viele Generationen glücklicher Mütter überleben.»

Ähnliches hat Lothario zwar nicht ausgesprochen, aber empfunden. Doch er ist seiner Sache nicht sicher gewesen. Die Jugendgeliebte hätte ihm zürnen, sie hätte wohl auch verwirrt sein können. Am wenigsten zu erwarten war die erstaunliche Ähnlichkeit mit der Muhme. Denn die Natur, die eine Fülle von Leben zu verschwenden hat, darf im Einzelnen unzuverlässig sein. Die Kunst ist über den Zufall erhaben. Und wenn die Natur in ewiger Wiederkehr des Gleichen die Zeit überwindet, besiegt sie die Kunst in dem dauernden Stein, der zwar kein Leben atmet, den aber auch keine Vergänglichkeit mehr heimsucht.

Solche Gedanken beschäftigen Meister. Zugleich ist aber noch etwas da, das «unabhängig von aller Bedeutung, frei von allem Mitgefühl, das uns menschliche Begebenheiten und Schicksale einflößen, so stark und zugleich so anmutig auf mich zu wirken vermag... Es spricht aus dem Ganzen, es spricht aus jedem Teile mich an, ohne daß ich jenes begreifen, ohne daß ich diese mir besonders zueignen könnte! Welchen Zauber ahn ich in diesen Flächen, diesen Linien, diesen Höhen und Breiten, diesen Massen und Farben! Was ist es, das diese Figuren, auch nur obenhin betrachtet, schon als Zierat so erfreulich macht! Ja ich fühle, man könnte hier verweilen, ruhen, alles mit den Augen fassen, sich glücklich finden und ganz etwas andres fühlen und denken als das, was vor Augen steht.»

Hier scheint der Erzähler auf die reinste ästhetische Wirkung hindeuten zu wollen, die völlig ungegenständlich ist und offenbar von dem glücklichen Spiel der Linien, Flächen und Kuben, von architektonischen Proportionen ausgeht. Im selben Sinne wirkt die Musik, die Kunst, die gleichfalls nichts bedeutet. Auch sie kommt im folgenden noch zur Sprache, und zwar so, wie Goethe sie allein zu würdigen vermochte, als verbindendes Element, in dem sich alles Einzelne auflöst.

Prüfen wir den Eindruck, den der Saal auf Wilhelm Meister macht, so finden wir, daß zum erstenmal nicht von einer Stufe zwischen niederen, die wir schon kennen, und höheren, die zu erwarten wären, die Rede sein kann. Das ist kein Teilstück seines Daseins, wie bisher alles Teilstück war. Hier schließt sich der Ring der Vollendung zusammen, und er, der mit wachen Sinnen sich umsieht, weiß künftig über das Ganze, die von Gott gewollten Möglichkeiten des Menschen und ihr Gefüge, Bescheid.

Aber je höher ein Mensch emporsteigt, desto mehr ist er gefährdet. Früher hat Wilhelm Meister an diesem und jenem irre werden, am einen oder am andern verzweifeln und ein Ungenügen empfinden können. Jetzt ist er des Ganzen ansichtig geworden, des sittlichen und natürlichen Kosmos, wie er war und ist und sein wird, und hat die bedenkliche Freiheit erworben, zum Ganzen Nein oder Ja zu sagen. Was kann ihn nötigen, *die* Menschheit anzuerkennen und zu lieben? Was behütet ihn davor, sie um so entschiedener zu verwerfen, gerade weil sie ewig und in den immer gleichen Kreis gebannt ist? Seine Geschicke haben sich wieder, durch fremde und eigene Schuld, verwirrt. Der Rückweg ist ihm abgeschnitten. Werner hat sich eingefunden und mit seiner Dürftigkeit erst die lange Strecke sichtbar gemacht, die Wilhelm seit dem Abschied aus dem Haus seines Vaters zurückgelegt hat. Wo aber will es nun hinaus? Weg, Sinn, Glück, Erfüllung: das sind Begriffe, die das reife Wissen um alles Menschliche und die Anschauung des Ganzen noch nicht in Wirklichkeit umzusetzen vermögen. So droht das universale Nein, eine nihilistische Konsequenz, die immer droht, wo sich der Mensch von allen Vorurteilen losmacht. Ihre bloße Möglichkeit erscheint als Preis der höchsten Freiheit.

«Er konnte nichts, was ihn umgab, weder ergreifen noch lassen, alles erinnerte ihn an alles, er übersah den ganzen Ring seines Lebens, nur lag er leider zerbrochen vor ihm und schien sich auf ewig nicht schließen zu wollen.»

Einen ähnlichen Gedanken hat Humboldt einmal ausgesprochen. Er schreibt am 16. Mai 1801 aus Bilbao an seine Gattin:

«Der Mensch muß etwas Festes haben, woran er sich halten kann, das ihm ein Maß und ein Ziel ist, sonst hat er für sein eigenes Dasein keinen Begriff, und es hat keine Art des Wertes für ihn. Im ganzen Reich des Gedankens ist nichts, nichts, was das sein kann. Man knüpft eins ans andre und wieder etwas andres an dies, und über der Menge verknüpfter Dinge glaubt man, sie können sich gegenseitig halten und tragen, aber was ists, die Augenblicke kommen, wo man fühlt, daß die ganze Kette an nichts hängt, daß der erste Grund, der sie trägt, nur aus dem Herzen hervorquillt. Ich empfinde das sehr oft. Wie dem physisch Schwindelnden ist es mir oft moralisch. Nichts hilft mir alsdann, wirklich nichts, liebe Li, als das Gefühl, das mich dann auf einmal wie mit einer fremden tröstenden Kraft ergreift, daß Du mich liebst, daß ich Dich liebe, und daß doch *etwas* ist, und wäre auch alles andere nichts [22]. »

Dieser Schwindel rührt nur ein vollkommen menschliches Dasein an. Wo es eine außermenschliche Sanktion des Lebens oder außermenschliche Ziele gibt, da fehlt davon sogar die Ahnung und fehlt dann freilich auch jedwede Ahnung von der unermeßlichen Größe der reinen Humanität.

Ähnlich wie Humboldt beschließt auch Wilhelm seine düstere Betrachtung:

«So ist denn alles nichts, wenn das eine fehlt, das dem Menschen alles übrige wert ist. »

Das «Eine» heißt für Humboldt Caroline, für Meister Natalie. Es ist ein Sieg der Humanität, wenn das, was auf des Messers Schneide zwischen dem Ja und dem Nein zum Ganzen am Ende das Ganze liebenswert macht, doch wieder nur ein Mensch sein kann. Vom Menschen zum Menschen fließt der Strom der Liebe und trägt die Welt mit sich.

Natalie jedoch, die Wilhelm Meister ganz zuletzt gewinnt, in der wir also ein Höchstes zu verehren aufgerufen sind, sie ist von jeher die am meisten angefochtene Gestalt des Romans und soll, wie Kritiker versichern, eines der peinlichsten Beispiele für die Grenzen von Goethes Klassik sein. Daß sie modernen Vorstellungen von einer Romanfigur widerspricht, wird freilich niemand leugnen wollen. Ebensowenig ist zu bestreiten, daß der Erzähler

[22] Vgl. dazu E. Staiger, Die Zeit als Einbildungskraft des Dichters, 2. Aufl., Zürich 1953, S. 151.

eigentlich nicht sehr viel von ihr zu sagen weiß und eine gewisse geistige Blässe den Zugang zu ihrem Wesen erschwert. Doch könnte und dürfte es anders sein? Natalie ist zwar auch ein Mensch unter anderen aus dem Kreis des Oheims. Nach oben aber mündet ihr Dasein, und nur das ihre, in ein Geheimnis, das kaum in Worte zu fassen ist. Wir versuchen, uns ihm zu nähern.

Zum erstenmal begegnen wir dem menschlichen Bild Nataliens in den «Bekenntnissen einer schönen Seele». Wir hören von ihrer edlen Gestalt, von ihrem ruhigen Gemüt und ihrer «immer gleichen, auf keinen Gegenstand eingeschränkten Tätigkeit». Sie hilft den Armen, aber nie aus jenem sentimentalen Gefühl, das eigentlich nur sich selber schmeichelt, wenn es sich der Bedürftigen annimmt. Durchaus praktisch und sachlich, hat sie einzig das Wohl des Nächsten im Sinn. Im Gegensatz zu Therese jedoch «konnte sie ruhig, ohne Ungeduld bleiben, wenn sie nichts zu tun fand». Die schöne Seele vermag Natalie «nicht ohne Bewunderung», ja sogar «nicht ohne Verehrung» anzusehen. Selbst Jarno ist von ihr überzeugt. «Therese dressiert ihre Zöglinge», lautet sein Urteil, «Natalie bildet sie.» Damit ist abermals zugegeben, daß Natalie die Zwecke, die das Leben uns aufnötigt, mit der Absichtslosigkeit des Schönen zu vereinigen weiß. Am herrlichsten erscheint sie uns vielleicht in dem Gespräch mit Wilhelm Meister, das mit den Worten endet:

«Ja mein Freund! ... es ist vielleicht nicht außer der Zeit, wenn ich Ihnen sage, daß alles, was uns so manches Buch, was uns die Welt als Liebe nennt und zeigt, mir immer nur als ein Märchen erschienen sei.

Sie haben nicht geliebt? rief Wilhelm aus.

Nie oder immer! versetzte Natalie.»

Was wir hier, etwas zögernd, umschreiben, hat Schiller entschlossen mit seinen anthropologischen Kategorien erfaßt:

«Es ist zu bewundern», schreibt er an Goethe, «wie schön und wahr die drei Charaktere der Stiftsdame, Nataliens und Theresens nuanciert sind. Die zwei ersten sind heilige, die zwei andern sind wahre und menschliche Naturen; aber eben darum, weil Natalie heilig und menschlich zugleich ist, so erscheint sie wie ein Engel, da die Stiftsdame nur eine Heilige, Therese nur eine vollkommene Irdische ist. Natalie und Therese sind beide Realistinnen; aber bei Theresen zeigt sich auch die Beschränkung des Realism, bei Natalien nur der Gehalt desselben. Ich wünschte, daß die Stiftsdame ihr das Prädikat einer schönen Seele nicht weggenommen hätte; denn nur Natalie ist eigentlich eine rein ästhetische Natur. Wie schön, daß sie die Liebe als einen Affekt, als etwas Ausschließendes und Besonderes gar nicht kennt, weil die Liebe ihre Natur, ihr permanenter Charakter ist[23].»

Noch ein anderer Vergleich wird uns nahegelegt. Natalie ist die Schwester der Gräfin. Über die Gräfin äußert sich die schöne Seele nicht so günstig:

«Sie hatte vieles von der Mutter, versprach schon frühe sehr zierlich und reizend zu werden, und scheint ihr Versprechen halten zu wollen; sie ist sehr mit ihrem Äußern beschäftigt und wußte sich, von früher Zeit an, auf eine in die Augen fallende Weise zu putzen und zu tragen. Ich erinnere mich noch immer, mit welchem Entzücken sie sich als ein kleines Kind im Spiegel besah, als ich ihr die schönen Perlen, die mir meine Mutter hinterlassen hatte und die sie von ungefähr bei mir fand, umbinden mußte.»

Für die fromme Dame also, die das Herz ansieht, sind die beiden Schwestern ganz verschiedene Wesen. Dagegen scheinen sie für Wilhelm Meisters Augen einander ähnlich:

«Sie glichen sich, wie sich Schwestern gleichen mögen, deren keine die jüngere noch die ältere genannt werden darf, denn sie scheinen Zwillinge zu sein[24].»

Dazu kommt die Ähnlichkeit ihrer Handschrift. Nur einer genauen Beobachtung werden gewisse Unterschiede sichtbar: Die Buchstaben der Gräfin sind «zierlich gestellt», die Züge Nataliens fließen freier in unaussprechlicher Harmonie. Man wird nicht glauben, daß Goethe solche Motive ohne Absicht häuft. Und wenn dann Wilhelm Meister, nachdem er bereits Therese kennengelernt, Natalien entgegenreist in der Meinung, die Gräfin wiederzufinden, die unterdessen auf die Eitelkeit der Welt verzichtet hat, so wird uns das geistreiche Spiel verständlich: Die Gräfin und

[23] 3. Juli 1796.
[24] IV. Buch, 11. Kap.

164

Therese sind sich wie Schein und Sein entgegengesetzt, indes sich in Natalie der beglückende Zauber des schönen Scheins mit einem wahrhaftigen Sein vereinigt. Sie ist von innen heraus, was ihre Schwester nur künstlich und äußerlich ist. Sie heißt darum Natalie, wie die «natürliche Tochter» Eugenie heißt, die von Geburt, vom Ursprung her zum höchsten Sein Erkorene. Ebendeshalb finden wir sie auch jeder Wirklichkeit gewachsen, indes die Gräfin bei Wilhelms körperlicher Berührung zusammenbricht und, in der Nichtigkeit ihres Seins, einem religiösen Wahn verfällt.

Ein besonders ergreifendes Bild bestätigt diesen Zusammenhang. Die Gräfin hat Wilhelm Meister nur mit ihrer vollkommenen Schönheit berückt. In Therese hat er vor allem die Mutter seines Knaben gesehen. Nataliens Schönheit ist der Schönheit ihrer Schwester ebenbürtig, ja, in ihrer Freiheit und Gelassenheit noch gültiger. Doch wie Wilhelm ihr nach seiner Verwundung zum erstenmal wieder begegnet, legt er den schlafenden Felix auf den Teppich zwischen sich und sie. Und noch einmal liegt Felix schlafend, Kopf und Brust auf Nataliens Schoß, die Füße auf den Knien des Vaters:

«So teilten sie die angenehme Last und die schmerzlichen Sorgen, und verharrten, bis der Tag anbrach, in der unbequemen und traurigen Lage!»

Das ist bereits die wirkliche, ins Leben eingebettete Ehe, noch bevor die beiden Worte und Zeichen der Liebe gewechselt haben. Alle Seligkeit umfaßt von vornherein der tiefste Ernst.

Damit kommen wir an die Schranken menschenmöglicher Vollendung. Das Menschliche geht aber nun unmerklich ins Übermenschliche über. In der «Sendung» vorbereitet war die Erscheinung der «Amazone». Der Abschnitt lautet nun, kaum verändert:

«Wilhelm, den der heilsame Blick ihrer Augen bisher festgehalten hatte, war nun, als der Überrock fiel, von ihrer schönen Gestalt überrascht. Sie trat näher herzu und legte den Rock sanft über ihn. In diesem Augenblicke, da er den Mund öffnen und einige Worte des Dankes stammeln wollte, wirkte der lebhafte Eindruck ihrer Gegenwart so sonderbar auf seine schon angegriffenen Sinne, daß es ihm auf einmal vorkam, als sei ihr Haupt mit Strahlen umgeben, und über ihr ganzes Bild verbreite sich nach und nach ein glänzendes Licht. Der Chirurgus berührte ihn eben unsanfter, indem er die Kugel, welche in der Wunde stak, herauszuziehen Anstalt machte. Die Heilige verschwand vor den Augen des Hinsinkenden; er verlor alles Bewußtsein, und als er wieder zu sich kam, waren Reiter und Wagen, die Schöne samt ihren Begleitern, verschwunden[25].»

Dieser Auftritt hat durchaus den Charakter einer Epiphanie. Denken wir an den Schleier der Wahrheit in der «Zueignung» zurück, an Goethes öfter ausgesprochene Überzeugung, daß uns das Höchste nur verhüllt, getrübt, gemildert erträglich und zuträglich sei, so wie das Licht der Sonne dem Auge nur in der Trübe der Farben frommt, so wissen wir, wie die Entblößung, das Fallen des Überrocks und Meisters geblendete Ohnmacht aufzufassen ist. Wir wissen auch, warum ein Lichtschirm Nataliens Antlitz beschatten muß, wie Wilhelm ihr in einem Zimmer, in menschlichem Rahmen, wieder begegnet. Und damit es ja nicht scheine, als habe sich der Verwundete nur in einer Phantasie verloren und finde sich jetzt, ernüchtert, einem irdischen Frauenwesen gegenüber, fügt Goethe die Worte hinzu:

«Er beschäftigte sich, das Bild der Amazone mit dem Bilde seiner neuen gegenwärtigen Freundin zu vergleichen. Sie wollten noch nicht miteinander zusammenfließen; jenes hatte er sich gleichsam geschaffen, und dieses schien fast ihn umschaffen zu wollen.»

Endlich dürfte sogar der wiederholte Ausdruck «Amazone» eine über das Geschlecht erhabene Menschlichkeit andeuten, eine Wiedervereinigung notwendiger Gegensätze des Lebens, wie Mignons hermaphroditisches Wesen eine Einheit anzeigt, die noch nicht zur lebendigen Scheidung gelangt ist.

Mit genauer Not hält Goethe sich in den Grenzen eines Romans. Nur wenn man ihm das Recht zubilligt, am Schluß darüber hinauszuweisen in eine symbolische Region, die fast den Vers oder eine zeitlos-sagenhafte Umgebung fordert, wird man den letzten Kapiteln, der reinsten Frauengestalt, dem Zustand der Vollendung, den Meister erreicht, gerecht.

[25] IV. Buch, 6. Kap.

Doch damit scheint das Ergebnis in anderer Hinsicht in Frage gestellt zu sein. Wir haben die «Lehrjahre» aufgefaßt als Goethes ersten großen Versuch, eine deutsche moderne menschliche Welt in den gültigen Kosmos einzubeziehen. Wir sind uns auch klar darüber geworden, daß die Gattung des Romans einen solchen Versuch begünstigte, schon deshalb, weil es da läßlicher zugeht, weil vieles, in einem weiteren Sinn des Wortes, «Prosa» bleiben darf. Nun sieht es zuletzt aber doch so aus – man hat es schon oft gesagt und mit Bedauern und Achselzucken vermerkt – als sei die klassische Erhellung nur möglich in einer Utopie. Das Haus des Oheims, die Atmosphäre des Kreises, der Wilhelm Meister empfängt, die Sitte, der Geschmack, die Weisheit, der makellose Kunstbezirk, und über allem Natalie, Priesterin eines menschlich-heiligen Raums: ist eine solche Stätte der Bildung und der Wohl-geratenheit auf deutschem Boden oder überhaupt auf Erden vor-stellbar?

Die Frage bedarf der Abklärung. Wir schieben zunächst den Begriff der Utopie als irreführend beiseite. Alle großen Utopien, die unzweideutig als solche gelten, sind von vornherein als Dar-stellung irrealer und unmöglicher Welten konzipiert und drum polemisch und satirisch. So ist die «Reise der Söhne Megaprazons» eine Utopie, nicht aber der Schluß des «Wilhelm Meister». Denn ob Goethe diesen Kreis für menschenmöglich halte oder nicht – er stellt ihn hin als Vorbild und verpflichtet insofern die Wirk-lichkeit auf seine Maße. Wird aber die Frage dann so gewendet, ob die Welt des achten Buches noch als treues Bild des wirklichen deutschen Lebens gelten könne, so muß sie noch schärfer be-richtigt werden. Keine künstlerische Darstellung ist ein treuer Spiegel der «Realität». Denn eben dadurch unterscheidet sich das Leben von der Kunst, daß das Leben unendlich tief und weit und unergründlich, das heißt zugleich, beliebig und zufällig ist, die Kunst dagegen auf Wahl beruht. Nur darüber mag man sich unterhalten, wie viel oder wenig der Künstler zu wählen, wovon er abzusehen habe, damit sein Werk zustande komme.

Je mehr sich Wilhelm Meister seiner eigentlichen Bestimmung nähert, desto enger zieht der Umkreis seines Daseins sich zu-sammen. Kein Platz in der Öffentlichkeit, keine Würde, kein höheres Amt ist ihm beschieden. Das Heer, der Staat, die Kirche, alle allgemeinen Einrichtungen liegen jenseits dessen, was sich den klassischen Bildungsgesetzen fügt. Nur im Kreis der Familie, um den sich einige Freunde scharen, stellt der Einzelne sich noch dar als fest umrissene Menschengestalt. Es muß aber eine Familie von einem gewissen Wohlstand sein. Ihre Kräfte dürfen nicht im Kampf ums Dasein aufgebraucht werden. Außerdem setzt die höchste Kultur eine längere Tradition voraus. So wird es beinah unvermeidlich, eine Gesellschaft von Adel zu wählen. Innerhalb des Adels wieder gilt es behutsam auszuscheiden. Die vaterländischen Traditionen zum Beispiel, die nach dem Siebenjährigen Krieg besonders lebendig waren, haben hier nicht mitzusprechen. Es gibt weder Preußen noch Sachsen, nur Deutsche, ja nicht einmal Deutsche, sondern nur Menschen, zwar in Raum und Zeit zu leben genötigte, aber nicht an Raum und Zeit gebundene Bürger der Welt. Das ist es vor allem, was Anstoß erregt, die Abblendung der zeitgeschichtlichen Elemente am Schluß des Romans, nachdem sich die Zeitgeschichte so lange als Thema oder doch immerhin als Nebenthema aufgedrängt hat.

Einige Menschen, die zu Wilhelm gehören, sind aber auch noch da. Die Art, wie Goethe mit ihnen verfährt, bezeugt erst recht die genaue Wahl, die der klassische Wille ihm auferlegt. Philine, die Kokette, das Erbstück aus dem Rokoko, beraubt eine Schwangerschaft ihrer stilwidrigen Reize. Schwierigere Probleme geben Mignon und der Harfner auf. Beide Gestalten sind nicht mehr sinnvoll in der abgehellten Luft. Ja, je mehr sich der Glaube an eine naturgemäße Menschheit befestigt, desto mehr bedarf schon die bloße Möglichkeit eines solchen namenlosen Unglücks der Erklärung. Goethe erfindet deshalb die Geschichte von Sperata, die an die Legende von Gregorius und an König Ödipus erinnert und Aberglauben, Inzest und üble Priestermachenschaften als Hintergrund des Leidens und Wahnsinns aufdeckt. Man hat dies als allzu rationalistische Begründung getadelt und geltend gemacht, das Licht des Verstandes reiche nicht tief genug ins Ungeheure hinab[26]; der Erzähler schade sich selbst, indem er auf alles Geheimnisvolle verzichte. Wir sind ernüchtert; das läßt

[26] Vgl. Jean Paul, Vorschule der Ästhetik, § 5.

sich nicht leugnen. Wir hätten lieber gesehen, daß Mignon ebenso unbegriffen, wie sie erschienen, wieder im Dunkel verschwinde und daß der Harfner seinen Weg, fern von den Glücklichen, weiter verfolge. Doch diese Ernüchterung gehört zum Stil und zur Sitte der klassischen Welt. Es gibt hier noch ein «offenbares», aber kein ahnungsvolles, dämmerndes, dämonisches Geheimnis, so wenig es in der bildenden Kunst noch eine Sphäre geben darf, die unsrer Phantasie gestattet, nach Belieben auszuschweifen. Und welche Mächte auch immer über uns in Wahrheit walten mögen, menschenwürdig und für das Wohl des Menschen förderlich ist es, *nicht* an ein unerfindliches Schicksal zu glauben, sondern die Schuld im Unmaß des Einzelnen oder in einer dem göttlichen Willen entfremdeten Gemeinschaft zu suchen. Man kann sich nicht zugleich der lebendig-reichen Schöne erfreuen und über den Harfner und Mignon träumen wollen. So viel steht fest, und Goethe zieht die Linien mit unbeirrter Hand.

Dennoch bemerken wir hier stilistische und sittlich-religiöse Momente, die uns noch fremd sind, die sich auch, wie Pflanzen in einem ungeeigneten Klima, nicht recht zu entfalten vermögen, die aber später, in der Epoche der «Wahlverwandtschaften» und in «Faust II», zu alles beschattenden Kronen gedeihen.

Am ehesten noch in vorbereiteten Bahnen endet das Schicksal des Harfners. Er wird durch weise ärztliche und erzieherische Einwirkung, die nicht ganz ohne Zufall auskommt, geheilt und geht infolge des ungeschickten Eifers des frommen Grafen und der Unvorsichtigkeit anderer an eben dem Mittel, das ihn geheilt hat, dem Glas mit dem tödlichen Gift, das er zur Beruhigung mit sich führt, zugrunde: ein Beispiel dafür, was die herzliche Hilfe vieler verbündeter Menschen vermöchte und was ein einziger Fehler, eine Nachlässigkeit verschulden kann.

In Sperata, seiner Schwester, ist, noch kaum verständlich, eine Heiligengeschichte angelegt, die erst in den «Wahlverwandtschaften», in der Verklärung Ottiliens, aufleuchten wird.

Am liebevollsten hat Goethe jedoch das Schwinden Mignons ausgeführt. Ihr Eintritt im Hause Nataliens ist der Beginn einer letzten Metamorphose, die keine irdische Blüte mehr zeitigt. Unter dem lieblichsten Vorwand läßt sie Goethe im Kleid eines

Engels erscheinen, weiß, mit Flügeln an den Schultern, goldenem Gürtel und goldenem Kranz, mit Insignien also, die später, am deutlichsten in der Gestalt Euphorions, auf den frühvollendeten, vom Gemeinen nicht gebändigten Genius deuten[27]. So gekleidet, singt Mignon «mit unglaublicher Anmut» ihr letztes Lied:

> «So laßt mich scheinen, bis ich werde;
> Zieht mir das weiße Kleid nicht aus!
> Ich eile von der schönen Erde
> Hinab in jenes feste Haus.
>
> Dort ruh ich eine kleine Stille,
> Dann öffnet sich der frische Blick,
> Ich lasse dann die reine Hülle,
> Den Gürtel und den Kranz zurück.
>
> Und jene himmlischen Gestalten,
> Sie fragen nicht nach Mann und Weib,
> Und keine Kleider, keine Falten
> Umgeben den verklärten Leib.
>
> Zwar lebt' ich ohne Sorg und Mühe,
> Doch fühlt' ich tiefen Schmerz genung;
> Vor Kummer altert' ich zu frühe;
> Macht mich auf ewig wieder jung!»

Schon die erste Zeile birgt Rätsel, die wir uns kaum zu entziffern getrauen: Laßt mich Engel scheinen, bis ich in Wirklichkeit ein Engel werde. Das dürfte unmittelbar gemeint sein. Zugleich klingt aber mit, daß für Mignon alles Irdische nur noch Schein ist, ein Schein, der den «verklärten Leib», das Ewige, verhüllt, doch in der Verhüllung auch gleichnisweise bedeutet. Die Todgeweihte spricht aber nicht, wie später die «Natürliche Tochter»:

> «Das Wesen, wär es, wenn es nicht erschiene?»

Die Lust am Schein, als einem Scheinenden, Leuchtenden, als dem Wechselspiel des Lebens, hat ihr der Kummer vergällt. Nur geistiges Weiß erträgt sie noch. Im Jenseits, dem Reich, wo der

[27] Vgl. W. Emrich, Die Symbolik von Faust II, Berlin 1943, S. 204 ff.

Schein verschwindet, fällt auch der Gegensatz der Geschlechter, der die Sterblichen scheidet, dahin. Noch einmal also finden wir Mignons hermaphroditische Züge betont, ausdrücklicher als je im Zusammenhang mit Frühe und ewiger Jugend. Noch immer ist sie das Menschengeschöpf, das weder reifen noch älter werden, das nur in der kindlichen Einigkeit mit allem Leben verharren oder irrewerden und sterben kann, das zugrunde geht, sobald es sich selbst von anderen unterschieden und dem Geliebten gegenüber als eigenes Wesen empfinden muß. Sie hat sich aufgelöst in Tränen und schütternd vor Schluchzen an Wilhelms Brust ihre Körperlichkeit fast aufgezehrt. Doch nur der Tod vollendet, was die unzulängliche Kraft des Schmerzes auf halbem Wege liegen ließ.

Ist es möglich, von Mignon zu scheiden? Daß alles Leben sich wiederholt und nur der Eine nicht, der zuschaut, daß immer neu entsteht, was war und ist – der klassische Trost versagt. Denn freilich, nur das Typische kehrt wieder, das Individuelle nie. Die Sorge um die Bewahrung des Einzelnen, der vergänglich und unwiederholbar ist, die große Sorge Goethes in der Zeit nach Schillers Tod, kommt hier zum erstenmal zu Wort, verfrüht und durchaus unstatthaft, zumal im «Saal der Vergangenheit», der zeitentrücktes Leben verkündet. Was kaum zu glauben ist, geschieht: der tote Körper wird einbalsamiert; künstliche Mittel verwehren den Elementen für einige hundert Jahre, ihr natürliches Werk zu vollbringen und Mignons Anmut zu zerstören. Ein vergebliches Bemühen, erschütternd in seiner Vergeblichkeit. Es widerspricht der Mahnung, nach der Bestattung ins Leben zurückzukehren, die der Chor anstimmt und der die blauen und silbernen, schon mit entrückenden Farben gekleideten Knaben gehorchen. Doch nur ein solcher Widerspruch bewältigt das Unsagbare, das an dieser Stelle zu sagen ist.

Es sei daran erinnert, daß Goethe in der «Campagne in Frankreich» gesteht[28], er habe keine Sehnsucht mehr. Der sittliche Mensch jedoch errege «Neigung und Liebe nur insofern, als man Sehnsucht an ihm gewahr wird». Etwas von dieser Erkenntnis trauert bei den Exequien Mignons mit. Höchste Vollendung war

[28] XII, 367.

171

das Ziel. Nun ist sie erreicht, und die Sehnsucht schwindet. Aber sogar ein solches Schwinden zugunsten erfüllter Gegenwart ist für das edlere Herz ein Verlust. Ein Schmerz, eine Wonne tiefer Wehmut, ein Jugendzauber, eine rührende Feuchte des Auges ist nicht mehr. Oder es ist doch nur noch da im Schmerz, der davon Abschied nimmt: die tote Mignon im Sarkophag mit unverweslichem Angesicht.

Etwas Ähnliches tönt Goethe leichthin an in einem Brief, den er später aus Frankfurt an Schiller schrieb:

«Für einen Reisenden geziemt sich ein skeptischer Realism. Was noch idealistisch an mir ist, wird in einem Schatullchen wohlverschlossen, mitgeführt, wie jenes undenische Pygmäenweibchen...[29]», die «neue Melusine», von der dann ein Märchen der «Wanderjahre» erzählt.

Es ziemt sich, mit dieser Betrachtung zu schließen. Sie anerkennt ein leises Unbehagen, das uns die letzten Strecken von Wilhelm Meisters Weg bereiten. Je mehr er sich dem Gipfel nähert, desto blasser wird sein Bild. Wir verstehen: was bisher in kräftiger Einseitigkeit nacheinander hervortrat, soll jetzt zugleich in ihm lebendig und reinlich ausgewogen sein. Doch das müssen wir glauben; wir sehen es nicht. Was wir sehen, möchten wir eher Interferenzerscheinungen nennen. Ein Licht hebt das andere auf, und die Gestalt wird uns entrückt. Das hängt zusammen mit der summarischen Behandlung der letzten Bücher, zu der sich Goethe entschlossen hat. Nach dem Abschied vom Theater geht Wilhelms Entwicklung zu rasch vonstatten. Die Frauen, denen er nun begegnet, gruppieren sich zu symmetrisch um ihn. Statt zu leben, scheint er ein vorgeschriebenes Pensum zu absolvieren. Mit den Vermählungen, die am Schluß bevorstehen, fallen wir vollends in die Romanschablone einer vorklassischen Literatur zurück. Goethe wollte fertig werden und ließ es bei einer Fabel bewenden, die allzu deutlich die Spuren einer klugen Disposition verrät.

Allerdings haben wir zu bedenken, daß das Unanschauliche und Ungreifbare der höchsten Vollendung nur einen Augenblick währen kann. Schon mit dem nächsten Schritt wird Wilhelm sich

[29] 12. Aug. 1797.

wieder zu etwas Bestimmtem entschließen und also wieder begrenzen müssen. Die Linien, die weiterführen und in die «Wanderjahre» münden werden, sind schon angedeutet. Das neue Leben wird sich von dem früheren dadurch unterscheiden, daß es ein bewußt begrenztes, nicht mehr ein dumpf befangenes ist. Doch immerhin, es wird wieder begrenzt sein. Noch läßt der Erzähler sich nicht darauf ein. Auf dem Scheitelpunkt der Kurve von Wilhelms Laufbahn hält er inne, auf der Höhe des Zeniths, auf der er selbst verweilen möchte, die aber wieder zu verlassen ein ewiges Gesetz gebietet.

Im Jahre 1796 wurde das Buch veröffentlicht, eine «inkommensurable Produktion», inkommensurabel sowohl in seiner stilistischen Vielschichtigkeit wie in der «mutwillig gefälschten Bilanz», die seine Bedeutung eher verschleiert und in Symbolen, Bildern und unauffällig vieldeutigen Vorgängen birgt als offen zutage treten läßt. Um das Leben nicht in seinem Wachstum zu beirren und den Prozeß der Entfaltung nicht abzubrechen, beharrte Goethe, gegen Schillers Rat, auf seiner zögernden, gegen Konsequenzen mißtrauischen Art. Der Erfolg der «Lehrjahre» gab ihm recht. Gerade als inkommensurable Schöpfung, ähnlich wie der «Faust», regte das Werk die Geister auf und erregt es sie bis zum heutigen Tag. Wie der Dichter nicht ganz damit fertig wurde, wie es ihm selber in seinem gewaltigen Reichtum über den Kopf wuchs, so werden auch wir nicht damit fertig. Schiller, der erste Leser, hat sich die Sache großartig zurechtgeschnitten und alles künftige Verstehen in seinen Briefen bereits überholt. Selbst Schiller hat indes – er weiß es selbst – die Fülle nicht bewältigt. Friedrich Schlegel, der den «Wilhelm Meister» mit Fichtes «Wissenschaftslehre» und mit der Französischen Revolution die drei bedeutendsten Tendenzen des Jahrhunderts zu nennen wagte und damit viel zu einer neuen Ära von Goethes Ruhm beitrug, gelangt in seiner bekannten Kritik kaum über eine etwas manierierte Inhaltsangabe hinaus und leitet mit seinem allzu betonten Hinweis auf die Ironie – die Ironie, wie er sie verstand, als sokratische Buffonerie – sogar ein Mißverständnis ein, das für die Entwicklung des Bildungsromans nicht ohne bedenkliche Folgen blieb. Der ersten Generation von Romanen, die

dem «Wilhelm Meister» folgte, «Franz Sternbalds Wanderungen»,
«Heinrich von Ofterdingen», «Lucinde», «Godwi», fehlt jedenfalls der Ernst, zu dem dies Erbe sie verpflichtet hätte. Sie löst
die epischen Elemente in vage Spiele des Geistes auf. Eine zweite
Generation, zu der wir den «Maler Nolten» Mörikes, Stifters
«Nachsommer» und den «Grünen Heinrich» Gottfried Kellers
zählen, ist bodenständiger und übertrifft an Leuchtkraft sogar das
Goethesche Vorbild. Hier aber schränkt sich die Weite des Horizonts fast ins Private ein. In seinem schwebenden Gleichgewicht
von Fülle und Bedeutsamkeit, von Freiheit und Bindung, unbe-
kümmerter Fabulierkunst und Symbolik, der zarten Spur von
Gesetzlichkeit, die das weitgespannte Gewebe durchzieht, in seiner allmählichen Steigerung aus einem verworrenen deutschen
Zustand zu einem Gefüge von kunstgemäßer und naturgerechter
Vollendung bleibt der «Wilhelm Meister» ein einzigartiges, un-
erschöpfliches Werk, von dem, wie von dem Leben selbst, gilt,
daß es kein Einzelner je durchdringt, daß es nur alle Menschen
zusammen in der Folge der Zeiten erfassen.

SCHILLER

Wir haben die Verdienste Schillers um Goethes Bildungsroman gewürdigt. Ohne Schillers Anteil wäre das Werk vielleicht überhaupt nicht oder gewiß nicht so vollendet worden. Schiller erkannte eine von Goethe selbst nur geahnte Planmäßigkeit und sinnvolle Folge des Geschehens. Er wies den Gestalten ihren Platz in einer alle Möglichkeiten des Menschen umfassenden Ordnung an und sichtete die lebendige Fülle mit seinem ungeheuren Verstand. Wenn er darin auch weiter ging, als Goethe lieb war, und eine begriffliche Klärung verlangte, die der Erzähler weder leisten konnte noch wollte, blieb seine Mitarbeit doch bis zuletzt von unschätzbarem Wert und stärkte Glauben, Liebe und Hoffnung, die allein den letzten Büchern ihre Leuchtkraft zu sichern vermochten. Noch nie in seinem ganzen Leben war Goethe ähnliches widerfahren. Der einzige, der sich allenfalls mit Schiller hätte messen können, Herder, war zu wenig klar, zu launisch und, sogar in guten Tagen, zu sehr von Neid geplagt, um ein beglückender Freund zu sein und einen Schaffenden durch mehr als vage Anregungen zu fördern.

Noch nie war Goethe aber auch so für Rat und Urteil empfänglich gewesen wie seit der italienischen Reise, seit den Jahren, da sich eine von keiner Zeit und keiner besonderen Individualität bedingte, nach zuverlässigen Regeln verfahrende Kunst und Dichtung zu erkennen gab und eine Wiederholung der antiken Schönheit möglich schien. Es gehört zum Wesen der klassischen Kunst, ein Werk des gemeinsamen Geistes zu sein. Ein Einzelner ist niemals klassisch. Wäre Goethe länger allein geblieben, so wäre sein Bestes erstickt. Nun fand er einen Gleichgesinnten, im Augenblick der höchsten Not, nachdem er schon verzichtet hatte und an den Deutschen verzweifelt war; und er wagte es wieder, er selbst zu sein. Kein Wunder, daß er in diesem Ereignis eine höhere Fügung verehrte:

«So waltete bei meiner Bekanntschaft mit Schillern durchaus etwas Dämonisches ob. Wir konnten früher, wir konnten später zusammengeführt werden; aber daß wir es gerade in der Epoche wurden, wo ich die italienische Reise hinter mir hatte und Schiller der philosophischen Spekulationen müde zu werden anfing, war von Bedeutung und für beide von größtem Erfolg[1].»

Es gibt in der Tat kein größeres Beispiel eines Kairos als diese Begegnung. Je mehr wir sie zu ergründen versuchen, desto tiefer wird ihr Geheimnis und desto dringender das Verlangen, an eine unwiderstehliche Macht und einen Triumph des höchsten Sinns über alle Widerstände, alle Wahrscheinlichkeiten des Lebens zu glauben. Gerade von Schiller nämlich hätte Goethe am Anfang der neunziger Jahre zuletzt etwas Förderliches erwartet. In seinen Briefen und Tagebüchern schweigt er sich über ihn, wie über alle Widersacher, aus. In dem viel später verfaßten Aufsatz über die erste Bekanntschaft aber gibt er zu, daß Schiller und Heinse die beiden Persönlichkeiten waren, die ihm das größte Ärgernis bereiteten und sein Bemühen um eine reinere Kunst und Bildung am gründlichsten zu vereiteln schienen:

«Jener [Heinse] war mir verhaßt, weil er Sinnlichkeit und abstruse Denkweisen durch bildende Kunst zu veredeln und aufzustutzen unternahm, dieser, weil ein kraftvolles, aber unreifes Talent gerade die ethischen und theatralischen Paradoxen, von denen ich mich zu reinigen gestrebt, recht im vollen hinreißenden Strome über das Vaterland ausgegossen hatte... Die Betrachtung der bildenden Kunst, die Ausübung der Dichtkunst hätte ich gerne völlig aufgegeben, wenn es möglich gewesen wäre; denn wo war eine Aussicht, jene Produktionen von genialem Wert und wilder Form zu überbieten? Man denke sich meinen Zustand! Die reinsten Anschauungen suchte ich zu nähren und mitzuteilen, und nun fand ich mich zwischen Ardinghello und Franz Moor eingeklemmt[2].»

In Heinse und Schiller also meinte Goethe abermals dem unbotmäßigen Abenteurergeist seiner eigenen Jugend zu begegnen, den er schon früh in sich selbst und später in Klinger und Lenz befehdet hatte. Doch damit nahm er, was Schiller betrifft, die Sache eher noch zu leicht. Der Schöpfer der «Räuber» und des «Fiesko» war viel weiter von dem Dichter der «Römischen Elegien» entfernt als der Verfasser des «Werther» und «Götz».

[1] Gespräche, 24. März 1829.
[2] «Erste Bekanntschaft mit Schiller.»

Nicht etwa deshalb, weil Goethe schon in den Werken der Frankfurter Jahre alle titanische Leidenschaft überwacht, weil er sogar Prometheus, die am meisten verführerische Gestalt, einem höheren Gericht unterstellt und den «Urfaust» tragisch hatte ausgehen lassen. Auf ähnliche Vorbehalte konnte sich auch der junge Schiller berufen, auf das Urteil etwa, das Karl Moor am Ende seiner entsetzlichen Laufbahn über sich selber spricht, oder auf die Kritik an Fieskos Ehrgeiz. Doch was ihn bereits von dem Goethe der Frühzeit unterscheidet, so sehr, daß eine Annäherung für immer ausgeschlossen schien, ist seine «Größe», der eigentümliche Charakter, den das allgemeine Pathos der Epoche in ihm annimmt[3]. Die Größe der Gestalten Goethes, auch die Größe ihres Schöpfers, wird durch die Fülle der Liebe, die aus ihrem Herzen strömt, versöhnlich. Das Ich, das sich behaupten will, entdeckt die Liebe als den tiefsten und echtesten Grund seiner Eigentlichkeit und darf getrost bekennen: Ich habe desto mehr, je mehr ich gebe. Darauf beruht das Innige und die Lebensfülle von Goethes Welt, das Einverständnis mit allen Geschöpfen und ihrer Mutter, der Natur. Für Schiller dagegen bedeutete Größe vollkommene Unabhängigkeit, das Wohnen in der unzugänglichen festen Burg des Selbstbewußtseins. Er hat sich zwar dagegen verwahrt, daß man die Reden Karl Moors als seine eigenen Glaubenssätze verstehe. Wer aber die Jugendgedichte und Dramen, auch das Leben des jungen Schiller überblickt, wird zugeben müssen, daß nichts das Wesen des Menschen und Dichters angemessener auszusprechen vermöchte als das Wort Karl Moors:

«Sei, wie du willt, *namenloses Jenseits* – bleibt mir nur dieses mein *Selbst* getreu – sei wie du willt, wenn ich nur *mich selbst* mit hinübernehme. – Außendinge sind nur der Anstrich des Manns. – *Ich* bin mein Himmel und meine Hölle[4].»

«Außendinge» sind der Staat, die Familie, das Vaterland, Glück und Unglück, alles und jedes, was nicht «ich selbst» bin. Ich selbst jedoch, wenn ich alles *nicht* bin, was bin ich anderes als ein Nichts, ein Nichts in des Worts verwegenstem Sinn, ein leerer

[3] Vgl. Bd. I, S. 249.
[4] «Räuber», 4. Akt, 5. Szene.

Raum von Möglichkeiten, Zukunft, die keine Gegenwart und keine Vergangenheit mehr begrenzt, unendliche Freiheit also, die, von allem gelöst, zu allem bereit ist? So fühlt sich in der Tat Karl Moor und fühlt im Grunde sich sein Schöpfer, als Originalgenie, das eine Welt nur anerkennen würde, wenn es sie, wie Gott, als seine eigene Schöpfung betrachten dürfte. Gott aber hat das Universum unmittelbar aus nichts erschaffen. Das Originalgenie muß zuerst die bestehende Welt beiseiteräumen, um für die neue Platz zu gewinnen. Das ist der Sinn des Terrors, den die Räuberbande unter der Führung des Originalgenies ausübt, des Terrors auch, mit dem der Dichter seine unerhörten Wirkungen von der Bühne herab erzielt. Über die Uraufführung der «Räuber» berichtet uns ein Zeitgenosse:

«Das Theater glich einem Irrenhause, rollende Augen, geballte Fäuste, heisere Aufschreie im Zuschauerraum! Fremde Menschen fielen einander schluchzend in die Arme, Frauen wankten, einer Ohnmacht nahe, zur Türe. Es war eine allgemeine Auflösung wie im Chaos, aus dessen Nebeln eine neue Schöpfung hervorbricht[5].»

Das ist die Urgebärde Schillers, die bis zuletzt erhalten bleibt, wie sehr er sich in den Werken seiner reiferen Jahre auch läutern mag: die höchste Steigerung eines über allen Inhalt erhabenen Ichs, des absoluten reinen Vermögens, und demgemäß die Erniedrigung dessen, was nicht sein Vermögen ist, zu bloßem Material des Handelns, zu Stoff, der keinerlei Rücksicht verdient.

Darin erkennen wir auch die Blutsverwandtschaft zwischen Karl und Franz Moor. Franz betrachtet die Natur auf seine Weise als «Außending», als komplizierten Mechanismus, der nichts mit ihm, dem überlegen planenden Geist, zu schaffen hat. Er huldigt dem materialistischen Denken, wie es etwa Lamettrie in der Formel «L'homme machine» verkündet, und traut sich deshalb zu, die Kausalität des Lebens berechnen und zu seinen Gunsten lenken zu können. Ähnlich berechnet Schiller selber, wenn er Charaktere «zergliedert», wenn er einen Linné fordert, der das Menschengeschlecht «nach Trieben und Neigungen klassifi-

[5] Nach R. Buchwald, Schiller, 1. Band, Leipzig 1937, S. 352.

zieren[6]» würde, wenn er seine Intrigen erfindet und wenn ihn machiavellistische Lust an hoher Politik begeistert.

Dies aber ist nur möglich und nötig, wenn der Mitmensch äußerlich bleibt. Nur wer nicht eingeweiht ist in das Geheimnis des Herzens, sieht sich veranlaßt, seinen Nächsten bei etwas zu nehmen[7], beim Wort, bei einer schwachen Stelle, und seine Erscheinung, seine Reden und seine Taten abzuwägen. Nur der erlaubt sich, ihn als Posten einzusetzen im Spiel der Macht.

Karl Moor glaubt an die Verwandlung der Welt; Franz nimmt sie als etwas Gegebenes hin. Insofern unterscheiden sich die beiden Zweige des einen Stamms. Und dieser Unterschied begründet dann freilich weiterhin den andern von Böse und Gut, Gemein und Edel. Doch dieser ist nicht so fundamental, wie Schiller uns glauben machen will. Wir haben nämlich zu bedenken, daß eine Unterscheidung von Gut und Böse gar nicht möglich ist, wo alles nur ich selbst bestimme, wo Ich mein eigener Angeklagter und Ich mein eigener Richter bin. Jedes Anerkennen eines schlechthin Guten oder Bösen würde bedeuten, daß ich mich einer Autorität zu beugen gedenke. Ich aber, so fordert der Stolz des Genies, Ich habe alles in der Hand.

Da dürfen wir uns nicht sehr verwundern, wenn Tugendbold und Verbrecher sich manchmal zum Verwechseln ähnlich sehen, wenn Schiller seinen Fiesko zum Beispiel in verschiedenen Bühnenfassungen der Tragödie, und jedesmal auf Grund derselben Voraussetzungen, je nach Bedarf als Helden oder ehrgeizigen Schurken enden läßt. Beides läßt sich leicht erreichen. Fiesko kann seinen Ehrgeiz bezwingen, angemessener ausgedrückt: sich selbst über seinen Ehrgeiz erheben. Er kann sich aber ebensowohl über alle Tugendbegriffe erheben und das «namenlos große Verbrechen», eine Krone zu stehlen, begehen. Man möchte fast meinen, Verbrechertum verbürge Größe eher als Tugend, da nur der Verbrecher sich unverkennbar vom Allgemeinen, «Gemeinen» scheidet.

Insbesondere fasziniert der Betrüger Schillers Phantasie, der Mensch, der sich in jeder Regung, in jedem Zucken der Wimper

---

[6] Einleitung zum «Verbrecher aus verlorener Ehre».
[7] Vgl. Bd. I, S. 240.

beherrscht und so den glänzendsten Beweis einer dauernden Selbstbeherrschung liefert. Franz Moor, der Armenier im «Geisterseher», Marquis Posa, der «tugendhafte» Betrüger, Octavio Piccolomini und Mortimer, die fragwürdig handeln, Warbeck, Narbonne, Demetrius: in einer langen Reihe von erstaunlicher Mannigfaltigkeit bewährt sich Schiller als Gestalter eines Menschentypus, der Goethe kein einziges Mal gelungen ist, auch in der «Natürlichen Tochter» nicht, wo er seiner bedurfte und wo er versuchte, das ihm Unmögliche zu leisten.

Gewiß! Ein goethe-fernerer Dichter als der Verfasser der «Räuber» wäre in Deutschland schwerlich zu finden gewesen. Wo Goethe glänzte, versagte er, so in den Liebesgedichten, in «Laura am Klavier» und ähnlichen Stücken, die, bei dem glühendsten Willen sich zu ergießen und die Welt in sich, sich in der Welt aufgehen zu lassen, keine Spur von Innigkeit, Hingabe und Vertrauen zeigen und, statt von Mensch zu Mensch das schlichte Wort des Herzens auszusprechen, immer noch, wie in den Dramen, mit großen Massen gebieterisch schalten. Wo Goethe sich aber nicht mit angeborener Sicherheit bewegt, ist Schiller unbestrittener Meister. Sein Genie gehört der Bühne. Auf der Bühne erscheinen seine Vorzüge in dem günstigsten Licht und werden seine Schwächen zur Tugend. Der Bühnendichter muß rücksichtslos – im wahrsten Sinne des Begriffs – dem fünften Akt entgegendrängen. Freundliches Verweilen langweilt. Er darf sich nicht in jene unergründlichen Tiefen der Seele versenken, welche die Liebe offenbart. Ihn geht nur an, was für den Ausgang des Prozesses belangreich ist. Seine Kunst verlangt, daß er die Menschen nach Art des Politikers, des Intriganten in Rechnung setze. Und je besser es ihm gelingt, ein mannigfaltiges Wesen zusammenzufassen, einen Charakter auf eine handliche Größe zu reduzieren, desto besser versteht er sein Geschäft, desto schlagender ist die Wirkung. Die psychologischen Dramen des letzten Jahrhunderts haben unser Verständnis für solche Dinge freilich getrübt. Wir kennen das große Theater aus persönlicher Anschauung nicht mehr. Um so nötiger ist es, sich auf Schillers Leistung zu besinnen.

In jeder Hinsicht kommt die Bühne seinem Naturell entgegen. Er sieht die Menschen aus der festen Burg des Ich als «Außendinge», über die Kluft hinweg, die seine Größe von der Umwelt scheidet. Wer aber die andern von außen sieht, wer nicht als Liebender eingeweiht ist, der muß auf ihre Gebärden, auf ihre Mimik achten, um zu erraten, was etwa in ihnen vorgehen könnte. Auf dieselben Wahrnehmungen ist das Publikum angewiesen, das einer Aufführung beiwohnt. Einen großen Schauspieler nennen wir den, der sein Inneres sichtbar, «äußerlich» macht. Schiller hatte es also nicht nötig, sich eigens auf die Erfordernisse der szenischen Darstellung zu besinnen. Die Rampe, dazu der Raum des Orchesters, der uns von der Bühne trennt, entspricht dem metaphysischen Raum, der zwischen seiner erhabenen Einsamkeit und allem Geschehen klafft. Er kann «von sich aus» nur Äußeres sehen und treibt es demgemäß so heraus, wie es der Regisseur heraustreibt, der verstanden werden will.

Er will aber nicht nur verstanden werden; er will das Publikum hinreißen. Die Bühne ist das tauglichste Instrument eines dichterischen Willens zur Macht. Immer wieder begegnet der Schöpferdrang des Originalgenies dem Widerstand der stumpfen Welt. Doch innerhalb der Wände eines Schauspielhauses ist es ihm möglich, eine Masse zu verwandeln, *seinen* Geist ihr aufzuprägen und die Gemüter in die Bahnen seines eigenen Willens zu lenken. Davon träumt auch Wilhelm Meister. Wie unbegabt der liebenswürdige und gutmütige Jüngling aber für solche Unternehmungen ist, erkennen wir erst in diesem Augenblick, da Schiller den Plan betritt und uns klar macht, was einzig in der brutalsten und grandiosesten aller poetischen Künste Erfolg verspricht.

Das deutsche Volk hat Schiller von jeher als Dichter der Freiheit verehrt und seine Jugendwerke als Akte einer gerechten Empörung aufgefaßt. Legenden läßt man sich ungern rauben. Dennoch sei es ausgesprochen: So einfach liegen die Dinge nicht. Schon bei dem Erstling ist der Zusammenhang von Erlebnis und Dichtung fraglich. Freilich hat sich Schiller in der Karlsschule nicht sogleich wohl gefühlt[8], und in reiferen Jahren war er der Meinung, sie habe ihm seine Jugend verdorben. Als er aber die «Räuber» verfaßte, genoß er die Achtung der Lehrer und des Herzogs und litt an keinem Druck. Niemand hatte etwas gegen

[8] Vgl. Ernst Müller, Der junge Schiller, Tübingen u. Stuttgart, o.J.

sein dichterisches Schaffen einzuwenden. Im Gegenteil! Es wurde gefördert. Schwierigkeiten entstanden erst infolge der bekannten Kollisionen mit der Bündner Regierung, die den Herzog bestimmten, gegen Schiller ein Schreibeverbot zu erlassen. So ist es weiter nicht erstaunlich, daß die Feinde Karl Moors so wenig mit den Gestalten aus dem Lebenskreis der Dichters zu schaffen haben. Es war viel mehr ein allgemeiner revolutionärer Drang der Zeit als ein persönlicher, was er aussprach. Er wollte den «Götz von Berlichingen», den «Julius von Tarent» überbieten. Auch nach der dramatischen Flucht aus Stuttgart ging es ihm nur um seine Kunst, keineswegs um sein eigenes Schicksal oder gar die Not der Menschheit. Wenn er in «Kabale und Liebe» den Jammer des Bürgertums darstellte und eine leidenschaftliche Klage gegen die Fürstenhöfe erhob, so war dafür das Vorbild der «Emilia Galotti» und waren die Verhältnisse am Theater in Mannheim, wo Iffland den Ton bestimmte, gewiß entscheidender als der Wunsch, den Unterdrückten zu ihrem Recht zu verhelfen. Für die Erniedrigten und Beleidigten hatte der junge Schiller kein Herz. Man braucht nur seine Briefe zu lesen und sie mit Äußerungen wahrer Menschenfreunde wie Pestalozzi oder Büchner zu vergleichen, um den Irrtum einzusehen und zuzugeben, daß sogar Goethe dem einfachen Manne näher stand als sein viel populärerer Freund. Goethe selber wußte das. Als Eckermann den «Egmont» rühmte und erklärte, er kenne kein deutsches Stück, in dem der Freiheit des Volkes mehr das Wort geredet würde, entgegnete er:

«Man beliebt einmal, mich nicht so sehen zu wollen, wie ich bin, und wendet die Blicke von allem hinweg, was mich in meinem wahren Lichte zeigen könnte. Dagegen hat Schiller, der, unter uns, weit mehr ein Aristokrat war als ich, der aber weit mehr bedachte, was er sagte, als ich, das merkwürdige Glück, als besonderer Freund des Volkes zu gelten [9].»

Damit war der Schöpfer der Dramen vom «Wallenstein» bis zum «Tell» gemeint. Es gilt aber nicht etwa weniger, sondern erst recht von dem kraftgenialischen Frühwerk. Wenn der junge Schiller in seinem eigenen Namen «Freiheit» sagte, so meinte

[9] 4. Jan. 1824.

er immer Selbstbestimmung. Und das Selbst, von dem er sich allein bestimmen lassen wollte, war ungebunden, rein persönlich, eine durchaus anarchische Kraft, die nur zu schalten und zu gestalten und sich darzustellen begehrte. Wohl erkennt bereits Karl Moor, daß zwei Menschen wie er die sittliche Welt zugrunde richten müßten. Aber der Sinn für das Wohl des Ganzen, der in diesem Wort aufflackert, setzte sich erst im «Don Carlos» durch, als Schiller in seiner Einsamkeit ein Heimweh anzuwandeln begann, als er, wie der Weltenschöpfer vor der Schöpfung, «Mangel fühlte[10]», als er die Freundestreue in der Wirklichkeit des Lebens schätzen und in dem Freund das Recht des Nächsten überhaupt verehren lernte.

Im «Don Carlos» weht nun wirklich etwas vom Atem jener Freiheit, die nicht mehr dazu dient, «Kolosse und Extremitäten auszubrüten[11]», sondern Geltung der Menschenrechte, Freiheit und Brüderlichkeit bedeutet. Doch offenbar versteht sich Schiller auch jetzt nicht ganz auf solche Töne, so sehr ihm nun daran gelegen wäre, als Mensch unter Menschen zu wohnen. Man spürt, wie er sich Zwang antut und, aller Vorsicht ungeachtet, doch immer wieder in das alte herrscherliche Gebaren zurückfällt. Oder was soll man dazu sagen, daß die Königin, diese doch schon am ehesten klassisch-schöne Gestalt, deren Leben, wie das der Prinzessin im «Tasso», auf Entsagung beruht, die auch den Geliebten entsagen lehrt – daß diese selbe Königin die Hand zu hochverräterischen Intrigen und Machenschaften bietet und ihren Gemahl auf das schmählichste täuscht? Was soll man ferner dazu sagen, daß Marquis Posa, der Vertrauen und Achtung vor dem Menschen fordert, seinerseits den König, dessen Vertrauen er gewonnen hat, so unbedenklich hintergeht? Es geschieht zu gutem Zweck, erwidert man. Wie unterscheidet sich dann aber ein Marquis Posa von einem Alba oder Domingo, wenn der Zweck die Mittel heiligt? Schiller hat im «Don Carlos» vielleicht liberale Politiker, aber, trotz bester Absicht, noch immer keine von innen heraus liberalen Menschen geschaffen. Und was in dem Zusammenhang, der uns beschäftigt, noch schwerer wiegt: Eben da er

[10] Aus der «Theosophie des Julius» in den «Philosophischen Briefen».
[11] «Räuber», I. Akt, 2. Szene.

sich für Menschheitshoffnungen einzusetzen beginnt, ist sein
Glauben auch schon erschüttert. König Philipp spricht das Wort,
das alle Jugendtatkraft lähmt:

«Nichts mehr
Von diesem Inhalt, junger Mann. – Ich weiß,
Ihr werdet anders denken, kennet Ihr
Den Menschen erst wie ich. »

Das Gefühl, dem Nächsten und allem Irdischen weit überlegen
zu sein, meldet sich jetzt, in etwas vorgerücktem Alter, als Skepsis
wieder. Und diese Skepsis leitet in Schillers Denken die große
Krise ein, die eine langwierige Auseinandersetzung mit Kant zur
Folge hat.

Wir untersuchen die Frage nicht, ob Schiller Kant verstanden
habe. Wir möchten wissen, worauf die Freundschaft zwischen
Goethe und Schiller beruht. Da genügt es, wenn wir erkennen,
wie Kant sich in die Geistesgeschichte einfügt und wie er Schiller
erschien. Kant selbst hat seine Philosophie als Kopernikanische
Wendung bezeichnet. Die Erde dreht sich um die Sonne, nicht
die Sonne um die Erde. Die Gegenstände richten sich nach unsrer
Vernunft, nicht umgekehrt. Alles, was ist, erscheint uns so, wie
wir es sehen müssen gemäß der Beschaffenheit unsres Erkenntnisvermögens. Diese bestimmende Macht des Geistes scheint mit
dem Herrschaftsanspruch des titanischen Selbst verwandt zu sein,
das sich im Sturm und Drang erhebt. Doch die Vernunft, um die
sich Kant bemüht, ist keineswegs anarchisch. Es bleibt ihr nicht
anheimgestellt, wie sie die Dinge sehen will. Alle Vorstellung
erfolgt nach unverbrüchlichen Gesetzen, deren Zusammenhang
eben den menschlichen Geist als solchen konstituiert. Die ganze
«Kritik der reinen Vernunft» läßt sich als Nachweis der Gesetzlichkeit des Erkenntnisvermögens verstehen. So nimmt auch
Kant, wie Goethe in den siebziger Jahren, den Weg über eine
gewaltige Steigerung des Subjekts zu einer neuen Ordnung, die
gerade das Subjekt begründet. Goethe hat mit den Organen seines
noch dumpfen Selbstbewußtseins die Natur zu studieren begonnen
und dann aus der Natur sich selbst als gesetzliches Wesen verstehen gelernt. Kant lernte die Gesetzlichkeit der Natur aus dem

menschlichen Geist verstehen. Denn da die Dinge uns so erscheinen, wie wir sie zu denken und uns vorzustellen genötigt sind, und da uns immer nur Erscheinung, nie das Ding an sich begegnet, sind die Gesetze der Natur mit denen des menschlichen Geistes identisch. Dasselbe Buch, das als Kritik des Erkenntnisvermögens angelegt ist, enthält demnach eine Ontologie.

Bedeutsam wird in der Folge vor allem die Kategorie der Kausalität. Alles Wirkliche ist bedingt. Wir können es uns nicht anders denken. Das gilt aber nur für die Erfahrung. Es wäre falsch, zu folgern, daß die Wirklichkeit als Ganzes eine äußere, unsrer Erfahrung unzugängliche Ursache haben müsse. Gott läßt sich nicht kosmologisch beweisen. Es wäre aber ebenso falsch, das Dasein Gottes zu bestreiten. Wir wissen nur, daß Gott kein Gegenstand theoretischen Denkens sein kann.

Die praktische Vernunft dagegen eröffnet den Zugang zur Geisterwelt. Unser Gewissen gebietet: Du sollst! Wenn wir sollen, müssen wir können. Die Willensfreiheit, die dem Gesetz der Kausalität widerspricht, erweist sich als Postulat unsrer Moralität. Jenseits der Erscheinungswelt entdecken wir das Reich der Freiheit.

Vom Reich der Freiheit in die Erscheinungswelt gibt es keine Übergänge. Sowie ein Mensch zu handeln beginnt, sind wir genötigt, sein Handeln nach dem Gesetz der Kausalität zu erklären. Die Möglichkeit bleibt aber offen, daß es aus reiner Freiheit erfolgte, das heißt, nach dem Gebot der Pflicht, des «kategorischen Imperativs», der immer nur das Eine fordert:

«Handle so, daß die Maxime deines Willens jederzeit zugleich als Prinzip einer allgemeinen Gesetzgebung gelten könne[11].»

Geistesgeschichtlich ist es von höchster Bedeutung, daß in dieser Formel der Begriff des eigenen, von nichts Äußerlichem bestimmten Willens mit den Begriffen «allgemein» und «Gesetz» zusammengeschlossen wird. Ebenso wichtig – wenngleich in anderer Hinsicht – ist die Erklärung Kants, daß eine Tat allein danach beurteilt werden kann, ob sie von außen bestimmt war oder aus Freiheit erfolgte. Daraus ergibt sich, daß im Grunde nichts auf Erden gut zu nennen ist als nur der gute Wille.

[11] «Kritik der praktischen Vernunft», § 7.

In drei Schichten baut sich so die Welt des Kantischen Denkens auf. Die unterste Schicht – als «unterste» wird sie mit fühlbarer Abschätzigkeit bezeichnet – ist ein Chaos von Reizen und Empfindungen, rohes Material. Dieses Material bearbeitet unsere Vernunft, so daß es uns als kategorial geordnete Erscheinungswelt entgegensteht. Über der Erscheinungswelt, den Sinnen und theoretischem Denken unzugänglich, kündigt sich in unserm Gewissen die Freiheit an, der kategorische Imperativ.

Was ist es nun, das Schiller an dieser Lehre so begeisterte, daß er nicht anstand zu erklären, sie enthalte die unverbrüchliche Wahrheit? In seinen Liebesgedichten hat er sich vergeblich um eine Einigung mit der Fülle des Lebens bemüht. Während der Arbeit am «Don Carlos» ist sein Glaube an ein allgemeines irdisches Glück zerronnen. Die goldene Zeit wird ein «Wort des Wahns». Es gibt auch keine Gerechtigkeit, die den Guten belohnt und den Bösen bestraft. Sogar die größte Kraft ist unübersehbar bedingt, und niemand weiß, was ihm das Schicksal noch bereitet. In dieser Lage fühlt sich Schiller aufgerichtet durch die Botschaft: Das Gute ist nicht von dieser Welt, die wahre Freiheit transzendent. Nichts Äußeres vermag den inneren Wert des Menschen anzutasten. Kein Scheitern widerlegt, kein Glück bestätigt seine wahre Größe. Von Übel ist nur der Selbstverlust, wenn das Prinzip der Freiheit der Gewalt des Sinnlichen unterliegt. Dagegen bewährt sich im Widerstand gegen den Aufruhr der Erscheinung – die Schiller vom Chaos der Reize und Empfindungen nicht genau unterscheidet – die unbegreifliche, übernatürliche Macht, die uns, in Raum und Zeit Gefangene, mit der Ewigkeit vermählt: Kants Schilderung des Erhabenen ist es, die Schiller in tiefster Seele anspricht und mit neuem Vertrauen zu seinem Wesen und seinem Werk erfüllt.

Kant bestätigt also zunächst die scharfe Scheidung von Innen und Außen, die dem Dichter der «Räuber» und des «Fiesko» selbstverständlich gewesen und in der Krise des «Don Carlos» zweifelhaft geworden ist. Einer äußerlichen, mechanischen, von dem Gesetz der Kausalität bestimmten Natur steht wieder das Selbst, der autonome Geist gegenüber. Doch dieses Selbst ist nicht mehr bloß ein Taumel vager Möglichkeiten. Es gibt Gesetze; es wird moralisch, und zwar moralisch ohne Gefährdung seiner erhabenen Autonomie. Auch Marquis Posa ist moralisch gewesen, aber in einem Sinn, der jetzt nicht mehr in Frage kommt. Das Glück der Menschheit war sein Ziel. Er setzte seinen Glauben auf etwas, was nur zu der Welt der Erscheinung gehört. Deshalb verstrickte er sich in Schuld und mußte er sich – im Scheitern seiner Pläne – als besiegt erklären. Das neue Selbst ist moralisch auf Grund des kategorischen Imperativs, der sich nicht um das Ergebnis, sondern allein um die Gesinnung, um die Maxime des Handelns kümmert und Erfolg und Mißerfolg mit gleicher Ruhe ertragen lehrt.

Es sieht demnach so aus, als ziehe sich Schiller vollends ins Innre zurück und stehe Goethe ferner als je. Die Natur und die Geschichte versuchen den hohen Geist nicht mehr. Sie werden zu «des Lebens Fremde», zur «Angst des Irdischen», die nur schwindet für den, der die Welt überwunden hat.

Doch in den Untersuchungen über das Schöne, zu denen sich Schillers Studium der Kantischen Philosophie entwickelt, kündigt sich eine Versöhnung an, die ebenso den Sinnen wie dem Anspruch der Vernunft genügt. Kant trägt die Theorie des Schönen in der «Kritik der Urteilskraft» vor, die auch die Theorie des Erhabenen und, im zweiten Teil, die Darstellung des Organischen und der teleologisch gedachten Natur enthält. Es ist für Schiller aber bezeichnend, daß er sich in seiner Ästhetik (abgesehen vom Erhabenen) eigentlich kaum auf dieses, auch von Goethe hochgeschätzte Werk stützt, daß er an Kants behutsamer «Analytik des Schönen» rasch vorbeigeht und eine Harmonie von Innen und Außen, Freiheit und Erscheinung auf unmittelbarere und einfachere Weise zu begründen versucht. Der Ausgangspunkt auch seiner Ästhetik ist eine Kritik des Tugendbegriffs in den moralischen Schriften Kants. Kant hatte erklärt, daß eine Handlung nur dann tugendhaft heißen könne, wenn sie aus reiner Achtung vor dem Gebot der Pflicht, nicht aber dann, wenn sie auch aus Lust und Neigung erfolge. Das mochte man sich als saubere Begriffsbestimmung gefallen lassen. Doch Schiller spürte dahinter einen düster-puritanischen Geist und schrieb das satirische Epigramm:

187

«Gerne dien'ich den Freunden,doch tu'ich es leider mit Neigung,
Und so wurmt es mir oft, daß ich nicht tugendhaft bin.
Da ist kein anderer Rat, du mußt suchen, sie zu verachten,
Und mit Abscheu alsdann tun, wie die Pflicht dir gebeut[12].»

Damit ist ausgesprochen, es sei zwar möglich, daß ein Mensch
das Gute nur vollbringen könne, wenn er seine Neigung überwindet. Höher aber stehe, wer schon aus Natur zum Guten neigt.
Der Fall sei denkbar, daß die Sinne der Vernunft nicht widersprechen, sondern ihr entgegenkommen. Ausführlicher ist davon
die Rede in der Schrift «Über Anmut und Würde»:

«So gewiß ich nämlich überzeugt bin – und eben darum, weil
ich es bin –, daß der Anteil der Neigung an einer freien Handlung für die reine Pflichtmäßigkeit dieser Handlung nichts beweist, so glaube ich *eben daraus* folgern zu können, daß die sittliche Vollkommenheit des Menschen gerade nur aus diesem Anteil seiner Neigung an seinem moralischen Handeln erhellen kann.
Der Mensch nämlich ist nicht dazu bestimmt, einzelne sittliche
Handlungen zu verrichten, sondern ein sittliches Wesen zu sein.
Nicht *Tugenden*, sondern *die Tugend* ist seine Vorschrift, und
Tugend ist nichts anderes ,als eine Neigung zu der Pflicht'. Wie
sehr also auch Handlungen aus Neigung und Handlungen aus
Pflicht in objektivem Sinne einander entgegenstehen, so ist dies
doch in subjektivem Sinn nicht also, und der Mensch *darf* nicht
nur, sondern *soll* Lust und Pflicht in Verbindung bringen; er soll
seiner Vernunft mit Freuden gehorchen. Nicht um sie wie eine
Last wegzuwerfen oder wie eine grobe Hülle von sich abzustrei-
fen, nein, um sie aufs innigste mit seinem höheren Selbst zu
vereinbaren, ist seiner reinen Geisternatur eine sinnliche beigesellt[13].»

Einen solchen Menschen, der Lust und Pflicht in Verbindung
zu bringen vermag, der seine Sinne aufs innigste mit dem höheren
Selbst zu vereinigen weiß, nennt Schiller ein «Kind des Hauses»
oder, gemäß den Briefen über «Wilhelm Meister», eine «schöne
Seele». Dies aber ist der Ursprung seiner Lehre vom Schönen

[12] Aus «Die Philosophen».
[13] Schillers Werke, hg. von O. Güntter und G. Witkowski, XVII, 346.

überhaupt. Das Schöne ist «Freiheit in der Erscheinung[14]», freundliche Übereinstimmung des Sinnlichen mit dem Gesetz, des Mannigfaltigen mit dem Einen, der Natur mit der Vernunft.

Wir halten einen Augenblick inne und erwägen, was ein solches Ergebnis in Schillers Denken bedeutet. Es war bereits ein Akt der Überwindung, als er sich entschloß, sein Selbst gesetzlich, im Sinne des kategorischen Imperativs, zu verstehen. Denn damit verzichtete er auf alles Ungeheure und Monströse und ordnete sich, dieses herrische Ich, einem allgemein gültigen Wesen ein. Eine noch strengere Selbstverleugnung aber erheischte der zweite Schritt, die Anerkennung der schönen als einer menschenwürdigeren Existenz. Denn damit gab er zu, daß dem, was ihm das Schicksal zugedacht hatte, seiner gewaltigen Willenskraft und seinem despotischen Schalten, die Palme des letzten menschlichen und künstlerischen Sieges nicht beschieden sei, daß es einer Gunst der Natur, einer nie zu erzwingenden Harmonie bedürfe, um auf der Staffel des dichterischen Ruhms die höchste Stufe zu erklimmen. Das Beispiel Goethes war es, was ihn zu diesem Zugeständnis bewog, des Menschen wie des Dichters Goethe, der im «Torquato Tasso» wünschte, daß uns gefalle, was sich ziemt, der seinen Gestalten und sich selbst das Unwillkürliche, den Zufall holder Lebensfrische gönnte und dennoch immer auf Gesetz und Maß, auf eine wandellose Ordnung ausgerichtet blieb.

Kein Sterblicher geht unverwundet aus einem solchen Kampf hervor, wie Schiller ihn in diesen Jahren mit sich selbst zu kämpfen hatte. Äußerungen in Briefen an den treuen Körner verraten es. Worte, die sich wider den Willen zu schweigendem Dulden, gegen eine mächtige sittliche Anstrengung den Weg nach außen zu bahnen scheinen:

«Öfters um Goethe zu sein, würde mich unglücklich machen: Er hat auch gegen seine nächsten Freunde kein Moment der Ergießung. Er ist an nichts zu fassen. Ich glaube in der Tat, er ist ein Egoist in ungewöhnlichem Grade. Er besitzt das Talent, die Menschen zu fesseln und durch kleine sowohl als große Attentionen sich verbindlich zu machen; aber sich selbst weiß er immer frei zu behalten. Er macht seine Existenz wohltätig kund, aber

[14] a. a. O., S. 258.

nur wie ein Gott, ohne sich selbst zu geben... Ein solches Wesen sollten die Menschen nicht um sich herum aufkommen lassen... Eine ganz sonderbare Mischung von Haß und Liebe ist es, die er in mir erweckt hat, eine Empfindung, die derjenigen nicht ganz unähnlich ist, die Brutus und Cassius gegen Cäsar gehabt haben müssen; ich könnte seinen Geist umbringen und ihn wieder von Herzen lieben[15].»

«Dieser Charakter gefällt mir nicht – ich würde mir ihn nicht wünschen, und in der Nähe eines solchen Menschen wäre mir nicht wohl[16].»

«Dieser Mensch, dieser Goethe, ist mir einmal im Wege, und er erinnert mich so oft, daß das Schicksal mich hart behandelt hat[17].»

Wäre Goethe nicht und wüßte niemand, daß er je gewesen, so könnte sich Schiller mit Zuversicht in seinem Künstlertum behaupten. Doch er selber weiß, wer Goethe ist, und würde nie vergessen, daß er das Beste preisgibt, wenn er sich *gegen* ihn zu behaupten versucht. Und so verzweifelt er immer wieder, bewundert unter Qualen und ahnt in jeder Verdüsterung das Wachstum seiner Organe und seiner Welt. Der Weg ist aber lang und steil, der bis zu jenem Bekenntnis führt, das Goethe so tief ergriffen hat, daß er es, leicht verändert, Ottiliens Tagebuch in den «Wahlverwandtschaften» einfügte, dem Urteil über «Wilhelm Meister», in dem der letzte Selbstsinn schmilzt, gerade deshalb aber eine bisher unbekannte gnadenhafte Weite der Seele aufglänzt, dem Wort der Freundschaft, wie es mit solchem Adel der Gesinnung, mit so keusch verehrender Innigkeit noch nie und später niemals wieder ein großer Dichter zu einem anderen großen Dichter gesprochen hat:

«Wie lebhaft habe ich bei dieser Gelegenheit erfahren, daß das Vortreffliche eine Macht ist, daß es auf selbstsüchtige Gemüter auch nur als eine Macht wirken kann, daß es dem Vortrefflichen gegenüber keine Freiheit gibt als die Liebe[18].»

[15] An Körner, 2. Febr. 1789.
[16] An Caroline von Beulwitz, 5. Febr. 1789.
[17] An Körner, 9. März 1789.
[18] An Goethe, 2. Juli 1796.

Der dies schrieb, war krank, verbrachte seine Nächte schlaflos und litt seit Jahren unter den heftigsten Krämpfen. Das damals unheilbare Siechtum, das 1791 begann, ist ein so furchtbar richtiges Schicksal, daß es wiederum schwer fällt, nicht an eine absichtliche Fügung zu glauben. Schiller war zu einer gewissen Ruhe und Sicherheit gelangt. Er durfte sich getrauen, sein Leben künftig aus eigener Kraft, ohne beschämende fremde Hilfe, zu meistern. Als Dichter und Denker war er bereit, den Frieden mit der Natur zu schließen und ihre Rechte anzuerkennen. Nun aber lehnte ihrerseits die Natur sein Friedensangebot ab, als wäre es ihr darauf angekommen, diesen großen Kämpfer in schwerstem Kampf zu wissen bis zuletzt. In Schillers Sprache bedeutete dies, daß ihm persönlich die ersehnte Gunst des Schönen nicht erblühte, daß er mehr und mehr auf das Erhabene angewiesen blieb, auf jene Freiheit, die sich im Widerstand gegen die sinnliche Sphäre behauptet. Was half es ihm, wenn er sich selbst zu einem harmonischen Dasein zu bilden bestrebte, der Körper aber alle Virtuosität des freien Spiels verbot? Wir müssen uns, wenn wir den sittlichen Rang des reifen Mannes ermessen wollen, noch einmal ernster zusammenraffen und in der Bewunderung höher erheben:

Erstaunlicher als die Anerkennung des kategorischen Imperativs, der «allgemeinen Gesetzgebung», und als der Verzicht auf den Erfolg des moralischen Handelns in der Welt, erstaunlicher als die Würdigung dessen, was kein Verdienst sein kann und was der Wille nicht erzwingt, ist dies: daß ihn sein Leiden doch nicht ganz auf das erhabene Pathos zurückwarf, daß er sich weiterhin um den Frieden des Schönen mühte und de profundis die Hymne auf das Glück anstimmte, daß er sich in jeder Stunde, die ihm leichter zu atmen erlaubte, dankbar des Strahls der Gnade versicherte, der auch ihm beschieden sei. Schillers persönliche Heiterkeit, die viele Zeitgenossen bezeugen, Freunde, die ihn besuchten, wenn er zu Tode erschöpft auf dem Krankenbett lag, ist in der deutschen Geistesgeschichte wohl das grandioseste Beispiel einer Bewahrung der Idee auf hoffnungslos verlorenem Posten. Daß das Schmerzenslager freilich auch eine beständige Mahnung blieb, dem irdischen Dasein nicht zu vertrauen, daß es ihm das

Leben doch zu einem «schweren Traumbild» machte, von dem allein der Tod erlöst, war unvermeidlich und verleiht der Klassik Schillers den dunklen Grund, aus dem die Stimmung des letzten Aktes des «Wallenstein» und des «Demetrius» stammt.

Verständlich ist auch, daß Schillers Leiden manchmal sogar einen störenden Schatten auf seine Lehre vom Schönen wirft. Er hat theoretisch zugegeben, daß die Sinnenwelt der Vernunft nicht immer zu widersprechen braucht. Stimmen beide überein, so leuchtet das Wunder des Schönen auf. Daraus müßte sich eine gewisse wachsam-schonende Haltung der zwar stets verdächtigen, aber zum Höchsten bestimmten Natur gegenüber ergeben. Und einer solchen Haltung befleißigt sich Schiller auch in seinen ästhetischen Schriften und in vielen Gedichten. Daneben regt sich aber immer wieder der alte Kämpfergeist und Wille zur Herrschaft, den zu stärken ihn sein kranker Körper zwingt. So heißt es etwa in den «Briefen über die ästhetische Erziehung des Menschen»:

«Wo beide Eigenschaften [Empfänglichkeit der Sinne und bestimmende Kraft der Vernunft] sich vereinigen, da wird der Mensch mit der höchsten Fülle von Dasein die höchste Selbständigkeit und Freiheit verbinden und, anstatt sich an die Welt zu verlieren, diese vielmehr mit der ganzen Unendlichkeit ihrer Erscheinungen in sich ziehen und der Einheit seiner Vernunft unterwerfen[19].»

Von Unterwerfung dürfte streng genommen nicht die Rede sein, da doch das Schöne in einem freien Spiel des ganzen Menschen besteht. Hier aber spricht der Mann, der auch als Dichter dazu neigt, die Regel, das Gesetz zu stark zu betonen und bis in den Klang seiner Verse hinein das Unwillkürliche zu vertilgen.

Bedenklicher noch sind folgende Sätze aus dem 23. Brief:

«Schon seinen Neigungen muß er das Gesetz seines Willens auflegen; er muß, wenn Sie mir den Ausdruck verstatten wollen, den Krieg gegen die Materie in ihre eigene Grenze spielen, damit er es überhoben sei, auf dem heiligen Boden der Freiheit gegen diesen furchtbaren Feind zu fechten[20].»

[19] 13. Brief.
[20] Gegen Schluß des 23. Briefs.

Wie wäre eine schöne Seele in dieser starrenden Rüstung möglich?

Dergleichen dürfen wir indes als augenblicklichen Fehltritt, der keine ernsteren Folgen hat, übergehen. Schwerer wiegt ein anderer Mangel. Schiller hat das Schöne unmittelbar als Harmonie der sinnlichen und der moralischen Sphäre bestimmt. Auf diese Weise gelingt es ihm zwar, das Wesen einer schönen Seele, des schönen Handelns, also das, was Goethe «Sitte» nennt, zu erklären. In größte Schwierigkeiten gerät er aber, sobald er das Schöne in der Natur, der Gestalt eines Menschen, eines Tiers, einer Pflanze zu deuten versucht. Inwiefern ist es da sinnvoll, von «Freiheit» in der Erscheinung, von «Vernunft» im Sinnlichen zu sprechen? Was hat ein Schönes dieser Art mit dem Einklang von Pflicht und Neigung zu schaffen? Die Briefe an Körner, die unter dem Titel «Kalliasbriefe» bekannt sind, versuchen, die Frage mit einem Gewaltstreich zu lösen:

«Weil aber diese Freiheit [gemeint ist Freiheit als Autonomie der Vernunft] dem Objekte [dem schönen Gegenstand] von der Vernunft bloß geliehen wird, da nichts frei sein kann als das Übersinnliche, und Freiheit selbst nie als solche in die Sinne fallen kann – kurz – da es hier bloß darauf ankommt, daß ein Gegenstand frei *erscheine*, nicht wirklich *ist*: so ist diese Analogie eines Gegenstandes mit der Form der praktischen Vernunft nicht Freiheit in der Tat, sondern bloß *Freiheit in der Erscheinung, Autonomie in der Erscheinung*[21].»

Man sieht auf den ersten Blick, daß hier eine Äquivokation vorliegt. Wenn Freiheit in der Erscheinung von der schönen Seele behauptet wird, bedeutet «Freiheit» Bestimmung durch den kategorischen Imperativ, reine Pflichtmäßigkeit des Handelns; «Erscheinung» bedeutet Sinnenwelt, die von dem Gesetz der Kausalität, von Trieb und Neigung durchwaltet ist. Hier dagegen wird «Erscheinung» im Sinne von «bloßer Schein», «es scheint», «es sieht so aus, als ob» gefaßt. Und von der Freiheit bleibt nichts übrig als ein «Nicht-von-außen-bestimmt-Sein». Der schöne Gegenstand sieht so aus, als wäre er nur durch sich selber bestimmt. Das ist etwas völlig anderes als die im Bereich der

[21] 8. Febr. 1793.

Natur bewährte Vernunft. Sogar von einer «bloßen Analogie» zu reden, ist nicht erlaubt. Denn wenn die Vernunft sich selbst bestimmt, so folgt daraus noch nicht, daß, was sich selbst bestimmt, vernünftig ist, und nicht, daß, was so aussieht, als ob es sich selbst bestimme, vernünftig scheine.

Derselbe Fehlschluß liegt einem Satz aus dem 11. ästhetischen Brief zugrunde. Schiller nennt das unveränderliche Sein «Person», das wechselnde «Zustand» und kommt zu folgender Überlegung:

«Etwas muß sich verändern, wenn Veränderung sein soll; dieses Etwas kann also nicht selbst schon Veränderung sein. Indem wir sagen, die Blume blüht und verwelkt, machen wir die Blume zum Bleibenden in dieser Verwandlung und leihen ihr gleichsam eine Person...[22].»

Niemand, der nicht durch spekulatives Denken genötigt ist, leiht einer Blume, und sei es nur «gleichsam», eine Person. Schiller ist dazu genötigt, weil er nur *ein* Bleibendes, *ein* Zeitentrücktes kennt, die Person, die mit dem Sittengesetz, der Vernunft, der Autonomie identisch ist, und weil von da aus keine tragfähige Brücke zum schönen Gebilde führt.

Es hilft auch nichts, wenn er für «Freiheit» «Formtrieb» oder «Form» einsetzt. Denn die Form als formendes Vermögen ist noch keine Form im Sinne einer, sei es geistigen, sei es sinnlichen Anschauung. Das formende Vermögen kann als solches überhaupt erst wirken, wenn ihm eine Form als reiner Umriß, als Gepräge vorschwebt. Doch in dem autonomen Selbst ist dieser Umriß nicht zu finden; und ebensowenig läßt er sich aus dem, was hier dasselbe bedeutet, aus dem moralischen Gesetz, der Notwendigkeit der Vernunft ableiten.

So wundern wir uns nicht, daß Schiller die öfter angekündigte Analytik des Schönen[23] schuldig blieb. Statt des geplanten «Kallias» kam die Schrift «Über Anmut und Würde» zustande, die von der «architektonischen», das heißt, nur durch die Natur gebildeten Schönheit, der Schönheit des Körperbaus, sehr rasch zur Anmut übergeht, zur Schönheit in der Bewegung, die es eher er-

[22] 11. Brief.
[23] Werke XVII, 322, 328.

laubt, von einem Ineinanderwirken des autonomen Willens und der Erscheinung zu sprechen. Das philosophische Hauptwerk aber handelt von «ästhetischer Erziehung», leitet also erst recht zu den günstigeren Problemen über, zur Sitte und zur schönen Seele, zur Einigung der höheren und der niederen Kräfte im freien Spiel.

Trotz dieser Begrenzung gelten uns heute Schillers ästhetische Schriften als würdige Dokumente der deutschen Klassik. Die Nähe Weimars ist überall spürbar. In dem schönen Menschen glauben wir Goethes Persönlichkeit wahrzunehmen. Wir sind sogar versucht zu sagen, dem im Raum gegebenen Schönen, wie es Goethe seit der italienischen Reise vor allem beschäftigt, schließe sich hier das Schöne an, das in der Zeit und für die Zeit als innere Anschauung besteht. Denn Spiel und Schönheit in Bewegung, Übereinstimmung des instinktiven Handelns mit dem Gesetz, dies alles sind zeitliche Phänomene; und eine gewisse Verwandtschaft mit den räumlichen läßt sich nicht verkennen. Ja, wo sich Goethe nicht gerade der Kunst und der Natur zuwendet, da spricht er sich, zwar mit anderen Worten, dem Sinn nach aber ähnlich aus. So sollte man meinen, er habe Schillers Lehre vom Schönen freudig begrüßt. Doch von der Schrift «Über Anmut und Würde» weiß er in seinem Aufsatz «Glückliches Ereignis» noch nichts Gutes zu sagen. Er äußert sich darüber so:

«Sein Aufsatz über Anmut und Würde war ebensowenig ein Mittel, mich zu versöhnen. Die Kantische Philosophie, welche das Subjekt so hoch erhebt, indem sie es einzuengen scheint, hatte er mit Freuden in sich aufgenommen; sie entwickelte das Außerordentliche, was die Natur in sein Wesen gelegt, und er, im höchsten Gefühl der Freiheit und Selbstbestimmung, war undankbar gegen die große Mutter, die ihn gewiß nicht stiefmütterlich behandelte. Anstatt sie als selbständig, lebendig vom Tiefsten bis zum Höchsten gesetzlich hervorbringend zu betrachten, nahm er sie von der Seite einiger empirischen menschlichen Natürlichkeiten. Gewisse harte Stellen sogar konnte ich direkt auf mich deuten; sie zeigten mein Glaubensbekenntnis in einem falschen Lichte; dabei fühlte ich, es sei noch schlimmer, wenn es ohne Beziehung auf mich gesagt worden; denn die ungeheure Kluft zwischen unsern Denkweisen klaffte nur desto entschiedener. »

Goethe empfindet es unangenehm, daß Schiller zu den Menschen gehört, die sich nichts schenken lassen wollen. «Undankbar gegen die große Mutter» nennt er ihn, nicht ohne Grund. Denn Entgleisungen von der Art, die wir verzeichnet haben, sind in dieser Schrift besonders zahlreich. Immer wieder verwendet Schiller mit einem Ton, der an Verachtung grenzt, den Ausdruck «bloße Natur». Etwas von Geringschätzung schwingt auch in seiner Schilderung der «von der bloßen Natur nach dem Gesetz der Notwendigkeit gebildeten» architektonischen Schönheit mit, jener Schönheit also, die sich seiner Theorie entzieht. Wo aber finden wir «gewisse harte Stellen», die Goethe direkt auf sich selber deuten zu müssen glaubte? Verbitterte ihn die Einsamkeit? Täuschte ihn ein böser Blick? In einer Anmerkung konnte er lesen:

«Ich bemerke beiläufig, daß etwas Ähnliches zuweilen mit dem *Genie* vorgeht, welches überhaupt in seinem Ursprunge wie in seinen Wirkungen mit der architektonischen Schönheit vieles gemein hat. Wie diese, so ist auch jenes ein bloßes *Naturerzeugnis* und nach der verkehrten Denkart der Menschen, die, was nach keiner Vorschrift nachzuahmen und durch kein Verdienst zu erringen ist, gerade am höchsten schätzen, wird die Schönheit mehr als der Reiz, das Genie mehr als erworbene Kraft des Geistes bewundert. Beide *Günstlinge der Natur* werden bei allen ihren Unarten (wodurch sie nicht selten ein Gegenstand verdienter Verachtung sind) als ein gewisser Geburtsadel, als eine höhere Kaste betrachtet, weil ihre Vorzüge von Naturbedingungen abhängig sind und daher über alle Wahl hinaus liegen.»

Dann folgt ein Abschnitt, in dem es heißt, wie sich die architektonische Schönheit nur durch die Grazie retten könne, so das Genie durch die Kraft der Vernunft. Geschehe dies aber nicht, so werde die Freiheit von der Natur erdrückt:

«Die Erfahrung», fährt Schiller weiter, «liefert hiervon reichlich Belege, besonders an denjenigen Dichtergenien, die früher berühmt werden, als sie mündig sind, und wo, wie bei mancher Schönheit, das ganze Talent oft die *Jugend* ist. Ist aber der kurze Frühling vorbei und fragt man nach den Früchten, die er hoffen ließ, so sind es schwammige und oft verkrüppelte Geburten, die ein mißgeleiteter blinder Bildungstrieb erzeugte. Gerade da, wo man erwarten kann, daß der Stoff sich zur Form veredelt und der bildende Geist in der Anschauung Ideen niedergelegt habe, sind sie, wie jedes andere Naturprodukt, der Materie anheimgefallen, und die vielversprechenden Meteore erscheinen als ganz gewöhnliche Lichter – wo nicht gar als noch etwas weniger. Denn die poetisierende Einbildungskraft sinkt zuweilen auch ganz zu dem Stoff zurück, aus dem sie sich losgewickelt hatte, und verschmäht es nicht, der Natur bei einem anderen *solideren* Bildungswerk zu dienen, wenn es mit der poetischen Zeugung nicht mehr recht gelingen will[24].»

Man versichert, Schiller habe hier vor allem an Bürger gedacht, vielleicht auch an seine eigene Jugend und an die vielen Stürmer und Dränger, die klang- und sanglos untergingen. Indes bei einigen Wendungen liegt es nahe, auch an Goethe zu denken und zu vermuten, da rege sich ein letztes Mal die unerfindlich gemischte Empfindung dessen, der sich nicht als Günstling der Natur fühlt und jede Zeile dem kranken Körper und dem Geschick abnötigen muß. Wenn Goethe aber der Ansicht war, daß jedes Wort auf ihn gemünzt sei, dann freilich stand es schlimm und schien sich Schiller aus einem Fremden in einen Widersacher verwandeln zu wollen. Dann mußte Goethe nämlich den letzten Satz als Anspielung auf Christiane und seinen Sohn – das «andere solidere Bildungswerk» – verstehen und sich tief beleidigt finden.

Aber die Zeit für solche private, halb chimärische, halb berechtigte Aufwallungen war vorüber. Die Ereignisse nahmen ihren Lauf und führten in großen Schritten zum Ziel. Am 13. Juni 1794 forderte Schiller Goethe zur Mitarbeit an den «Horen» auf. Goethes Antwort ist bekannt. Er schrieb zuerst:

«Ich wünsche mich durch die Tat für das Vertrauen dankbar zu bezeigen.»

Dann: «Und die ich mit Dank annehme.» «Dank» wurde gleich in «Freude» verbessert. Und schließlich lautete der Satz:

«Ich werde mit Freuden und von ganzem Herzen von der Gesellschaft sein[25].»

[24] a.a.O., S. 338.
[25] Lesarten nach der Sophien-Ausgabe, IV.Abt., 10.Bd., S. 394.

Die Zurückhaltung galt Schiller. Daß aber die herzliche Zustimmung bereits auch Schiller gegolten habe, ist, wohl mit Recht, bezweifelt worden. Fichte war an den «Horen» beteiligt; und von Fichte glaubte sich Goethe damals Großes versprechen zu dürfen.

Vom 20. bis zum 23. Juli wohnte Goethe in Jena. Am 21. fand, nach einem Vortrag über naturwissenschaftliche Gegenstände, das Gespräch statt, dessen Verlauf und Inhalt Goethe mit folgenden Worten wiedergibt:

«Er schien an dem Vorgetragenen teil zu nehmen, bemerkte aber sehr verständig und einsichtig und mir sehr willkommen, wie eine so zerstückelte Art, die Natur zu behandeln, den Laien, der sich gern darauf einließe, keineswegs anmuten könne.

Ich erwiderte darauf: daß sie dem Eingeweihten selbst vielleicht unheimlich bleibe und daß es doch wohl noch eine andere Weise geben könne, die Natur nicht gesondert und vereinzelt vorzunehmen, sondern sie wirkend und lebendig, aus dem Ganzen in die Teile strebend, darzustellen. Er wünschte hierüber aufgeklärt zu sein, verbarg aber seine Zweifel nicht; er konnte nicht eingestehen, daß ein solches, wie ich behauptete, schon aus der Erfahrung hervorgehe.

Wir gelangten zu seinem Hause, das Gespräch lockte mich hinein; da trug ich die Metamorphose der Pflanzen lebhaft vor und ließ, mit manchen charakteristischen Federstrichen, eine symbolische Pflanze vor seinen Augen entstehen. Er vernahm und schaute das alles mit großer Teilnahme, mit entschiedener Fassungskraft; als ich aber geendet, schüttelte er den Kopf und sagte: das ist keine Erfahrung, das ist eine Idee. Ich stutzte, verdrießlich einigermaßen: denn der Punkt der uns trennte, war dadurch aufs strengste bezeichnet. Die Behauptung aus Anmut und Würde fiel mir wieder ein, der alte Groll wollte sich regen, ich nahm mich aber zusammen und versetzte: das kann mir sehr lieb sein, daß ich Ideen habe, ohne es zu wissen, und sie sogar mit Augen sehe.

Schiller, der viel mehr Lebensklugheit und Lebensart hatte als ich und mich auch wegen der Horen, die er herauszugeben im Begriff stand, mehr anzuziehen als abzustoßen gedachte, erwiderte darauf als ein gebildeter Kantianer; und als aus meinem hartnäckigen Realismus mancher Anlaß zu lebhaftem Widerspruch entstand, so ward viel gekämpft und dann Stillstand gemacht; keiner von beiden konnte sich für den Sieger halten, beide hielten sich für unüberwindlich. Sätze wie folgender machten mich ganz unglücklich: ,Wie kann jemals Erfahrung gegeben werden, die einer Idee angemessen sein sollte? denn darin besteht eben das Eigentümliche der letzteren, daß ihr niemals eine Erfahrung kongruieren könne.' Wenn er das für eine Idee hielt, was ich als Erfahrung aussprach, so mußte doch zwischen beiden irgend etwas Vermittelndes, Bezügliches obwalten.»

Schiller berichtet über dasselbe Gespräch in einem Brief an Körner:

«Wir hatten vor sechs Wochen über Kunst und Kunsttheorie ein langes und breites gesprochen und uns die Hauptideen mitgeteilt, zu denen wir auf ganz verschiedenen Wegen gekommen waren. Zwischen diesen Ideen fand sich eine unerwartete Übereinstimmung, die um so interessanter war, weil sie wirklich aus der größten Verschiedenheit der Gesichtspunkte hervorging. Ein jeder konnte dem andern etwas geben, was ihm fehlte, und etwas dafür empfangen[26].»

Daß Goethe von einem naturwissenschaftlichen, Schiller von einem kunsttheoretischen Thema spricht, ist nicht erstaunlich. Beide Probleme waren bereits von Kant in der «Kritik der Urteilskraft» zusammengeschlossen worden und für Goethe seit der italienischen Reise eng verbunden. Worauf beruhte aber die von Goethe betonte Differenz und die von Schiller vermerkte «unerwartete Übereinstimmung»? Wir erinnern uns an die Gegensatzpaare, in denen sich Schillers Denken bewegt: Natur–Vernunft, Erscheinung–Freiheit, Stoff–Form, Inneres–Äußeres, Zufall–Gesetz, Wechsel–Dauer, Mannigfaltigkeit–Einheit, Wirklichkeit–Notwendigkeit, Sinne–Geist. Von diesen Gegensatzpaaren konnte sich Goethe einige leicht aneignen, Zufall und Gesetz zum Beispiel, Mannigfaltigkeit und Einheit, Wechsel und Dauer, Stoff und Form. Seine naturwissenschaftliche Forschung hatte ihm das Widerspiel, die lebendige Auflösung des Streits von Bleibendem und Vergänglichem in tausend Gestalten eingeprägt.

[26] 1. Sept. 1794.

Auch gegen die «Idee» sich zu verwahren, war er nicht genötigt, vor allem dann nicht, wenn er sie, im Platonischen Sinne des Begriffs, als reine Anschauung auslegte. Doch Schiller machte einen scharfen Unterschied zwischen Idee und Erfahrung und gab damit zu verstehen, daß sie nicht «gegeben», nicht «objektiv», sondern ein Akt der Autonomie, der frei bestimmenden Vernunft sei. Dagegen lehnte sich Goethe auf. Wo Schiller sich der Selbstbestimmung und Souveränität versicherte, verlangte es ihn, verehrend ein offenbares Geheimnis anzuschauen, sich einer Begegnung zu erfreuen; und höchstens insofern konnte er sich der idealistischen Ansicht nähern, als er zugab, daß Gleiches nur von Gleichem wahrgenommen werde. Gerade die menschliche *Freiheit* aber schien ihm eine solche Begegnung eher zu stören als zu fördern. Zweifellos verkannte er damals noch den apriorischen Charakter der Urpflanze oder des Typus. Und er mußte ihn verkennen vor einem Partner, der «a priori» mit «subjektiv» zusammenwarf. Heute würden wir nämlich sagen: Was Goethe mit seinem Stift umriß – genauer was er damit meinte – war allerdings eine Idee, kein Faktum, gerade als Idee jedoch eine Erfahrung ausgezeichneter Art[27]. Darüber war er sich nicht im klaren. Schiller seinerseits dürfte die Erklärung schuldig geblieben sein, was eine Idee wie die Goethesche, dies Bleibende in der Erscheinungen Flucht, mit dem, was er allein als Bleibendes gelten zu lassen gesonnen war, mit der Person, mit Recht und Wahrheit und innerer Freiheit zu schaffen habe.

«Der erste Schritt war jedoch getan», fährt Goethe in seiner Schilderung fort. «Schillers Anziehungskraft war groß.» Wie groß sie war, bewies wenige Wochen später der Geburtstagsbrief, der – was noch nie geschehen war, noch niemand gewagt und beabsichtigt hatte – die Summe der Goetheschen Existenz zog, seine Totalität mit wenigen, mächtig ausholenden Strichen umriß und so dem Bedrängten, an sich selbst und an der Gegenwart Irregewordenen ein neues Selbstgefühl, neue Kraft und neue Schaffenslust einflößte. Man weiß nicht, was mehr zu bewundern ist, die gründliche Erkenntnis, die Schiller, Resultat langjährigen

[27] Vgl. etwa E. Husserl, Ideen zu einer reinen Phänomenologie, neue Aufl., Haag 1950, S. 10ff.

Sinnens und Ringens, in jedem Satz ausbreitete, oder die Hochherzigkeit der Gesinnung oder die diplomatische Kunst, mit der er seine Worte setzte. Wie mußte es Goethe zumute sein, wenn er etwa folgenden Abschnitt las:

«Wären Sie als ein Grieche, ja nur als ein Italiener geboren worden und hätte schon von der Wiege an eine auserlesene Natur und eine idealisierende Kunst Sie umgeben, so wäre Ihr Weg unendlich verkürzt, vielleicht ganz überflüssig gemacht worden. Schon in die erste Anschauung der Dinge hätten Sie dann die Form des Notwendigen aufgenommen, und mit Ihren ersten Erfahrungen hätte sich der große Stil in Ihnen entwickelt. Nun, da Sie ein Deutscher geboren sind, da Ihr griechischer Geist in diese nordische Schöpfung geworfen wurde, so blieb Ihnen keine andere Wahl, als entweder selbst zum nordischen Künstler zu werden, oder Ihrer Imagination das, was ihr die Wirklichkeit vorenthielt, durch Nachhilfe der Denkkraft zu ersetzen und so gleichsam von innen heraus und auf einem rationalen Wege ein Griechenland zu gebären[28].»

Die ganze schmerzliche Vorgeschichte, Mühsal und Glück der italienischen Reise war damit getroffen, der kühne Gedanke einer Klassik auf deutschem, auf nordischem Boden erfaßt. Dieselbe Not jedoch, die Goethe die Hilfe des Denkens nahelegte, eine ästhetisch-naturwissenschaftliche Rechtfertigung seines Schaffens und Daseins, schien eine Verbindung mit einem geschulten Denker, wie Schiller es war, zu empfehlen. Auch Schiller war offenbar dieser Ansicht:

«Beim ersten Anblicke zwar scheint es, als könnte es keine größere Opposita geben als den spekulativen Geist, der von der Einheit, und den intuitiven, der von der Mannigfaltigkeit ausgeht. Sucht aber der erste mit keuschem und treuem Sinn die Erfahrung und sucht der letzte mit selbsttätiger freier Denkkraft das Gesetz, so kann es gar nicht fehlen, daß nicht beide einander auf halbem Wege begegnen werden. Zwar hat der intuitive Geist nur mit Individuen und der spekulative nur mit Gattungen zu tun. Ist aber der intuitive genialisch und sucht er in dem Empirischen den Charakter der Notwendigkeit auf, so wird er zwar

[28] Schiller an Goethe, 23. Aug. 1794.

immer Individuen, aber mit dem Charakter der Gattung erzeugen; und ist der spekulative Geist genialisch, und verliert er, indem er sich darüber erhebt, die Erfahrung nicht, so wird er zwar immer nur Gattungen, aber mit der Möglichkeit des Lebens und mit gegründeter Beziehung auf wirkliche Objekte erzeugen.»

Schiller schreibt, wie wenn ausgemacht wäre, daß «Einheit», «Gattung» und «Gesetz» für Goethe und ihn dasselbe bedeute, und scheint in guten Treuen zu schreiben. Wir lassen uns aber nicht beirren und besinnen uns abermals:

Dasselbe oder fast dasselbe mag gemeint sein, wenn es sich um Sitte, um die schöne Seele, um ästhetische Erziehung und den Einklang von Gesetz und Neigung bei den Griechen handelt. Sonst versteht Schiller unter Gesetz den kategorischen Imperativ, unter Einheit die dem Raum und der Zeit entrückte Autonomie, unter Gattungen jene Begriffe, die zu der Doppelnatur des Menschen, des «Bürgers zweier Welten» gehören, also zum Beispiel Anmut und Würde, angenehm, gut, erhaben, schön, oder, um eine spätere Errungenschaft vorwegzunehmen, sentimentalisch und naiv. Goethe dagegen kennt das Gesetz der Metamorphose, die Einheit des Typus. Das Wechselnde ist bei ihm in einem ganz anderen Dauernden aufgehoben.

Dennoch nimmt er Schillers Brief mit einer aus dem tiefsten Herzen strömenden, wenn auch gefaßten Dankbarkeit und Freude auf. Da er mehr der Anschauung vertraut als dem Gedanken und nicht so gebieterisch mit Begriffen umgeht, täuscht er sich nicht darüber hinweg, daß die Verständigung noch zum Teil auf einem verbalen Schein beruht. Er macht aber seinerseits einen Versuch, die letzte Kluft zu überbrücken, und sendet Schiller einen Aufsatz, der schon im Titel das Hauptproblem, den fraglichen Zusammenhang der Freiheit mit dem Schönen, antönt und demgemäß das ritterlichste Entgegenkommen erwarten läßt:

«Inwiefern die Idee: Schönheit sei Vollkommenheit mit Freiheit, auf organische Naturen angewendet werden könne[29].»

Goethe unterscheidet zwischen Schönheit und Vollkommenheit:

«Die Glieder aller Geschöpfe sind so gebildet, daß sie ihres

[29] Vgl. Günther Schulz im Jahrbuch der Goethe-Gesellschaft 1952/53, S. 143 ff.

Daseins genießen, dasselbe erhalten und fortpflanzen können, und in diesem Sinn ist alles Lebendige vollkommen zu nennen.»

Damit ist das Geschäft der Natur, die es gegen Schiller zu schützen gilt, in vollem Umfang anerkannt, doch ohne daß der strittige Punkt bereits zur Sprache kommen müßte. Denn «vollkommen» heißt nicht «schön».

Wenn die Glieder eines «Tiers dergestalt gebildet sind, daß dieses Geschöpf nur auf eine sehr beschränkte Weise sein Dasein äußern kann, so werden wir dieses Tier häßlich finden; denn durch die Beschränktheit der organischen Natur auf Einen Zweck wird das Übergewicht eines und des andern Glieds bewirkt, so daß dadurch der willkürliche Gebrauch der übrigen Glieder gehindert werden muß... So wäre der Maulwurf vollkommen, aber häßlich, weil seine Gestalt ihm nur wenige und beschränkte Handlungen erlaubt und das Übergewicht gewisser Teile ihn ganz unförmlich macht.

Damit also ein Tier nur die notwendigen beschränkten Bedürfnisse ungehindert befriedigen könne, muß es schon vollkommen organisiert sein; allein wenn ihm neben der Befriedigung des Bedürfnisses noch so viel Kraft und Fähigkeit bleibt, willkürliche, gewissermaßen zwecklose Handlungen zu unternehmen, so wird es uns auch äußerlich den Begriff von Schönheit geben... Man erinnere sich eines Pferdes, das man in Freiheit seiner Glieder gebrauchen sehen.

Rücken wir nun zu dem Menschen herauf, so finden wir ihn zuletzt von den Fesseln der Tierheit beinahe entbunden, seine Glieder in einer zarten Sub- und Koordination, und mehr als die Glieder irgendeines andern Tieres dem Wollen unterworfen, und nicht allein zu allen Arten von Verrichtungen, sondern auch zum geistigen Ausdruck geschickt... Um sich auf diesem Wege den Begriff eines schönen Menschen auszubilden, müssen unzählige Verhältnisse in Betrachtung genommen werden, und es ist freilich ein großer Weg zu machen, bis der hohe Begriff von Freiheit der menschlichen Vollkommenheit, auch im Sinnlichen, die Krone aufsetzen kann...

Ich möchte also wohl sagen: Schön nennen wir ein vollkommen organisiertes Wesen, wenn wir uns bei seinem Anblicke denken können, *daß ihm ein mannigfaltiger freier Gebrauch aller seiner Glieder möglich sei, sobald es wolle,* das höchste Gefühl der Schönheit ist daher mit dem Gefühl von Zutraun und Hoffnung verknüpft».

So wäre denn architektonische Schönheit, was uns auf Anmut zu hoffen erlaubt.

Es ist ein großes Glück, daß diese verloren geglaubten Blätter wieder ans Tageslicht gekommen sind. Neben den mächtigen Formeln Schillers wirkt ihr Inhalt zunächst vielleicht matt. Man wird auch nicht behaupten wollen, daß er folgenschwer für Goethes Naturwissenschaft und Ästhetik sei. Spätere Schriften kommen nur selten auf das Problem der Freiheit zurück. In der Geschichte der Freundschaft aber ist die Studie unentbehrlich. Wir haben bisher auf seiten Goethes mit Schmerzen Ausführungen vermißt, die sich an werbender Kraft mit Schillers Geburtstagsbrief vergleichen ließen. Hier liegen sie vor, in diesem Aufsatz, der mit der größten Behutsamkeit das Natürliche und Vollkommene gleichsetzt, das Schöne sich aber noch vorbehält, dann Schillers Hauptidee einführt, zugleich aber nicht versäumt, den Unterschied zwischen der menschlichen und der tierischen Sphäre gebührend anzudeuten, dann wieder, wie es Schiller will, die Anmut von der Schönheit abhebt und endlich, nicht ohne fühlbare Scheu, auf den im menschlichen Sinne «hohen Begriff von Freiheit» zu sprechen kommt.

Schiller war, wie Briefe an Körner und Goethe bezeugen, damit nicht ganz, aber doch in hohem Grade zufrieden. Viel weiter scheint die Diskussion, sofern sie die Grundbegriffe betraf, auch später nicht gediehen zu sein. Schiller wandte sich alsbald wieder mehr dem Sittlich-Schönen zu; und Goethe schloß sich in Fragen der bildenden Kunst, die ja vor allem der architektonischen Schönheit gewidmet ist, doch lieber an Heinrich Meyer an. Was aber die Stunde von den beiden Männern erforderte, war getan. Mochten die philosophischen Fragen im Tiefsten undurchsichtig bleiben – Goethe und Schiller glaubten, sich der Einen Wahrheit von entgegengesetzten Seiten genähert zu haben und gründeten darauf ihren Bund. Ein herrlicheres Ereignis kennt die deutsche Geistesgeschichte nicht. Die Jahre des Unmuts waren vorüber;

204

der Glaube kehrte wieder, daß die Sonne Homers auch Deutschland lächle. Wenn Schiller von spekulativen Ideen, Goethe von der Naturwissenschaft und von den bildenden Künsten aus zu ähnlichen Resultaten gelangten, wenn außerdem die neueste, sich rasch verbreitende Philosophie aus einem vermeintlichen Widersacher zu einem Bundesgenossen wurde, so mußte sich das Vertrauen zur eigenen Sache ins Unbedingte steigern. Daß nicht in allen strittigen Fragen Einigkeit erzielt werden konnte, daß hüben und drüben immer etwas Unbegreifliches übrig blieb, daß zumal die wissenschaftlichen und die dichterischen Methoden nach wie vor verschieden waren, daß keiner im Grunde verstand, wie der andere vorging und sein Werk vollbrachte, das kam der Freundschaft nur zugute und sicherte ihre Dauer nach der ersten freudigen Begegnung.

Im Dichten und Denken aber spiegelte sich der persönliche Gegensatz, aus dem nach menschlichem Ermessen nur Widerwärtigkeiten, Verdruß und Ärger hätten entstehen müssen und den die Kraft des Geistes – *allein* die Kraft des Geistes, keine natürliche Sympathie und keine Gemeinschaft der Lebensbedürfnisse und der Gewöhnung, der tausend Zufälligkeiten des Tages – in ein Gefühl von Achtung und tiefster Verbundenheit umzuschaffen wußte, für das es doch wohl keinen anderen Namen als den umfassenden «Liebe» gibt. Freilich, keine Liebe war je so ganz wie diese von oben gezeugt. Wie Schiller sich ihr allmählich hingab, er, der so wenig der Hingabe Fähige, haben wir stufenweise verfolgt. Für Goethe aber begann erst jetzt das Geschäft des eigentlichen Erkennens, ein endloses, oft beängstigendes, fast über die Kraft belebendes Glück. Schillers ständiges Weiterschreiten, die grenzenlose Willenskraft blieb ihm, dem Zögernden, Tastenden, zeitlebens ein unergründliches Rätsel, hielt ihn fest und befremdete ihn und zog ihn wieder in ihren Bann. Bis in die letzten Lebensjahre kam er in allen Äußerungen, in kritischen und bewundernden, immer wieder auf dieses Eine zurück:

«Riemer erinnerte an Schillers Persönlichkeit», erzählt uns Eckermann am 18. Januar 1825. «Der Bau seiner Glieder, sein Gang auf der Straße, jede seiner Bewegungen, sagte er, war stolz, nur die Augen waren sanft. ‚Ja‘, sagte Goethe, ‚alles übrige an ihm war stolz und großartig, aber seine Augen waren sanft. Und wie sein Körper war sein Talent. Er griff in einen großen Gegenstand kühn hinein und betrachtete und wendete ihn hin und her und handhabe ihn so und so. Er sah seinen Gegenstand gleichsam nur von außen an, eine stille Entwicklung aus dem Innern war nicht seine Sache.»

Am 17. Januar 1827 ist wieder von Schiller die Rede. Goethe vergleicht ihn mit jüngeren Dichtern.

«Schiller mochte sich stellen, wie er wollte, er konnte gar nichts machen, was nicht immer bei weitem größer herauskam als das Beste dieser Neuern; ja wenn Schiller sich die Nägel beschnitt, war er größer als diese Herren.»

Am 11. September 1828 äußert sich Goethe über Erinnerungen an Schiller, die eine Verwandte aufgezeichnet hat:

«Schiller erscheint hier, wie immer, im absoluten Besitz seiner erhabenen Natur; er ist so groß am Teetisch, wie er es im Staatsrat gewesen sein würde. Nichts geniert ihn, nichts engt ihn ein, nichts zieht den Flug seiner Gedanken herab; was in ihm von großen Ansichten lebt, geht immer frei heraus ohne Rücksicht und ohne Bedenken. Das war ein rechter Mensch, und so sollte man auch sein! – Wir anderen dagegen fühlen uns immer bedingt; die Personen, die Gegenstände, die uns umgeben, haben auf uns ihren Einfluß; der Teelöffel geniert uns, wenn er von Gold ist, da er von Silber sein sollte, und so, durch tausend Rücksichten paralysiert, kommen wir nicht dazu, was etwa Großes in unserer Natur sein möchte, frei auszulassen. Wir sind die Sklaven der Gegenstände und erscheinen geringe oder bedeutend, je nachdem uns diese zusammenziehen oder zu freier Ausdehnung Raum geben.»

Dies alles vereinigt sich in den Versen des «Epilogs zu Schillers Glocke»:

> «Und hinter ihm, in wesenlosem Scheine,
> Lag, was uns alle bändigt, das Gemeine.»

Nur Niedertracht entdeckt in der Freundschaft, von der nun zu erzählen sein wird, heimlich schwelende falsche Gefühle. Schiller mochte sich manchmal über Goethes Unschlüssigkeit beklagen, Goethe sich allzu gewaltsamen Anforderungen unbemerkt entziehen. Das fällt kaum ins Gewicht gegenüber dem immer wieder bezeugten Vertrauen, das keine Intrige zu stören, keine Einflüsterung zu beirren vermochte. Ein freilich fast unglaubwürdiges Schauspiel! Doch auch das Unglaubwürdige anzuerkennen, ist Pflicht der Geschichtschreibung.

POLEMISCHES VORSPIEL

Das Jahr 1794 bescherte Goethe die große Wendung, deren er, wie er selbst wiederholt versichert hat, gar sehr bedurfte. Zunächst schien die Berufung Fichtes an die Jenaer Universität erfreuliche Aussichten zu eröffnen. In einem Brief vom 24. Juni spricht Goethe die Hoffnung aus, daß Fichte ihn mit der Philosophie versöhnen und aus Begriffen erweisen werde, was ihm selbst an der Natur durch stetiges Betrachten und Vergleichen aufgegangen war. Er übereilte sich damit und wollte schon in Fichte finden, was erst Schelling zu leisten vermochte. Fichte blieb aber immerhin, trotz manchen persönlichen Schwierigkeiten, ein schätzenswerter Bundesgenosse und trug als erster dazu bei, daß die Gewichte sich allmählich wieder zu Goethes Gunsten verschoben.

Zu gleicher Zeit kam das Ehepaar Wilhelm und Caroline von Humboldt nach Jena und wurde zum Mittelpunkt eines Kreises, der Goethes Welt begünstigte und sich der Maße versicherte, mit denen er seit der italienischen Reise Kunst und Leben maß.

Alles wurde aber bald überschattet durch die Begegnung des Dichters mit dem Dichter, Goethes mit Schiller, deren Gründe wir kennengelernt und deren fast unübersehbare Folgen wir nun zu würdigen haben werden.

Es lag in Schillers Art, die Fronten festzulegen, Freund und Feind gegenüberzustellen, die Kräfte zu sammeln und gehörig einzusetzen. So war er denn kaum zu einiger Klarheit über das Wahre und Schöne gelangt, als er bereits mit den «Horen» hervortrat, einer Zeitschrift, die gemäß der Ankündigung ausdrücklich bestimmt war, die besten Autoren zu vereinigen und alle übrigen Journale Deutschlands aus dem Felde zu schlagen. Man weiß, wie wenig der Erfolg der hochgespannten Erwartung entsprach. Als Goethe die mit Schiller gewechselten Briefe herausgab, bemerkte er:

«Was kann heiterer sein, daß es beinahe komisch wird, die Briefe mit der pomposen Ankündigung der Horen anfangen zu sehen und gleich darauf Redaktion und Teilnehmer ängstlich um Manuskript verlegen.

Das ist wirklich lustig anzuschauen, und doch, wäre damals der Trieb und Drang nicht gewesen, den Augenblick aufs Papier zu bringen, so sähe in der deutschen Literatur alles anders aus... Hätt es ihm nicht an Manuskript zu den Horen und Musenalmanachen gefehlt, ich hätte die Unterhaltungen der Ausgewanderten nicht geschrieben, den Cellini nicht übersetzt, ich hätte die sämtlichen Balladen und Lieder, wie sie die Musenalmanache geben, nicht verfaßt, die Elegien wären, wenigstens damals, nicht gedruckt worden, die Xenien hätten nicht gesummt, und im Allgemeinen wie im Besondern wäre gar manches anders geblieben[1].»

Wir sehen es auch heute nicht anders. Als die «Horen» schon nach den ersten Heften dürftiger wurden und bereits im Jahre 1797 von der Bildfläche verschwanden, schien ein großer Aufwand schmählich vertan und das Unternehmen gescheitert. Aber die kleine Gruppe, der das Wesentliche zu sagen bestimmt war, hatte sich doch vor aller Augen zu ihren gemeinsamen Zielen bekannt und konnte nicht mehr übersehen, nur noch angefeindet werden. Ein Höhepunkt der neueren Bildung war, wenn auch unzulänglich, markiert; und wenn die Wirklichkeit versagte, so triumphierte die Idee: Die meisten Hefte der «Horen» vermögen heute niemanden mehr zu begeistern. Der Name aber, als Symbol der deutschen Klassik, gebietet uns Ehrfurcht.

Schiller hätte gerne «Wilhelm Meisters Lehrjahre» aufgenommen. Doch der Roman war schon vergeben. So lieferte Goethe zunächst die *«Episteln»*, die sich im Stil der Briefe des Horaz über Dichter und Publikum äußern und die alte Klage, daß Poesie nichts auszurichten vermöge und weder bessere noch belehre, insofern zum Guten wenden, als sie nun vor allen Dingen die Unschädlichkeit der Bücher betonen und die wahre Bildung des Menschen getrost dem Leben überlassen. Von einem neuen Selbstvertrauen Goethes ist hier noch wenig zu spüren. Nachlässig in der Wortwahl, in der Komposition unausgeglichen, improvisierend, aber ohne die Anmut der Improvisation, halb übel gelaunt und halb versöhnlich, gehören die «Episteln» noch durchaus der Epoche des Unglaubens an, bedeuten als Anfang

[1] An Staatsrat Schultz, 10. Jan. 1829.

einer Zeitschrift einen doch eher unhöflichen Akt und sind vor allem mit Schillers weitgesteckten Zielen schwer zu vereinen. Die Lähmung steckt Goethe noch in den Gliedern. Auch den «Unterhaltungen deutscher Ausgewanderten», die den «Episteln» folgen, fehlt der echte Glanz. Erst der Aufsatz «*Literarischer Sansculottismus*», der 1795 in den «Horen» erschien und den Dichter Daniel Jenisch und seine ungehörige Kritik an der deutschen Literatur abfertigt, verkündet wie ein Wächterruf den Anbruch eines neuen Tags.

Goethe beklagt sich darüber, daß ein verantwortungsloser Thersites den Deutschen die «Armseligkeit an vortrefflich klassisch prosaischen Werken» vorwerfe und nimmt den Anlaß wahr, um auszusprechen, was *er* unter «klassisch» verstehe:

«Wann und wo entsteht ein klassischer Nationalautor? Wenn er in der Geschichte seiner Nation große Begebenheiten und ihre Folgen in einer glücklichen und bedeutenden Einheit vorfindet; wenn er in den Gesinnungen seiner Landsleute Größe, in ihren Empfindungen Tiefe und in ihren Handlungen Stärke und Konsequenz nicht vermißt; wenn er selbst, vom Nationalgeiste durchdrungen, durch ein einwohnendes Genie sich fähig fühlt, mit dem Vergangnen wie mit dem Gegenwärtigen zu sympathisieren; wenn er seine Nation auf einem hohen Grade der Kultur findet, so daß ihm seine eigene Bildung leicht wird; wenn er viele Materialien gesammelt, vollkommene oder unvollkommene Versuche seiner Vorgänger vor sich sieht, und so viel äußere und innere Umstände zusammentreffen, daß er kein schweres Lehrgeld zu zahlen braucht, daß er in den besten Jahren seines Lebens ein großes Werk zu übersehen, zu ordnen und in *einem* Sinne auszuführen fähig ist[2].»

Schillers Geburtstagsbrief klingt nach. Dieselben Schwierigkeiten, die Schiller an Goethes Weg bemerkt und deren Überwindung er ihm zur höchsten Ehre angerechnet hat, hält Goethe in dieser Schrift den deutschen Autoren insgesamt zugute. Er nennt es sogar höchst ungerecht, von Deutschland «klassische» Dichter zu fordern, und wünscht die Umwälzungen nicht, welche in Deutschland klassische Werke vorzubereiten imstande wären.

[2] XIV, 181.

210

Damit scheint er auf eine gewaltsame Einigung des Volkes zu deuten, so wie sie etwa in Frankreich im 17. Jahrhundert durchgeführt worden ist. Der Ausdruck «klassisch» wird hier also nicht in demselben Sinne wie in der «Italienischen Reise» gebraucht. Er meint nicht eine von Raum und Zeit gelöste allgemein menschliche Wahrheit, sondern die historisch bedingte, unwiederholbare höchste Erfüllung eines nationales Geistes. Wenn wir das eingesehen haben, löst sich der scheinbare Widerspruch von Pessimismus und Hoffnung auf, in dem sich Goethes Denken bewegt, und finden wir das Problem der deutschen Literatur so zugespitzt: Gerade weil eine nationale Klassik in Deutschland nicht zu erwarten, vielleicht sogar nicht einmal wünschenswert ist, bedarf es einer Klassik, wie Goethe sie in Italien konzipiert hat: der auf der Natur und auf der Antike gegründeten ewigen Gegenwart. Ähnlich, nur schroffer, spricht sich Schiller in seinen «Ästhetischen Briefen» aus, zumal im neunten, wo es heißt:

«Der Künstler ist zwar der Sohn seiner Zeit, aber schlimm für ihn, wenn er zugleich ihr Zögling oder gar noch ihr Günstling ist. Eine wohltätige Gottheit reiße den Säugling beizeiten von seiner Mutter Brust, nähre ihn mit der Milch eines besseren Alters und lasse ihn unter fernem griechischem Himmel zur Mündigkeit reifen. Wenn er dann Mann geworden ist, so kehre er, eine fremde Gestalt, in sein Jahrhundert zurück; aber nicht, um es mit seiner Erscheinung zu erfreuen, sondern furchtbar wie Agamemnons Sohn, um es zu reinigen. Den Stoff zwar wird er von der Gegenwart nehmen, aber die Form von einer edleren Zeit, ja jenseits aller Zeit, von der absoluten unwandelbaren Einheit seines Wesens entlehnen. Hier aus dem reinen Äther seiner dämonischen Natur rinnt die Quelle der Schönheit herab, unangesteckt von der Verderbnis der Geschlechter und Zeiten, welche tief unter ihr in trüben Strudeln sich wälzen[3].»

Künstler dieser Art und Wegbereiter solcher Künstler gilt es gegen schnöde Kritik zu schützen. Wer sie belästigt, macht sich des «literarischen Sansculottismus» schuldig. In diesem Titel wird abermals ein Zug der neuen Klassik sichtbar. Goethe sieht sie in einem Zusammenhang mit der Französischen Revolution, in

[3] 9. Brief «Über die ästhetische Erziehung des Menschen».

einem Zusammenhang jedoch, der nicht, wie die marxistische Literaturwissenschaft uns einreden will, wohlwollende Betrachtung oder gar leidenschaftlicher Anteil ist, sondern erklärter Gegensatz, Behauptung des Gültigen gegen den Aufruhr einer zwar vergänglichen, aber im Augenblick hochgefährlichen Macht. Die «Venetianischen Epigramme» hatten darüber schon Klarheit geschaffen. Die üble Laune dieser kleinen Gedichte aber schlug nun um in eine entschlossene Kampfstimmung. Und bis zum Übermut steigerte diese Stimmung sich in den «*Xenien*», dem großen Skandal des Musenalmanachs von 1797.

«Die Xenien», sagt Goethe in den «Annalen», «die aus unschuldigen, ja gleichgültigen Anfängen sich nach und nach zum Herbsten und Schärfsten hinaufsteigerten, unterhielten uns viele Monate und machten, als der Almanach erschien, noch in diesem Jahre die größte Bewegung und Erschütterung in der deutschen Literatur. Sie wurden, als höchster Mißbrauch der Preßfreiheit, von dem Publikum verdammt. Die Wirkung aber bleibt unberechenbar[4].»

Dies zu verstehen ist heute nicht leicht. Wir gewinnen den Eindruck, daß weder Goethe noch Schiller im Polemischen eine besondere Stärke entfaltet haben; und daß sie sich selber während der Arbeit über die Maßen belustigten, daß das Arbeitszimmer Schillers stundenlang von Gelächter dröhnte, scheint uns beinahe unglaubhaft. Die meisten Stücke sind gesucht, mühsam im Witz und schwächlich als Hiebe, jedenfalls nicht zu vergleichen mit einigen bösen Epigrammen Kleists und mit den Sinngedichten Lessings. Schiller mag es noch öfter gelingen, in einem Distichon einen Gedanken scharf und sicher herauszuarbeiten. Für Goethes mildere Art dagegen scheint der Raum zu schmal zu sein. Ihm liegt es mehr, sich stufenweise und allmählich auszusprechen.

Doch damit setzen wir voraus, daß sich der Anteil der beiden Dichter immer reinlich sondern lasse. Das ist nun freilich nicht der Fall. Schon die «Xenien» selber weisen (mit einem Seitenhieb auf F. A. Wolf und seine Aufteilung der «Ilias») alle Versuche dieser Art mit Hohn zurück, und Goethe hat später erklärt,

[4] Annalen 1796.

oft habe er den Einfall geliefert, Schiller die Formulierung, und umgekehrt; oft habe der eine nur den ersten, oft nur den zweiten Vers verfaßt. Wir dürfen nicht zweifeln, daß es im allgemeinen so gewesen ist. Immerhin lassen sich große Partien als Schillers Eigentum aussondern, so der Zodiakus, so der Zyklus der deutschen Flüsse, so das Gespräch mit Shakespeares Schatten und so der lange Streit über die neuere Philosophie. Das ist indes keine wichtige Frage. Die «Xenien» bleiben doch ein Ganzes, ausgerichtet auf das Vorbild des Satirikers Martial, einträchtig in der verwegenen Laune, einheitlich in der äußeren Gestalt, der strengen Beschränkung jedes Epigramms auf ein einziges Distichon.

Es liegt am Thema der Xenien, der höchst ironischen Gastgeschenke, daß sie sich meist auf Personen beziehen, die uns nicht mehr interessieren oder doch wenig Respekt einflößen, so etwa auf Timotheus Hermes, der sich einst mit «Sophiens Reise von Memel nach Sachsen» (1769–73) bekannt gemacht hatte, doch seither mit langatmigen Romanen lästig geworden war; auf Johann Caspar Friedrich Manso, den Breslauer Rektor und Sittenrichter; auf den Puristen Campe ferner, oder auf Joh. L. Ewald, einen Jugendfreund Goethes, der 1793–95 die fromme Zeitschrift «Urania für Kopf und Herz» veröffentlicht hatte. Es lohnt sich nicht, darauf einzugehen. Schon die wenigen Namen verbreiten Langeweile und Überdruß; und das genügt zum rechten Verständnis von Goethes und Schillers polemischem Ton.

Mehr Beachtung verdienen Persönlichkeiten wie Gleim und Nicolai. Beide spielten einige Jahrzehnte früher neben Lessing, Ramler, Ewald von Kleist eine rühmliche Rolle, Gleim vielleicht nicht so sehr als Dichter denn als Gastfreund und Förderer aller liebenswürdigen Poesie. Unterdessen war sein Geschmack aber mehr und mehr veraltet und seine einst so rührende Herzlichkeit ins Kindische und Alberne übergegangen. Das mußte er sich sagen lassen. Schlimmer erging es Nicolai. Er hatte seine besten Tage als Mendelssohns und Lessings Freund, als Mitarbeiter an den «Briefen die neueste Literatur betreffend» und als Herausgeber der «Allgemeinen deutschen Bibliothek» erlebt. An den damals, in den sechziger Jahren, entwickelten Ideen hielt er unerschütterlich fest. Dagegen war nichts einzuwenden. Doch leider fühlte er sich berufen, über alles Neue als höchste Autorität des Geschmacks zu befinden. Er tat dies auch in seiner «Beschreibung einer Reise durch Deutschland und die Schweiz», die in zahlreichen Bänden 1783–96 erschien. Im elften Band vor allem ließ er sich gegen die «Horen», die Kantianer, besonders Fichte und Schelling, aus. Daraufhin wurde im Lager Goethes und Schillers der Kriegszustand erklärt. Eine ganze Reihe von Xenien ist auf Nicolai gemünzt. Sogar sein Name wurde verstümmelt und als Νικο-λαος, der dem Volk zum Sieg verhilft, interpretiert – «aus Mangel besseren Witzes», wie der Betroffene nicht zu Unrecht bemerkte[5]. Da sich Nicolai aber noch immer mit Lessing einig fühlte, mußte Klarheit geschaffen werden. So tief man den letzten Hüter der deutschen Aufklärung hinunterdrückte, so hoch erhob man seinen Freund. Als Achill in der Unterwelt erscheint der tote Lessing mit allen Ehren in den Xenien 338–340:

«*Achilles*

Vormals im Leben ehrten wir dich, wie einen der Götter,
    Nun du tot bist, so herrscht über die Geister dein Geist.

Trost

Laß dich den Tod nicht reuen, Achill! Es lebet dein Name
    In der Bibliothek schöner Scientien hoch.

Seine Antwort

Lieber möcht ich fürwahr dem Ärmsten als Ackerknecht dienen,
    Als des Gänsegeschlechts Führer sein, wie du erzählst. »

Wieder ein anderer Fall war Friedrich Leopold Graf zu Stolberg, einst der stürmische Jugendgefährte Goethes, jetzt, zum Katholizismus neigend, ein unversöhnlicher religiöser Eiferer, Feind der Götter Griechenlands und aller heidnischen Greuel, die, nach seiner Meinung, in Weimar blühten. Wir erinnern uns, daß er

[5] Xenien 1796, nach den Handschriften des Goethe- und Schiller-Archivs hg. von Erich Schmidt und B. Suphan, Schriften der Goethe-Gesellschaft, 8. Bd., Weimar 1893, S. 205.

sich schon früher mit Goethe verfeindet hatte, als Carl August ihn als Kammerherrn nach Weimar berufen wollte [6]. Stolberg hatte sich damals im letzten Augenblick wieder anders besonnen, beeinflußt von Klopstock, der sich über das Treiben am Weimarer Hof empörte und seine Entrüstung in einem Brief an Goethe glaubte mitteilen zu müssen. Goethes Antwort liegt uns vor. Sie ist entschieden, aber höflich und verleugnet die Verehrung des Messiassängers nicht. Jetzt ging es weniger höflich zu. Auch Klopstock, schon ein alter Mann, wurde in den Xenien nicht verschont, was offene Türen einrennen hieß. Denn Klopstock wurde schon am Ende des Jahrhunderts kaum mehr gelesen, höchstens noch als ehrwürdiger Literaturpatriarch mit einer gewissen scheuen Verehrung betrachtet. Auf seine großen Verdienste um die deutsche Sprache hinzuweisen, eine «Rettung» in der Weise Lessings ihm angedeihen zu lassen, wäre origineller gewesen als dieser unnötige Todesstoß. Doch Goethe und Schiller sahen, wie bei Stolberg so bei Klopstock, in jeder Art von religiöser Poesie den gefährlichsten Gegner des Klassischen. Und also gewährten sie keinen Pardon. Dasselbe mußten Matthias Claudius, Lavater und Jung-Stilling erfahren, wobei denn zwischen geistlicher und weltlicher Empfindsamkeit nicht ängstlich unterschieden wurde. Denn auch die letztere verwehrte jenes reine Schauen und interesselose Wohlgefallen, von dem sich Goethe und Schiller allein das höhere Wohl der Menschheit versprachen. Immerhin zeugt es von einem Rest von Gerechtigkeit bei währendem Kampf, daß eine Begabung wie die Jean Pauls in ihrem Reichtum anerkannt, wenn auch in ihrer Verwirklichung im Einzelnen nicht gebilligt wurde.

Sehr gefährlich war es, den jungen Friedrich Schlegel anzugreifen. Wie er sich entwickeln würde, konnte man damals nicht voraussehen. Er hatte seine ästhetische Bildung vor allem Schiller zu verdanken und schien zunächst entschlossen, seinen Meister auch gegen die Kritik der näheren Freunde, August Wilhelms und Carolines, zu verteidigen. Eine in der Zeitschrift «Deutschland» erschienene Rezension von Schillers Almanach war, nach den Begriffen, die in romantischen Kreisen herrschten, wohlwollend, günstig, verehrungsvoll. Nach Schillers Begriffen freilich

[6] Vgl. Bd. I, S. 269.

nicht. Er fühlte sich durch einige beiläufige Glossen schwer verletzt und schlug mit den schärfsten Waffen zurück. Eine Gruppe von Distichen parodiert und isoliert die Bedenken Schlegels gegen Schillers Lyrik. Eine zweite Gruppe verspottet Friedrich Schlegels Gräkomanie. Die Gründe sind nicht leicht zu erkennen. Denn gerade diese Bestrebungen Friedrich Schlegels stimmten so sehr mit Schillers Ideen überein, daß man sich eher eine herzliche Verbrüderung hätte versprechen sollen. Doch einer solchen stand der Charakter des jungen Literaten im Weg. Und in der Folge zeigte es sich, daß Schillers Verdacht berechtigt war.

Über Gebühr viel Platz beansprucht der Musiker und Journalist Reichardt, Salinendirektor in Giebichenstein. Er war früher Goethe nahegestanden, von Italien aus zur Komposition des «Groß-Cophta» aufgefordert worden und hatte noch 1789 die Lieder für «Claudine von Villa Bella» und in den neunziger Jahren die Lieder zu «Wilhelm Meisters Lehrjahren» vertont. Diese Verbindung hörte nie auf. Reichardt fuhr fort, sich durch Goethesche Texte zu Melodien anregen zu lassen. In jeder Sammlung von Goethe-Liedern darf er sich neben Zelter behaupten. Goethe seinerseits war, wie die «Annalen» bezeugen, schon 1802 wieder mit dem seltsamen Manne versöhnt. Zur Zeit der Xenien aber verdroß ihn Reichardts unverhohlene Neigung zur Französischen Revolution und die journalistische Geschäftigkeit, mit der er diese Neigung kundgab. So werden vor allem die beiden Publikationen aufs Korn genommen: «Frankreich im Jahre 1795, aus Briefen deutscher Männer in Paris, mit Belegen – La vérité, rien que la vérité, toute la vérité» und «Deutschland» (1796), ein höchst leichtfertig redigiertes Blatt. Das war am Platz. Doch daß daneben auch Reichardts Musik einen Hieb bekam, war ungerecht und undankbar und nur in der Hitze des Gefechts verzeihlich.

Damit nähern wir uns bereits dem politischen Teil der Xenien. Schiller, der zu seinem Schrecken als Autor der «Räuber» im Jahre 1792 von der französischen Nationalversammlung zum «citoyen français» ernannt worden war, stand seit der Auseinandersetzung mit Kant aller irdischen Freiheit und Gleichheit ebenso skeptisch gegenüber wie Goethe. So konnten beide auch das politische Thema in Einem Geist behandeln.

Im Sinne Goethes dürfen hier die Distichen gegen die vulka-
nistischen Geologen angeschlossen werden; denn Vulkanismus
und Revolution bedeuten für ihn auf zwei verschiedenen Gebieten dieselbe verwerfliche, dem Stetigen abgeneigte Gesinnung.
Auf die geologischen Distichen folgen die heftigen Angriffe gegen
Newton, die bereits in dem Ton jener seltsamen Erregung gehalten sind, die später den polemischen Teil von Goethes Farbenlehre zu einem so unerquicklichen Buch machen wird.

Doch mit dem Unerquicklichen haben die Xenien es nun schon
so lange zu tun, daß sich die Frage nach helleren Farben immer
gebieterischer aufdrängt. Nun gibt es einige mit hoher Ehrung
ausgezeichnete Namen auch in dieser bösen Anthologie. Lessing
wurde bereits erwähnt. Er hebt sich scharf von denen ab, die
seine Freunde hießen und sich noch jetzt auf ihn zu berufen
wagen. Ähnlich sehen Goethe und Schiller, vor allem natürlich
Schiller, Kant im Verhältnis zu denen, die ihm folgen und seine
Lehre in Mißkredit bringen. Nur Kants rigorosen Moralismus
finden wir einige Male gerügt. Unter den jüngeren Denkern behauptet sich Fichte als eindrucksvolle Gestalt. Wieland muß sich
gefallen lassen, als launische Jungfer zu erscheinen. Ein anderes
witziges Distichon rügt seine endlos langen Sätze. Doch Nr. 259
läßt eine gemessene Achtung erkennen:

« *Merkur*

Wieland zeigt sich nur selten, doch sucht man gern die Gesell-
[schaft,
Wo sich Wieland auch nur selten, der seltene, zeigt.»

Im selben Zwielicht erscheint auch Voß. Man tadelt die metrischen Pedanterien und spricht das ehrlichste Entzücken über seine
«Luise» aus.

Damit hellt sich das Gesamtbild immerhin ein wenig auf. Es
würde noch befriedigender, wenn wir die ganze Sammlung, wie
sie zuerst gedacht war, würdigen wollten, also auch die «*Tabulae
votivae*» und einige Epigramme, die Schiller in letzter Stunde,
gegen Goethes Überzeugung, ausschied. Manches ist hier freilich

noch gröber und beleidigender als in den Xenien, die in den Almanach eingingen, und wurde nur beiseitegelassen, weil man sich
immerhin keine eigentlichen Injurien leisten wollte. Daneben
gibt es da aber auch Stücke, die nichts als eine künstlerische Einsicht, einen ästhetischen Grundsatz enthalten und so die klassische
Welt mit Ruhe gegen die Welt des Tages behaupten. Dergleichen
fesselt uns heute mehr. Doch damals hätte es die Wucht des
Angriffs zweifellos vermindert. Schiller, der große Regisseur und
Politiker, wußte, was er tat, als er einige hundert Xenien strich.
Auf seine Absicht, der sich Goethe nolens volens auch bequemte,
haben wir jetzt noch einzugehen.

Da nehmen wir denn die Xenien als treues Bild der Lage, wie
sie sich den beiden Freunden darbot, als sie, gefestigt durch ihre
unerwartete Übereinstimmung, eine neue Kunst zu begründen
gedachten. Der stürmische Aufbruch der siebziger Jahre war ein
Zwischenspiel gewesen. Die meisten Dichter, die sich damals so
laut gebärdet hatten, waren längst verschollen oder verstummt.
Andere, wie Lavater, Stolberg und Jacobi, gefielen sich in einer
sturen Frömmigkeit. Auch die empfindsame Richtung trieb in
Romanen, Taschenbüchern und Damenkalendern noch einige
späte Blüten. Daß die Epoche eine unerläßliche Phase in der
Geschichte des deutschen Geistes gewesen war, erkannte man
damals nicht und vermochten auch Goethe und Schiller, die einzigen legitimen Erben, noch nicht zu sehen. Wo sie Reste des
kraftgenialischen Geistes wahrzunehmen glaubten, teilten sie
ihre Hiebe aus.

Da galt es aber unverzüglich, einer Verwechslung vorzubeugen.
Nicolai hatte sich einst über «Werthers Leiden» lustig gemacht.
Wenn Goethe nun selber den «Werther» und die Nachkommen-
schaft des «Werther» schmähte, so wollte er doch keineswegs mit
einem ‚pater peccavi' in Nicolais Lager übertreten. Die Alten, die
es sich nach der Störung wieder bequem zu machen versuchten
und die sich wohl gar als Sieger fühlten, waren ihm und Schiller
nicht minder zuwider als die anarchische Jugend. Wir sahen: nur
gerade ein Künstler von dem hohen Range Wielands konnte sich
vor ihrem unbarmherzigen Gericht mit Not behaupten. Und
wenn sie schließlich, in Friedrich Schlegel, sogar die Jüngsten

befehdeten, wenn sich auch ein Gegensatz von Klassik und Romantik schon abzuzeichnen beginnt, so kann man sich kaum genug über solche unvorsichtige Taten wundern. Von Kant und Fichte, die sie lobten, war in literarischen Dingen wenig Hilfe zu erwarten. Unter den Dichtern aber ließen sie keinen einzigen ungeschoren. Selbst die Nächsten verletzten sie noch mit einem kleinen Nadelstich. So sicher waren sie ihres Rechts und sicher der Kraft, es zu vertreten. Heute sehen wir freilich, daß sie meist nur Geister zur Strecke brachten, die, ohne es zu wissen, schon eines natürlichen Todes gestorben waren. Wir verstehen auch, daß sie sich mit ihrer göttlichen Impudenz für Jahre des Kleinmuts, des Zweifels und des Irrewerdens entschädigten, Schiller für seine mit philosophischen Spekulationen verlorene Zeit, Goethe für den unendlichen Gram, den ihm die Heimat nach der Rückkehr aus Italien bereitet hatte. Nach außen aber mußte beider Benehmen wahrhaft tollkühn wirken. Denn worauf stützte sich ihr Anspruch? Die Gesamtausgabe der Goetheschen Schriften, so wie sie damals vorlag, bot ein seltsames, uneinheitliches und wenig imponierendes Bild. Mit «Wilhelm Meisters Lehrjahren» hatte die Welt sich noch nicht auseinandergesetzt. Der «zarte Menschensinn» der «Iphigenie» und die Sitte des «Tasso», sofern man sie überhaupt gewahrte, wurden durch die «Römischen Elegien» und die «Venetianischen Epigramme» grob verletzt. Schillers dramatische Glut war erloschen. Er schrieb geschichtliche Abhandlungen, ästhetische Versuche und Gedichte, in denen niemand den Verfasser der «Räuber» wiedererkannte. Entgleiste und ratlose Talente schienen es auf Verwirrung und Überraschung abgesehen zu haben, um die Aufmerksamkeit des Publikums mit Gewalt zurückzugewinnen. So ungefähr stellte die Lage sich dar. Der Sturm der Entrüstung war ungeheuer und, nach menschlichem Meinen, berechtigt.

Für Goethe und Schiller aber war das nur ein unerläßliches Vorspiel für das Eigentliche, das kam, das, in der Stille gereift, ihr Gemüt als herrliche Verheißung entzückte. Sie hatten sich das Lästige und Widrige von der Seele gescherzt; und während rings der Lärm losbrach, bereiteten sie die Werke vor, in denen der neue, von Goethe so zuversichtlich verkündete Tag anbrach.

Derselbe Musenalmanach für 1797, der mit den «Xenien» die deutsche Öffentlichkeit in unbeschreiblichen Aufruhr versetzte, brachte als Einleitungsgedicht die Elegie «*Alexis und Dora*», seit den «Römischen Elegien» das erste größere poetische Werk, in dem sich der Genius Goethes wieder mit vollem Jugendglanz entfaltet, zugleich die Dichtung, die, musterhaft, vorbildlich im wahrsten Sinne des Wortes, die Reihe der hochklassischen Schöpfungen des Jahrhundertendes eröffnet und eine erste Summe aus den Erkenntnissen zieht, die das Studium der Natur und der Künste gezeitigt hat.

Wie in den «Römischen Elegien» beglückt uns auch hier die fest umrissene, hell beleuchtete Gegenwart, die kein Entweichen der Phantasie in unbestimmte Räume gestattet, in der die Körperlichkeit der Dinge und Gestalten hervortritt und das Auge sich an Farben und Formen unter südlicher Sonne labt:

«Eilig warst du und frisch, zu Markte die Früchte zu tragen,
   Und vom Brunnen, wie kühn! wiegte dein Haupt das Gefäß.»

«Schweigend begannest du nun geschickt die Früchte zu ordnen:
   Erst die Orange, die schwer ruht, als ein goldener Ball,
Dann die weichliche Feige, die jeder Druck schon entstellet;
   Und mit Myrte bedeckt ward und geziert das Geschenk[1].»

Wieder gliedert die Bildlichkeit sich in Distichen oder einzelne Verse und lädt uns manche Zeile zu verweilender Betrachtung ein. Aber von dem, was das neue Gedicht mit den «Römischen Elegien» gemein hat, soll hier nicht die Rede sein. In «Alexis und Dora» hat sich Goethe ein höheres Ziel gesetzt und den antiken Dichtern gegenüber, so nah er sich ihnen noch immer fühlt, mit größerer innerer Freiheit behauptet.

Es fällt zunächst auf, wie viel zarter nun wieder, neuzeitlicher Sitte angemessener, alles Erotische angerührt wird. Die Freude

[1] Ich zitiere ausnahmsweise nach dem Text der Hamburger Goethe-Ausgabe, Bd. I, hg. von E. Trunz, 1948, da er die nachträglichen, durch A. W. Schlegel veranlaßten, oft fast unbegreiflichen Änderungen wieder beseitigt.

am Nackten und an heidnisch-unproblematischer Sinnlichkeit, die sich in Rom und kurz nach der italienischen Reise so angriffslustig mit dem Preis der Schönheit antiker Plastik und Poesie verbindet, hat sich beruhigt und fügt sich in ein milderes, seelenvolleres Ganzes. In der Richtung, die einige römische Elegien erst andeuten, rücken wir weiter ab von Properz. Wir stehen ihm auch thematisch ferner, da der römische Schauplatz fehlt. Auf «klassischem Boden», wo das «Große war und ist und sein wird», spielt zwar auch die neue Elegie, am Mittelmeer nämlich, aber nun in einer kleinen Küstenstadt[2], die Goethe erlaubt, die Landschaft in homerischem oder bukolischem Stil, wie er sie liebte, einzubeziehen und so das Menschliche wärmer in das Wachstum der Natur zu betten.

Der Raum ist also bestimmt. Und die Zeit? Bei den «Römischen Elegien» fiel die Antwort auf diese Frage nicht schwer. Die Zeit bestimmte sich durch Goethes Ankunft in der Ewigen Stadt, den Augenblick, in dem er aus der Zeitlichkeit des nordischen Lebens in die zeitentrückte Sphäre des klassischen Bodens übertrat, und den zweiten, nur leise angedeuteten Augenblick, den Tod, der ihn aus dem unvergänglichen Sein zu scheiden nötigen wird. Das heißt, die «Römischen Elegien» waren, nach dem Goetheschen Sprachgebrauch, «Gelegenheitsgedichte», Denkmale glücklicher Stunden und Tage, die einmal begannen und leider endeten, ehe der Tod ihn abberief.

«Alexis und Dora» gründet nicht in einem lebensgeschichtlichen Anlaß. Da der Held Alexis heißt, ist freilich die Bemerkung erlaubt, daß Goethe 1779 im Wallis von einer Wirtin die Alexislegende erzählen hörte, die Geschichte des Heiligen, der am Tage der Hochzeit die Braut verläßt und allein zu Schiff in die Fremde zieht, und daß ihn diese Geschichte, vielleicht in Erinnerung an den Abschied von Lili Schönemann, bis zu Tränen rührte. In der Elegie spricht Goethe aber nicht in eigenem Namen. Alles ist so sehr verwandelt und abgelöst von seiner Person, daß unser biographischer Hinweis wenig zum Verständnis beiträgt. Und nicht nur mit seiner Lebensgeschichte, sondern mit aller Zeit über-

---

[2] Das Städtchen ist in der Fassung des Musenalmanachs, die E. Trunz – siehe Anm. 1 – wiedergibt, noch deutlicher sichtbar.

haupt hat der neue Alexis nichts zu schaffen. In einem Brief an Schiller nimmt Goethe das «einfache goldne Alter[3]» in Anspruch. Dazu stimmt, daß er das Gedicht zuerst als «Idylle» bezeichnet hat. Wir sollen uns aber nicht wie bei Geßner oder noch bei dem Maler Müller von einem süßen Heimweh nach Vergangenem angewandelt fühlen. Goethe meint die goldene Zeit, von der die Prinzessin im «Tasso» sagt:

> «... sie war so wenig als sie ist,
> Und war sie je, so war sie nur gewiß,
> Wie sie uns immer wieder werden kann.»

In einem Raum, der alle Geschöpfe so begünstigt, daß sie sich frei zu ihrem eigenen Wesen entfalten, arbeitet Goethe die «wahren», das bedeutet, die seiner Idee gemäßen, jenseits allen geschichtlichen Wandels dauernden Züge des Daseins heraus, «Naturformen des Menschenlebens[4]» in übersichtlicher, schlichter Gestalt, so wie er sie zum ersten Mal auf den Grabreliefs im Maffeianum zu Verona mit Augen sah. Das liebende Paar, der geschäftige Knabe, der Vater, der «die ganze Idee der Reise in seinem Segen umfaßt[5]», die Mutter als Frau «im Einzelnen tätig», dazu der Schmuck für Doras Hals, das Lager, das die Wiedervereinigten «traulich und weichlich» empfangen wird, das Haus, der Garten, die Laube, die klassischen Früchte, Feige und Orange: so war es im Reich des Alkinoos; so wird es sein, solange der Mensch in gottgewolltem Sinne Mensch ist.

Im Hintergrund aber dehnt sich die unendliche blaue Fläche des Meers. Es lockt den Blick nicht in die Ferne. Es scheint viel eher eine fremde, fast unheimliche Zone zu sein:

«Welle! dein herrliches Blau ist mir die Farbe der Nacht.»

So aber, als das Nächtige, Gestaltlose, als ein $\accentset{\circ}{\alpha}\pi\varepsilon\iota\varrho o\nu$, das sich jedem Versuch, es zu fassen, entzieht, bildet es alles Gestaltete erst zu voller Herrlichkeit heraus. Es gewinnt eine fühlbare Macht von innen und bleibt von der Blässe einer klassizistischen Umriß-

[3] 7. Juli 1796.
[4] Vgl. dazu Victor Hehn, Gedanken über Goethe, Neuausgabe 1946.
[5] An Schiller, 7. Juli 1796.

zeichnung bewahrt – wie der Saal der Vergangenheit im «Wilhelm Meister» des düsteren ägyptischen Portals bedarf, um wahres Leben auszustrahlen, wie Helena neben Phorkyas sich gegen Schwindel und Öde festigt, wie sich seit alters Aphrodites Schönheit gegen die Fluten verdichtet. Auch Winckelmann – freilich widerspruchsvoll und ohne sich selber recht zu verstehen – beschwört in seiner Kunstgeschichte immer wieder die grenzenlose Weite und Tiefe des Meers herauf und steigert so das Wunder der im Stein verewigten Gestalt.

In dieser Bildung eines Horizonts der klassischen Gegenwart verrät sich eine Freiheit, die den «Römischen Elegien» fehlt. Dort sind wir gleichsam eingeschlossen mit den Dingen, mit den Menschen und Kunstgegenständen, die uns umgeben; hier scheint die Möglichkeit, sich aus der Leere eines Urbeginns für jenes oder dieses und also nun für dieses zu entscheiden, noch in der Entscheidung mitzuschwingen.

Auch darin aber erkennen wir noch nicht die bedeutsamste Steigerung von Goethes elegischer Poesie. Sondern es ist so, daß nun die Gegenwart selber sich vertieft und neue Dimensionen gewinnt, indem sie Vergangenheit und Zukunft in einer nur Goethe eigenen Weise in sich aufzunehmen vermag. Schiller, der sich abermals als der berufenste Leser erwies, versuchte einiges davon anzudeuten, wenn er an Goethe schrieb:

«Durch die Eilfertigkeit, welche das wartende Schiffsvolk in die Handlung bringt, wird der Schauplatz für die zwei Liebenden so enge, so drangvoll und so bedeutend der Zustand, daß dieser Moment wirklich den Gehalt eines ganzen Lebens bekommt. Es würde schwer sein, einen zweiten Fall zu erdenken, wo die Blume des Dichterischen von einem Gegenstande so rein und so glücklich abgebrochen wird [6].»

Das ist das Urteil eines dramatischen Dichters, zu dessen Geschäft es gehört, ein ausgebreitetes Geschehen räumlich und zeitlich zusammenzuziehen. Schiller scheint hier indessen mehr die geraffte Fabel im Auge zu haben als die seelische Verdichtung, auf die es Goethe vor allem ankommt. Alexis und Dora haben die Jahre der Kindheit und der ersten Jugend gleichgültig neben-

[6] 18. Juni 1796.

einander verbracht. Unmittelbar vor seinem Abschied werden sie sich ihrer Liebe bewußt. Und nun erhellt sich für Alexis der Sinn des ganzen Lebens von diesem einen glücklichen Augenblick aus:

«Nur Ein Augenblick wars, in dem ich lebte, der wieget
Alle Tage, die sonst kalt mir verschwindenden, auf.
Nur Ein Augenblick wars, der letzte, da stieg mir ein Leben
Unvermutet in dir, wie von den Göttern, herab.»

Die vergangenen Tage sind nur wertvoll als Vorbereitung des Liebesgrußes, als Zeit, in der der Liebende ahnungslos für die Geliebte gereift, in der sie ihm «täglich erschienen» ist, ihr Bild, noch ohne Wünsche zu wecken, sich seinem Herzen eingeprägt hat,

«Wie man die Sterne sieht, wie man den Mond sich beschaut.»

Und alle Zukunft lohnt sich nur, sofern sie eine Frucht der eben erst entfalteten Blüte ist, sofern Alexis Dora wiederfindet, sofern er sie bräutlich schmückt, sofern *ein* Lager sie beide empfängt und «noch ein Drittes», ein liebliches Kind, die Vereinigung unwiderruflich bewährt. Wenn aber alles dies mißlingt, so klagt Alexis über verlorene Jugend und trostloses Alter. Wie auch die Würfel fallen mögen, der Augenblick des Abschieds ist der Schlüssel seines Daseins, das sonst unverständlich bleiben müßte:

«So legt der Dichter ein Rätsel,
Künstlich mit Worten verschränkt, oft der Versammlung
[ins Ohr.
Jeden freut die seltne Verknüpfung der zierlichen Bilder,
Aber noch fehlet das Wort, das die Bedeutung verwahrt;
Ist es endlich gefunden, dann heitert sich jedes Gemüt auf
Und erblickt im Gedicht doppelt erfreulichen Sinn.»

Die Lösung des Rätsels sind die Küsse, die Alexis und Dora tauschen. Wird es gelingen, in einem solchen unendlich oft besungenen Ereignis alles Leben so zu versammeln, wie es der Dichter nach seinen großen Ankündigungen versammeln muß? Dora hat das Körbchen gefüllt. Die beiden sehen einander an. Die Trübe vor Alexis' Augen verschleiert eine bange Stille. Dann aber ist es schon geschehen:

«Deinen Busen fühlt' ich an meinem! Den herrlichen Nacken
Ihn umschlang nun mein Arm, tausendmal küßt' ich den Hals.
Mir war dein Haupt auf die Schulter gesunken; nun knüpften
[auch deine
Lieblichen Arme das Band um den Beglückten herum.
Amors Hände fühlt' ich: er drückt' uns gewaltig zusammen,
Und aus heiterer Luft donnert' es dreimal. Da floß
Häufig die Träne vom Aug mir herab, du weintest, ich weinte,
Und für Jammer und Glück schien uns die Welt zu vergehn.
Immer heftiger riefen die Schiffer; da wollten die Füße
Mich nicht tragen, ich rief: ,Dora! und bist du nicht mein?'
,*Ewig!*' sagtest du leise. Da schienen unsere Tränen,
Wie durch göttliche Luft, leise vom Auge gehaucht.»

Das «Ewig!» haben schon die ersten Leser der Elegie bewundert. Humboldt fand die Stelle um ihres Ernstes willen besonders
schön[7]. Schiller erwiderte darauf, der Ernst verstehe sich von
selbst; wir seien vielmehr so betroffen, «weil das Geheimnis des
Herzens in diesem einzigen Worte auf einmal und ganz, mit seinem unendlichen Gefolge, herausstürzt. Dieses einzige Wort, an
dieser Stelle, ist statt einer ganzen langen Liebesgeschichte, und
nun stehen die zwei Liebenden so gegeneinander, als wenn das
Verhältnis schon jahrelang existiert hätte[8]».
Damit ist offenbar wieder die dramatische Verdichtung gemeint, die uns erlaubt, ein weitverzweigtes Ganzes leicht zu übersehen. Auch dies genügt uns aber nicht, um zu begreifen, was uns
ergreift. Die Zeit steht in dem «Ewig!» auf geheimnisvollste Weise
still. Die Sonne scheint zu zögern, ihre Bahn am Himmel fortzusetzen. Und sehen wir uns um, damit uns die Verzauberung
nicht lähme, so fallen uns die Worte ein, die unter der Überschrift «Antikes» in Goethes Schilderung Winckelmanns stehen:
«Wenn die gesunde Natur des Menschen als ein Ganzes wirkt,
wenn er sich in der Welt als in einem großen, schönen, würdigen
und werten Ganzen fühlt, wenn das harmonische Behagen ihm
ein reines, freies Entzücken gewährt: dann würde das Weltall,

[7] An Goethe, 25. Juni 1796.
[8] Schiller an Goethe, 3. Juli 1796.

wenn es sich selbst empfinden könnte, als an sein Ziel gelangt aufjauchzen und den Gipfel des eigenen Werdens und Wesens bewundern. Denn wozu dient alle der Aufwand von Sonnen und Planeten und Monden, von Sternen und Milchstraßen, von Kometen und Nebelflecken, von gewordenen und werdenden Welten, wenn sich nicht zuletzt ein glücklicher Mensch unbewußt seines Daseins erfreut?»

Der dreimal hallende Donner aus heiterer Luft zu Häupten Alexis' und Doras: das ist das Jauchzen des Weltalls, das, in den Liebenden an sein Ziel gelangt, den Gipfel des eigenen Werdens bewundert.

«An sein Ziel gelangt»: so empfindet Alexis es selbst in der Betrachtung, die er, zwischen Schmerz und Wonne wechselnd, seinem Schicksal widmet. Das Wort gilt aber weit über alles hinaus, was ihm bewußt sein kann. Der Augenblick der Begegnung mit Dora beruhigt und vollendet nicht nur alle Ahnung seiner Kindheit und alle Erinnerung seines Alters. Er ist auch der «würdigste Punkt», den die Natur der Erscheinung des Menschen gönnt. Denn – so lesen wir, wieder in den Winckelmann-Studien, unter «Schönheit»:

«Das letzte Produkt der sich immer steigernden Natur ist der schöne Mensch. Zwar kann sie ihn nur selten hervorbringen, weil ihren Ideen gar viele Bedingungen widerstreben, und selbst ihrer Allmacht ist es unmöglich, lange im Vollkommnen zu verweilen und dem hervorgebrachten Schönen eine Dauer zu geben. Denn genau genommen kann man sagen, es sei nur ein Augenblick, in welchem der schöne Mensch schön sei.»

Diesen Augenblick finden wir an einer anderen Stelle näher bestimmt als den der Pubertät, in welchem beider Geschlechter «Gestalt der höchsten Schönheit fähig ist; aber man darf wohl sagen: es ist nur ein Augenblick! Die Begattung und Fortpflanzung kostet dem Schmetterlinge das Leben, dem Menschen die Schönheit [9]».

Das Kind ist noch nicht voll entwickelt; der Alternde wird unscheinbar. Nur der Jüngling und die Jungfrau genügen dem klassischen Ideal. Und selbst der Jüngling und die Jungfrau sind,

[9] Anmerkungen zu Diderots Versuch über die Malerei, XIII, 216.

solang sie einsam bleiben, noch immer nicht vollkommen schön, noch nicht vollkommen gegenwärtig. Duft und Zauber der Jugend strömen über die Einzelgestalt hinaus. In der Feuchte der Augen schimmert Sehnsucht, sich in anderen Augen zu spiegeln. Der männliche wie der weibliche Körper als solcher fordert die Ergänzung. So zeigt sich wieder, wie unentbehrlich für diese Kunst nicht nur die Liebe, sondern die glückliche Liebe ist[10], in der die «Schranke des Geschlechtscharakters», wie Humboldt sagt[11], verschwindet. Doch wenn das Paar verbunden ist, wird eine Spur von Sättigung auf dem Gesicht des Alexis sichtbar sein, und auf dem Antlitz Doras lischt der Reiz des Unberührten aus. Sie geben ihre Jugend weiter an ein werdendes Geschöpf. In den «Römischen Elegien» hatte Goethe, den lokalen Bedingungen sinnlichen Liebesgenusses gemäß, Faustina als junge Witwe und sich selber, wahrheitsgetreu, als «Jüngling näher dem Manne» eingeführt. In «Alexis und Dora» ist er frei, die höchste Stufe der Vollkommenheit, die weder früher noch später möglich wäre, darzustellen: den einzigen flüchtigen Augenblick, in dem der Kreis sich eben schließt, das Leben hin- und herüberspielt und hüben und drüben alles erfüllt ist. Die zartere Sittlichkeit der neuen Elegie bedeutet so im Rahmen Goethescher Ästhetik den reinsten künstlerischen Gewinn.

Wir glauben nun erkannt zu haben, wie alles erst jetzt in die Dichtung eingeht, was Goethe der Kunst als einer zweiten Natur schon während der italienischen Reise zugemutet hat: Die Landschaft und die Gestalten erscheinen vor einem unendlichen Hintergrund und heben sich damit erst als Kosmos von einer fremden Zone ab. Wir sehen nicht mehr ein beliebig ausgeschnittenes Bild wie in den «Blöcken» der «Römischen Elegien», sondern einen prägnanten Moment, in jenem Sinn des Begriffs, den Goethe später in der Beschreibung der Laokoongruppe, festgelegt hat:

«Denken wir nun die Handlung vom Anfang herauf und erkennen, daß sie gegenwärtig auf dem höchsten Punkt steht, so werden wir, wenn wir die nächstfolgenden und fernern Momente bedenken, sogleich gewahr werden, daß sich die ganze Gruppe

[10] Vgl. Bd. I, S. 250.
[11] W. v. Humboldt, Akademieausg. I, 311 f. passim.

verändern muß und daß kein Augenblick gefunden werden kann, der diesem an Kunstwert gleich sei[12]. »

Dieser prägnante Moment ist in der Elegie «Alexis und Dora» auch der «höchste Punkt der Erscheinung», in dem das «Wesen» des Menschen, und im Menschen der höchsten Natur, so sichtbar wird wie früher und später nie. Und schließlich ist der höchste Punkt der Erscheinung zugleich der Höhepunkt des menschenmöglichen Entzückens, eines Entzückens, dem das All, das wieder an sein Ziel gelangt, mit seinem Donnerjauchzen zustimmt.

Wir fassen das Gesagte zusammen in dem einen Wort: Zenith. Unter aller Gegenwart ist ausgezeichnet der «Augenblick», in dem Vergangenes noch lebendig und Künftiges schon erkennbar ist. Und unter allen Augenblicken ist ausgezeichnet der «Zenith», von dem aus die Einbildungskraft nach rückwärts und vorwärts den weitesten Bogen schlägt, in dem das Leben kulminiert und die ewige Waage beschwichtigt ruht.

Was aber zwischen Alexis und Dora geschieht, wird nicht rein episch erzählt, sondern als Erinnerung des liebenden Jünglings mitgeteilt, der eben, vor einer Stunde vielleicht, den Busen Doras an seinem gefühlt und ihren Nacken umschlungen hat, des Jünglings, in dem die Bewegung nachbebt und nicht so bald abebben wird. Damit finden wir alles in die Potenz der Innerlichkeit versetzt und lyrischer Dichtung angenähert. Die Bildlichkeit erhält sich zwar. Alexis ist ein südlicher Mensch, der seine Augen zu brauchen weiß, glücklich genug, seit frühester Jugend von schönen Gestalten umgeben zu sein. Doch alles Einzelne ist gehalten durch ein lyrisches Legato, durchströmt von der Innigkeit des Gefühls, und nimmt, obwohl sein eigenständiges Wesen nicht verlorengeht, die Farbe des liebenden Herzens an. Das ist, wie schon das Distichon, der elegischen Poesie gemäß; und beides, das Metrum wie das seelische Strömen, mag Goethe bewogen haben, von der in den Briefen zuerst gewählten Bezeichnung «Idylle» abzusehen und «Alexis und Dora» unter die Elegien einzureihen.

Doch eine antike Elegie, in der die Spiegelung des Geschehens im Gemüt so wesentlich ist, daß der Vorgang des Erlebens dem

[12] Über Laokoon, XIII, 172.

erlebten Vorgang an Bedeutung gleichkommt, gibt es nicht. Das ist ein moderner, durch die Bewegung des Sturm und Drang ermöglichter Zug. Daß dieser Zug in «Alexis und Dora» aber deutlicher hervortritt als in anderen Werken Goethes – etwa in «Hermann und Dorothea», wo nur der Dichter selber diese Rolle übernimmt und manchmal die Spiegelung des Geschehens in seinem eigenen Herzen zart verrät – hat seinen besonderen guten Grund. Das Thema ist hier Begegnung und Abschied mit der Aussicht auf Wiederbegegnung. «In jeder großen Trennung», sagt aber Goethe, «liegt ein Keim von Wahnsinn; man muß sich hüten, ihn nachdenklich auszubrüten und zu pflegen[13].» Die Maxime gilt dem Leben, doch mehr oder minder auch der Kunst. So scheute Goethe davor zurück, die Trennung Wilhelm Meisters von Mariane unmittelbar zu schildern: Das erste Buch der «Lehrjahre» endet mit der Lektüre von Norbergs Brief, mit einer plötzlichen Katastrophe. Dann werden einige Jahre übersprungen, und Wilhelm wird erst wieder sichtbar, wie er sich von den unerträglichen Leiden einigermaßen erholt hat. Auch in der «Natürlichen Tochter» verschont der Dichter uns und sich selber mit dem Augenblick, da die falsche Nachricht von Eugeniens Tod eintrifft: im dritten Aufzug ist der Herzog zwar noch aufs tiefste erschüttert, aber doch wieder der Rede, wieder der ersten taumelnden Besinnung fähig. Das wohl bekannteste und am meisten umstrittene Beispiel ist die Wirkung von Gretchens Tod auf Fausts Gemüt, die nur die Rede Ariels und der Elfengesang nachträglich berührt. In «Alexis und Dora» sind die Liebenden insofern in anderer Lage, als ein Wiedersehen bevorsteht. «Nachdenkliches Ausbrüten und Pflegen» verbietet sich also nicht. Dennoch ist der Augenblick, da sich Alexis' Arme von Doras Nacken, da seine Lippen sich von ihren Lippen lösen müssen, noch immer viel zu herzzerreißend, als daß es Goethe wagen würde, sich vorbehaltlos darauf einzulassen. Er muß vorüber, er muß bereits ins Ganze einer sich klärenden Lebensgeschichte eingegangen sein, wenn er zur Sprache kommen soll. Deshalb ist die Perspektive des am Maste stehenden, traurig zum Lande gewendeten Jünglings gewählt, dessen Seele schon Hoffnung und Er-

[13] IX, 627.

innerung aufzubieten vermag, um dem Unbegreiflichen stand-
zuhalten.

Dieselbe seelische Heilkraft aber birgt auch eine große Gefahr.
Keine Gegenwart erfüllt und festigt mehr die Phantasie. Sie
schweift, wohin es ihr beliebt. Und also schweift sie auch in ganz
verstörende Möglichkeiten aus: Wer ist Dora? Wird sie treu sein?
Der Augenblick war Ewigkeit. Doch ist das Ewige beständig in
dem trägen Fluß der Zeit?

«Und ein anderer kommt! Für ihn auch fallen die Früchte!
  Und die Feige gewährt stärkenden Honig auch ihm!
Lockt sie auch ihn nach der Laube? und folgt er? O macht mich,
                                          [ihr Götter,
  Blind, verwischet das Bild jeder Erinnrung in mir!
Ja, ein Mädchen ist sie! und die sich geschwinde dem einen
  Gibt, sie kehret sich auch schnell zu dem andern herum.
Lache nicht diesmal, o Zeus, der frech gebrochenen Schwüre!
  Donnere schrecklicher! triff! – Halte die Blitze zurück!
Sende die schwankenden Wolken mir nach! im nächtlichen Dunkel
  Treffe ein leuchtender Blitz diesen unglücklichen Mast!
Streue die Planken umher und gib der tobenden Welle
  Diese Waren, und mich gib den Delphinen zum Raub!»

Schiller bemerkte zu diesen Versen:

«Daß Sie die Eifersucht so dicht daneben stellen und das Glück
so schnell durch die Furcht wieder verschlingen lassen, weiß ich
vor meinem Gefühl noch nicht ganz zu rechtfertigen, obgleich ich
nichts Befriedigendes dagegen einwenden kann. Dieses fühle ich
nur, daß ich die glückliche Trunkenheit, mit der Alexis das Mädchen verläßt und sich einschifft, gerne immer festhalten möchte[14].»

Das dürfte auch Lesern unserer Tage aus dem Herzen gesprochen sein. Goethe aber erwiderte:

«Für die Eifersucht am Ende habe ich zwei Gründe. Einen aus
der Natur: weil wirklich jedes unerwartete und unverdiente
Liebesglück die Furcht des Verlustes unmittelbar auf der Ferse
nach sich führt, und einen aus der Kunst: weil die Idylle durchaus

[14] 18. Juni 1796.

einen pathetischen Gang hat und also das Leidenschaftliche bis gegen das Ende gesteigert werden mußte, da sie denn durch die Abschiedsverbeugung des Dichters wieder ins Leidliche und Heitere zurückgeführt wird[15].»

Dem ist schwer zu widersprechen. Und doch, wir sind nicht ganz befriedigt. Wir geben nur das Eine zu, daß ein anderer Schluß kaum denkbar ist, daß auch die Bewahrung des trunkenen Glücks das Ganze nicht zu krönen vermöchte. Es scheint indes Gedichte, auch Gedichte höchsten Ranges, zu geben, die überhaupt nicht schließen können, die wesentlich fragmentarisch sind. Zu diesen zählt «Alexis und Dora», gerade deshalb, weil, aus Gründen, die wir nun kennen, der Augenblick, auf den es ankommt, schon vergangen und ein Spiel der Erinnerung ist, weil grenzenlose Phantasie die klare Gegenwart verdrängt. Je weiter das Land zurückweicht und die blaue Fläche des Meers sich dehnt, desto tiefer geraten wir mit Alexis in die unermeßlich wogenden Fluten der Innerlichkeit, in der auf keinen Umriß und auf keine Gestalt Verlaß mehr ist. Goethe scheint das selbst zu fühlen, wenn er dem leidenschaftlichen Aufruhr noch zwei Distichen folgen läßt:

«Nun, ihr Musen, genug! Vergebens strebt ihr zu schildern,
    Wie sich Jammer und Glück wechseln in liebender Brust.
Heilen könnet ihr nicht die Wunden, die Amor geschlagen;
    Aber Linderung kommt einzig, ihr Guten, von euch.»

Indem er so Alexis unterbricht und selbst das Wort ergreift, die Musen bittet aufzuhören, zerschneidet er das Gewebe, dessen Fäden seiner Hand entgleiten.

Beklagen wir uns darüber nicht! Vielleicht daß diese so musterhafte, so höchst vorbildliche Dichtung ohne dieses bereits in ihrem Plan begründete kleine Gebrechen beinah allzu schön und bis zur Unwahrscheinlichkeit vollkommen wäre. Jedenfalls fällt es schwer, sich innerhalb desselben Stils noch einen höheren Gipfel vorzustellen. Goethe selbst hat den Zenith seiner klassischen Poesie erreicht.

[15] 22. Juni 1796.

Was im Leben aber verwehrt ist, scheint der Kunst beschieden zu sein. Der Dichter Goethe verharrt im Zenith. «Alexis und Dora» ist nur das Vorspiel eines verwandten, doch größeren Werks, des Epos «*Hermann und Dorothea*», das auf deutschem Boden spielt und den Kanon des Schönen auf eine Weise, die niemand vorauszusehen vermochte, die Goethe selber überraschte, mit der düsteren Erfahrung der letzten Jahre vereinigte, so, daß das Schöne nur noch schöner, das Eigene nur noch eigener wurde. Wie bei jeder Schöpfung höchsten Ranges verbünden sich auch hier die Zeitumstände und eine Reihe glücklicher Zufälle mit dem Genie und fügt es sich wie von selber, daß ihm alle Dinge zum Besten dienen. Die Drohung von Westen her steigert sich und nötigt die Besonnenen, fester als je auf ihrem Sinn zu bestehen. Man weiß allmählich, woran man ist, und wessen man sich von der neuen Freiheit und Brüderlichkeit zu versehen hat. Die Gegensätze treten mit wünschenswertester, freilich auch mit ungeheurer Deutlichkeit zutage. Nicht minder gilt es, nach innen sich gegen die Widersacher zusammenzuschließen. Die «Xenien» haben die Gemüter so gegen Goethe und Schiller erregt, daß ihre Freundschaft sich zu einem Schutz- und Trutzbündnis verfestigt und beide dringend wünschen müssen, das Recht ihres Streits durch eine unvergleichliche Leistung zu beweisen.

«Das Angenehmste, was Sie mir aber melden können», schreibt Goethe an Schiller am 15. November 1796, «ist Ihre Beharrlichkeit an Wallenstein und Ihr Glaube an die Möglichkeit einer Vollendung; denn nach dem tollen Wagestück mit den Xenien müssen wir uns bloß großer und würdiger Kunstwerke befleißigen und unsere proteische Natur, zu Beschämung aller Gegner, in die Gestalten des Edlen und Guten umwandeln.

Die drei ersten Gesänge meines epischen Gedichts sind fleißig durchgearbeitet und abermals abgeschrieben.»

Aus anderen Briefen erfahren wir, daß Goethe den Entschluß zu einer epischen Dichtung als Wagnis ansah[16]. Denn seiner Überzeugung von der Vorbildlichkeit der Alten gemäß bedeutete dies nichts Geringeres, als mit Homer in die Schranken zu treten, dem niemals wieder erreichten Anfang der europäischen Poesie,

[16] An Jacobi, 17. Okt. 1796.

den er schon in der Jugend wie eine heilige Schrift gelesen, der in Sizilien seine Pfade verklärt und seither alle seine Gedanken über die Künste begleitet hatte. Er war sich auch darüber klar, daß Homer, mit Herder zu reden, ein «Günstling der Zeit[17]» gewesen war, begnadet durch ein heiteres Klima, eine zwar schlichte, doch hohe Kultur und eine durch ihren Klang und ihre Bildkraft ausgezeichnete Sprache, während ihm, dem deutschen Dichter, auf allen Gebieten ein Kampf mit kaum überwindlichen Schwierigkeiten bevorstand.

Doch eben jetzt zerstreute diese Bedenken Friedrich August Wolf mit den «Prolegomena ad Homerum», die den Beweis zu erbringen versuchten, daß die Ilias nicht das Werk eines Einzelnen, sondern einer ganzen Gruppe epischer Dichter sei. Goethe las das Buch im Frühling 1795 und war zunächst, wie er Schiller schreibt[18], «schlecht erbaut».

«Die Idee mag gut sein und die Bemühung ist respektabel, wenn nur nicht diese Herrn, um ihre schwachen Flanken zu decken, gelegentlich die fruchtbarsten Gärten des ästhetischen Reichs verwüsten und in leidige Verschanzungen verwandeln müßten. Und am Ende ist mehr Subjektives, als man denkt, in diesem ganzen Krame.»

Dieselbe Meinung gab er auch in späteren Jahren oft zu erkennen, so deutlich, daß die Unitarier seit den Tagen Wolfs bis heute sich immer wieder auf Goethe berufen und in seinem Namen die Einheit Homers gegen die Banausen verteidigen – ein nicht ganz ehrliches Verfahren! Denn so wie Goethe die Ilias aufgefaßt wissen wollte, nämlich als organisch-individuelles Ganzes, das nach Naturgesetzen – «Natur» in seinem Sinne – gebildet wäre, so kann sie niemand mehr verstehen, der über die Kunstübung der Rhapsoden auch nur einigermaßen Bescheid weiß. Aber auch insofern ist Goethe ein höchst unzuverlässiger Zeuge, als sein Urteil offenbar nicht durch sachliche Gründe, sondern durch sein künstlerisches Bedürfnis bestimmt war und sich wandelte, je nachdem es seinem Schaffen dienlich schien. Derselbe Mann, der Wolf, gewiß nicht ganz zu Unrecht, der Subjektivität

---

[17] Herders Horen-Aufsatz war 1795 erschienen.
[18] An Schiller, 17. Mai 1795.

und der Verwüstung der Grenzen des ästhetischen Reichs bezichtigt hatte, schrieb ihm eineinhalb Jahre später, als ihn sein
eigenes Epos beschäftigte, folgenden sicher aufrichtigen Brief:

«Vielleicht sende ich Ihnen bald mit mehrerem Mute die Ankündigung eines epischen Gedichtes, in der ich nicht verschweige,
wie viel ich jener Überzeugung schuldig bin, die Sie mir so fest
eingeprägt haben. Schon lange war ich geneigt, mich in diesem
Fache zu versuchen, und immer schreckte mich der hohe Begriff
von Einheit und Unteilbarkeit der homerischen Schriften ab;
nunmehr, da Sie diese herrlichen Werke einer Familie zueignen,
so ist die Kühnheit geringer, sich in größere Gesellschaft zu wagen
und den Weg zu verfolgen, den uns Voß in seiner ‚Luise' so
schön gezeigt hat[19].»

Mit der «Ankündigung» ist die *Elegie* «Hermann und Dorothea» gemeint, die in wenigen Versen zusammenfaßt, was über
den Kairos des unvergleichlichen Werks zu sagen ist:

«Erst die Gesundheit des Mannes, der, endlich vom Namen
                          [Homeros
Kühn uns befreiend, uns auch ruft in die vollere Bahn.
Denn wer wagte mit Göttern den Kampf? und wer mit dem
                          [Einen?
Doch Homeride zu sein, auch nur als letzter, ist schön.»

Wie in dem Brief, so folgt auch hier dem Dank an Wolf der
Dank an Voß, der in der «Luise» bewiesen hat, daß deutsches
Leben der Neuzeit sich sehr wohl in einer an Homer gebildeten
Sprache beschreiben läßt:

«Uns begleite des Dichters Geist, der seine Luise
Rasch dem würdigen Freund, uns zu entzücken, verband.»

Gleichfalls 1795 waren die drei Idyllen der «Luise», zum Buch
vereinigt, erschienen. Man unterschätze ihre Bedeutung für das
Epos Goethes nicht! Gewiß, die Dichtung fiel in einzelne Episoden auseinander und verzettelte sich auch innerhalb der Epi-

[19] 26. Dez. 1796.

soden in Kleinkram. Das Behagen, das Goethe zwar an sich zu schätzen wußte, ging zu sehr ins Philiströse über und war nicht frei von einer bornierten aufgeklärten Rechthaberei. So wirkten die homerischen Formeln manchmal fast wie Parodie; und eine gewisse Schelmerei in ihrer Verwendung lag vielleicht dem biederen Schulmann nicht ganz fern. Aber auch diese erhöht ja nur die liebenswürdige Heiterkeit, die über das Ganze gebreitet ist. Die ständige Rücksicht auf Homer bei unverkennbar herzlicher Liebe zu deutschen Gefühlen, Sitten und Moden ergibt ein köstliches Widerspiel und bringt es mit sich, daß das Haus und die Familie des Pfarrers von Grünau mit Adjektiven, Substantiven und stehenden Redensarten bedacht wird, die bisher nie auf solche Gegenstände angewandt worden sind und zeitgenössisches Leben in einem völlig ungewohnten, reizvoll fremden Licht erscheinen lassen.

Doch sollte nicht Größeres möglich sein, als zu liebäugeln mit Homer? Wäre das Wagnis allzu kühn, deutsche Zustände, statt sie nur mit griechischem Firnis zu überziehen, allen Ernstes zu der Schönheit der Antike abzuklären? Diese Frage stellte sich Goethe. Wie sehr sie ihn bedrückte, geht aus den Briefen an Heinrich Meyer hervor, in dem er den unbestechlichen Hüter der reinen klassischen Formen verehrte. Auch die Elegie gedenkt des ungewöhnlichen Stilproblems:

«Deutschen selber führ ich euch zu, in die stillere Wohnung,
    Wo sich, nah der Natur, menschlich der Mensch noch erzieht.»

Damit ist zugleich gesagt, daß nur bei weisester Begrenzung auf ein Gelingen zu hoffen sei. Den idyllischen Schauplatz, auf dem sich Voß zufrieden angesiedelt hatte, durfte auch Goethe nicht verlassen. Und dennoch sollte die Gegenwart in ihrer ganzen Weite und mit allen Gefahren sichtbar werden und sollte sich das Rein-Menschliche nicht ängstlich ducken, sondern inmitten der aufgewühlten Zeit behaupten. Wie war das denkbar? Welch ein Stoff genügte so vielen Anforderungen?

Wir wissen nicht, wann Goethe Göckings «Vollkommene Emigrationsgeschichte von denen aus dem Erzbistum Salzburg vertriebenen ... Lutheranern» las, die schon 1734 in Frankfurt am

235

Main und Leipzig erschienen war. Er selbst hat sich zeitlebens über seine Quelle ausgeschwiegen und weder zugestimmt noch widersprochen, als man sie ihm nachwies. Vielleicht war sie schon dem Knaben bekannt und seinem Gedächtnis wie so manche Kindheitserinnerung eingeprägt, wie die Stiche der Merian-Bibel etwa und die Tapeten des Königsleutnants[20]. Jedenfalls entsann er sich 1796 vieler Einzelheiten aus dem umfänglichen Buch und dürfte ihm folgender Abschnitt völlig gegenwärtig gewesen sein:

«So nahm man auch die wunderbare Führung Gottes an einer salzburgischen Dirne wahr, die der Religion wegen Vater und Mutter verlassen hatte und auf der Reise so wunderbarlich verheiratet ward. Dieses Mädchen zog mit ihren Landesleuten fort, ohne zu wissen, wie es ihr ergehen oder wo sie Gott hinführen würde. Als sie nun durch das Öttingische reiseten, kam eines reichen Bürgers Sohn aus Altmühl zu ihr und fragte sie, wie es ihr in dasigem Lande gefalle. Sie gab zur Antwort: Herr, ganz wohl. Er fuhr fort: Ob sie denn bei seinem Vater wohl dienen wollte? Sie antwortete: Gar gerne! sie wollte treu und fleißig sein, wenn er sie in seine Dienste annehmen wollte. Darauf erzählete sie ihm alle ihre Bauerarbeit, die sie verstünde. Sie könne das Vieh futtern, die Kühe melken, das Feld bestellen, Heu machen und dergleichen mehr verrichten. Nun hatte der Vater diesen seinen Sohn oft angemahnet, daß er doch heiraten möchte, wozu er sich aber vorher nie entschließen können. Da aber besagte Emigranten durchzogen, und er dieses Mädchens ansichtig ward, gefiel ihm dieselbe. Er ging daher zu seinem Vater, erinnerte denselben, wie er ihn so oft zum Heiraten angespornet, und entdeckete ihm dabei, daß er sich nunmehro eine Braut ausgesuchet hätte. Er bäte, der Vater möchte ihm nun erlauben, daß er dieselbe nehmen dürfte. Der Vater frug ihn, wer dieselbe sei. Er gab ihm zur Antwort, es sei eine Salzburgerin, die ihm sehr wohl gefiele. Wollte ihm nun der Vater nicht erlauben, daß er dieselbe nehmen dürfte, so würde er auch niemals heiraten. Als nun der Vater nebst seinen Freunden und dem herzugeholten Prediger sich lange vergeblich bemühet hatte, ihm solches aus dem Sinne zu reden, es ihm aber endlich doch zugegeben, so

[20] Vgl. Bd. I, S. 15.

236

stellete dieser seinem Vater die Salzburgerin dar. Das Mädchen aber wußte von nichts anders, als daß man sie zu einer Dienstmagd verlangete. Und deswegen ging sie auch mit dem jungen Menschen nach dem Hause seines Vaters. Der Vater hingegen stund in den Gedanken, als hätte sein Sohn der Salzburgerin sein Herz schon eröffnet. Daher fragte er sie, wie ihr denn sein Sohn gefiele und ob sie ihn denn wohl heiraten wollte. Weil sie nun davon nichts wußte, so meinete sie, man suchte sie zu äffen. Sie fing darauf an: Man sollte sie nur nicht foppen! Zu einer Magd hätte man sie verlanget, und zu dem Ende wäre sie seinem Sohne nachgegangen. Wollte man sie nun dazu annehmen, so wollte sie allen Fleiß und Treue beweisen und ihr Brot schon verdienen. Foppen aber ließe sie sich nicht. Der Vater aber blieb dabei, daß es sein Ernst wäre, und der Sohn entdeckete ihr auch darauf die wahre Ursache, warum er sie mit nach seines Vaters Hause geführet, nämlich: er habe ein herzliches Verlangen, sie zu heiraten. Das Mädchen sah ihn darauf an, stund ein klein wenig stille und sagte endlich: Wenn es denn sein Ernst wäre, daß er sie haben wollte, so wäre sie es auch zufrieden, und so wollte sie ihn halten wie ihr Auge im Kopfe. Der Sohn reichte ihr hierauf ein Ehepfand. Sie aber griff sofort in den Busen, zog einen Beutel heraus, darin zweihundert Dukaten staken, und sagte: Sie wollte ihm hiemit auch einen Mahlschatz geben. Folglich war die Verlobung richtig. Hat man wohl nicht Ursache, bei solchen Umständen voller Verwunderung auszurufen: Herr, wie unbegreiflich sind deine Gerichte und wie unerforschlich deine Wege?[21]»

Wir durften nicht darauf verzichten, den Text vollständig mitzuteilen. Denn selten ist es uns vergönnt, das Walten der dichterischen Einbildungskraft im einzelnen so zu verfolgen wie hier. Auf dieser spärlichen und im schlechten Sinn erbaulichen Geschichte ruht Goethes gelassen prüfender Blick. Mit diesen Gestalten und Motiven pflegt er liebevollsten Umgang, keineswegs in dem Gefühl, er lasse sich ausnahmsweise einmal zu einer Armseligkeit herab, vielmehr mit der Dankbarkeit, die einer seltenen, wie von Göttern dargebotenen Gabe ziemt.

[21] Nach Düntzer, Goethes Hermann und Dorothea, 10. Aufl., Leipzig 1915.

«Der Gegenstand selbst ist äußerst glücklich», schreibt er am 28. April 1797 an Meyer, «ein Sujet, wie man es in seinem Leben vielleicht nicht zweimal findet.»

Worin besteht die Eignung des Stoffs, die Goethe so überaus hoch veranschlagt, daß, mindestens jetzt, im Glück des Schaffens, sogar der Stoff zur «Iphigenie auf Tauris», zum «Tasso» oder zum «Faust» an Dignität verliert?

Wir sehen es nicht auf den ersten Blick. Zunächst erkennen wir nur, daß sich die kleine Verlobungsgeschichte leicht in Vossischem Stil bewältigen läßt. Der Schauplatz ist nur wenig verändert. Statt ein Pfarrhaus auf dem Land in alt-feudalem Lebensstil mit einem Schloß im Hintergrund betreten wir ein bescheidenes, von Feldern und Reben umgebenes Städtchen, das von fleißigen Bürgern bewohnt ist und nach dem Brand vor zwanzig Jahren auf moderne Einrichtungen und neue Gebäude stolz sein darf. Das Widerspiel zwischen einer solchen Umgebung und einer homerischen Sprache ist ebenso lebhaft wie in der «Luise»; und Goethe läßt sich seinen Reiz mit vollem Bewußtsein nicht entgehen. Er schildert in Hexametern die Stukkaturen am Hause des Nachbars, das Grottenwerk des Apothekers, die Bettler von Stein und die farbigen Zwerge, erwähnt das Pflaster und vergißt sogar die hygienischen «wasserreichen verdeckten Kanäle» und den vom Rat beschlossenen neuen Chausseebau nicht. Der Blick schweift weiter auf das «freundliche Mannheim, das gleich und heiter gebaut ist», und kehrt wieder in die Nähe zurück und würdigt das Kostüm der Bürger, «Surtout und Pekesche», bis zum Schlafrock und den Pantoffeln des Wirts, die freilich nun veraltet sind. Man sieht, es bereitet dem Dichter Vergnügen, die neuen Möglichkeiten des Benennens und Beschreibens auszunützen, die Voß erschlossen hat. Wir spüren auch hier den leisen Triumph über eine wohlgelungene Formel, die sprachlich ganz antik gefaßt, dem Inhalt nach neuzeitlich ist und den mächtigen Gegensatz von zweieinhalb Jahrtausenden überlistet.

Doch wenn wir näher zusehen, läßt sich bereits in diesen Schilderungen ein wichtiger Unterschied nicht verkennen. Voß geht mit einer oft verblüffenden Unverfrorenheit ins Zeug. Goethe behandelt seine Zeit mit einem Anflug von Humor, mit einer

238

zwar liebevollen, aber doch leicht distanzierenden Ironie. Er nimmt sie selber nicht ganz ernst und will sie auch von seinen Lesern nicht ganz ernst genommen wissen. Denn er hat Größeres im Sinn. Die Neuzeit muß zwar sichtbar werden, aber sie muß unschädlich sein, unschädlich für ein anderes, das mitten in ihr aufglänzen soll. Sie darf es nicht verdecken, höchstens leicht umflattern wie ein Gewand, das jederzeit abgestreift werden könnte oder noch durch die Hülle hindurch die reine Gestalt zu erraten erlaubt. So haben wir darauf zu achten, wie Goethe die Akzente setzt.

Erfüllt von dem Jahrhundert und von seinen Errungenschaften sind der Apotheker und der Wirt. Der Apotheker – der als Einziger die bei Göcking erwähnten «Freunde» des Vaters zu vertreten hat – verbreitet sich grämlich über den Fortschritt: Es ist mühselig und kostspielig, auf der Höhe der Zeit zu stehen. Das zierliche Rokoko, in dem er aufgewachsen ist, findet er schöner als die Glätte und Einfachheit, die neuerdings Mode geworden ist. Ob er nun aber das Neue tadle oder das Alte rühme, er ist doch stets mit vergänglichen Dingen beschäftigt, die in Kurs und außer Kurs sind wie das Geld, an dem sein Herz hängt. Mehr Respekt nötigt uns der Wirt ab. Die Leistungen seiner Generation betrachtet er mit Genugtuung, weil er selber daran beteiligt ist und weil sie Beweise der Tüchtigkeit des Einzelnen und der Gemeinschaft sind. Er hat sich von unten heraufgearbeitet und möchte nun, daß es so weiter gehe, daß sich der besser gestellte Sohn auf eine noch höhere Stufe erhebe, während er sich mit gutem Gewissen nach und nach zur Ruhe setzt.

Beide, der Wirt und der Apotheker, sind sehr genau charakterisiert. Der Wirt, ein im Grunde gutmütiger Mann, äußerlich barsch und unbequem, Rührseligkeiten abgeneigt, gerade weil er leicht zu rühren ist und seine Schwäche kennt, seines persönlichen Werts auf eine nicht unangenehme Weise bewußt, das Behagen als den wohlverdienten Lohn der Arbeit schätzend, würdig, in seiner allzubetonten, den Emporkömmling verratenden Stattlichkeit bisweilen auch komisch: so stellt uns Goethe den Vater vor, von dem es in seiner Vorlage heißt, er habe dem Sohn die arme Braut vergeblich auszureden versucht und am Ende sein Einverständnis erklärt.

Mit womöglich noch schärferen Zügen wird das Profil des Apothekers umrissen. Er ist ein ältlicher Junggeselle, hat immer nur für sich selber gesorgt und wird des Lebens doch nicht froh, wie jeder, der es ängstlich schont und für sich allein zu genießen begehrt. Er ist mißtrauisch und verfügt über Anekdoten und weise Sprüche, die seine skeptische Auffassung der Welt zu bestätigen geeignet sind. Das prägt sich aus in jedem Wort und in der unscheinbarsten Gebärde. Zarter Takt und Höflichkeit des Herzens sind seine Sache nicht. Vor dem fremden Richter, einer Gestalt, die Ehrfurcht und Vertrauen verdiente, zupft er den Pfarrer und wispert ihm zu und kommt sich ungemein schlau dabei vor. Geld führt er aus Vorsicht natürlich nicht mit. So kann er sich nur mit ein wenig Tabak notdürftig als Wohltäter erweisen. Der Apotheker nämlich raucht. Auch dies gehört zu seinem Bild, das in Goethes Haus verpönte kleine ungesellige Laster. Und wie wir meinen, das Porträt sei bis auf den letzten Zug vollendet, folgt noch der Auftritt vor dem Wagen. Der Geistliche hat die Zügel ergriffen. Der Apotheker zaudert und spricht:

«Gerne vertrau ich, mein Freund, euch Seel und Geist und Ge-
[müt an;
Aber Leib und Gebein ist nicht zum besten verwahret,
Wenn die geistliche Hand der weltlichen Zügel sich anmaßt...»

Man sieht, den Apotheker geniert die Ängstlichkeit vor so viel Zeugen. Er braucht eine altmodisch witzige Wendung, um nicht ganz kläglich dazustehen. Der Pfarrer lächelt und redet ihm zu:

«Halb getröstet bestieg darauf der Nachbar den Wagen,
Saß wie einer, der sich zum weislichen Sprunge bereitet;
Und die Hengste rannten nach Hause, begierig des Stalles.»

Wie Goethe in Wernigerode vor dem Sonderling Plessing bekennen wir hier:
«Vielleicht war ich niemals mehr von der Behauptung der Physiognomisten überzeugt, ein lebendiges Wesen sei in allem seinem Handeln und Betragen vollkommen übereinstimmend mit

sich selbst, und jede in die Wirklichkeit hervorgetretene Monas erzeige sich in vollkommener Einheit ihrer Eigentümlichkeiten[22].»

Keine andere Gestalt des Epos ist physiognomisch so scharf geprägt. Doch die am schärfsten geprägte ist zweifellos zugleich die unwichtigste. Sie steht am Rand. Sie dient zur Erleichterung und Erheiterung des Gemüts, das mit anderen Dingen bis an die Grenze der Fassungskraft innig beschäftigt ist. Was bei Voß die eigentlich dichterische Leistung ausmacht, das Genremäßig-Charakteristische, wird von Goethe als Nebensache behandelt und ungleich edleren Zwecken untergeordnet.

Der Prediger ist es, dem es obliegt, uns bei dem Übergang zu einer höheren Zone behilflich zu sein. Er läßt die Strebsamkeit des Wirts und die Sorgen des Apothekers gelten, da niemand seiner Zeit und ihren wechselnden Anforderungen entrinnt. Daneben findet er aber auch «die Lust zu verharren im Alten» löblich und preist den ruhigen Bürger und Landmann, der Jahr für Jahr das gleiche tut und dem stetigen Gang der Natur gehorcht. Beharren und Streben werden in seiner Rede am Anfang des fünften Gesangs mit Maß verglichen und ausgeglichen, das Recht der Stunde mit dem Recht der Vergangenheit und der Zukunft vereinigt. Und so vermittelt er immer. Er kennt die weltlichen und die geistlichen Schriften, der Hörer Bedürfnis und das Wahre, das ohne jede Rücksicht gilt. Um menschliche Schwächen weiß er Bescheid, und dennoch vertraut er dem Ebenbild Gottes und ist nicht gern bereit, ein schlechthin Böses und Häßliches zuzugeben. Offenbar kam es hier auch darauf an, jeder Erinnerung an den Pfarrer in Vossens «Luise» vorzubeugen, der schon allzu populär und in seiner Art unübertrefflich war. So durfte der Goethesche Geistliche kein aufgeklärter Eiferer und konfessioneller Kämpfer sein, keine liberale Theologie im Geiste Mendelssohns und Lessings vertreten und keinen Bannstrahl gegen die Finsterlinge schleudern. Sein Glaube mußte sich über alle historischen Einschränkungen, alle Polemik und Apologie erheben und einzig auf die lebendig reiche Schöne des Kosmos, die alte und ewig junge Natur gegründet sein. Goethe vertraute ihm seine eigenen sittlichen Überzeugungen an und fand damit Ge-

[22] XII, 391.

legenheit, die Geschichte zu kommentieren, ohne selbst dazwischen reden zu müssen. Er tat ein übriges und machte ihn zum «Jüngling näher dem Manne». So wurde er auch für die Einbildungskraft von dem Pfarrer in Grünau, jenem rüstigen Greis im Silberhaar, abgerückt. Er tritt nicht aus der Erscheinung zurück und fühlt sich nicht durch die Nähe des Todes auf ein Jenseits angewiesen. Sondern inmitten des Lebens, das ihn selber mit Kraft und Anmut begabt, behauptet er Glauben, Hoffnung und Liebe; und aus der Fülle des Irdischen erblüht ihm Zuversicht und Weisheit. Wir wissen nicht, ob er vermählt ist. Goethe schweigt darüber, vielleicht um keinen Gedanken an seine Konfession in uns aufkommen zu lassen. Wir können uns aber kaum vorstellen, daß er Frau und Kinder habe. Neben dem Apotheker, der sich aus Selbstsucht nicht an die Ehe heranwagt, erscheint der Geistliche als ein Mann, der, seiner Jugend ungeachtet, sich eine zu enge Bindung verbietet und es als seine Pflicht ansieht, allen Gliedern seiner Gemeinde gleich nahe und über alle durch eine freie Entsagung erhoben zu sein.

Gerade deshalb aber kommt der Blick bei ihm noch nicht zur Ruhe. Er ist, wie Goethe selbst, ein Spiegel des wahren gottgewollten Daseins. Er öffnet uns die Augen und bereitet uns auf seinen Wert und seine stille Größe vor. Doch seine Geistigkeit und innere Freiheit läßt die Begrenzung nicht zu, deren eine Gestalt bedarf, die in klassischem Sinne vollkommen schön sein soll. Er kann sie wohl *fassen*, aber nicht *sein*. Oder besser: er geht als geistig-sinnliche Einheit nicht darin auf.

Anders Hermanns Mutter. Da trifft nun eher das Umgekehrte zu. Der Frühling und der erste Sommer ihres Lebens sind vorüber. Sie sieht als Frau vielleicht nicht mehr so vorteilhaft aus wie der Pfarrer als Mann. Wir hören freilich darüber nichts. Goethe spricht nur von ihrem Gemüt. Doch dieses ihr Gemüt ist rein in seinem Kreis begrenzt, erfüllt, und in erfüllten Grenzen schön. Haus und Garten sind ihr Reich. Bedächtig wählt sie aus der Habe, was den Ihrigen entbehrlich, den armen Vertriebenen nützlich ist. Die Sorge um den Sohn verhindert sie bei ihrem Gange nicht, mit Wohlgefallen die Pflanzen und Bäume und schwellenden Trauben zu betrachten und schon des Herbstes zu gedenken:

«Und des festlichen Tags, an dem die Gegend im Jubel
Trauben lieset und tritt, und den Most in die Fässer versammelt,
Feuerwerke des Abends von allen Orten und Enden
Leuchten und knallen, und so der Ernten schönste geehrt wird.»

Viermal auf dem kurzen Weg erfahren wir: «Sie freute sich.» Sie
freut sich dessen, was im Lauf der Jahre immer wiederkehrt, der
«unvergleichlich hohen Werke, die herrlich wie am ersten Tag»
sind, und der Menschen, denen es gegeben ist, sie zu genießen,
durch ihre Freude Gott zu danken und die Schöpfung zu vollenden. Doch nicht empfindsam wandelt sie durch den gesegneten
Besitz. Sie selbst hat für den Weinberg und die «goldene Kraft»
des Korns gesorgt. Sie kann auch jetzt nicht müßig sein:

«Stellte die Stützen zurecht, auf denen beladen die Äste
Ruhten des Apfelbaums, wie des Birnbaums lastende Zweige,
Nahm gleich einige Raupen vom kräftig strotzenden Kohl weg;
Denn ein geschäftiges Weib tut keine Schritte vergebens.»

So bringt sie ihre Menschlichkeit mit der Natur ins Gleichgewicht. Wie sinnvoll, daß erst jetzt, zugleich mit ihr, die Landschaft sichtbar wird, dieses Land, in dem Natur und Menschenwerk sich so durchdringen wie Hingebung und Tätigkeit in ihrem
ruhevollen Wesen. Die Mauer, die das Städtchen einfaßt, die
Stufen und Rebengeländer, die gerade abgeteilten Felder, darin
das üppige, freie Wachstum: das ist so weit entfernt von einem
regellosen, unberechenbaren, bedrohlichen Urzustand wie von
unserm zwanzigsten Jahrhundert, in dem sich die ganze Erdoberfläche allmählich in eine Werkstatt verwandelt und jedermann
darauf bedacht scheint, sich noch der letzten Geborgenheit in
einem Reich, das wir nicht selbst geschaffen haben, zu berauben.
Der Gang der Mutter endet bei dem die ganze Gegend be-
herrschenden, uralten, Kühle spendenden Baum, der ihr reinstes
«antwortendes Gegenbild» ist. Dort findet sie den Sohn. Und
während die Männer in der Stube eifrig die Forderungen des
Tages besprechen, redet sie mit ihm von seiner Arbeit und von

seiner Liebe, schützt ihn gegen die Verwirrung, die sein edles Herz gefährdet, und holt ihn zu sich selbst zurück, zu jener alterslosen Wahrheit, die ihr selber innewohnt. Zum ersten Mal erschüttert uns in diesen Versen und ergreift uns bis zu Tränen die Gewalt, für die es keinen Namen gibt, die Macht der Innigkeit und Stille, und prägt uns wieder ein, was wir so oft vergessen: Eins ist not! Kein Wunder überwältigt uns. Kein Zaubergarten tut sich auf. Inmitten einer wohlbekannten Welt mit Sohn und Mutter und dem alten Baum sind wir entrückt; und alle Sorge, alle Unrast schwindet hin in der Gewißheit, daß ein Ewiges besteht, das sich auch unser freundlich annimmt, daß immer noch die Gnade waltet und daß des Einen Schöpfergeistes Kraft und Liebe uns umfängt. Das Städtchen in der Mulde, das so trefflich eingerichtet ist, schrumpft ein zu einer Arabeske. Die Gespräche in der Stube, wo der Alte sich erhitzt, sind auf der Höhe nicht vernehmlich und klingen in unsrer Erinnerung nach wie ein Geräusch, das nichts bedeutet, aus dem sich nichts ergeben wird. Denn nun ist Voß vergessen und der Eine, Goethe, spricht zu uns.

Der Mutter, die im Rückblick schon das Ganze wahrnimmt, ist die Sorge um das Wahre auferlegt. Es aus sich selber neu herauszubilden, ist die Pflicht des Sohns. Ihn allein hat Goethe dargestellt als nicht schon abgeschlossene, sondern werdende Gestalt. In der Quelle hieß es, der Vater habe den Sohn «oft angemahnet, daß er doch heiraten möchte, wozu er sich aber vorher nie entschließen können». Aus diesem einen Satz wird der Charakter und seine Geschichte entwickelt. Wir erfahren, daß Hermann stets ein schlechter Schüler gewesen ist, wie Ottilie in den «Wahlverwandtschaften» und offenbar aus demselben Grund. Er ist zu echt und tief und ehrlich, um sich obenhin den Zeichenkram des Wissens anzueignen, bevor er gründlich das Bezeichnete erfahren und erkannt hat. Er «übereilt» sich nicht. Das allzu rasche, unnatürliche Wachstum, das die geistgeübte Neuzeit mit sich bringt, bleibt ihm erspart. Nur um so kräftiger gedeiht im verborgenen der gediegene Kern. Nach außen hat er es freilich schwer. Seine höflichen Versuche, zu sein wie die anderen, schlagen fehl. Die Nachbarstöchter kichern, wenn er geputzt und frisiert das Zim-

mer betritt. Und weil er von Mozarts «Zauberflöte», der neuen
Oper, noch nichts gehört hat, lachen ihn die Gebildeten aus. Alles
Modische bleibt ihm fremd. Deshalb hat er auch mit seinem
Vater Schwierigkeiten, mit dem Mann, der immer vorwärts will
und der als Wirt den feineren Ton und die neuesten Umgangsformen pflegt. Doch eben dies empfiehlt ihn andrerseits zum
Helden einer Dichtung, die das Zeitlos-Menschliche aus der Zeit
herauszuarbeiten bemüht ist. Hermanns Ärger über Schliff und
Mode findet einen Bundesgenossen in Goethes sich vom Vergänglichen distanzierender Ironie. Derselbe Dichter, der den an Leib
und Seele wohlgestalteten Jüngling dem Tadel und Gelächter
derer, die den Ton angeben, aussetzt, geleitet ihn mit Liebe zu
den Räumen und Geschäften, die der Zeit nicht unterworfen
sind: auf das Feld und zu den Pferden, die er meisterhaft betreut;
zu der Mutter, die ihn kennt; zu der Geliebten an den Brunnen,
in eine an die Bibel und Homer erinnernde Umgebung. Und
wenn zunächst nur wir, die Leser, mit der Mutter Hermanns
ungleich höherem Wert Vertrauen schenken, so werden im Verlauf des Tages auch die anderen überzeugt. Der Prediger

«Mit dem Auge des Forschers, der leicht die Mienen enträtselt»,

bemerkt als erster eine Veränderung. Hermann ist Dorothea begegnet. Ihr Anblick hat ihn plötzlich ausgerichtet und das Un-
verständliche in der Welt und in seinem Gemüt zu einem höchsten Sinn versammelt. Er kehrt erhöht nach Hause zurück. An
ihm vollbringt die Liebe, was an den homerischen Helden der
Beistand eines freundlich gesinnten Gottes bewirkt: Sein Wesen
leuchtet heller auf. Das Wort strömt frei von seinen Lippen. Und
was uns am meisten für ihn gewinnt, ist seine tadellose Haltung
nach der polternden Rede des Vaters. Er hätte sich früher vielleicht wie ein gescholtener Junge beiseitegeschlichen. Nun steht
er auf und naht sich schweigend der Türe, langsam und ohne
Geräusch. Der Vater ereifert sich weiter. Hermann wartet aus
schuldiger Ehrerbietung das Ende seiner Rede ab. Der Alte
schöpft Atem.

«Da drückte
Leise der Sohn auf die Klinke, und so verließ er die Stube.»

Das ist der «gehaltene Jüngling», wie er in einem späteren Gesang genannt wird. Wir sehen ihn weiter sich entfalten, während er mit der Mutter spricht. Sie überzeugt ihn, daß er zum Landmann, nicht zum Krieger geboren ist. Aber auch dessen, wofür er geboren ist, vermag er sich nicht mehr zu freuen:

«Alles liegt so öde vor mir: ich entbehre der Gattin.»

Das ist, ins Idyllische übersetzt, was Wilhelm Meister nach dem Besuch im Saal der Vergangenheit empfindet: Alles ist nichts, wenn das Eine fehlt, das allem Sinn und Glanz verleiht. Die Mutter faßt das Gefühl, das in Hermann eben erst deutlich geworden ist, in die unbeschreiblichen Worte zusammen, die bürgerlich-deutsche Innigkeit, den Schmelz, der über dem Leben eines glücklichen Gatten liegt, mit der sinnlichen Unschuld der Antike verbinden, als könnte dies gar nicht anders sein und wäre es immer so gewesen:

«Sohn, mehr wünschest du nicht die Braut in die Kammer
[zu führen,
Daß dir werde die Nacht zur schönen Hälfte des Lebens,
Und die Arbeit des Tags dir freier und eigener werde,
Als der Vater es wünscht und die Mutter. Wir haben dir immer
Zugeredet, ja dich getrieben, ein Mädchen zu wählen.»

Auch damit entfernen wir uns von Voß, dem Goethe «stille, anmutige, schüchterne Lüsternheit» nachsagt, «wie sie aus den engeren Umgebungen des bürgerlichen Lebens hervorsprießt[23]». Die Mutter in «Hermann und Dorothea» ist nicht so beengt, auch Hermann nicht, gerade er, der sich in der Gesellschaft bis jetzt so schlecht zu behaupten weiß und auf das Modische nicht versteht.

Und nun verbünden sich die beiden und treten vor die Männer hin, die unterdessen der Geistliche schon zu ihren Gunsten beeinflußt hat. Hermann ist entschlossen, und die Entschlossenheit macht ihn völlig frei. Der Vater sieht sich auf einmal, nicht so ganz zu seiner Freude, einer festen Persönlichkeit gegenüber.

[23] XIV, 195/96.

Auch der Apotheker und der Geistliche müssen sich bei der Braut-
schau seinen Anordnungen fügen. Zuletzt lehnt Hermann alle
fremde Hilfe ab und will allein aus Dorotheas Mund die Entscheidung über sein ganzes Leben erfahren. Wir wissen, das gelingt dann nicht. Er ist am Ende doch noch auf die Vermittlung
des Predigers angewiesen. Dieselbe Zurückhaltung indes, die
früher oft bedauerlich war, gereicht ihm jetzt zur höchsten Ehre.
Nicht nur die Angst, das Mädchen zu verlieren, nötigt ihn zur
Täuschung. Es ist auch Achtung vor der Fremden, Scheu, von
ihrer augenblicklichen Not und seiner Überlegenheit einen un-
zarten Gebrauch zu machen, Schonung der Gefühle, die sie vielleicht für einen anderen hegt. So bleibt er seinem Charakter treu
und erscheint uns doch als verwandelter Mensch, vor allem am
Schluß des achten Gesangs, wie Dorothea ihm an die Brust sinkt,
wie er es verschmäht, die ihm so günstige Lage auszunützen,
und dasteht,

«Starr wie ein Marmorbild, vom ernsten Willen gebändigt.»

Und wieder am Schluß des ganzen Gedichts, wo Goethe ihm
das letzte Wort gibt und seine «mit edler männlicher Rührung»
gesprochene Rede über sein Glück, den Zeitgeist und die Pflicht
der Deutschen seine Mündigkeit bezeugt und den Spruch des
Pfarrers bewährt, auf den sich unsere Zuversicht gestützt hat:

«Wahre Neigung vollendet sogleich zum Manne den Jüngling.»

Wir verstehen nun allmählich, was Goethe an dem Stoff anzog,
warum er ihn als Sujet pries, «wie man es in seinem Leben vielleicht nicht zweimal findet». Offenbar ist alles abermals, wie in
«Alexis und Dora», ausgerichtet auf den einen höchsten Augenblick, den Zenith, in dem sich die Natur, das Menschenleben und
die Kunst erfüllt und nichts zu wünschen übrig bleibt. Doch in
der Elegie war nur ganz allgemein von «leerer Jugend» und «kalt
verschwindenden Tagen» und der jähen Lösung des Rätsels durch
das Liebesgeständnis Doras die Rede. Dem Leser blieb es überlassen, die weißen Flächen auszufüllen und das Bildnis zu ergänzen. In «Hermann und Dorothea» wird der Gipfel samt den
Stufen sichtbar, die Blüte samt der Metamorphose, deren Resultat

247

sie ist. Langsam und mit Mühe drängt sich Hermann zur Vollendung durch. Er hat es schwerer als Alexis, weil er Deutscher ist und Bürger einer dem Ursprung entfremdeten Zeit. Doch um so mehr beglückt uns die Entfaltung seines schönen Wesens. Etwas Herbes, Strenges, Sprödes, Nordisches ist ihm beigemischt, das zugleich rührt und imponiert und ihn davor beschützt, ein unglaubwürdiges Ideal zu sein.

Dorothea wird nicht ebenso genetisch aufgefaßt. Wir erfahren aus ihrer Vergangenheit nur die eine heldenhafte Tat, mit der sie ihre und einiger halberwachsener Mädchen Unschuld beschützt hat. Außerdem hören wir, daß sie bereits einmal verlobt gewesen und daß ihr Bräutigam in den Wirren der Revolution ums Leben gekommen ist. Beides vertieft den Hintergrund des Ungeheuren und hebt Dorothea groß aus ihrer Umgebung, den jammernden hilflosen Frauen und Kindern, heraus. Was sie dazu befähigt, wie sich ihr Charakter gebildet hat, erzählt uns Goethe nicht; auch die Eltern werden mit keiner Silbe erwähnt. Dies alles hätte nur unerwünschte Ausführlichkeiten zur Folge gehabt und ihre Bereitschaft, Hermann zu folgen, in ein ungünstiges Licht gerückt. Wir sollen gar nicht daran denken. Die Fremde soll frei sein, aus freien Stücken die Wöchnerin und die Kleinen pflegen, heimatlos, durch nichts überzeugend als durch ihr hochgesinntes Herz und ihre kräftig-schöne Gestalt. Aus Hermanns Brust wie aus der des Lesers «lockt sie ein jeglich Vertrauen hervor». Sie ist gewandter als der Jüngling. Sie schätzt die französische Artigkeit und macht im richtigen Augenblick, vor dem unwirschen Alten, dessen Gefallen am Schein sie kennt, davon Gebrauch. Ihr echtes, dem der Mutter verwandtes Wesen verfälscht dies aber nicht. Im Gegenteil: es wird dadurch nur «scheinbar», im älteren Sinn des Begriffs; es scheint hervor, ein Augentrost, wie es ein Trost der Seele ist. So finden wir erst in Dorothea das Wahre ganz mit der Sitte, auch mit der modischen Sitte der Zeit, versöhnt. Wie alles dies ineinanderspielt in dem höchst delikaten Auftritt am Schluß: Stolz und Demut, Schmerz und tiefstes Glück und liebenswürdigster Anstand, eine schon fast pathetische Größe, gemildert durch mädchenhaftesten Reiz – das ist ein Anblick von solcher Vollendung, daß uns nur übrig bleibt zu flehen:

Verweile doch! Du bist so schön! und an das Goethesche Wort zu erinnern, es sei das Schöne, das Wahre, was ihn bis zu Tränen zu rühren vermöge[24].

Wir sind am Ziel. Die Hauptgestalten der Dichtung sind in der Stube versammelt. Die rechte Ordnung stellt sich her. Der Apotheker darf den Mund überhaupt nicht mehr auftun; der Vater ist dem Augenblick noch knapp gewachsen, die Mutter ganz in ihrem Reich. Der Prediger tritt segnend heran. Im Mittelpunkt steht das «herrliche Paar». Und wieder geht es wie ein Erzittern durch die Welt und durch unser Gemüt, als hätten sich Jahrtausende auf diese Stunde vorbereitet und spräche der Schöpfer: Es ist gut!

Wir wenden uns nun der Frage zu, die Goethe an Heinrich Meyer stellte: ob er, der Menschenmaler, «unter dem modernen Kostüm die wahren, echten Menschenproportionen und Gliederformen anerkennen werde[25]». Eine ganze Reihe von Problemen kündigt sich hier an. Zunächst einmal wird festgesetzt, was Goethe in einem der folgenden Briefe noch ausdrücklicher wiederholt: der Menschenmaler sei der «kompetenteste Richter der epischen Arbeit». Man kann ihm diese Würde nur zubilligen, wenn man überzeugt ist, der Epiker müsse, im Gegensatz zum Dramatiker, den die Bühne entlastet, und, wie wir heute betonen würden, im Gegensatz zum Romanschriftsteller, die Fabel so sichtbar wie möglich gestalten und dürfe nicht ruhen, bis alles nur Gedachte und Gefühlte für das Auge des Lesers in Bildern, in Haltungen, Gruppen, Gebärden ausgeprägt sei.

Das brauchte der Dichter der Odyssee und der Ilias sich nicht vorzunehmen. Für ihn war alles Seelische ohnehin noch sinnlich wahrnehmbar. Schon seine Sprache zwang ihn, auf der Stufe der Anschauung zu verharren. Der Deutsche dagegen hatte die Freiheit und war bei jedem Schritt versucht, die Sphäre des Bildlichen zu verlassen und in abstrakte Geistigkeit oder dunkle Innigkeit auszuweichen. Er hatte sich einerseits auf eine schmale Zone seiner ungleich tieferen und weiteren Welt und seiner Ausdrucks-

[24] Schiller an Goethe, 2. Juli 1796.
[25] 28. April 1797.

mittel zu beschränken, und andrerseits den eingeschränkten Raum so weise auszunützen, daß seine Darstellung doch dem differenzierteren Menschenwesen der neueren Zeit gerecht zu werden vermochte. Wie groß die Leistung war, ermessen wir, wenn wir uns an die Seelengemälde und Reflexionen in dem eben abgeschlossenen Roman erinnern, an den Lehrbrief Wilhelm Meisters, die Analyse von Mignons Charakter, die Diskussionen des achten Buchs. Auf all dies galt es zu verzichten. Freilich war der Stoff auch in dieser Hinsicht vorteilhaft gewählt. Und doch, so einfach er ist, so wenig er Anlaß zu subtilen Hintergründigkeiten zu bieten scheint – mit Goetheschen Augen angesehen, war er noch immer viel zu fein, um ohne weiteres in der epischen Bildersprache aufzugehen. Hin und wieder werden wir uns der großen Schwierigkeiten bewußt, im siebenten Gesang zum Beispiel, nachdem sich Dorothea bereit erklärt hat, Hermann als Magd zu folgen:

«Fröhlich hörte der Jüngling des willigen Mädchens Entschließung,
Zweifelnd, ob er ihr nun die Wahrheit sollte gestehen.
Aber es schien ihm das Beste zu sein, in dem Wahn sie zu lassen,
In sein Haus sie zu führen, zu werben um Liebe nur dort erst.»

Goethe kann Hermann nicht zu seinem «lieben Gemüte» sprechen lassen und so nach homerischem Brauch einen inneren Vorgang in eine Szene verwandeln. Das würde uns als Manier befremden. So schwebt ein Seelisches hier im Leeren und erfüllt sich ausnahmsweise nicht in einer Anschauung. Fast immer haben wir aber Grund, die unerschöpfliche Erfindungskraft des Dichters zu bewundern: Wie Hermann auf die Klinke drückt, was keines Kommentars bedarf und als Bild viel deutlicher zu uns spricht als jeder abstrakte erklärende Satz; wie er dann abgewandt unter dem Birnbaum sitzt und in die Ferne sieht; wie er sich regungslos gegen die Schwere von Dorotheas Körper stemmt; wie Dorothea aus der ungetrübten Quelle Wasser schöpft, die Spenderin des lauteren Lebens; wie sie es ablehnt, daß der künftige Herr mit ihr die Bürde teile, und beide Krüge selber aufnimmt – das sind einige Proben der epischen Kunst, die Goethe erlaubten, das

Urteil Meyers zuversichtlich abzuwarten. Das Größte dürfte ihm in der Szene am Brunnen gelungen sein. Das Schwindelgefühl der Liebenden, die das Schauen und das Plaudern, das Spenden und das Trinken der Welt entrückt, die innigste Verzauberung und überirdische Heiterkeit in erwachendem grenzenlosem Vertrauen – selbst dieses zarteste Seelengewebe ist aufgehoben in Bildlichkeit: die Gesichter des Paars verschwimmen ein wenig und schwanken in dem spiegelnden Wasser, aus dessen Tiefe die ewige Bläue des Himmels scheint und es umfließt. Und eben da ist es noch möglich, unmittelbar den Anschluß an die homerische Sprache wiederzufinden. «Und süßes Verlangen ergriff sie», heißt es. Das ist die bekannte Formel Homers: καί με γλυκὺς ἵμερος αἰρεῖ.

Aus bloßem Vorsatz, weil es nach den Gesetzen des epischen Stils so sein muß, wäre dergleichen nie gelungen. Das bringt nur ein Dichter zustande, der tief unglücklich ist, wenn er nicht schauen darf, der in der Gegenwart des Bildes den Frieden findet, den kein Gefühl, kein noch so tiefer Gedanke gewährt.

Doch in der Frage an Meyer ist nicht nur von der Anschauung als solcher, sondern von den «wahren, echten Menschenproportionen» die Rede. «Wahr» und «echt» ist die klassische Kunst. Die klassische Kunst beschäftigt sich mit dem, was war und ist und sein wird. Goethe wollte also wissen, ob hinter dem bloß Historischen, dem Kostüm der modernen Bürgerlichkeit, das unvergängliche, zeitlos gültige Wesen des Menschen sichtbar sei. Wir haben gesehen, daß er dieses Ziel durch eine behutsame Loslösung von Voß zu erreichen bemüht war, nicht, indem er, wie es sonst die Darstellung des Typus erfordert, vom Individuellen abstrahierte und sich mit einer möglichst allgemeinen Umrißzeichnung begnügte, sondern indem er es leicht, wohlwollend, ja sogar liebevoll ironisierte. So blieb der mannigfaltige Reichtum des zeitgenössischen Lebens erhalten, ohne das Wahre und Echte zu stören. Das Klassische wurde nicht mehr aus der blauen Luft herabgezaubert und als seltsam schönes Bild in eine ihm fremde Umgebung versetzt; es trat aufrichtig in Erscheinung, wie es im Norden und in später Stunde noch erscheinen konnte, als Aufgabe nämlich, die jeder Einzelne und womöglich die Gemeinschaft immer neu zu bewältigen haben, als Geschenk, das ein gütiges Schicksal hin und wieder dem unbeirrten, redlich wandelnden Menschen gewährt. Der Apotheker verfehlt es ganz. Den Vater rührt es manchmal an. Der Pfarrer weiß darum Bescheid. Der Mutter und dem Sohn ist es beschieden unter dem alten Baum; so auch dem fremden Richter, der wie Josua und Moses waltet; so Hermann und Dorothea am Brunnen, wo uns das deutsche Liebespaar an Jakob und Rahel, Odysseus und Nausikaa, Daphnis und Chloe erinnert und wo wir uns fast darüber verwundern, daß Dorothea zwei Gefäße an den Henkeln mit Händen trägt und nicht den Krug auf erhobenem Haupt.

Aber nicht nur gegen die Mode und die Ungunst des nördlichen Himmels muß das klassische Ebenmaß errungen und behauptet werden. Es ist einem viel gefährlicheren, unheimlichen Gegner ausgesetzt, dem Geist der Französischen Revolution, der allen idyllischen Frieden gefährdet, den schönsten Besitz zu vernichten droht, die Gemüter mit trügerischer Hoffnung vergiftet, die Liebsten wider einander aufregt. Das war die entscheidendste Änderung, die Goethe an seinem Stoff vornahm, daß er die Handlung aus der Zeit der österreichischen Glaubenswirren in die Gegenwart verlegte. Er griff ihn wohl nur deshalb auf, weil diese Möglichkeit sich bot. Mit konfessionellen Katastrophen hätte er nichts anfangen können. Sie wären ihm zu wesenlos, zu albern und willkürlich erschienen, als daß er sie auch nur als düstere Folie hätte brauchen mögen. In der Französischen Revolution dagegen erkannte er eine Macht, die ebenso groß und zeitlos war wie die ruhige Schöpferkraft der Natur, die Unnatur, die Anarchie, das Chaos, das nicht minder ewig ist als jede schöne Bildung, das nur entsetzlicher wiederkehrt, je reiner die Gestalt sich gegen das Rohe abzugrenzen strebt. Er hatte sich damit in einigen kleinen Dramen und in den «Unterhaltungen» auseinandergesetzt, ohne Kraft und unentschlossen, weil sein eigener Glaube an das Gute ins Wanken geraten war. Jetzt, da ihm Schiller zur Seite stand, da er, mit ihm vereint, sich wieder des höchsten Sinns zu bemächtigen wagte, richtete er den Blick gefaßt, unerschrocken gegen Westen und sprach als Dichter seiner Zeit das lang schon fällige feste Wort. Erst damit wurde er seiner Verstörung und seiner tiefen Beklommenheit Herr. Noch «Alexis und Dora» war ein Traum gewesen; «Hermann und Dorothea» war erprobte Wahrheit. Da wurde nichts verleugnet, nichts dem schönen Schein zuliebe vergessen. Und wunderbar! die Kunst kam nicht nur nicht zu Schaden; sie feierte nur einen um so herrlicheren Triumph. In «Alexis und Dora» nämlich hatte Goethe die Plastik seiner Gestalten abgehoben von der nächtigblauen unendlichen Fläche des Meers. Nun hob er sie ab von dem dunkleren Grund des Krieges und der Politik, von einer ungeheuren Gärung, die sie nicht nur als Leere umgab, sondern unmittelbar bedrohte und dadurch zwang, sich zu gediegenster Festigkeit zusammenzu-schließen. Mit grandioser Energie wird dieses Widerspiel in allen Bereichen der Dichtung durchgeführt. Harmlos ist noch zu Be-ginn die Art, wie sich der Wirt am heißen Tag den Zug der Flüchtlinge denkt und wie er sich seiner Behaglichkeit versichert. Tiefernst sind im Gespräch der Mutter mit dem Sohn die Schatten des Unheils gegen den Glanz des glücklichen Landes, den Schim-mer der reifenden Ernte gesetzt. In Dorothea tritt die Fremde, vom Schicksal Heimgesuchte den eingesessenen Bürgern gegen-über, und beide sehen sich fragend an. Am Finger trägt sie noch den Ring des ersten Bräutigams, der in Frankreich Kerker und Tod gefunden hat; und neben diesen Ring wird der andere «vom rundlichen Gliede» des Wirts gesteckt. Dann spricht sie die Weis-heit dessen aus, der es gelernt hat, sich als Fremdling auf der Erde zu betrachten, und auf den Trümmern der alten Welt sich mehr denn je als Fremdling fühlt:

«Liebe die Liebenden rein, und halte dem Guten dich dankbar.
Aber dann auch setze nur leicht den beweglichen Fuß auf;
Denn es lauert der doppelte Schmerz des neuen Verlustes.
Heilig sei dir der Tag; doch schätze das Leben nicht höher
Als ein anderes Gut, und alle Güter sind trüglich.»

Und Hermann hört dies und erwidert mit vollem Bewußtsein seines Glücks und der ihm drohenden Gefahr:

«Desto fester sei, bei der allgemeinen Erschüttrung,
Dorothea, der Bund! Wir wollen halten und dauern,

Fest uns halten und fest der schönen Güter Besitztum.
Denn der Mensch, der zur schwankenden Zeit auch schwankend
                                                    [gesinnt ist,
Der vermehret das Übel, und breitet es weiter und weiter;
Aber wer fest auf dem Sinne beharrt, der bildet die Welt sich.
Nicht dem Deutschen geziemt es, die fürchterliche Bewegung
Fortzuleiten und auch zu wanken hierhin und dorthin.
Dies ist unser! so laß uns sagen und so es behaupten!»

Man fragt sich immer wieder, worauf die unbeschreibliche Gewalt des schlichten, stillen Gedichts beruht. Zu nicht geringem Teil beruht sie zweifellos auf dieser dauernden Gefährdung des Idylls. Es ist erschütternd, wie das Schöne, Wahre, das sich mit genauer Not aus der modischen Hülle befreit, aus tausend Zufälligkeiten löst, kaum zu sich selbst gelangt und, Erstlingsparadieseswonne atmend, seinen Kreis vollendet, rings umwölkt von Schauern der Vernichtung, schutzlos seiner Ewigkeit vertraut und ausharrt ohne Wank, was auch die Stunde bringen mag. Erschütternd ist dies, rührend und erhebend in so hohem Maß, daß unsere Seelenkraft kaum zureicht und Goethe fast erschreckend nah vor unseres Geistes Auge rückt: sein herzliches Verlangen, im Einverständnis mit seiner Welt zu leben; sein gläubiges Bemühen, die Spur des ihm angemessenen, in der Natur geborgenen reinen Daseins zu finden; sein Wunsch, es dichterisch zu behüten, ihm gleichsam durch die homerische Sprache völlig zu sich selbst zu verhelfen – und dann die Wehmut, daß es dennoch, trotz der liebevollsten Beschwörung, traumhaft und gebrechlich bleibt und jederzeit ausgelöscht werden kann vom Geist der vorwärtsschreitenden Zeit oder, fürchterlicher, vom Ungeist, der wiedererstandenen alten Nacht. Und wie begründet war diese Sorge! Das Epos «Hermann und Dorothea» ist, neben Schillers «Lied von der Glocke», die einzige Dichtung höchsten Rangs, in der die deutsche Bürgerlichkeit sich klassischer Gestaltung fügt.

Goethe zwar erlaubte sich nicht, auf seine eigene Schöpfung den Begriff des Klassischen anzuwenden. Aber er hatte sich doch als letzten Homeriden eingeführt; und wenn das «letzter» vermutlich auch nicht im zeitlichen Sinn zu verstehen ist, vielmehr die Rangordnung betrifft, so war damit immerhin, wenngleich in bescheidenster Weise, angetönt, man möge ihm einen Platz in der Reihe der alten Epiker zugestehen. Damit kommen wir zu dem dritten Problem, das die Frage an Heinrich Meyer enthält: Ist Goethes klassisches Werk antik? Genauer gesagt: ist es homerisch? Vom Vers, von den homerischen Formeln, von der Technik des Erzählens soll jetzt nicht mehr die Rede sein. Wir glauben, hinlänglich verstanden zu haben, daß Goethe sich dieser dichterischen Mittel nur deshalb so glücklich bedienen konnte, weil er dem Geist der griechischen Epik tatsächlich so nahe gekommen war wie kaum ein Dichter vor und nach ihm. Wir glauben auch zu wissen, was ihn berechtigte, über die Zeit hinweg sich mit Homer verwandt zu fühlen. Es war seine Lust an der Anschauung, sein Sinn für fest umrissene, kein Entweichen gestattende Gegenwart.

Wir brauchen das aber nur auszusprechen, um alsbald auf gewichtige Unterschiede aufmerksam zu werden. Homerische Gegenwart ist einfach; sie geht in ihrem Dasein auf. Wer über homerische Bilder nachdenkt und ihre «Tiefe» ergründen will, wird ihnen schwerlich besser gerecht, als wer sich einer unbekümmerten Freude an ihrem Glanz überläßt. Goethes Gegenwart ist «tief». Sie ist es schon deshalb, weil ein liebendes Paar die Mitte der Dichtung einnimmt und so die Unendlichkeit der Liebe, wie sie nur neuere Zeiten kennen, überall ihr Geheimnis webt und unversehens eine Landschaft, ein Gerät in Stimmung taucht. Und Goethes Gegenwart ist «bedeutend»; sie deutet über sich hinaus, nicht so, daß sie der Phantasie beliebig auszuschweifen erlaubte, so aber, daß sie anderes, nicht Gegenwärtiges einbezieht und der Besinnlichkeit empfiehlt. Die wasserschöpfende Dorothea, die Spiegelung des Paars im Brunnen, der alte mütterliche Baum, das Wetter, das über den Liebenden aufzieht: das ist «durchsichtig», wie homerische Bilder nie durchsichtig sind. Erst wenn ein Allgemeines, Geistig-Seelisches und die Anschauung schon als verschieden erfahren und nachträglich wieder vereinigt werden, entsteht Symbolik dieser Art. Sie ist neuzeitlich; sie erspart den Verzicht auf die nordische Innerlichkeit, den sonst das Epos fordern würde, und bleibt doch seinem Wesen treu, indem sie alles Innere im Äußeren aufhebt und verbirgt.

In Goethes Gegenwart ist ferner auch das Werden einbezogen:

«Wahre Neigung vollendet sogleich zum Manne den Jüngling.»

Das hätte Homer nicht sagen können. Seine Helden altern nicht. Auch wenn er uns Lebensgeschichten erzählt, liegt das, was wir Entwicklung nennen, jenseits seiner Einbildungskraft. Gestalten gar so vorzustellen, daß eben jetzt, da sie erscheinen, ihr früheres Sein noch immer und ihr späteres schon erkennbar ist, bleibt seiner Kunst durchaus versagt. Man könnte freilich nun vermuten, ein Verständnis für das Werden, wie es Goethe eignet, schmälere das Recht der Gegenwart. Doch mindestens in «Hermann und Dorothea» verflüchtigt sie sich nicht. Die Unaufhaltsamkeit des Werdens und die Stetigkeit des Daseins werden eins in der Erscheinung, die sich uns als Stufe darstellt: Hermann auf der Stufe, die vom Jüngling weiterführt zum Mann. Die Stufe, selber eben, aber einer Treppe eingegliedert, erlaubt uns zu verweilen und ist dennoch Teilstück eines Wegs. Für die Vereinigung antiken und modernen Geistes leistet sie so viel wie das Symbol.

Der «Augenblick», zu dem die Gegenwart sich hier vertieft[26], erfüllt sich weiterhin als «prägnanter Moment». Dieser Begriff ist zwar von der Laokoongruppe abstrahiert. Es fragt sich aber, ob diese damit in einer der griechischen Plastik angemessenen Weise interpretiert sei. Vermutlich hielte es schwer, dasselbe an andern Skulpturen, zumal an denen der frühen Epochen, abzulesen. Wie dem auch sei, in den Epen Homers ist jedenfalls der Kunstwert des prägnanten Moments noch kaum erfaßt. Wo wäre der prägnante Moment in der Ilias oder der Odyssee? Höhepunkte gibt es gewiß. Es gibt aber nicht den einen Punkt, der so sein Licht auf das Ganze verstrahlt, in dem sich die Linien so vereinen wie in dem prägnanten Moment des Zeniths, der in «Hermann und Dorothea» gewählt ist und die Würde des Stoffs bestimmt. Er organisiert das gesamte Gedicht. Die homerischen Epen sind

[26] Vgl. S. 228.

nicht organisch, trotz allen Versuchen des Ilias-Dichters, ein einheitliches Gebilde von riesigen Maßen zustande zu bringen[27].

Organisch nennen wir mit Kant[28] ein Ganzes, dessen einzelne
Teile ebenso als Selbstzweck wie als Mittel aufzufassen sind. Dasselbe Schema: In-sich-selber-Ruhen und Über-sich-hinaus-Ver-
weisen zeigt sich abermals. Und es zeigt sich in «Hermann und
Dorothea» in einer Vollkommenheit, die kaum je übertroffen
worden ist. Was hat der Dichter zum Beispiel mit Dorotheas Ring
anzufangen gewußt! Die Fremde war schon einmal verlobt; der
Richter hat es bereits erzählt. Der erste Bräutigam, «nach edler
Freiheit strebend», hat in Paris schon früh «den schrecklichen
Tod» gefunden. Das ist ein Motiv, das sich selber genügt. Der
dunkle Hintergrund vertieft sich; Dorothea gewinnt an Würde.
Derselbe Ring scheint aber wieder nur erfunden zu sein, um
Hermanns Zaudern besser zu begründen, die zarte Scheu, die uns
so rührt. Und diese ist ihrerseits unerläßlich, um das glückliche
Ende zu retardieren und die Verwirrung im neunten Gesang
gehörig vorzubereiten. Und doch wäre alles harmlos verlaufen,
hätte der Apotheker sich nicht – gegen Schluß des sechsten Gesangs – übereilt und die Rede des Pfarrers abgeschnitten. So fällt
auch auf ihn noch ein kleines Streiflicht. Und wenn zuletzt
der Ring des Vaters neben den ersten Ring gesteckt wird, so
meint man, Goethe habe es nur auf diese Handlung abgesehen,
die noch einmal, auf kleinstem Raum, die Fremde neben die
Heimat rückt und Hermann ermahnt, sich zusammenzuraffen
und neben dem Freiheitshelden auf friedliche Weise seinen Mann
zu stehen.

Ein anderes Beispiel: der knackende Fuß. Es wäre schwer, ein
Motiv zu nennen, das seine Beglaubigung vollständiger in sich
selber trüge als dieses. Hermann geleitet Dorothea im Dunkel den
Laubgang des Weinbergs hinab:

«Aber sie, unkundig des Steigs und der roheren Stufen,
Fehlte tretend, es knackte der Fuß, sie drohte zu fallen.
Eilig streckte gewandt der sinnige Jüngling den Arm aus,

[27] Vgl. dazu E. Howald, Der Dichter der Ilias, Erlenbach-Zürich 1946.
[28] Kant, Kritik der Urteilskraft, § 65.

Hielt empor die Geliebte; sie sank ihm leis auf die Schulter,
Brust war gesenkt an Brust und Wang an Wange. So stand er,
Starr wie ein Marmorbild, vom ernsten Willen gebändigt.»

Eine Liebesszene von überströmender Leidenschaft, wie sie den
Höhepunkt von «Alexis und Dora» bildet, wird in der epischen
Dichtung, die ihr Gleichgewicht wahren soll, vermieden. Sogar
der Kuß und die Umarmung im letzten Gesang sind angesichts
so vieler Zeugen mehr offiziell. Dennoch sollen die Liebenden einmal so zusammengeschlossen werden, wie jedes Lesers Herz es
wünscht, ungestört, von der Wonne beseligt, die von Körper zu
Körper strömt. Es scheint unmöglich; und dennoch kommt es auf
die einfachste Weise zustande.

Das unvergeßliche Bild ist aber nur ein Glied in der letzten
Entwicklung. Es weist zurück auf Hermanns Zaudern, das uns so
lange beunruhigt hat. Der Jüngling und das Mädchen sind sich
soeben schon sehr nahe gekommen. Unter dem Birnbaum ist eine
fast unmißverständliche Frage verlautet und fast unmißverständlich beantwortet worden. Aber der Ring, «das schmerzliche Zeichen», hat die Entscheidung wieder verhindert. Jetzt verhindert
sie nicht der Ring. Der «ernste Wille», imponierende Selbstbeherrschung hält Hermann zurück. Ohne den leisesten Tadel
begleiten wir ihn zu dem letzten heiklen Ereignis. Und eben dieses heikle Ereignis kündigt das böse Omen des vor der Schwelle
knackenden Fußes an. Der Dichter hat noch etwas vor. Es wird
nicht schlimm sein. Wir wissen, daß Dorotheas erster Bräutigam
tot ist und nichts der Verbindung im Wege steht. Wüßten wir
das nicht, so wäre die Spannung beinah unerträglich. Nun ist sie
gemäßigt und doch so belebend wie jene Ausweichungen in eine
andere Tonart, die Mozart und Haydn unmittelbar vor dem Abschluß eines Satzes noch anzubringen verstehen.

Böse Zeichen werden aber von außermenschlichen Mächten
gesandt. Wir mögen darüber denken, wie wir wollen – wir haben
doch den Eindruck, daß etwas über den Liebenden walte, wie jetzt
auch das Gewitter aufzieht, sichtbare Wirklichkeit unsres Gefühls
und der Gefühle in Hermanns Brust. In unter- und überirdische
Zonen scheint sich das Geschehen, wenngleich auf höchst diskrete

Art, zu erweitern. Wir müssen Atem schöpfen, wenn wir noch besonnen folgen wollen. Die Atempause gönnt uns Goethe in der Präambel des letzten Gesangs, der einzigen Anrufung der Musen, die dieser letzte Homeride in seinem Epos sich erlaubt, in diesem Augenblick, da es gilt, dem Anteil, der zu lebhaft werden könnte, mit einer leichten Betonung des Scheincharakters der Kunst zu begegnen.

Wer solche Dinge sich klar gemacht hat, wird nicht mehr so rasch bereit sein, irgendwelchen poetischen Werken das Prädikat «organisch» zuzubilligen. Selbst Goethe ist es nicht wieder gelungen, Selbständigkeit und Bezug der Teile so rein ineinanderzufügen wie hier. Wie vieles wäre noch zu erwähnen: Wie Hermanns Rede über die Ehe im zweiten Gesang auf die Sorgen der Eltern zurück-, auf Dorothea vorweist, wie ferner die Worte des Pfarrers im fünften das rechte Tun des Menschen beleuchten und außerdem die Brücke vom Glauben des Vaters zu dem der Mutter schlagen, wie dann vor allem im letzten Gesang die lange Erzählung des Apothekers von der Kutsche und dem Sarg die Ungeduld untermalt und zerstreut, selber aber nur die milde, tröstliche Predigt über den Tod aus dem Munde des geistlichen Herrn veranlaßt. Hier ist es uns ausnahmsweise vergönnt, dem Schaffen Goethes zuzuschauen. Ursprünglich hieß es nämlich, nachdem der Apotheker geendet, nur:

«Lächelnd öffnete schon der weise Pfarrer die Lippen;
Aber die Tür ging auf, es zeigte das herrliche Paar sich[29].»

Erst in einer späteren Fassung wurden die Verse eingeschoben:

«Lächelnd sagte der Pfarrer: Des Todes rührendes Bild steht
Nicht als Schrecken dem Weisen und nicht als Ende dem Frommen.
Jenen drängt es ins Leben zurück und lehret ihn handeln;
Diesem stärkt es, zu künftigem Heil, im Trübsal die Hoffnung;
Beiden wird zum Leben der Tod. Der Vater mit Unrecht
Hat dem empfindlichen Knaben den Tod im Tode gewiesen.
Zeige man doch dem Jüngling des edel reifenden Alters
Wert, und dem Alter die Jugend, daß beide des ewigen Kreises
Sich erfreuen und so sich Leben im Leben vollende!»

[29] Vgl. Sophien-Ausgabe, 50.Bd., S. 378.

Und nun, wie leuchtet jetzt erst, was da folgt, wie eine Sonne auf!

«Aber die Tür ging auf. Es zeigte das herrliche Paar sich,
Und es erstaunten die Freunde, die liebenden Eltern erstaunten
Über die Bildung der Braut, des Bräutigams Bildung vergleichbar;
Ja, es schien die Türe zu klein, die hohen Gestalten
Einzulassen, die nun zusammen betraten die Schwelle.»

Goethe war überzeugt, dergleichen von Homer gelernt zu
haben. Einheit und Mannigfaltigkeit billigt er den homerischen
Epen zu. Das heißt in seiner Sprache: er nimmt sie als organische
Gewächse. Wir hüten uns heute, wie Philologen des letzten Jahrhunderts darüber zu lächeln. Seit sich das häßliche Phantom des
«Redaktors» der Ilias aufgelöst hat, bemerken wir wieder un-
befangener Verstrebungen, Vorbereitungen, Bezüge auch zwischen weit entfernten Gesängen und schließen nicht mehr die
Augen vor der Leistung archaischen Kunstverstands [30]. Ebensowenig werden wir uns aber einreden lassen, daß es Homer gelungen sei, ein Großepos in allen Teilen zu organisieren. Der
Wille ist sichtbar, doch sichtbar ist auch die Befangenheit in der
Tradition der primitiven älteren Epik, die unaufhörlich Reihen
bildet und sich damit begnügt, uns mit einzelnen Bildern, auf
weite Strecken sogar mit einzelnen Versen zu ergötzen. Wir treten
dem Altvater nicht zu nah, wenn wir zugeben, daß ihm in dieser
Hinsicht Goethe weit überlegen sei. Denn sogleich müssen wir
auch erkennen, wie teuer der deutsche Dichter seine Überlegenheit bezahlt. Er darf es sich nicht gestatten, zwischen Himmel und
Erde frei zu wandeln, unbegrenzt weltoffen zu sein und alles und
jedes zur Sprache zu bringen, was sich seinem Auge darstellt und
was er durch Überlieferung kennt. Er ist genötigt, sich auf einen
bescheidenen Kreis zurückzuziehen und eine fast ängstliche Auswahl zu treffen. Er schreibt ein Kurzepos, das an Umfang drei
oder vier Gesängen der Ilias oder der Odyssee entspricht. Sein
Raum ist nicht der Orbis terrarum, sondern ein kleines deutsches
Städtchen und ein Dorf in der Nachbarschaft. Seine Personenzahl
ist beschränkt. Er muß darauf verzichten, Helden und große

[30] Vgl. dazu wieder die maßvolle Würdigung des Künstlerischen der
Ilias durch E. Howald, a.a.O.

Herren der älteren und neueren deutschen Geschichte mit Namen zu nennen. Sogar die Familiennamen der Bürger würden gegen den Stil verstoßen. Der christliche Inhalt ihres Lebens ist nur in leiser, alles Dogmatische meidender Andeutung zulässig. Die ganze Schwierigkeit einer deutschen Klassik tritt damit wieder zutage. Für Homer ist das Wahre, das Wirkliche und das Dichterische identisch. Es gibt in seiner Sphäre nichts, was sich die Kunst versagen müßte. Für den deutschen Dichter dagegen ist das Dichterische das Schöne, und das Schöne ist eine Idee. Das Wirkliche muß behutsam auf das Schöne ausgerichtet werden. Was nicht ausgerichtet werden kann, fällt weg oder hält sich höchstens am Rand als untergeordnetes Beiwerk. Goethe mag dies Schöne dann immerhin als das eigentlich Wahre bezeichnen und seine Zeit darauf verpflichten. Was er unwahr nennt, besteht darum nicht minder als Wirklichkeit und behauptet sein ungeheures Recht.

Wir wissen nun aber genug, um zu begreifen, wie Größe und Grenzen von «Hermann und Dorothea» zusammengehören. Größe und Grenzen sind eins in der «Form». Wir zögern sonst, diesen verbrauchten Begriff der Schulästhetik zu verwenden. Hier ist er in jeder Hinsicht am Platz. Er stammt aus der bildenden Kunst, der Plastik, behält jedoch, selbst so eng gefaßt, noch eine gewisse Zweideutigkeit. Die Hohlform nämlich kann gemeint sein, die Form, die prägt, aber auch das geprägte Stück, der ausgefüllte Raum. Wir lassen beide Bedeutungen zu. Goethes Idee des Schönen ist die prägende Form, die einen Stoff aus der ungemäßen Umgebung heraushebt. Die Dichtung ist das geprägte, nach außen reinlich abgegrenzte Gebilde. Die beiden homerischen Epen haben, sie mögen noch so stilvoll sein, in diesem Sinne keine Form, eben deshalb, weil Homer freizügig den ganzen Kosmos befährt, zu keiner Vorsicht genötigt ist und keine Grenzen des Kunstreichs kennt. Es ist uns deutlich geworden, wie Goethe die Form zu höchster Klarheit schmeidigt, indem er am Horizont die Unform zeigt, die Französische Revolution, von der sich unser Auge schaudernd abkehrt, um Trost zu finden an der wohlumrissenen kunstgerechten Gestalt. Es bleibt noch übrig, wahrzunehmen, wie sauber er die Linie des das Schöne hegenden Kreises zieht.

Wir haben uns mit den plaudernden Männern in der Stube eingerichtet. Wir haben die Mutter auf ihrem Weg durch Garten und Weinberg zum Baum begleitet und kennen das Dorf, wo die Vertriebenen rasten, aus Hermanns Schilderung, bevor wir selber es betreten. Dieselbe Strecke legen wir wieder in umgekehrter Richtung zurück. Abermals nimmt der Baum uns auf und lädt zu besinnlicher Ruhe ein. Die Stufen schreiten wir wieder herab, die wir hinaufgestiegen sind. Und in der Stube sind am Schluß dieselben Menschen wieder versammelt und begrüßen Dorothea, durch welche die Dissonanz sich löst, aus der die Bewegung entstanden ist. Der Bogen mündet in den Anfang.

«Merkwürdig ists», sagt Goethe, «wie das Gedicht gegen sein Ende sich ganz zu seinem idyllischen Ursprung hinneigt[31].»

Die Merkwürdigkeit entspricht aber nur einem Grundsatz, den er schon während der italienischen Reise aufgestellt hat. Er nennt die Madonna Tizians im Dom zu Verona lobenswert, weil die nach oben schwebende «angehende Göttin nicht himmelwärts, sondern herab nach ihren Freunden blickt[32]». Ausführlicher entwickelt denselben Gedanken der Aufsatz «Myrons Kuh[33]». Die Kuh und das Kälbchen werden geschildert. «Und nun», so schließt der betreffende Abschnitt, «wendet die Mutter das Haupt nach innen, und die Gruppe schließt sich auf die vollkommenste Weise selbst ab. Sie konzentriert den Blick, die Betrachtung, die Teilnahme des Beschauenden, und er mag, er kann sich nichts draußen, nichts daneben, nichts anders denken; wie eigentlich ein vortreffliches Kunstwerk alles übrige ausschließen und für den Augenblick vernichten soll.»

Das ist für Goethe vollendete Form. Das ist der Schutz, den er dem Schönen zu gewähren sich gedrängt fühlt, den er in «Hermann und Dorothea» einmal auch deutschen Bürgern gewährt.

Das Epos war noch kaum vollendet, als Goethe, in wenigen Tagen, wieder eine Elegie verfaßte, die den Stil von «Alexis und Dora» auf eigentümliche Weise fortsetzt, vielleicht auch schon

---

[31] An Schiller, 4. März 1797.
[32] 17. Sept. 1786.
[33] XIII, 637.

leicht überspitzt und beinah virtuos anmutet: «*Der neue Pausias und sein Blumenmädchen.*» Der Titel erinnert an den «Neuen Paris», die «Neue Melusine», «Sankt Joseph den Zweiten» und ist bestimmt, die Wiederkehr des gleichen, die schon die «Römischen Elegien» verkünden, das Schöne, das war und ist und sein wird, dem Leser einzuprägen, noch bevor der erste Vers verlautet: Die klassische Überzeugung ergibt sich nicht mehr erst aus dem Ganzen des dichterischen Gebildes; sie steht von vornherein fest. Der erste Pausias ist ein Maler gewesen, der neue ist ein Dichter. Das gibt Gelegenheit, die Poesie mit der bildenden Kunst und beide mit dem Leben zu vergleichen:

«Er

Ach, wie fühl ich mich arm und unvermögend! wie wünscht ich
    Festzuhalten das Glück, das mir die Augen versengt!

Sie

Unzufriedener Mann! Du bist ein Dichter, und neidest
    Jenes Alten Talent? Brauche das deinige doch!

Er

Und erreicht wohl der Dichter den Schmelz der farbigen Blumen?
    Neben deiner Gestalt bleibt nur ein Schatten sein Wort!

Sie

Aber vermag der Maler wohl auszudrücken: Ich liebe?
    Nur dich lieb ich, mein Freund! lebe für dich nur allein!

Er

Ach! und der Dichter selbst vermag nicht zu sagen: Ich liebe!
    Wie du, himmlisches Kind, süß mir es schmeichelst ins Ohr.

Sie

Viel vermögen doch beide; doch bleibt die Sprache des Kusses,
    Mit der Sprache des Blicks, nur den Verliebten geschenkt.

Er

Du vereinigest alles; du dichtest und malest mit Blumen:
    Florens Kinder sind dir Farben und Worte zugleich.

263

Sie

Nur ein vergängliches Werk entwindet der Hand sich des Mäd-
[chens
Jeden Morgen: die Pracht welkt vor dem Abende schon.

Er

Auch so geben die Götter vergängliche Gaben, und locken
Mit erneutem Geschenk immer die Sterblichen an.»

Keine Kunst erreicht die innige Mannigfaltigkeit des Lebens. Aber das Leben ist vergänglich, indes die Kunst die Stunde verewigt. Die stichomythische Gliederung führt zu einer epigrammatischen Schärfe, die an die « *Vier Jahreszeiten* » gemahnt und sich zur Formulierung von Gedanken sicher besser eignet als zur Darstellung des Vorfalls, der die zweite Hälfte einnimmt. Man darf hier überhaupt nicht nach der Komposition des Ganzen fragen. So zauberhaft das leichte Hin und Her des Liebesgesprächs anmutet, so gleichgültig ist die Entwicklung und Folge. Der Geist der Zärtlichkeit – ein kluger und feiner Geist – weht, wie er will.

Des biographischen Hintergrunds sei nur im Vorübergehen gedacht. Christiane hatte in Bertuchs Fabrik durch die Herstellung künstlicher Blumen den Lebensunterhalt verdient. Das erklärt vielleicht die Wahl des Motivs, nicht aber den Ton, in dem die beiden Liebenden miteinander sprechen. Wir lernen Goethes Gefühle in der zweiten Hälfte der neunziger Jahre besser aus dem *«Amyntas»* kennen, einer kleineren, während der Schweizer Reise entstandenen Elegie. Zwischen Schaffhausen und Jestetten fiel sein Blick auf einen Apfelbaum, der ganz von Efeu umwunden war. Damit verband sich die Erinnerung an eine Idylle Theokrits, wo von der Heilung des Liebesschmerzes im Zusammenhang mit einem Arzt namens Nikias die Rede ist. Äußerlich bleibt alles noch im Rahmen antiker Poesie. Der erste Gruß ist aber vorüber. Der göttlich-vollendete Augenblick weicht einem Zustand seliger Qual, die an dem Mark des Lebens zehrt. Schon innerhalb des kleinen Corpus der Elegien zeichnet sich also ein Prozeß ab, in dessen Verlauf das klassische Ideal durch wiedererstarkte Bekenntnisdichtung bedrängt wird.

Das gilt erst recht von «*Euphrosyne*», der gleichfalls in der Schweiz geplanten, doch etwas später ausgeführten Totenfeier zum Andenken an die Schauspielerin Christiane Becker, die Goethe zum letzten Mal in der Rolle der Euphrosyne in Weigls Oper «Das Petermännchen» gesehen hatte. Die Bretter, die die Welt bedeuten, die Probe von Shakespeares «König Johann», in welcher Goethe die Künstlerin, die das Entsetzen des Knaben Arthur zu wenig zum Ausdruck brachte, mit einem glühenden Eisen geängstigt hatte, auch die schweizerische Gebirgslandschaft und das Erscheinen der Toten in der sich wandelnden, näher gewälzten Wolke: dies alles widerspricht dem Wesen des Schönen, das in «Alexis und Dora», in «Hermann und Dorothea» gilt, und wird doch keineswegs ironisch, sondern mit größtem Ernst behandelt und ohne die zu erwartende Sorge um leise Übergänge und Stufen mit den antiken Vorstellungen, mit dem Seelenführer Hermes und den mythischen großen Frauengestalten Antigone, Polyxena, Euadne und Penelopeia vereinigt. Denn die Erschütterung des Dichters, seine Trauer ist mächtig genug, um das Widerstrebende einzuschmelzen. Die Bilder werden überspielt von einer wehmutsvollen Musik. Wir fragen nicht nach Kunstgesetzen. Goethe selbst fragt nicht danach. Und dennoch gibt die Dichtung Anlaß, noch einmal des Zeniths zu gedenken. Auf die Paare, die das Schicksal wohlgesinnt zusammenführt, folgt hier ein anderes, dessen Begegnung unter unglücklichen Zeichen steht. Für das noch kindliche Mädchen, das bei seinem Tod, obgleich vermählt, erst neunzehn Jahre zählte, erfolgt sie zu früh, für den alternden Dichter zu spät. Von da aus erweitert sich die Betrachtung zu einer großen Klage über das unbegreifliche Los des Menschen, dem es nicht vergönnt ist, immer, wie die pflanzenhafte Natur, die vorgezeichnete Bahn zu wahren:

«Alles entsteht und vergeht nach Gesetz; doch über des Menschen
    Leben, dem köstlichen Schatz, herrschet ein schwankendes Los.
Nicht dem blühenden nickt der willig scheidende Vater,
    Seinem trefflichen Sohn, freundlich vom Rande der Gruft;
Nicht der Jüngere schließt dem Älteren immer das Auge,
    Das sich willig gesenkt, kräftig dem Schwächeren zu.

Öfter, ach! verkehrt das Geschick die Ordnung der Tage:
  Hilflos klaget ein Greis Kinder und Enkel umsonst,
Steht, ein beschädigter Stamm, dem rings zerschmetterte Zweige
  Um die Seiten umher strömende Schloßen gestreckt. »

Wird die dauerhafte Kunst das schwankende Los des Lebens
besiegen und die ungleich belastete Waage irgendwie ins Gleichgewicht bringen? Euphrosyne bittet darum. Doch selbst in ihrer
Bitte schwingt bereits ein schmerzlicher Zweifel mit:

  «Nur die Muse gewährt einiges Leben dem Tod. »

«Einiges Leben », aber nicht mehr. Ewig sind auch die Gebilde
der Kunst nicht. Goethes im Alter wachsendes Grauen vor der
Vergänglichkeit, die keine Macht überwindet, kündigt sich an.
Ein Schatten liegt über diesem Gedicht, den selbst die kräftigste
Bemühung nie mehr ganz zu verscheuchen mag. Der große
Augenblick ist vorüber. Das Gestirn setzt seine Bahn am Himmel
fort, dem Untergang zu. Unaufhaltsam sinkt es nieder, wie es auf-
gestiegen ist, immer noch leuchtend, immer noch glorreich:

  «Untergehend sogar ists immer dieselbige Sonne. »

THEORETISCHES NACHSPIEL

Wir stehen an einer so hochbedeutenden Wende von Goethes Dichtertum, daß es sich lohnt, einen Augenblick zu verweilen und auf die Strecke, die wir durchmessen haben, zurückzusehen. Es ist uns klar geworden, wie die Hoffnung auf die Antike in den voritalienischen Jahren wurzelt, wie selbstverständlich Goethes innere Lebensgeschichte in die klassizistische Bewegung mündet, deren Beginn durch Raphael Mengs und Winckelmann bezeichnet ist. Wir haben weiterhin wahrgenommen, wie bald die südliche Saat im deutschen Klima zu verkümmern drohte, wie den Heimgekehrten nach den «Römischen Elegien» eine tiefe Entmutigung befiel, wie sein Vertrauen auf sich selbst und auf die Öffentlichkeit erschüttert, seine Kraft gebrochen schien und einige dürftige Bühnenstücke und verdrossene Epigramme mit genauer Not die dichterische Reputation nach außen wahrten. Dann wurde die Freundschaft mit Schiller begründet. Sie gab zunächst der Vollendung des aus früheren Jahren stammenden Romanfragments einen mächtigen Auftrieb. Sie führte zu einer neuen Besinnung auf das klassische Ideal, ermunterte den Verzagenden, den Kampf mit den Widersachern zu wagen, und weckte aufs neue die Lust, Gestalten und Verse nach eigenem Sinne zu schaffen.

Bedenken wir dies recht, so müssen wir einsehen, daß die zweite Reihe der Elegien und «Hermann und Dorothea» verspätete Blüten sind. Sie hätten sich unter günstigeren Sternen unmittelbar aus dem Kranz der «Römischen Elegien» entfalten müssen. Nun brachen sie erst auf, als die beste Jahreszeit schon verstrichen, als das Jugendglück der italienischen Reise längst erloschen war. Vielleicht beruht gerade darauf ihre beinah unwahrscheinliche und rührende Vollendung. Nur so erklärt sich aber auch, daß alles so rasch vorüberging, daß diese Werke, die allein, im strengsten Goetheschen Wortverstand, der klassischen Idee genügen, zwischen dem Frühling des Jahres 1796 und dem Herbst des folgenden Jahres entstanden sind.

Nun aber geschieht etwas Sonderbares. Goethes Klassik – es sei wiederholt – ist ebenso eine Stufe seiner Entwicklung wie der Sturm und Drang, wie die Epoche des «Divan» und die Symbolik von «Faust II». Doch zum Begriff des Klassischen gehört die unbedingte kanonische Geltung und zeitlose Vorbildlichkeit. Wer einmal zum klassischen Stil gelangt ist, der muß es bedauerlich finden, daß er nicht schon von Jugend auf das Eine Wahre erstrebt und verwirklicht hat, und wird sich gegen die Vorstellung sträuben, daß er jemals wieder eine neue Richtung einschlagen könnte. Mit anderen Worten: das ungeschichtliche Wesen des klassischen Stils gerät in Konflikt mit der Geschichtlichkeit, die zum Geist der neueren Zeiten gehört. Nirgends sehen wir dies so deutlich und berührt es uns so schmerzlich wie bei Goethe, nachdem er «Hermann und Dorothea» vollendet hat. Schiller war zehn Jahre jünger. Er hatte sich in der Mitte der neunziger Jahre eben erst zur Idee des Verbindlich-Schönen durchgearbeitet. Der Besinnung folgten ohne Pause die großen künstlerischen Taten vom «Wallenstein» bis zum «Demetrius»; und ehe er dieser Kunst sich wieder hätte entfremden können, starb er und überließ er der Nachwelt die Frage, welche Schwierigkeiten ihm in den folgenden Jahren erwachsen wären. Bei Goethe dagegen wohnen wir dem Schauspiel einer beinah unglaubwürdigen Selbstverleugnung bei. Er weigerte sich zuzugeben, daß auch die klassische Poesie für ihn nur eine Stufe sei. Er berief sich auf ihre Prinzipien, als sie für ihn ihre Kraft schon eingebüßt hatten. Ja, er betonte sie um so eigensinniger und beharrlicher, je weniger sie noch helfen konnten. Damals faßte er den Plan einer dritten italienischen Reise. Man darf es wohl als ein Glück betrachten, daß sie infolge der kriegerischen Ereignisse nicht zustande kam. Denn was daraus geworden wäre, wie er sich selbst und uns die schönsten Erinnerungen durch eine öde Systematik verdorben hätte, das zeigt die dritte Schweizer Reise, mit der er sich im Sommer 1797 zuletzt begnügte.

Wir haben vorauszuschicken, daß Goethe diese Fahrt nicht wie die zweite vom Jahre 1779 selbst zum Kunstwerk gestaltete. Er mochte fühlen, daß sie dafür in keiner Weise geeignet sei. Was wir als dritte Schweizer Reise lesen, sind Briefe, Notizen und Tagebuchblätter, die Eckermann aus dem Nachlaß zusammengestellt und bearbeitet hat. Der dokumentarische Wert indes wird dadurch keineswegs vermindert, und die Verlegenheit ist berechtigt, mit der wir sie zur Kenntnis nehmen. Goethe blieb einige Tage in Frankfurt. Dann führte ihn der Weg über Darmstadt, Heidelberg, Heilbronn nach Stuttgart. In Tübingen wohnte er bei Cotta. In Zürich besuchte er Barbara Schultheß und traf er mit Heinrich Meyer zusammen. Ein Ausflug auf den Gotthard unterbrach die beschaulichen Tage in Stäfa. Ende Oktober trat er den Heimweg an. In Nürnberg sprach er noch bei Knebel vor. Am 20. November kehrte er wieder nach Weimar zurück.

Es gibt hier also manchen Aufenthalt und manche Begegnung, der wir, wären Goethes Aufzeichnungen verloren, beflissen nachsinnen würden, so insbesondere dem Wiedersehen mit der Schweiz und mit der Heimat. Aber keine Silbe befriedigt die Wünsche unserer Phantasie. Goethe hat sich im voraus Fächer und Kategorien zurechtgelegt, mit deren Hilfe er die Erfahrungen übersichtlich zu ordnen gedenkt. In Frankfurt will er Hauptprobe halten, das heißt, als in «einer vielumfassenden Stadt seine Schemata» ausprobieren und so das Kommende vorbereiten. Und das geschieht denn auch auf eine geradezu gespenstische Art. Nie kommt Goethe darauf zu sprechen, daß er in diesen Gassen gespielt, in jenem Haus den «Urfaust» geschrieben, dort auf die Geliebte gewartet hat und daß ihm auf Schritt und Tritt Bekannte der Jugendzeit begegnet sind. Als wäre er ein Fremder, der einen Reiseführer verfassen möchte, so wandert er in den Straßen und zwischen den wohlbekannten Gebäuden herum, unkenntlich, gleichgültig, oder doch nur mit jenem pflichtmäßigen Interesse, das jeder beliebige Kavalier auf seiner Tour aufbringen würde:

«Die großen, alten, öffentlichen Gebäude sind Werke der Geistlichkeit und zeugen von ihrem Einfluß und erhöhterem Sinn. Der Dom mit seinem Turm ist ein großes Unternehmen; die übrigen Klöster, in Absicht auf den Raum, den sie einschließen, sowohl als in Absicht auf ihre Gebäude, sind bedeutende Werke und Besitztümer. Alles dieses ist durch den Geist einer dunklen Frömmigkeit und Wohltätigkeit zusammengebracht und errichtet. Die Höfe und ehemaligen Burgen der Adeligen nehmen auch einen großen Raum ein, und man sieht in denen Gegenden, wo diese geistlichen und weltlichen Besitzungen stehen, wie sie anfangs gleichsam als Inseln dalagen und die Bürger sich nur notdürftig dran herumbauten.

Die Fleischbänke sind das Häßlichste, was vielleicht dieser Art sich in der Welt befindet; sie sind auf keine Weise zu verbessern, weil der Fleischer seine Waren, so wie ein anderer Krämer, unten im Hause hat. Diese Häuser stehen auf einem Klumpen beisammen und sind mehr durch Gänge als durch Gäßchen getrennt[1].»

So Goethe in seiner Vaterstadt! War diese Haltung Natur oder Vorsatz? Es könnte beides zusammenwirken. Der Mann auf der Höhe des Lebens ist vielleicht am wenigsten geneigt, sich ins Vergangene zu versenken und seiner Jugend nachzusinnen. Er scheint dergleichen wie ein Zeichen des nahenden Alters eher zu fürchten. Goethe aber hat aus dieser Scheu eine Tugend gemacht und erklärt: «Ich statuiere keine Erinnerung[2].» Damit bekennt er wieder einmal die Treue zur klassischen Gegenwart. Zugleich bekundet der Satz aber einen Verzicht auf Individualität. Denn worin könnte diese gründen, wenn nicht in dem Schatz von Erinnerungen, der mir allein gehört und unveräußerlich ist, ich mag mich noch so sehr um Mitteilung bemühen? Der Verzicht auf ein individuelles Dasein gehört nun aber seinerseits wieder zum Begriff des klassischen Kanons. Schon während der Arbeit am «Wilhelm Meister» hat Goethe Schiller gebeten, in seiner Kritik doch ja nicht abzulassen, «um, ich möchte wohl sagen, mich aus meinen eignen Grenzen hinauszutreiben[3]». Ähnliche Äußerungen finden sich in seinen Briefen öfter. Es ist ihm angenehm, daß man ihn in seinen Gedichten mit Schiller verwechselt. «Es zeigt, daß wir immer mehr die Manier loswerden und ins allgemeine Gute übergehen[4].» Des «allgemeinen Guten» hofft er sich nun dadurch zu versichern, daß er auf seiner Reise jeden persönlichen Eindruck korrigiert und nur beschreibt, ja bald nur wahrnimmt, was ein a priori festgelegtes Beziehungsnetz auffängt. Man könnte entgegnen, er habe sich schon in Italien nicht viel anders ver-

[1] Reise in die Schweiz 1797, Brief vom 18. Aug.
[2] Zu Kanzler Müller, 4. Nov. 1823.
[3] 9. Juli 1796.
[4] An Schiller, 26. Dez. 1795.

270

halten. Dort aber war nicht von vornherein klar, was wichtig und was unwichtig sei. Der große Fund stand erst bevor. Die Selbstverleugnung hatte den Sinn einer dunkel zielbewußten Askese. Doch nun ist alles ausgemacht. Es handelt sich einzig noch um Anwendung des geistigen Besitzes, ein Sammeln und Ordnen empirischer Fälle und Beispiele, die geeignet sind, das längst Erkannte zu bewähren. Sollte sich Goethe auf dieser Reise nicht unendlich gelangweilt und sich über die Langeweile mit seiner Geschäftigkeit hinweggetäuscht haben? Jeder Schritt wird wohl erwogen, jede Empfindung rubriziert. «Erregte Ideen» ist ein dem Rheinfall gewidmeter Abschnitt überschrieben. Und damit hat es noch nicht sein Bewenden. Denn auch die erregten Ideen werden wieder einer Kritik unterstellt, gemäß den Grundsätzen, die der Brief vom 15. August aus Frankfurt ausspricht:

«Über den eigentlichen Zustand eines aufmerksamen Reisenden habe ich einige Erfahrungen gemacht und eingesehen, worin sehr oft der Fehler der Reisebeschreibungen liegt. Man mag sich stellen wie man will, so sieht man auf der Reise die Sache nur von einer Seite und übereilt sich im Urteil; dagegen sieht man aber auch die Sache von dieser Seite lebhaft, und das Urteil ist im gewissen Sinne richtig. Ich habe mir daher Akten gemacht, worin ich alle Arten von öffentlichen Papieren, die mir jetzt begegnen: Zeitungen, Wochenblätter, Predigtauszüge, Verordnungen, Komödienzettel, Preiskurrente einheften lasse und sodann auch sowohl das, was ich sehe und bemerke, als auch mein augenblickliches Urteil einschalte. Ich spreche nachher von diesen Dingen in Gesellschaft und bringe meine Meinung vor, da ich denn bald sehe, inwiefern ich gut unterrichtet bin und inwiefern mein Urteil mit dem Urteil wohlunterrichteter Menschen übereintrifft. Sodann nehme ich die neue Erfahrung und Belehrung auch wieder zu den Akten, und so gibt es Materialien, die mir künftig als Geschichte des Äußern und Innern interessant genug bleiben müssen.»

Goethe sieht also sehr wohl ein, daß nur die individuelle Beschränkung die Intensität des Sehens ermöglicht. Er hofft jedoch, durch Mitteilung und Vergleich mit dem Urteil anderer Menschen den Vorteil der Beschränkung mit dem der Vielseitigkeit vereinen zu können. Er ruft gewissermaßen alle Glieder der Gesellschaft auf, ihm bei der Überwindung seiner Individualität behilflich zu sein. Freilich entspricht das seinem Grundsatz, daß nur alle Menschen zusammen die Natur zu erkennen vermögen, ist aber insofern fatal, als er sich nicht der Reihe einfügt, sondern alle Menschen in seiner Person versammeln zu müssen glaubt. Da hebt denn ein Gesichtspunkt den anderen auf, und als unbezweifelbare Erkenntnis bleibt nur Gleichgültiges übrig.

Außerdem hält sich ja, trotz aller prätendierten Universalität, das Sammeln von Fakten innerhalb der Grenzen, die durch die besonderen Anforderungen der klassischen Dichtung gesteckt sind. Goethe spricht das offen aus:

«Hätte ich nicht an meinem Hermann und Dorothea ein Beispiel, daß die modernen Gegenstände, in einem gewissen Sinne genommen, sich zum Epischen bequemten, so möchte ich von aller dieser empirischen Breite nichts mehr wissen [5].»

Nun ist uns gerade bei dem Versuch, das Epos zu würdigen, aufgegangen, wie ungeheuer schwierig es war, modernes deutsches Leben auf die klassische Schönheit auszurichten. Wenn nun umgekehrt die täglichen Reisebeobachtungen auf das Epos ausgerichtet werden, so bleiben aus der Fülle, die sich andrängt, nur spärliche Reste zurück. Goethe gibt sich die zwar rührende, aber wenig lohnende Mühe, aus deutschen und schweizerischen Städten und Landschaften klassische Körner herauszusieben. Er findet sich wieder einer ungemäßen Umgebung ausgesetzt. Doch zuversichtlich, wie er nach der Vollendung seiner Idylle und angesichts neuer poetischer Pläne ist, bedrückt ihn seine Lage wenig. Er wagt es, im Vertrauen auf sich selbst und auf den Bund mit Schiller, an eine Wirklichkeit zu glauben, in der zu wohnen ihm behagt. So zieht er seines Wegs, nicht froh, doch immerhin entschlossen, froh oder wenigstens ziemlich zufrieden zu sein.

«Denn obgleich in der Empirie fast alles einzeln unangenehm auf mich wirkt, so tut doch das Ganze sehr wohl, wenn man endlich zum Bewußtsein seiner eigenen Besonnenheit kommt [6].»

In diesem Sinne hat Goethe früher nie von «Empirie» gespro-

[5] 15. Aug. 1797.
[6] 19. Aug. 1797

chen. Der Einfluß Schillers macht sich geltend. Die Empirie bekommt den Charakter des Nachträglichen, das vielleicht sogar entbehrlich wäre für den, der seiner selbst gewiß ist.

Nur ganz selten glauben wir auch andere Töne zu vernehmen, ein holdes Unberechenbares, das sich der Theorie nicht fügt. Auch Goethe weiß darum Bescheid:

«Für einen Reisenden ziemt sich ein skeptischer Realismus; was noch idealisch an mir ist, wird in einem Schatullchen, wohlverschlossen, mitgeführt wie jenes undenische Pygmäenweibchen[7]», die «neue Melusine», die wir aus den «Wanderjahren» kennen.

Nicht gerade die etwas kunstgewerblichen «*Gespräche in Liedern*» legen davon Zeugnis ab, schon eher die Elegie «Amyntas» und vor allem «Euphrosyne» und die «*Schweizeralpe*», diese drei ergreifenden Gedichte, die denn immerhin während der unerfreulichen Reise entstanden oder doch entworfen worden sind. Von den großen Plänen dagegen, der «*Jagd*», dem «*Tell*», der in der Innerschweiz erwogen worden war, kam nichts zustande. Die epische Muse, von der sich Goethe nach «Hermann und Dorothea» mehr denn je begünstigt glauben durfte, um derentwillen er schließlich auch so eifrig empirische Studien trieb, sie wandte sich für immer ab. Nur einen Gesang der «Achilleis» vermochte er noch auszuführen. Die gültigen Werke der folgenden Jahre liegen auf einem andern Gebiet. Das mußte ihn um so mehr verwirren, als es sich dabei keineswegs nur um einzelne Mißerfolge handelte, sondern um ein Versagen der ganzen gründlichen klassischen Poetik, die er in Briefen und langen Gesprächen mit Schiller ausgearbeitet hatte.

Schon früh, am 7. September 1794, spricht Schiller von dem in Deutschland herrschenden «gänzlichen Mangel objektiver Geschmacksgesetze», und denkt an ein «Gesetzbuch», das dem Kritiker gestattete, «seine Behauptung durch Gründe zu unterstützen». Am 15. Mai des folgenden Jahres beklagt er sich wieder über die Unzuverlässigkeit aller ästhetischen Wirkung:

«Es ist jetzt platterdings unmöglich, mit irgendeiner Schrift, sie mag noch so gut oder noch so schlecht sein, in Deutschland

[7] 19. Aug. 1797.

ein *allgemeines* Glück zu machen. Das Publikum hat nicht mehr die Einheit des Kindergeschmacks und noch weniger die Einheit einer vollendeten Bildung.»

Goethe geht zunächst, sofern wir das nach den Briefen beurteilen können, auf solche Fragen nicht recht ein. Er einigt sich mit Schiller über das Wesen des Schönen im allgemeinen und wendet sich dann jeweils gleich einem einzelnen künstlerischen Problem zu, einem Motiv im «Wilhelm Meister» oder dem Schluß von «Alexis und Dora». Erst wie sich die Arbeit an «Hermann und Dorothea» ihrem Ende nähert, in der Schaffenspause des Winters 1796–97, greift er das Thema auf. Max Jacobi, wie man annimmt, hat ihm ein Epos vorgelegt. Er sendet einen Gesang an Schiller und wünscht sich eine «poetische Schule, wo man die Hauptvorteile und Erfordernisse der Dichtkunst wenigstens dem Verstande eines solchen jungen Mannes klar machen könnte[8]».

Von nun an kommen die Freunde immer wieder auf dieses Problem zurück.

«Keine Theorie gibts, wenigstens keine allgemein verständliche, keine entschiedne Muster sind da, welche ganze Genres repräsentierten[9]», schreibt Goethe im Hinblick auf die löblichen, aber doch nicht recht befriedigenden Bemühungen Caroline von Wolzogens, Amalie von Imhofs und Sophie Mereaus. «Eine Salbaderei in Prinzipien, wie sie im allgemeinen jetzt gelten, ist wohl noch nicht auf der Welt gewesen»; so heißt es am 25. November 1797. Und Schiller faßt das Anliegen diktatorisch in die Sätze zusammen:

«Nun wäre aber die Frage, was sich in einer Zeit wie die unsrige von einer *Schule* für die Kunst erwarten ließe. Jene alten Schulen waren Erziehungsschulen für Zöglinge, die neuern müßten Korrektionshäuser für Züchtlinge sein und sich dabei, wegen Armut des produktiven Genies, mehr kritisch als schöpferisch bildend beweisen. Indessen ist keine Frage, daß schon viel gewonnen würde, wenn sich irgendwo ein fester Punkt fände oder machte, um welchen sich das Übereinstimmende versammelte; wenn in diesem Vereinigungspunkt festgesetzt würde, was für

[8] 4. Febr. 1797.
[9] 1. Juli 1797.

274

kanonisch gelten kann und was verwerflich ist, und wenn gewisse Wahrheiten, die regulativ für die Künstler sind, in runden und gediegenen Formeln ausgesprochen und überliefert würden. So entstünden gewisse symbolische Bücher für Poesie und Kunst, zu denen man sich bekennen müßte, und ich sehe nicht ein, warum der Sektengeist, der sich für das Schlechte sogleich zu regen pflegt, nicht auch für das Gute geweckt werden könnte[10]. »

Es handelt sich also um nichts Geringeres als um den dichterischen Calcül, die Stiftung eines poetischen Reichs, in dem das Schaffen wie das Urteil dem subjektiven Belieben entzogen und nach allgemein verbindlichen Gesetzen vor sich gehen würde – um die «μηχανή der Alten», wie Hölderlin einige Jahre später in seinen Anmerkungen zu den Sophokleischen Tragödien sagt. Goethe und Schiller sind sich aber, im Gegensatz zu Hölderlin, der in griechischem Geist zu verfahren meint, der Unnatürlichkeit und Gefahr eines solchen Unternehmens bewußt.

«Die spezifischen Bestimmungen », sagt Goethe, «sollten, wenn ich nicht irre, eigentlich von außen kommen und die Gelegenheit das Talent determinieren. Warum machen wir so selten ein Epigramm im griechischen Sinne ? weil wir so wenig Dinge sehen, die eins verdienen. Warum gelingt uns das Epische so selten ? weil wir keine Zuhörer haben, und warum ist das Streben nach theatralischen Arbeiten so groß ? weil bei uns das Drama die einzig sinnlich reizende Dichtart ist, von deren Ausübung man einen gewissen gegenwärtigen Genuß hoffen kann[11]. »

Auch Schiller täuscht sich darüber nicht. Er weiß so gut wie Goethe, daß im alten Griechenland Theorien der Dichtungsarten entbehrlich waren, weil sich die Richtigkeit des Werks von selber nach der klar umgrenzten Situation des Dichters und seinem Verhältnis zur Öffentlichkeit bemaß. Homer, die Lyriker und die Tragiker wußten, wen sie vor sich hatten, für welchen Raum das Werk bestimmt war und was man von ihnen erwartete. In der Neuzeit ist das anders. Das Publikum ist nicht einheitlich. Es kennt seine eigenen Wünsche kaum. Es gibt keine sichere Tradition. Und wenn noch Lessing hoffen durfte, für seine Gesetze des

[10] 23. Juli 1798.
[11] 27. Dez. 1797.

Dramas und der bildenden Kunst Verständnis zu finden, so ist die Lage seit dem Sturm und Drang ganz unübersichtlich geworden. Wie das Kunstwerk in der Individualität des Originalgenies gründet, so wird es auch nur nach dem Eindruck beurteilt, den es auf diesen und jenen macht – ein Umstand, der sich mit dem klassischen Willen zum einzig Schönen und Wahren in keiner Weise mehr verträgt. Nur eine theoretische Besinnung vermag dem Übel abzuhelfen und jene Stabilität der Kunstübung und des Geschmacks zu erzielen, die Goethe und Schiller, bestärkt durch ihre aus größtem Gegensatz gewonnene Einigkeit glauben fordern zu dürfen.

Dem Unterschied der Dichtungsarten und Gattungen gilt die Diskussion, die sich vom Frühling bis zum Dezember 1797 hinzieht. Das ist das Thema der Hauptabschnitte in Gottscheds und Breitingers «Critischer Dichtkunst». Daß die Durchführung ganz anders ausfallen wird, versteht sich von selbst. Der Dichter hat nicht zu belehren, sondern nur das Leben darzustellen, wie es «in Wahrheit» ist, das heißt so, wie es im Licht von Goethes oder Schillers «Idee» erscheint. Goethes Idee ist durch die Begriffe Metamorphose und Typus bestimmt, Schillers Idee durch den fundamentalen Gegensatz von Natur und Freiheit, aus dem sich ein weitverzweigtes anthropologisches System gewinnen läßt. Über die Differenzen, die sich aus diesen Konzeptionen ergeben[12], sprechen die Freunde sich nicht mehr aus. Sie wissen, daß jeder das Wechselnde auf ein anderes Dauerndes bezieht. Goethe mag im Stillen Schillers Verfahren für nicht rein dichterisch halten, Schiller seinerseits bedauern, daß Goethe auf den zuverlässigen Grund der Philosophie verzichtet. Das fällt gegenüber dem, worin sie sich einig wissen, nicht ins Gewicht.

Beide lehnen es ab, ihre neue Poetik auf Autoritäten zu stützen. Sie ehren zwar die großen Werke der Alten als kanonische Bücher und freuen sich, in Aristoteles einen Bundesgenossen zu finden. Doch was sie als richtig anerkennen, glauben sie selber von Grund auf, aus der Natur der Sache, erklären zu müssen. Maßgebend ist das Verhältnis des Mimen und des Rhapsoden zum Publikum. Der Rhapsode, der Epiker, hat einen «ruhig horchenden», der

[12] Siehe S. 202.

Mime einen «ungeduldig schauenden und hörenden Kreis[13]» vor sich. «Die dramatische Handlung bewegt sich vor mir, um die epische bewege ich mich selbst[14]». Daraus ergibt sich, daß ich bei der dramatischen Dichtung «streng an die sinnliche Gegenwart gefesselt» bin; «meine Phantasie verliert alle Freiheit, es entsteht und erhält sich eine fortwährende Unruhe in mir, ich muß immer beim Objekte bleiben, alles Zurücksehen, alles Nachdenken ist mir versagt, weil ich einer fremden Gegenwart folge. Bewege ich mich um die Begebenheit, die mir nicht entlaufen kann, so kann ich einen ungleichen Schritt halten, ich kann nach meinem subjektiven Bedürfnis mich länger oder kürzer verweilen, kann Rückschritte machen oder Vorgriffe tun u.s.f.[15]».

Alle wesentlichen Unterschiede von epischer und dramatischer Dichtung lassen sich daraus leicht verstehen. Beiden Dichtungsarten gemeinsam sind «rein menschliche, bedeutende und pathetische [das will heißen: leidenschaftliche] Gegenstände».

«Die Personen stehen am besten auf einem gewissen Grade der Kultur, wo die Selbsttätigkeit noch auf sich allein angewiesen ist, wo man nicht moralisch, politisch, mechanisch, sondern persönlich wirkt[16].»

Dieser wichtige Satz besagt, daß eine Kultur nicht dichterisch ist, in der der Einzelne, statt nach seiner individuellen Natur zu handeln, von allgemeinen Gesetzen, politischen Institutionen oder von der Gewöhnung des komplizierten modernen Lebens bestimmt wird. Undichterisch ist das für Schiller und Goethe, zumal für Goethe, dessen zusammenfassendem Aufsatz wir nun folgen, weil so die im organischen Kunstwerk nötige Selbständigkeit des Teils, die Plastik des Einzelnen nicht gewahrt bleibt, weil der Blick auf Unanschauliches, auf Abstraktionen abirrt.

Innerhalb dieses umfassenden Rahmens treten nun die epische und die dramatische Poesie auseinander.

«Das epische Gedicht stellt vorzüglich persönlich beschränkte Tätigkeit, die Tragödie persönlich beschränktes Leiden vor; das

[13] XIV, 367 Über epische und dramatische Dichtung.
[14] Schiller an Goethe, 26. Dez. 1797.
[15] Schiller an Goethe, 26. Dez. 1797.
[16] Über epische und dramatische Dichtung.

epische Gedicht den *außer sich wirkenden* Menschen: Schlachten, Reisen, jede Art von Unternehmung, die eine gewisse sinnliche Breite fordert; die Tragödie den *nach innen geführten* Menschen, und die Handlungen der echten Tragödie bedürfen daher nur weniges Raums.»

Man sieht, daß Goethe an Homer und an die attischen Tragiker denkt. Wir würden nun eine tiefgründige Deduktion der Gattungsgesetze erwarten. Die Untersuchung wendet sich aber unverweilt praktischen Fragen zu.

«Der Motive nenne ich fünferlei Arten:

1. *Vorwärtsschreitende*, welche die Handlung fördern; deren bedient sich vorzüglich das Drama.

2. *Rückwärtsschreitende*, welche die Handlung von ihrem Ziele entfernen; deren bedient sich das epische Gedicht fast ausschließlich.

3. *Retardierende*, welche den Gang aufhalten oder den Weg verlängern; dieser bedienen sich beide Dichtarten mit dem größten Vorteile.

4. *Zurückgreifende*, durch die dasjenige, was vor der Epoche des Gedichts geschehen ist, hereingehoben wird.

5. *Vorgreifende*, die dasjenige, was nach der Epoche des Gedichts geschehen wird, antizipieren; beide Arten braucht der epische sowie der dramatische Dichter, um sein Gedicht vollständig zu machen.»

Ein «vorwärtsschreitendes» Motiv ist etwa die Verkündung des Orakels im «König Ödipus», mit der ein Ziel gesetzt und die Handlung in Gang gebracht oder beschleunigt wird; ein «rückwärtsschreitendes» ist der Zorn Achills, der die Eroberung Trojas verzögert, oder, im Kleinen, die wiederholten Siege der Achäer, die das Ziel, das sich Achill gesetzt hat, in die Ferne rücken; ist ferner die Irrfahrt des Odysseus, der, statt nach Ithaka, vorerst in entlegenste Länder und Meere gerät. Dergleichen könnte spannend wirken. Dem beugt der Epiker aber vor, indem er unablässig versichert, daß alles glücklich enden werde.

Die Unterscheidung der Motive führt Goethe durch zu dem einzigen Zweck, endlich über die Wahl der poetischen Gegenstände ins Reine zu kommen. Schon in Italien hat er sich, auf

278

dem Gebiet der bildenden Kunst, mit dieser Frage abgequält. Jetzt überträgt er sie auf die Dichtung. Welche Stoffe eignen sich für das Drama, welche für ein Epos? Bevor das sicher entschieden ist, werden die Dichter sich immer wieder vergreifen und nichts Gediegenes zustande bringen. Da «zurückgreifende», «retardierende» und «vorgreifende» Motive dem Epos wie dem Drama ziemen, läuft alles auf die «vorwärts-» oder «rückwärtsschreitenden» hinaus. In «Hermann und Dorothea» zum Beispiel findet sich kein «ausschließlich episches oder retrogradierendes Motiv», sondern «nur die vier andern, welche das epische Gedicht mit dem Drama gemein hat[17]». Auch gibt es da keine «außer sich wirkende, sondern nach innen geführte Menschen». Sollte das ein Fehler sein? Schiller stimmt Goethe sachlich zu, neigt aber zu einem läßlicheren Urteil. «Ihr Hermann», schreibt er Ende Dezember, «hat wirklich eine gewisse Hinneigung zur Tragödie, wenn man ihm den reinen strengen Begriff der Epopee gegenüberstellt. Das Herz ist inniger und ernstlicher beschäftigt, es ist mehr pathologisches Interesse als poetische Gleichgültigkeit darin, so ist auch die Enge des Schauplatzes, die Sparsamkeit der Figuren, der kurze Ablauf der Handlung der Tragödie zugehörig. Umgekehrt schlägt Ihre Iphigenie offenbar in das epische Feld hinüber, sobald man ihr den strengen Begriff der Tragödie entgegenhält. Von dem Tasso will ich gar nicht reden. Für eine Tragödie ist in der Iphigenie ein zu ruhiger Gang, ein zu großer Aufenthalt, die Katastrophe nicht einmal zu rechnen, welche der Tragödie widerspricht. Jede Wirkung, die ich von diesem Stücke teils an mir selbst, teils an andern erfahren, ist generisch poetisch, nicht tragisch gewesen, und so wird es immer sein, wenn eine Tragödie, auf epische Art, verfehlt wird. Aber an Ihrer Iphigenie ist dieses Annähern ans Epische ein Fehler, nach meinem Begriff; an Ihrem Hermann ist die Hinneigung zur Tragödie offenbar kein Fehler, wenigstens dem Effekte nach ganz und gar nicht. Kommt dieses etwa davon, weil die Tragödie zu einem *bestimmten*, das epische Gedicht zu einem allgemeinen und freien Gebrauche da ist[18]?»

[17] An Schiller, 23. Dez. 1797.
[18] 26. Dez. 1797.

An «Hermann und Dorothea» läßt sich – glücklicherweise! – nichts mehr ändern. Wie steht es aber mit den neuen Gegenständen, die Goethe beschäftigen, mit der «Jagd» und mit dem «Tell»?

«Mein neuer Stoff», sagt Goethe über die «Jagd», den Stoff, der dreißig Jahre später zur «Novelle» wurde, «hat keinen einzigen retardierenden Moment [die Unterscheidung zwischen retardierenden und retrogradierenden Motiven ist hier noch nicht getroffen; im Sinne der späteren Präzision sind retrogradierende gemeint]; es schreitet alles von Anfang bis zu Ende in einer graden Reihe fort; allein er hat die Eigenschaft, daß große Anstalten gemacht werden, daß man viele Kräfte mit Verstand und Klugheit in Bewegung setzt, daß aber die Entwicklung auf eine Weise geschieht, die den Anstalten ganz entgegen ist, und auf einem ganz unerwarteten jedoch natürlichen Wege. Nun fragt sich, ob sich ein solcher Plan auch für einen *epischen* ausgeben könne[19].»

Ähnlich heißt es schon in einem drei Tage früher geschriebenen Brief:

«Sollte dieses Erfordernis des Retardierens [gemeint ist wieder des Retrogradierens], welches durch die beiden homerischen Gedichte überschwenglich erfüllt wird und welches auch in dem Plane des meinigen lag, wirklich wesentlich und nicht zu erlassen sein, so würden alle Plane, die gerade hin nach dem Ende zu schreiten, völlig zu verwerfen oder als eine subordinierte historische Gattung anzusehen sein. Der Plan meines zweiten Gedichts hat diesen Fehler, wenn es einer ist, und ich werde mich hüten, bis wir hierüber ganz im klaren sind, auch nur einen Vers davon niederzuschreiben. Mir scheint die Idee außerordentlich fruchtbar. Wenn sie richtig ist, muß sie uns viel weiter bringen, und ich will ihr gern alles aufopfern[20].»

Schiller ist wieder toleranter:

«Daß die Forderung des Retardierens aus einem höhern epischen Gesetze folgt, dem auch noch wohl auf einem andern Wege Genüge geschehen kann, scheint mir außer Zweifel zu sein. Auch

[19] 22. April 1797.
[20] 19. April 1797.

glaube ich, es gibt zweierlei Arten zu retardieren, die eine liegt in der Art des Wegs, die andre in der Art des Gehens, und diese, däucht mir, kann auch bei dem geradesten Weg und folglich auch bei einem Plan, wie der Ihrige ist, sehr gut stattfinden[21].»

Es ist ein sonderbares Schauspiel, das uns die beiden Freunde bieten. Im allgemeinen gilt ja Schiller als der starr theoretische Geist, nicht selten sogar als der Verführer, der das stille Walten der schöpferischen Kräfte in Goethes Gemüt mit seinen abstrakten Anforderungen stört. Diese Meinung bestätigen die Briefe nicht, zum mindesten nicht in dem zentralen Problem einer klassisch-kritischen Dichtkunst. Freilich handhabt Schiller Begriffe und Kategorien mit einer Entschlossenheit, die Goethe nie aufbringt. Es liegt jedoch in seiner Art, dem «Subjekt» des Dichters die Übermacht über schwierige Stoffe zuzutrauen. So findet er immer einen Ausweg und eine neue Rechtfertigung, wenn Goethe erschrocken kapituliert und sich bereit erklärt, der theoretischen Einsicht «alles aufzuopfern». Die Ausrichtung der Poetik auf das Verhältnis des Dichters zum Publikum und das Problem der Eignung der Stoffe ist Goethes Anliegen, Goethes Not, auf die er sorgenvoll zurückkommt, wenn Schiller schon längst wieder Gründe für seine schöpferische Freiheit gefunden hat. Wie könnte es auch anders sein? Goethe hat von jeher Empfangen und Geben, Hingabe und Selbsttätigkeit ins Gleichgewicht zu bringen versucht. Das Ich und Du der Liebesgedichte, die Empirie der Naturwissenschaft, die «auf halbem Weg der Idee begegnet», das in der Sitte abgestimmte Spiel von Neigung und Gesetz, dieses ständige Hin- und Herüberschwanken des Subjektiven und Objektiven erkennen wir jetzt in der Poetik zwischen Publikum und Dichter, zwischen dem Stoff und dem Gattungsgesetz, wo weder diese noch jene Seite allein die Führung behalten darf. Verhängnisvoll ist nur, daß Goethe sich dem noch ungeklärten Zauber der Stoffe nicht mehr überläßt, sondern bereits den ersten Vorgang, der nichts als Träumerei, Befreundung mit den schwebenden Möglichkeiten eines dichterischen Themas sein sollte, der kritischen Prüfung unterzieht und so das stille Wachstum stört, auf das gerade er im höchsten Grade angewiesen bleibt.

[21] 25. April 1797.

Das einzige praktische Resultat der theoretischen Besinnung, das eine feste Gestalt annimmt, ist der erste Gesang der «*Achilleis*». In einem Brief vom 23. Dezember 1797 kommt der Plan zuerst zur Sprache:

«Schließlich muß ich noch von einer sonderbaren Aufgabe melden, die ich mir in diesen Rücksichten gegeben habe, nämlich zu untersuchen: ob nicht zwischen Hektors Tod und der Abfahrt der Griechen von der trojanischen Küste noch ein episches Gedicht inne liege oder nicht. Ich vermute fast das letzte, und zwar aus folgenden Ursachen:

1. Weil sich nichts Retrogradierendes mehr findet, sondern alles unaufhaltsam vorwärtsschreitet.

2. Weil alle noch einigermaßen retardierende Vorfälle das Interesse auf mehrere Menschen zerstreuen und, obgleich in einer großen Masse, doch Privatschicksalen ähnlich sehn. *Der Tod des Achills* scheint mir ein herrlich tragischer Stoff, der Tod des Ajax, die Rückkehr des Philoktets sind uns von den Alten noch übrig geblieben. Polyxena und Hekuba und andere Gegenstände aus dieser Epoche waren auch behandelt. Die Eroberung von Troja selbst ist, als Erfüllungsmoment eines großen Schicksals, weder episch noch tragisch und kann bei einer echten epischen Behandlung nur immer vorwärts oder rückwärts in der Ferne gesehen werden. Virgils rhetorisch sentimentale Behandlung kann hier nicht in Betracht kommen.»

Der Stoff, den Goethe so beurteilt, den er Homer und Sophokles und den spätantiken Autoren Dictys Cretensis und Dares Phrygius schuldet, hat wie die Schemata[22] verraten, etwa folgende Gestalt:

Hektor ist bestattet. Achill erhebt sich aus seinem Groll und Gram und ordnet, des nahen Todes gewiß, die Errichtung eines Grabhügels an, der ihn und Patroklos bergen soll. Unterdessen wird sein Schicksal im Olymp von den Göttern besprochen. Athene schwingt sich zur Erde hinab, um in der Gestalt des Antilochos den verdüsterten Helden aufzurichten (1. Gesang). In Troja wird nach einer tumultuarischen Volksversammlung beschlossen, Kas-

---

[22] Siehe Sophien-Ausgabe, I. Abt., Bd. 50, und insbesondere Max Morris, Goethe-Studien, 2. Bd., Berlin 1902, S. 129 ff.

sandra oder Polyxena dem Menelaos als Ersatzgattin für Helena anzubieten (2). Die Griechen beraten über den Vorschlag. Achill und Aiax drängen auf Fortsetzung des Kriegs, Odysseus auf Frieden und auf Annahme der Sühnefrau (3). Die beiden Töchter des Priamos werden mit Geschenken ausgestattet; Achill, am Morgen erwachend, gedenkt mit Sehnsucht seines toten Freundes (4). Die Sühnefrauen treffen im griechischen Lager ein. Die Griechen suchen die Entscheidung aufzuschieben. Achill empfindet leidenschaftlichste Liebe zu Polyxena und verhandelt mit dem Troer Antenor, um seine Ziele zu erreichen (5). In einer Versammlung der Griechen wird die Frage besprochen, ob Polyxena Achill bestimmt sein soll. Odysseus, der sich diesem Vorschlag widersetzt, wird überstimmt (6). Der siebente Gesang bringt eine Klage der Musen um Achill. Die Götter beschließen seinen Tod. Odysseus und Diomedes verschwören sich gegen Achill und seine Freunde. Während die Parteien sich bewaffnet gegenüberstehen, wird das Hochzeitsfest gefeiert. Ein Donnerschlag betäubt die Gäste. Chrysaor, der Träger der Blitze des Zeus, erlegt Achill mit dem goldenen Schwert. Die Hadernden verbünden sich aber rasch zur Abwehr der Trojaner (7). Der Tod Achills führt dennoch zu einer ernstlichen Spaltung im griechischen Heer. Thetis erhält die Leiche des Sohns. Das Philoktetthema klingt auf. Memnon nähert sich. Die Raserei des Aiax beschließt das Werk (8).

Von einer Fülle von Einzelheiten haben wir hier abgesehen. Die «Idee des Ganzen» hat Goethe, nach Riemers Bericht, so ausgedrückt:

«Achill weiß, daß er sterben muß, verliebt sich aber in die Polyxena und vergißt sein Schicksal rein darüber, nach der Tollheit seiner Natur[23].»

Daß dies im Sinne Goethes kein epischer Stoff ist, leuchtet uns sofort ein. Er qualifiziert sich zur Tragödie. Tut man aber wohl, «einen tragischen Stoff allenfalls episch zu behandeln[24]?» Goethe ist so benommen von der «Ilias» und so begierig, sich weiter in ihrer Welt zu bewegen, daß er sich schon nach einigen Monaten fest zu der Überzeugung bekennt:

[23] Gräf, Goethe über seine Dichtungen, Epos, I, S. 27.
[24] An Schiller, 27. Dez. 1797.

«Die Achilleis ist ein *tragischer Stoff*, der aber wegen einer gewissen Breite eine epische Behandlung nicht verschmäht[25].»

Damit sind die Gesetze schon leicht geschürft. Doch neue Bedenken tauchen auf. Läßt die «Achilleis» wirklich epische Behandlung zu, wenn «episch» in diesem Zusammenhang so viel wie «homerisch» heißen soll? Goethe ist zunächst entschlossen, «den Alten auch darinne zu folgen, worin sie getadelt werden, ja ich muß mir zu eigen machen, was mir selbst nicht behagt; dann nur werde ich einigermaßen sicher sein, Sinn und Ton nicht ganz zu verfehlen[26]».

Nun schaltet sich wieder Schiller mit seinen freieren, beweglicheren Ansichten ein:

«Das, was Ihnen im Homer mißfällt, werden Sie wohl nicht absichtlich nachahmen, aber es wird, wenn es sich in Ihre Arbeit einmischt, für die Vollständigkeit der Versetzung in das Homerische beweisend sein[27].»

Er bringt dafür ein Beispiel aus seinem eigenen Studium der Antike. Die sophistische Spitzfindigkeit, «eine Art Spielerei bei den ernsthaftesten Dialogen» der alten Tragödie ließe man «einem Neueren nicht hingehen… Aber den Alten kleidet sie doch, wenigstens verderbt sie die Stimmung keineswegs und hilft noch einigermaßen, dem Gemüt bei pathetischen Szenen eine gewisse Aisance und Freiheit mitzuteilen. Eine Unart scheint sie mir aber doch zu sein und also nichts weniger als Nachahmung zu verdienen».

Nun scheint sich auch Goethe ein wenig aus dem Bann des homerischen Geistes zu lösen. Die «Achilleis» ist nicht nur ein tragischer Stoff; er ist auch ganz *«sentimental* und würde sich in dieser doppelten Eigenschaft zu einer modernen Arbeit qualifizieren, und eine ganz realistische Behandlung würde jene beide innern Eigenschaften ins Gleichgewicht setzen. Ferner enthält der Gegenstand ein bloßes persönliches und Privat-Interesse, dahingegen die Ilias das Interesse der Völker, der Weltteile, der Erde und des Himmels umschließt[28].»

[25] An Schiller, 16. Mai 1798.
[26] An Schiller, 12. Mai 1798.
[27] Schiller an Goethe, 15. Mai 1798.
[28] An Schiller, 16. Mai 1798.

Wenn wir die manchmal nicht eindeutige Terminologie hier recht verstehen, so ist es Goethe klar geworden, daß sich die «Achilleis» schon als Geschichte der leidenschaftlichsten Liebe von der Ilias und der ganzen alten epischen Poesie abhebt. Es wird also nicht wohl möglich sein, die Ilias einfach fortzusetzen. Die Neuzeit läßt sich nicht verleugnen. Sie hat schon, ohne daß Goethe es gleich bemerkte, die Wahl des Stoffes bestimmt und wird auch bei der Ausführung ihre Macht zur Geltung zu bringen wissen. Schiller, der durch seine Unterscheidung sentimentalischer und naiver Poesie gedeckt ist, findet das aber ganz in Ordnung:

«Da es wohl seine Richtigkeit hat, daß keine Ilias nach der Ilias mehr möglich ist, auch wenn es wieder einen Homer und wieder ein Griechenland gäbe, so glaube ich Ihnen nichts Besseres wünschen zu können, als daß Sie Ihre Achilleis, so wie sie jetzt in Ihrer Imagination existiert, bloß mit sich selbst vergleichen und beim Homer bloß Stimmung suchen, ohne Ihr Geschäft mit seinem eigentlich zu vergleichen. Sie werden sich ganz gewiß Ihren Stoff so bilden, wie er sich zu Ihrer Form qualifiziert, und umgekehrt werden Sie die Form zu dem Stoffe nicht verfehlen. Für beides bürgt Ihnen Ihre Natur und Ihre Einsicht und Erfahrung. Die tragische und sentimentalische Beschaffenheit des Stoffs werden Sie unfehlbar durch Ihren subjektiven Dichtercharakter balancieren, und sicher ist es mehr eine Tugend als ein Fehler des Stoffs, daß er den Foderungen unseres Zeitalters entgegenkommt, denn es ist ebenso unmöglich als undankbar für den Dichter, wenn er seinen vaterländischen Boden ganz verlassen und sich seiner Zeit wirklich entgegensetzen soll[29].»

Goethe atmet auf und erwidert:

«Zu dem ersten Blatt Ihres lieben Briefes kann ich nur Amen sagen, denn es enthält die Quintessenz dessen, was ich mir wohl auch zu Trost und Ermunterung zurief. Hauptsächlich entstehen diese Bedenklichkeiten aus der Furcht, mich im Stoffe zu vergreifen, der entweder gar nicht oder nicht von mir oder nicht auf diese Weise behandelt werden sollte. Diesmal wollen wir nun alle diese Sorgen beiseitesetzen und nächstens mutiglich beginnen[30].»

[29] An Goethe, 18. Mai 1798.
[30] An Schiller, 19. Mai 1798.

So geschieht es. Die Zuversicht reicht aber nur aus für den ersten Gesang. Dann stockt die Arbeit, und Goethe hat sie auch später nie wieder aufgenommen. Wir wenden uns mit einiger Spannung dem ausgeführten Abschnitt zu.

Da fällt zunächst auf, daß Goethe hin und wieder Formeln Homers gebraucht. «Mit Rosenfingern die Göttin», «so wird kommen der Tag», «die frommen Äthiopen, welche die äußersten wohnen von allen Völkern der Erde», «ein Wunder staunendem Anblick», «jeder gesondert», «unendlich Gelächter» – das sind wörtlich übernommene Stellen, eingestreut, wie Homer sie einstreut. Auch die Gleichnisse finden wir in rein homerischem Stil verwendet. Goethe ahmt sogar das Anakoluth nach, dessen Homer sich so gerne bedient, um einer zu langen syntaktischen Nachwirkung des ὧς zu entgehen. Die Grabarbeiten der Myrmidonen und andere Schilderungen dürfen gleichfalls als homerisch gelten. Aber selbst diese Partien rücken durch ihre Umgebung in ein eigentümliches, völlig neuartiges Licht. Es läßt sich nicht entscheiden, wo Goethe sich Schillers Rat zu Herzen nimmt und wo er, ohne es zu wissen, neuzeitlich und sentimentalisch wird. Homerische Sentenzen enthalten schlichteste, allgemein faßliche Weisheit. Goethes Betrachtungen sind gewichtig, langer persönlicher Lebenserfahrung verpflichtet und fordern zum Nachdenken auf. So Zeus' Rede über die Hoffnung, Athenes und Achills Gedanken über den Tod und die Güter des Lebens, in denen offenbar der Schluß von «Hermann und Dorothea», die Ethik eines gefährlichen Zeitalters, nachklingt, oder gar die Charakterisierung des Ares, die zwar dem homerischen Kriegsgott gerecht wird, doch mehr wie ein moderner Kommentar eines epischen Mythos als wie ein Abschnitt der Ilias selber wirkt. Wenn man darüber noch streiten und ähnliches auch Homer zutrauen könnte, so ist die Lage unzweideutig dort, wo die allein der Goethe-Zeit vorbehaltene Weltanschauung in die «Achilleis» eindringt. Athene zum Beispiel wird aufgefordert, zu dem Peliden hinabzusteigen, damit er

«Heute der glücklichste sei, des künftigen Ruhmes gedenkend,
Und ihm der Stunde Hand die Fülle des Ewigen reiche.»

Das ist der Goethesche Augenblick, in dem das Zeitlos-Wahre aufglänzt, ein Gedanke, den kein griechischer Dichter je auszusprechen vermochte. – Hephaistos fordert die Horen auf, die «beweglichen», über das schöne, aber tote Gebild der Hallen des Olymps «des Lebens Reize zu streuen». Denn nur den Horen, sagt er, und den Charitinnen ist dies gegeben. Darin erkennen wir Schillers Lehre, daß unter Anmut Schönheit in der Bewegung zu verstehen sei.

Und nun, nachdem wir auf so klare Fälle gestoßen sind, bemerken wir auf Schritt und Tritt die Spuren der modernen deutschen Klassik. Ganymed «mit dem Ernste des ersten Jünglingsblickes im kindlichen Auge», die Klage über Achilles, der sich nicht «zum Manne bilden soll», und über das «herrliche Lebensgebäude» des Leibes, den bald die Flamme verzehrt: darin verrät sich der Goethesche Sinn für den Prozeß der Metamorphose und für das Ganze des Organismus, indes das Wort über Helios, den selbst durch himmlischen Glanz und erquickende Strahlen Trügenden, an den ästhetischen Schein der empirischen Welt gemahnt, wie Kant und Schiller ihn begriffen haben und wie Goethe ihn in diesen Jahren gleichfalls zugibt.

Schon der Eingang aber wäre in der «Ilias» ganz unmöglich. Nie hat Homer ein äußeres Geschehen, die nächtliche Lohe des Scheiterhaufens und das Erwachen des Morgens, in dessen Licht «der Flammen Schrecknisse bleichen», so zu einer wahrnehmbaren seelischen Wirklichkeit gemacht wie Goethe, der damit den Wandel in Achills Gemüt gleichsetzt und so dem Angeschauten die Transparenz der Innerlichkeit verleiht. Stimmungsvoll ist dieser Anfang. Stimmung umwebt auch einige Götter, Kronion etwa, dessen Nahen ein sanftes Leuchten in den Hallen und ein Wehen des Äthers verkündet, und Aphrodite, von der es, fast als hätte das Wieland geschrieben, heißt:

«... Reizend ermattet, als hätte die Nacht ihr zur Ruhe
Nicht genüget, senkte sie sich in die Arme des Thrones.»

Nicht als ob wir das Stimmungsvolle der «Ilias» völlig absprechen wollten! Hektor und Andromache, die Ereignisse in den letzten Gesängen, zumal die Ausfahrt des Priamos und sein Erscheinen im Zelt Achills, das ist umwittert von Unnennbarem, von einer Atmosphäre, die auch die homerische Sprache, die sonst so sicher feststellt und so gelassen umschreibt, nur mittelbar zu erfassen vermag. Aber die Stimmung bricht doch nur auf einzelnen Höhepunkten durch und wird, zu unserer Überraschung, um nicht zu sagen Ernüchterung, immer wieder durch unbewegten Bericht und breite Schilderungen gestört. Es scheint der gewaltige Geist eines einzelnen dichterischen Genius zu sein, dem es manchmal gelingt, sich über die Konventionen der epischen Kunst zu erheben, der aber gleich zurückfällt und nach alter Weise weiterfährt. Goethe gibt sich eher Mühe, die Flut der Stimmung einzudämmen, das Tragische und das Sentimentale durch Realismus auszugleichen. Und doch geht er häufig weit genug über seinen Meister hinaus.

«So wird kommen der Tag, da bald von Ilios' Trümmern
Rauch und Qualm sich erhebt, von thrakischen Lüften getrieben,
Idas langes Gebirg und Gargarons Höhen verdunkelt;
Aber ich werd ihn nicht sehen! Die Völkerweckerin Eos
Fand mich Patroklos' Gebein zusammenlesend, sie findet
Hektors Brüder anjetzt in gleichem frommen Geschäfte,
Und dich mag sie auch bald, mein trauter Antilochos, finden,
Daß du den leichten Rest des Freundes jammernd bestattest.»

Eine vergangene, eine gegenwärtige und eine zukünftige Handlung faßt hier die Rede Achills im Hinblick auf die gemeinsame Stimmung zusammen. Das ließe Homer sich nicht einfallen. Die Komposition der ganzen Goetheschen «Achilleis» ist dagegen gerade von solchen Rücksichten bestimmt. In ihrer Handlung sind die Teile nicht wie die von «Hermann und Dorothea» zu einem organischen Ganzen gefügt. Sondern große pathetische Massen werden gegeneinandergesetzt, Todesschauer und Leidenschaft, festlicher Glanz und Kampf und olympische Schönheit, dazwischen auch Liebliches eingemischt, und alles zu einem in wechselvollen Farben schillernden Gemälde vereint. Man fragt sich, ob es gelungen wäre, auch die erregtesten Szenen der Dichtung, die Liebesraserei Achills und den Wahnwitz seiner Vermählungsfeier, in dieser doch immerhin Homer nachahmenden

Sprache vorzutragen. Der erste Gesang gibt keinen Anlaß zu solchen künstlerischen Bedenken. Im Gegenteil! Es ist erstaunlich, daß trotz der so leicht erkennbaren Mischung moderner und griechischer Elemente doch niemals der Eindruck von Stilbruch entsteht, daß alles sich als poetische Einheit von eigentümlicher Prägung darstellt. Das dürfte nur möglich sein, weil Homer – um in Hegels Sprache zu reden – ein «Moment» der Goetheschen Klassik ist, weil jene einfache Gegenwart, die der Odyssee und der Ilias eignet, sich leicht zu der beziehungsreichen des «Augenblicks» vertiefen läßt und umgekehrt der Augenblick mit seiner Dreidimensionalität unmerklich in das schlichte Da zurückverwandelt werden kann. Der deutsche Dichter wird sich selbst in keinem einzigen Vers, auch nicht in den von Homer übernommenen, untreu. Er macht nur in wechselndem Grade von seiner komplexeren Einbildungskraft Gebrauch.

Dennoch lesen wir die «Achilleis» mit einem aus Entzücken und Befremden gemischten Gefühl und finden wir es verständlich, daß Goethe auf die Vollendung verzichtete. Er hatte sie mit dem Entschluß, ein reines episches Werk zu schaffen, begonnen. Die Reinheit der Gattung erforderte jenen «Grad der Kultur, wo die Selbsttätigkeit noch auf sich allein angewiesen ist[31]», also die «den Dichtern besonders günstige heroische Zeit der Griechen». Da fielen jene Probleme weg, die die deutsche Idylle aufgeregt hatte. Die Denkweise, das Kostüm, die Gebräuche und Sitten waren kunstgerecht. Bald aber wurde klar, daß sich die Schwierigkeiten nur verschoben. Goethe fand keinen Stoff, den er als rein episch hätte verantworten können. Er war gewillt, im Geiste seiner Poetik zu handeln, und mußte gleich mit einigen Kompromissen beginnen. Vor allem aber fand er sich durch seine poetischen Regeln genötigt, den Boden der eigenen Anschauung und Lebenserfahrung, der ihm doch immer so unentbehrlich war, zu verlassen und philologische, geographische, historische Bücher zu Rate zu ziehen. Er mochte sich sagen, was er wollte: Im Grunde war die «Achilleis» doch nur ein Resultat der Lektüre, einer langen, liebevollen Beschäftigung mit dem Werk Homers, und konnte so auch nur Leser begeistern, die mehr oder minder

[31] Über epische und dramatische Dichtung.

in die gelehrten Voraussetzungen eingeweiht waren. In einer echten epischen Dichtung erkennt und verklärt ein Volk sich selbst. Was aber konnte die «Achilleis» für das deutsche Volk bedeuten? Als Probe mäßigen Umfangs bleibt sie für einige Kenner unschätzbar. Als monumentales Epos in acht Gesängen dagegen hätte sie die Poetik ad absurdum geführt.

Das ist ein Einwand, wie die Romantik und Herder ihn hätten machen können. Wir dürfen denn auch nicht vergessen, daß eben in diesen Jahren, in denen die Goethesche Klassik dogmatisch wird und sich aus einer persönlichen, lebensgeschichtlich bedingten Notwendigkeit in eine kanonische Kunst zu verwandeln droht, die völlig unabhängig von der Individualität des Dichters und seinen wechselnden Neigungen, unverändert gelten und dauern soll, daß eben jetzt die Frühromantiker sich als Schule konstituieren und eine neue Bewegung einleiten, eine Bewegung, der sich schließlich auch Goethe, zu seinem und unser aller Heil, nicht zu entziehen vermag, in der sich die Erstarrung löst und der dichterische Genius sich wieder auf sein köstlichstes Gut, seine Freiheit, besinnt. Es war an der Zeit. Denn beängstigend sind nicht nur poetische Experimente wie die «Achilleis» oder die äschyleisch gehaltenen Tragödienentwürfe «*Die Danaiden*» und «*Die Befreiung des Prometheus*», die gleichfalls in diese Jahre fallen. Mit gleichem Bedenken sehen wir, wie sich der Horizont der literarisch-kritischen Tätigkeit einengt. Schillers «Wallenstein» anzuzeigen, war eine würdige Freundespflicht. Welche Werke erregen aber außerdem Goethes Aufmerksamkeit? Grübels, Hebels, Vossens Gedichte heben die Beiträge zur Jenaischen Allgemeinen Literaturzeitung hervor. Das wird man, was wenigstens Hebel und Voß betrifft, an sich in Ordnung finden. Doch legt man sich Rechenschaft ab darüber, daß diesen Rezensionen eine prinzipielle Bedeutung zukommt, daß Goethe die zeitgenössischen Dichter allen Ernstes auf kleine idyllische Gegenstände verpflichten will, daß er nicht müde wird, auch jüngeren Kräften, zum Beispiel Hölderlin, eine solche Beschränkung zu empfehlen, so wird aufs peinlichste offenbar, in welche Lage der Widerspruch zwischen deutscher und klassischer Gegenwart führt. Nur ein ganz schmaler Raum bleibt übrig, in dem der Dichter sich nach

Goethes Meinung mit Fug aufhalten darf. Und dieser Raum ist bereits von «Hermann und Dorothea» in unübertrefflicher Weise ausgefüllt.

Der Kampf um die klassische Dichtung wird indes nur in Briefen an Freunde und in einzelnen Rezensionen geführt. Auffälliger sind die Bemühungen um die zeitgenössische bildende Kunst. Die «Weimarer Kunstfreunde» – Goethe, Schiller, Meyer, Wolf und später noch Fernow – treten in den «Propyläen», der von 1798 bis 1800 erscheinenden Zeitschrift, und in den Preisaufgaben für Künstler, die von 1799 bis 1805 veranstaltet wurden, mit ihren sehr genau umschriebenen Ansprüchen vor die Öffentlichkeit.

Da die «Italienische Reise» erst 1816–17, der «Zweite Römische Aufenthalt» sogar erst 1829 erschien, wurde Goethes künstlerisches Glaubensbekenntnis weiteren Kreisen zuerst in dieser systematischeren Form bekannt. Es war dadurch nicht besser empfohlen. Im Gegenteil! Trotz aller Bemühung um einen gesellig-verbindlichen Vortrag – der insbesondere dem Briefroman *Der Sammler und die Seinigen* einen liebenswürdigen Reiz verleiht – mußte es hart dogmatisch wirken, konstruktiv und unbegreiflich für jeden, der nicht von vornherein auf das Klassische eingeschworen war. Wir Heutige lesen wenigstens die lebendige Vorgeschichte mit und finden noch einen Abglanz des Lichts, das auf den Blättern der Briefe aus Venedig, Rom und Neapel liegt.

Zunächst gewinnen wir nämlich den Eindruck, es handle sich in den «Propyläen» nur um eine gründlichere Ausführung der in Italien gewonnenen Einsicht. Die Überwindung des Subjektiven im Schaffen sowohl wie in der Kritik, die Ausrichtung des Einzelnen, Charakteristischen auf den Typus, die Abrundung des Kunstgebildes, die alles Entgleiten der Phantasie in vage Räume verhindern soll, die kanonische Geltung der Antike, die hohe Bedeutung des Gegenstands, der Ärger über die Leidenswollust in der christlichen Malerei – neuerdings wachgerufen durch die Bestrebungen Wackenroders und Tiecks – dies alles ist uns bereits aus den im Süden verlebten Jahren vertraut und braucht hier nicht wieder erörtert zu werden [32].

[32] Vgl. S. 13 ff.

Gewisse leise Verschiebungen aber lassen die Nähe Schillers erkennen. Sie werden am meisten spürbar in der Art, wie Goethe nun das Verhältnis von Natur und Kunst auffaßt. In Italien hatte er gern von der Verwandtschaft der beiden Reiche gesprochen. Jetzt, angesichts einer unausrottbaren naturalistischen Theorie, der alten irreführenden Rede von der «Nachahmung der Natur», jetzt lag ihm daran, die Kunst so klar wie möglich von der Natur zu scheiden und ihre eigene, absolute Gesetzlichkeit herauszuarbeiten. Schon in der Einleitung zu den *«Propyläen»* überrascht uns der Satz: «Die Natur ist von der Kunst durch eine ungeheure Kluft getrennt [33].» Einige Seiten später heißt es:

«Indem der Künstler irgendeinen Gegenstand der Natur ergreift, so gehört dieser schon nicht mehr der Natur an, ja man kann sagen, daß der Künstler ihn in diesem Augenblick erschaffe, indem er ihm das Bedeutende, Charakteristische, Interessante abgewinnt, oder vielmehr erst den höhern Wert hineinlegt [34].»

Denselben Gedanken nimmt das Zwiegespräch *«Über Wahrheit und Wahrscheinlichkeit der Kunstwerke»* wieder auf:

«Ein vollkommenes Kunstwerk ist ein Werk des menschlichen Geistes, und in diesem Sinne auch ein Werk der Natur. Aber indem die zerstreuten Gegenstände in eines gefaßt und selbst die gemeinsten in ihrer Bedeutung und Würde aufgenommen werden, so ist es über die Natur [35].»

Und schließlich ist die ganze Auseinandersetzung mit Diderot (*«Diderots Versuch über die Malerei»*) von dem entschiedensten Willen belebt, die Souveränität der Kunst gegen alle Sophistik und noch mehr gegen scheinbar selbstverständliche Thesen zu schützen:

«Die Neigung aller seiner theoretischen Äußerungen geht dahin, Natur und Kunst zu konfundieren, Natur und Kunst völlig zu amalgamieren; unsere Sorge muß sein, beide in ihren Wirkungen getrennt darzustellen. Die Natur organisiert ein lebendiges gleichgültiges Wesen, der Künstler ein totes, aber ein bedeutendes, die Natur ein wirkliches, der Künstler ein scheinbares. Zu den Werken der Natur muß der Beschauer erst Bedeutsam-

[33] XIII, 141.
[34] XIII, 145.
[35] XIII, 180.

keit, Gefühl, Gedanken, Effekt, Wirkung auf das Gemüt selbst hinbringen, im Kunstwerke will und muß er das alles schon finden. Eine vollkommne Nachahmung der Natur ist in keinem Sinne möglich, der Künstler ist nur zur Darstellung der Oberfläche einer Erscheinung berufen. Das Äußere des Gefäßes, das lebendige Ganze, das zu allen unsern geistigen und sinnlichen Kräften spricht, unser Verlangen reizt, unsern Geist erhebt, dessen Besitz uns glücklich macht, das Lebenvolle, Kräftige, Ausgebildete, Schöne, dahin ist der Künstler angewiesen[36]. »

Indem der Künstler sich nur an den «Schein», an das sichtbare Wesen der Dinge, an ihre erscheinende Oberfläche zu halten genötigt ist, kann man freilich sagen, er reiche nicht an die Natur heran, die alles von innen her organisiert. Indem er aber das Wesentliche, Bedeutende aus dem Zufälligen löst und einer Norm gemäß verfährt, erhebt er sich wiederum über sie und eignet ihre Gebilde dem Menschen auf menschenwürdige Weise zu.

Dergleichen hätte der Wanderer in Sizilien noch nicht zu sagen vermocht, der im botanischen Garten von Palermo die Urpflanze mit seinen leiblichen Augen zu sehen hoffte. Nun ist die Unterscheidung von Erfahrung und Idee getroffen, die Schiller in jenem ersten Gespräch, damals noch zu Goethes Verdruß, so unerbittlich gefordert hatte. Doch was bedeutet diese Wendung in der Geschichte von Goethes Geist?

Es ist klar, daß mit der Behauptung der autonomen Würde der Kunst nicht einer neuen Subjektivität im Sinne von Willkür und Beliebigkeit die Tore geöffnet sind. Denn was im Menschen der Natur selbständig gegenübertritt und gegenübertreten soll, ist ein gesetzliches, von höherer Notwendigkeit bestimmtes Subjekt, gewiß noch immer nicht ganz das Subjekt, das Kants «Kritik der Vernunft» beschreibt, aber doch eine analoge, Goethesch modifizierte Instanz. So nähert sich Goethe denn zweifellos der idealistischen Position. Doch allzu viel hat dies nicht zu bedeuten. «Ein vollkommenes Kunstwerk ist ein Werk des menschlichen Geistes und in diesem Sinne auch ein Werk der Natur.» Es bleibt bestehen, daß die Natur im Menschen auf ihren Gipfel gelangt. Und dies besagt: der Geist erfüllt, was in der Natur zwar ange-

[36] XIII, 206.

legt ist, doch in der unendlichen Zufälligkeit ihres Lebens nicht rein hervortreten kann. Die Kunst vollendet die Natur; sie spricht zu ihr: dies hast du gewollt, dies ist deine wahre Absicht gewesen, die freilich nie ganz erreicht werden kann, wenn das Gebilde dem offenen Raum und dem zeitlichen Wandel ausgesetzt bleibt. Nur dort, wo es der Künstler gegen jede Wirkung von außen schützt, indem er es in totem Stoff dem Leben gegenüberstellt, heraushebt aus dem Strom der Zeit, kann es zustande kommen und bleibt es in seiner Vollkommenheit rein bestehen.

Auch die «idealistische» Kunsttheorie überschreitet also keineswegs die Grenzen des leisen Hin- und Herüberschwankens zwischen den Polen des Daseins (Subjekt–Objekt, Idee–Erfahrung, Form–Stoff, Innen–Außen) in dem sich, wie Goethe gelegentlich sagt, das natürliche geistige Leben bewegt. Immerhin bleibt es bezeichnend, daß Italien eine mehr realistische Ansicht der Leistung der Kunst begünstigte, der Norden dagegen, wo der Blick Naturschönheit nur selten wahrnahm, die mehr idealistische nahelegte. Und schließlich glauben wir hier bereits die erste Spur der erschütternden Isolierung von Goethes Welt zu entdecken, zu der er im Alter genötigt sein wird. Im Süden war er noch froh überzeugt, den Schlüssel des Lebens – des Lebens, wie es «in Wirklichkeit» ist – gefunden zu haben. Nun setzt er dem unbehilflichen Leben die absolute Norm entgegen, weiß sich aber darin noch mit Schiller verbündet und durch den, für seine Augen zwar etwas nebelhaften, doch gläubig begrüßten Hintergrund der Kantischen Philosophie eines allgemein gültigen Rechts versichert. Nach Schillers Tod fällt diese Bürgschaft dahin, und Goethe begnügt sich damit, das Maß, an dem er noch immer festhält, seinen «eigenen Sinn», «seine Art» zu nennen und auf Gründe, die jedermann anerkennen müßte, zu verzichten.

Fast unentwirrbar sind die Versuche, das Wesen des Schönen zu bestimmen. Der Platonismus Winckelmanns, die Ergebnisse der Naturwissenschaft, Kants «Kritik der Urteilskraft», Schillers «Freiheit in der Erscheinung»: dies alles spielt durcheinander und läßt keine restlos befriedigende Antwort zu. «Ein Gesetz, das in die Erscheinung tritt[37]» – damit soll aus der Formel Schillers

[37] IX, 669.

offenbar der keiner Darstellung fähige Begriff der Freiheit
beseitigt werden. Doch da nun wieder das freie Spiel des
Schönen zu kurz zu kommen scheint, sind weitere Eingrenzungen
nötig:

«Vollkommenheit ist schon da, wenn das Notwendige geleistet
wird, Schönheit, wenn das Notwendige geleistet, doch verborgen
ist [38].»

Der «Laokoon»-Aufsatz [39] unterscheidet Charakter, Ideal, Anmut, Schönheit. Ordnung, Faßlichkeit, Symmetrie sind hier der
Anmut zugerechnet, so daß denn für die Schönheit nur ein
schwer vorstellbares «Maß» übrig bleibt, dem der «Gebildete
alles, sogar die Extreme zu unterwerfen weiß [40]». Am ehesten
kommt noch der «Sammler und die Seinigen» zu einem klaren
Ergebnis. Goethe hat nacheinander gewisse einseitige Künstler
vorgeführt: Nachahmer, Charakteristiker, Kleinkünstler, Phanto-
misten, Undulisten, Skizzisten, und stellt am Schluß diese Möglichkeiten so zusammen, daß sich daraus die Mitte des Wahren
von selbst ergibt:

«*Ernst*	*Ernst und Spiel*	*Spiel*
allein	verbunden	allein
individ. Neigung	Ausbildung ins Allgemeine	individ. Neigung
Manier	Stil	Manier
Nachahmer	Kunstwahrheit	Phantomisten
Charakteristiker	Schönheit	Undulisten
Kleinkünstler	Vollendung	Skizzisten »[41]

Die Tafel nimmt sich auf den ersten Blick nicht sehr gehaltvoll
aus. Doch die Begriffe der Mitte werden durch die Randbegriffe
erhellt und ergeben alsdann den gediegensten Sinn [42]. Wenn der
Nachahmer sein Subjekt dem Gegenstand ganz unterwirft, der
Phantomist dagegen nach Willkür mit den Gegenständen umgeht, wird der um Kunstwahrheit Bemühte aus der Natur des

[38] XIII, 133.
[39] XIII, 162 ff.
[40] XIII, 133.
[41] XIII, 319.
[42] Vgl. Matthijs Jolles in einer demnächst erscheinenden Schrift.

Gegenstandes das Wesentliche herausarbeiten. Wenn der Charakteristiker dem Besonderen ängstlich Rechnung trägt, der Undulist dagegen alles in gefällige Linien auflöst, so wird die Schönheit darin bestehen, daß das Eigentümliche wie von selbst in Maß und Anmut einschwingt. Wenn der Kleinkünstler schließlich das Detail mit innigster Sorgfalt pflegt, der Skizzist sich aber in eilig hingeworfenen Strichen gefällt, so werden wir von Vollendung sprechen, wenn das Einzelne dem Ganzen und das Ganze dem Einzelnen dient.

Die Anwendung der Begriffe auf bestimmte Künstler, wie sie Goethe in einem Brief an Schiller vom 22. Juni 1799 vorschlägt, mag man unergiebig nennen. Die Trias Wahrheit, Schönheit und Vollendung aber dürfte noch heute ein Kritiker willkommen heißen, der eine zuverlässige Ordnung in seine Urteile zu bringen versucht. Vollendung: damit finden wir die Einstimmigkeit der Teile bezeichnet[43]. Doch auch ein stilistisch einstimmiges Werk kann blaß und unansehnlich aussehen. Schönheit heißt der Glanz der Erscheinung, was in die Sinne fällt und sich unvergeßlich der Einbildungskraft einprägt. Auch ein solches Kunstwerk aber kann uninteressant oder willkürlich sein. Wahrheit kommt ihm nur dann zu, wenn es Wesentliches, von einer größeren Gemeinschaft als richtig und verständlich Anerkanntes darstellt.

Es sei damit nur rasch angedeutet, daß auch auf diesen heute verrufenen oder taktvoll verschwiegenen Blättern dies und jenes zu finden ist, was mindestens als Baustein für eine Ästhetik in Frage kommen dürfte. Man muß dann freilich die Goetheschen Kategorien in einem allgemeineren Sinne nehmen, als sie gemeint sind. Goethe ließ als wahr, vollendet und schön nur organische Kunstwerke gelten, auf die Gegenwart gestellte, an der Antike orientierte. Auch dies ist aber nicht anstößig, solang es sich nur darum handelt, klassische Künstler zu würdigen und ihre Werke der Aufmerksamkeit des deutschen Publikums zu empfehlen. Denn wem dürfte man verwehren, seine Liebe auszusprechen und für die geliebten Dinge zu werben? Unsere Bedenken regen sich erst, wenn Goethe um seiner Liebe willen anderen Möglichkeiten der Kunst jedwedes Daseinsrecht abspricht und wenn er

[43] Vgl. E. Staiger, Die Kunst der Interpretation, Zürich 1955. S. 14.

mit seiner Theorie eine neue Klassik zu züchten versucht. Das geschieht in den Preisausschreiben.

Wir lassen die Frage auf sich beruhen, was Goethe angeregt hat und was von Heinrich Meyer ausgeht. «W.K.F.» – das bezeichnet eine unteilbare Verantwortung. Und niemand sollte daran zweifeln, daß Goethe und Heinrich Meyer nicht nur im großen und ganzen, sondern wohl fast in allen Punkten einig waren.

Den Künstlern werden in der Regel gewisse Themen vorgeschrieben. Die Themen stammen meist aus Homer: Aphrodite führt Paris Helena zu, Hektors Abschied, Tod des Rhesos, Achill und die Flußgötter, Odysseus und Polyphem. Es handelt sich hier zunächst darum, ein sukzessives Geschehen in ein simultanes zu übersetzen, also das Kunststück zu vollbringen, das Goethe in vielen Bildern der italienischen Renaissance, zum Beispiel in Raffaels Karton zu Ananias und Saphira, bewundert hat[44]. So lesen wir in der Empfehlung des Themas «Achill auf Skyros» etwa den Satz:

«Wir greifen dem Künstler nicht vor und sagen nur so viel: daß dieses Sujet nur einen Moment hat, in welchem alle Motive zusammentreffen.»

Man darf wohl sagen, hier dränge sich ein dichterischer Anspruch allzu sehr vor. Doch wichtiger ist ein andrer Umstand. In der Wahl homerischer Themen spricht sich dieselbe Gesinnung aus, die Goethe veranlaßt hat, nach «Hermann und Dorothea», dem außerordentlichen Glücksfall in der Wahl des Stoffes, in der «Achilleis» eine antike Sage darzustellen: Deutsche Stoffe eignen sich nur ausnahmsweise für reine Kunst; denn das moderne Leben verteilt sich in unanschauliche Institutionen, ist von abstrakten Gesetzen bestimmt und geht nicht in reiner Gegenwart auf; die nordische Kleidung entzieht den Körper, das Natürliche am Menschen, das sich auch im Wandel der Mode immer gleich bleibt, unserem Blick. Wenn sich bereits der Dichter hier mit Widrigkeiten herumschlagen muß, wie sollte sich der bildende Künstler noch mit Behagen regen können, er, der sich nicht mit Ironie behelfen und über das Unangemessene mit flüchtigen

[44] Vgl. S. 35.

Worten hinweggehen kann, der sich und uns dem vollen und dauernden Anblick seiner Gestalten aussetzt? Die Folgerung scheint zwingend zu sein, sofern man von der Unübertrefflichkeit der antiken Kunst überzeugt und stets das Höchste zu fordern gewillt ist. Doch wenn sich immerhin gute Gründe für die Behauptung finden lassen, daß innerhalb des Reichs der Kunst, die wesentlich, im Unterschied zu Philosophie und Religion, auf das Erscheinende, das Augenfällige angewiesen bleibt, die reine Gegenwart des klassischen Stils die wahre Mitte bilde, von der sich alle anderen Stile nur in Richtung auf die Grenzen der Kunst überhaupt entfernen können, so dürfte man ebensowohl daraus folgern, daß die Zeit für höchste Kunst unwiderruflich vorüber sei. Zu diesem Satz bekennt sich Hegel, wenn er in seiner Ästhetik ausführt, Schöneres als die griechische Kunst sei nie gewesen und werde nie sein. Und durch den Mißerfolg seiner Bemühungen, das Versagen der Künstler und die Gleichgültigkeit des Publikums sah sich Goethe bald genug zu der gleichen, für ihn, den Dichter, allerdings viel schmerzlicheren Erkenntnis genötigt, daß nicht nur das Höchste nie wieder erreichbar, sondern auch schon als Ideal für die Neuzeit kraftlos geworden sei. Runge, einer der abgewiesenen großen zeitgenössischen Maler, hat seine Bedenken gegen das ganze Unternehmen in Worte gefaßt, denen wir auch heute kaum noch etwas beizufügen haben. Er schreibt im Februar 1802:

«Die Kunstausstellung in Weimar und das ganze Verfahren dort nimmt nachgerade einen ganz falschen Weg, auf welchem es unmöglich ist, irgend etwas Gutes zu bewürken. Die Aufgabe des Achills auf Skyros, wie sie sie da gaben, ist etwas Unerreichbares, die Motive, die so verwickelt sind, alle anschaulich zu machen, in einem Moment, ist etwas, das bei der Römischen Schule wohl bisweilen erreicht worden, aber wo das Sujet nicht ein aufgegebenes war, Hoffmanns Komposition ist ein Schwall von Figuren und verliert sich ungeheuer in Nebensachen, wodurch das Ganze nur mehr verwirrt wird; die Herren sind durch die Ausführung vielleicht bestochen worden... Der Achill und Skamander, samt den Sachen, wie das nach und nach zur Vollendung gebracht werden soll, ist doch am Ende ein vergeblicher Wunsch;

298

wir sind keine Griechen mehr, können das Ganze schon nicht mehr so fühlen, wenn wir ihre vollendeten Kunstwerke sehen, viel weniger selbst solche hervorbringen, und warum uns bemühen, etwas Mittelmäßiges zu liefern? – Die neue Aufgabe ,läßt viel Empfindung und Symbolisches zu'; nun können wir sitzen gehen und *empfinden*, das heißt uns beim verkehrten Ende anfangen. – Die Tiresias ist ,eine neue Entdeckung in der Komposition' – ja die Leute jagen nach Sujets, als wenn die Kunst darin stäke, oder als wenn sie nichts Lebendiges in sich hätten. Muß denn so etwas von außen kommen? haben nicht alle Künstler, die noch ein schönes Kunstwerk hervorbrachten, erst ein Gefühl gehabt? haben sie sich zu dem Gefühl nicht das passende Sujet gewählt[45]?»

So mußte ein echter deutscher Künstler um die Jahrhundertwende empfinden; und was er da als Protest vorbrachte, war nur eine Schilderung des Wegs, auf dem auch Goethe selbst, als Dichter, zur höchsten Vollendung gekommen war.

1805 starb Schiller. Im selben Jahre fand die letzte Weimarer Kunstausstellung statt. Goethes aus der Erinnerung niedergeschriebene, erst nach seinem Tod veröffentlichte Schilderung klingt sehr schmerzlich:

«Das Entgegengesetzte von unsern Wünschen und Bestrebungen tut sich hervor, bedeutende Männer wirken auf eine der Menge behagliche Weise; die weimarischen Kunstfreunde, da sie Schiller verlassen hat, sehen einer großen Einsamkeit entgegen[46].»

In Fragen der bildenden Kunst hat Goethe, von dem kurzen Zwischenspiel mit Sulpice Boisserée abgesehen, von nun an immer so unerbittlich aller romantischen Kunst widersprochen. Als Dichter aber handelt er anders, unverantwortlich, von ihm aus gesehen. Er schreibt Balladen und arbeitet an der «barbarischen Komposition» des «Faust». Nach Schillers Tod entstehen überhaupt keine eigentlich klassischen Werke mehr. Denn auch die «Pandora» wird man ja kaum als solches gelten lassen wollen. Sein Genius führt ihn, wohin er nicht will, und er läßt ihn gewähren, in einer Mischung von Resignation und heimlicher Lust,

[45] Vgl. Ph.O.Runge, Schriften, Fragmente, Briefe, Berlin 1938, S.12.
[46] XIII, 456.

von innerer Not und höchster Freiheit, die wohl kein Mensch zu ergründen vermag, ja die ihm selbst vermutlich bis zum Tod ein tiefes Geheimnis blieb.

Aber auch dieses Kapitel brauchen wir nicht so zögernd abzuschließen. Alles, was uns in Theorie und Praxis der Weimarer Kunstfreunde seltsam und unangenehm berühren mag, ersteht noch einmal mit Macht in den «*Skizzen zu einer Schilderung Winckelmanns*[47]», die Goethe zu dem Gesamtwerk «Winckelmann und sein Jahrhundert» vom Jahre 1805 beigesteuert hat. Eine Biographie war vorgesehen. Im Drang der Geschäfte kamen aber nur kurz gefaßte Einzelstudien unter Stichwörtern, wie «Heidnisches», «Freundschaft», «Antike», «Schönheit», «Rom» zustande. Wir können dafür nur dankbar sein. Wie von Linsen gesammelt, trifft uns der Strahl des Lichts, das sich auf einer großen Fläche hätte verbreiten sollen. Was in den «Propyläen» Polemik und Systematik gewesen ist, verwandelt sich hier in den Preis des von den Göttern geliebten glücklichen Mannes, dem es beschieden war, aus kimmerischer Enge ins Offene vorzudringen und in der Welt zu leben, nach der sein schönheitsdurstiger Sinn begehrte. Kein einziger Schatten trübt sein Bild. Goethe sieht nicht oder verschweigt, was Zweifel an der Leistung oder Persönlichkeit Winckelmanns wecken könnte. Ein göttlicher Schimmer umspielt die Gestalt. Der wohlgelungene Mensch, der Gipfel alles Werdens und Wesens, erscheint, die Wiederholung antiken Daseins, wie sie Goethe in Italien selbst für möglich gehalten hatte. Das Glück, einen solchen Zeugen zu nennen, das triumphale Gefühl, mit dem Verfasser der Kunstgeschichte des Altertums verbündet zu sein gegen die Zeit, verleiht dieser Schrift den herrlichen Glanz und sichert ihr den höchsten Rang in Goethes Prosa der mittleren Zeit.

[47] Vgl. dazu die Darstellung Ernst Howalds in der Einleitung zu der Sonderausgabe der Schrift, Zürich-Erlenbach 1943.

BALLADEN

Vom 19. Mai bis zum 16. Juni 1797 hält sich Goethe in Jena auf und kommt fast jeden Abend mit Schiller zusammen. Gegenstand der Gespräche sind die aristotelische Poetik, Epos und Drama, naive und sentimentalische Dichtung, «Wallenstein», «Der neue Pausias und sein Blumenmädchen», Schillers Verdruß über Friedrich und sein Bruch mit August Wilhelm Schlegel, Ideen zu dem Reiseschema, das Goethe für seine dritte Fahrt nach Süden auszuarbeiten gedenkt. Hochklassische Geschäftigkeit füllt also diese Tage aus. Die meisten Fragen, die wir als theoretisches Nachspiel zu «Hermann und Dorothea», als Zeichen einer künstlerischen Erstarrung, dargestellt haben, sind damals formuliert und wohl schon einigermaßen abgeklärt worden.

Zugleich rückt aber ein ganz anderes Thema in den Gesichtskreis. Schiller hat die Absicht, aus dem «Don Juan» eine Ballade zu machen. Goethe, vermutlich durch seine etwas abergläubische Hoffnung auf die Hamburger Staatslotterie beschämt[1], schreibt das Gedicht «Der Schatzgräber», das, gerade weil es fast allzu klar und sententiös und vernünftig ist, von Schiller sogleich als «musterhaft schön und rund und vollendet[2]» gepriesen wird. Das ist der Anfang der Bemühungen um die Kunstform der Ballade, deren Früchte der Musenalmanach von 1798 sammelt, eines dichterischen Unternehmens, das mit den klassischen Überzeugungen schwer vereinigt werden kann und, gleichsam unter einem Vorwand, Kräfte befreit, die Goethe seit der italienischen Reise, der Schönheit zuliebe, fesseln zu müssen glaubte. Ende Mai[3] entsteht der «Zauberlehrling», vom 4. bis 6. Juni «Die Braut von Korinth», vom 6. bis 9. Juni «Der Gott und die Bajadere». Schiller folgt mit dem «Taucher», dem «Handschuh», dem «Ring des Polykrates», den «Kranichen des Ibykus», dem «Gang nach dem Eisenhammer». Und wenn wir heute finden, daß die Balladen Goethes, zumal die «Braut von Korinth» und «Der Gott und die

[1] Vgl. Jahrbuch der Goethe-Gesellschaft 1951, S. 230 ff., die Ausführungen von Willy Krogmann.

[2] 23. Mai 1797.

[3] Die Datierung ist nicht ganz sicher; vgl. Gräf, Goethe über seine Dichtungen, Lyrik I, S. 274 u. 281.

Bajadere», ganz anderen Ursprungs und anderen Wesens seien
als die Balladen Schillers, so waren die beiden Freunde sich einig,
dasselbe Ziel erstrebt und einer Spezies von fragwürdigem Wert
zu neuer Bedeutung verholfen zu haben.

Gerne würden wir näheres über die kunsttheoretischen Gründe
wissen, die zur Balladendichtung führten. Aber wie immer, wenn
Goethe und Schiller sich ihres täglichen Umgangs freuen und
nicht genötigt sind, längere Briefe zu schreiben, haben wir das
Nachsehen. Nur einige verstreute Worte lassen uns dies und jenes
erraten.

An Böttiger schreibt Goethe:

«Da unsere Muse nach allen Kräften beschäftigt ist, einige
Balladen-Individuen hervorzubringen, so werden ihre historischen
Untersuchungen nicht sehr weit gehen. Es wäre daher sehr
freundschaftlich, wenn Sie uns Ihre Entdeckungen über die Ur-
ahnen dieser Familie mitteilten und dadurch uns auch in theo-
retischer Rücksicht fördern wollten[4].»

Da Böttiger der Adressat ist, wünschte Goethe offenbar etwas
über griechische Muster zu hören. Denn die Geschichte der Ballade innerhalb der deutschen Sprache und bis zurück zu Percy
war ihm aus seinem eigenen früheren Schaffen und durch Herder
wohlbekannt. Schiller mochte sich auf seine vor wenigen Jahren
verfaßte böse Kritik von Bürgers Gedichten besinnen. Beide
konnten nicht wünschen, die Überlieferung einfach fortzusetzen.
Das Primitiv-Volkstümliche, das Bänkelsängermäßige, das noch
die «Lenore» nicht verleugnet, das parodistische Element, in
dem sich Gleim und Hölty einst, durch spanische Dichter unzulänglich unterrichtet, getummelt hatten, durfte nicht oder höchstens unter natur- und kunstgerechteren Voraussetzungen erneuert werden. Immerhin blieben Goethe und Schiller dem nach
ihrer neuen Poetik «niederen Ursprung» der Ballade insofern
auch jetzt noch treu, als sie nie daran dachten, diese Gattung
völlig ernst zu nehmen und so gewissenhaft zu pflegen wie das
Epos und das Drama. Goethe, als müsse er sich entschuldigen,
schreibt, er treibe sich im «Balladenwesen und -unwesen[5]» her-

---

[4] 13. Juni 1797.
[5] An C. G. Körner, 20. Juli 1797.

um; Schiller erklärt, er habe «von der Ballade keinen so hohen Begriff, daß die Poesie nicht auch als bloßes Mittel» – zur Darstellung von Ideen – «dabei statthaben dürfe», und findet, Körner nehme die «Braut von Korinth» «ästhetischer als sie gemeint sei[6]».

«Im Grunde wars nur ein Spaß von Goethe, einmal etwas zu dichten, was außer seiner Natur und Neigung liegt.»

Auch dieser verblüffende Nachsatz war gewiß nicht aus der Luft gegriffen. Wir zweifeln nicht, daß Goethe eine solche Bemerkung fallen ließ. Aber was hat das zu bedeuten?

«Ton und Stimmung dieser Dichtart» gedenken die Freunde «beizubehalten», sind aber «besorgt ... die Stoffe würdiger und mannigfaltiger zu wählen[7]». So heißt es in einem Brief an Meyer. Doch Stoff und Behandlung stehen, wie wir aus Goethes und Schillers Gesprächen wissen, in einem engen Zusammenhang. Man mag sich also noch so sehr darum bemühen, die Stoffe würdiger und mannigfaltiger zu wählen; die Auswahl bleibt durch Ton und Stimmung auf einen gewissen Kreis beschränkt. Ton und Stimmung ihrerseits sind wieder durch den Vers bestimmt. Balladen werden von alters her in Reimen und Strophen abgefaßt. Vom «Reim- und Strophendunst[8]» spricht Goethe wiederholt in seinen Briefen. Was er meint, verstehen wir leicht. Im Epos, in den Elegien bedient er sich des Hexameters und der Distichen, weil diese Maße durch ihre reinliche und dennoch unpedantische Gliederung und ihren Verzicht auf Klangmagie die sprachliche Fassung jener klaren, in sich selber ruhenden, organischen Gegenwart gestatten, auf die es dem um klassische Vollendung Bemühten vor allem ankommt. Reime dagegen mit ihrem Klangspiel, mit ihrer, wir würden heute sagen, lyrischen Insinuation, und gar in Strophen gefügte Reime vermindern die wohlbemessene Distanz, verhindern die deutliche Anschauung und breiten stimmungsvolle, musikalische Schleier über den Vorgang, Schleier, die auch über die Seele des Dichters und die des Lesers ziehen und es ihm nicht mehr erlauben, sich gelassen, wie

---

[6] An Körner, 12. Febr. 1798.
[7] An J.H.Meyer, 21. Juli 1797.
[8] An Schiller, 22. Juni 1797.

klassische Kunst es will, vom Gegenstand zu unterscheiden. Wenn dem so ist, dann müssen auch die Stoffe dunstig und nebelhaft sein. Es wäre ein Verbrechen, eine antikische Menschengestalt zu vernebeln. Doch dem Geheimnisvollen, Abenteuerlichen, «Romantischen», wie es noch nach älterem Sprachgebrauch heißt, ist die Behandlungsart gemäß. So fürchtet Goethe zum Beispiel, das Interessante und Überraschende seines neuen epischen Plans, der «Jagd», löse sich am Ende in die Strophenform einer Ballade auf. Und Schiller begrüßt, was Goethe befürchtet:

«Außerdem, daß selbst der Gedanke des Gedichts zur modernen Dichtkunst geeignet ist und also auch die beliebte Strophenform begünstigt, so schließt die neue metrische Form schon die Konkurrenz und Vergleichung aus, sie gibt dem Leser ebensowohl als dem Dichter eine ganz andere Stimmung, es ist ein Konzert auf einem ganz andern Instrument. Zugleich partizipiert es alsdann von gewissen Rechten des romantischen Gedichts, ohne daß es eigentlich eines wäre, es darf sich wo nicht des Wunderbaren, doch des Seltsamen und Überraschenden mehr bedienen, und die Löwen- und Tigergeschichte, die mir immer außerordentlich vorkam, erweckt dann gar kein Befremden mehr[9].»

So bleiben also der Ballade nach wie vor seltsame, wunderbare, geheimnisvolle, überraschende Stoffe vorbehalten. Ein mehr als zwanzig Jahre später geschriebener Aufsatz Goethes weicht mit Rücksicht auf einige neue Balladen von dieser Vorschrift etwas ab und lockert den engen Zusammenhang von Stoff und Form, der 1797 noch eherner Grundsatz ist. Ein Nachklang der Unterhaltungen des Balladenjahres ist aber noch hörbar. So dürfen wir, da unsere Quellen sonst versiegen, wohl auch diese Betrachtung, mit einiger Vorsicht, beiziehn:

«Die Ballade hat etwas Mysteriöses, ohne mystisch zu sein; diese letzte Eigenschaft eines Gedichts liegt im Stoff, jene in der Behandlung. Das Geheimnisvolle der Ballade entspringt aus der Vortragsweise. Der Sänger nämlich hat seinen prägnanten Gegenstand, seine Figuren, deren Taten und Bewegung so tief im Sinne, daß er nicht weiß, wie er ihn ans Tageslicht fördern will. Er bedient sich daher aller drei Grundarten der Poesie, um zunächst

[9] An Goethe, 26. Juni 1797.

auszudrücken, was die Einbildungskraft erregen, den Geist beschäftigen soll; er kann lyrisch, episch, dramatisch beginnen und,
nach Belieben die Formen wechselnd, fortfahren, zum Ende hin-
eilen oder es weit hinausschieben. Der Refrain, das Wiederkehren
ebendesselben Schlußklanges, gibt dieser Dichtart den entschiedenen lyrischen Charakter.

Hat man sich mit ihr vollkommen befreundet, wie es bei uns
Deutschen wohl der Fall ist, so sind die Balladen aller Völker verständlich, weil die Geister in gewissen Zeitaltern, entweder kon-
temporan oder sukzessiv, bei gleichem Geschäft immer gleich-
artig verfahren. Übrigens ließe sich an einer Auswahl solcher
Gedichte die ganze Poetik gar wohl vortragen, weil hier die
Elemente noch nicht getrennt, sondern wie in einem lebendigen
Ur-Ei zusammen sind, das nur bebrütet werden darf, um als herr-
lichstes Phänomen auf Goldflügeln in die Lüfte zu steigen[10].»

Damit sind wir nun doch zu einem ziemlich sicheren Ergebnis
gelangt. Die strenge Unterscheidung von Epos und Drama legte
die Frage nahe, wie es denn überhaupt zu einer solchen Scheidung
gekommen und ob nicht hinter allem Gesonderten eine Urpoesie
zu vermuten sei, ein Gedanke, der sich Goethe geradezu aufdrängen mußte, im Hinblick auf seine Morphologie sowohl wie
auf die Eigentümlichkeit seiner immer zwischen den Gattungen
schwankenden dichterischen Begabung, die Schiller ihm oft genug
vorhielt. Schon Herder hatte jedoch die Ballade als ursprüngliche
Dichtung gepriesen; und in den Prolegomena Wolfs erschienen
kürzere Einzelgesänge als Hintergründe homerischer Epik. Das
Genus mit dem etwas bedenklichen Leumund war also legiti-
miert. Es lohnte sich, darauf einzugehen und so das poetische Reich
zu erweitern. Etwas Ähnliches war offenbar mit den «*Gesprächen
in Liedern*» gemeint, die während der Schweizer Reise entstanden. Wenn die Ballade epische, lyrische und dramatische Elemente noch ungeschieden in sich enthält, so wird in den Gesprächen in Liedern das Geschiedene wieder vereinigt.

Aber den primitiven Charakter, von dem das Originalgenie sich
angezogen fühlte, betrachtet der Klassiker nicht mehr als höheren
Wert. Ursprüngliches ist nicht würdiger als das, was sich daraus

[10] II, 612 f.

entwickelt und zu klaren Gestalten entscheidet. Im Gegenteil! Das Ineinander der Gattungen weist die Ballade, trotz ihrer vermeintlichen Altertümlichkeit, auf einen untergeordneten Platz, ebenso das Mysteriose, das damit verbunden ist und, nach der Lehre der neunziger Jahre, auch die Wahl der Stoffe bestimmt. Goethe und Schiller halten ihre Balladen nicht, wie die Epen und Dramen, für eine große Errungenschaft. Sie leisten sie sich; sie gönnen sich zwischen den schweren Geschäften eine Lizenz. Schiller, der in den «Wallenstein» vertieft ist und an der Vollendung verzweifelt, begrüßt die Möglichkeit, wenigstens solche bescheidenere und minder rigorose Dinge zum Abschluß zu bringen. Goethe, nicht imstande, einen neuen epischen Stoff zu finden, der ebenso glücklich wäre wie die Fabel zu «Hermann und Dorothea», auch auf dem elegischen Feld, in «Der neue Pausias und sein Blumenmädchen», bereits zu einem leicht überspitzten und allzu verfeinerten Stil gelangt, heißt gleichfalls ein Experiment willkommen, das eine ganz andre Aussicht eröffnet und ihm gestattet, neuen Gewinn aus einem Acker der Sprache, eben dem der Reime und Strophen, zu ziehen, der lange brach gelegen hat.

Beim «*Schatzgräber*» und beim «*Zauberlehrling*» wird man sich kaum bemüßigt sehen, zu weiteren Betrachtungen auszuholen. Es ist bezeichnend, daß diese Gedichte, obwohl sich in beiden Wunderbares, Magisches, Geisterhaftes ereignet, eigentlich gar nicht geheimnisvoll wirken, oder doch höchstens auf kindliche Leser, die nur den Stoff zur Kenntnis nehmen und die Ober- und Untertöne, die hier fehlen, nicht vermissen. Goethe geht aus von einer Sentenz und wendet das Mysteriöse nur an, um sie gehörig darzubieten. Ein Bild in einer deutschen Übersetzung von Petrarcas Schrift «De remediis utriusque fortunae» beschenkt ihn mit der «artigen Idee, daß ein Kind einem Schatzgräber eine leuchtende Schale bringt[11]». In dem von Wieland ins Deutsche übertragenen «Lügenfreund» Lukians steht die Geschichte von dem Adepten, der das entzaubernde Wort nicht weiß. Das sind balladenmäßige Fabeln. Goethe behandelt sie souverän, den «Schatzgräber» wohl noch unbekümmert, den «Zauberlehrling»

[11] Tagebuch, 21. Mai 1797.

sicher bereits in dem theoretisch ermittelten Stil. In beiden Gedichten tritt der Held der Geschichte selbst als Sprecher auf. Damit wird ein lyrisches und pathetisches Element verstärkt, zumal im «Zauberlehrling», der im Präsens gehalten ist und nicht den Vorgang, sondern seine unmittelbare Wirkung auf das Gemüt und die erregten Zwischenreden des Betroffenen wiedergibt. Höchst absichtsvoll ist das gemacht. Und absichtsvoll ist auch die Sprache. Sie blüht nicht aus der Dämmerung der Seele ins Licht des Geistes empor. Goethe bedient sich, in bisher unerhörtem Grad, mit Wissen und Willen der Mittel, die ihm zur Verfügung stehen. Bewußtester Kunstverstand ist am Werk, begleitet von herzlicher Lust an solcher kommandierter Poesie. Im Bau der Strophe, den sich verkürzenden und dann wieder verlängernden Zeilen, der wechselnden Distanz der Reime, auch in der Drastik des Vokabulars und in den durchweg kurzen, auf Eile, dann Atemlosigkeit deutenden Sätzen, der Steigerung des Tempos, dem knappen Schluß: in all dem schätzen wir eine zur Virtuosität gesteigerte Meisterschaft und, als Historiker, die Entdeckung neuer Gebiete deutscher Sprache. Aber die vorbehaltlose Verehrung solcher Künste müssen wir denen überlassen, die unempfindlich sind für die geheimeren Schwingungen in den Liedern und Elegien und anderen Werken der Früh- und Spätzeit, Ausländern also, die hier denn auch, was sehr verständlich ist, den Genius Goethes endlich zu fassen glauben. Zumal die Franzosen, von Madame de Staël bis Paul Dukas, entzückt das Gedicht. Es schlägt den Ton an, der in ihrer romantischen Lyrik weiterklingt.

Ganz anders freilich ist es um die beiden Balladen «*Die Braut von Korinth*» und «*Der Gott und die Bajadere*» bestellt. Goethe erwähnt sie unter den Stoffen, die er lange Jahre hindurch «lebendig und wirksam im Innern erhielt ... da sie sich denn zwar immer umgestalteten, doch, ohne sich zu verändern, einer reineren, einer entschiednern Darstellung entgegenreiften[12]». Nur auf diese beiden unter den Balladen der neunziger Jahre möchten wir auch die Worte beziehen, die Eckermann überliefert hat:

[12] In «Bedeutende Fördernis durch ein einziges geistreiches Wort».

«Ich hatte sie alle schon seit vielen Jahren im Kopf, sie beschäftigten meinen Geist als anmutige Bilder, als schöne Träume, die kamen und gingen und womit die Phantasie mich spielend beglückte. Ich entschloß mich ungern dazu, diesen mir seit so lange befreundeten glänzenden Erscheinungen ein Lebewohl zu sagen, indem ich ihnen durch das ungenügende dürftige Wort einen Körper verlieh. Als sie auf dem Papiere standen, betrachtete ich sie mit einem Gemisch von Wehmut; es war mir, als sollte ich mich auf immer von einem geliebten Freunde trennen[13].»

Hier liegt die Sache demnach so, daß Goethes unbotmäßige Phantasie sich mit Gegenständen beschäftigt, welche er nach der italienischen Reise als verantwortungsbewußter Künstler verdammen muß und doch nicht abzuweisen vermag, die unter der Etikette «Ballade» und mit der Versicherung, dergleichen liege außerhalb seiner Natur und Neigung, durchgeschmuggelt werden und die er erst in späteren Jahren, im Alter, eigentlich adoptiert. Die Vampyrsage, das Liebesgeflüster zwischen dem Jüngling und der Toten im Dunkel des griechischen Prunkgemachs, besprengte Leichen, Sarg und Priester, und wieder der tote indische Gott zur Seite des geschminkten Mädchens, die Zeremonie der Witwenverbrennung: lauter Motive sind dies von der Art, die Goethe erledigte mit dem Satz: «Ich statuiere dergleichen nicht[14].» Er statuierte es aber sehr wohl. Wir wissen nicht, wann und in welcher Form er die Wundergeschichten las, die Phlegon von Tralles für Hadrian im zweiten Jahrhundert aufgeschrieben hat. Auch die erste Begegnung mit der Fabel von «Der Gott und die Bajadere» entzieht sich unsrer Kenntnis. Doch beide Stoffe bekamen erst in den neunziger Jahren ihr volles Gewicht. Die indische Legende wurde von der tiefsten Rührung über die Liebe Christianes durchströmt. In die Vampyrsage floß die Klage über die unwiederbringlich entschwundene Festlichkeit der Antike, ein unsäglich schwerer Gram, der, bei Goethes sogar in den Tage-

[13] 14. März 1830. Der «Schatzgräber» scheidet hier ohnehin aus, da das Auftauchen des Motivs am 21. Mai 1797 bekannt ist.
[14] Vgl. zu F. Förster, 1826. Biedermann, Goethes Gespräche, 2. Aufl., Leipzig 1910, III, 310.

büchern gewahrter Schweigsamkeit, in einem solchen Ausmaß uns sonst unbekannt geblieben wäre.

Wie aus einer bleiernen Lähmung, von einem Schmerzenslager herab, das den Kranken lange der Sprache beraubt hat, scheinen die Verse dieser grandiosen Dichtung zu verlauten, nicht als Gestammel, nicht stoßweise, sondern in äußerster Anstrengung, aus einem unbeugsamen Willen, das verstörende Ereignis der Liebesnacht und der Weltgeschichte einigen für würdig Befundenen unvergeßlich einzuprägen. Mit gedämpfter Stimme, mit einer unheilschwangeren Gelassenheit hebt Goethe zu erzählen an; und nie überschreitet der Ton die Stärke, die einsam Wachenden in einem nächtlich-stillen Hause ziemt. Sogar die Rede des steil emporgerichteten Mädchens ist wie gehaucht. So bannt der Dichter seine Hörer in einen Kreis von Einsamkeit, dem keiner sich zu entziehen vermag.

Ein bleicher Schein liegt auf den Dingen. Sie wirken geisterhaft und geistig. Das Stoffliche verschwindet ganz in seinem transparenten Sinn.

«Nach Korinthus von Athen...»

Das könnte eine weiter nicht verbindliche Ortsangabe sein, bezeichnet aber den Übergang von der noch heidnischen in die früh vom Apostel Paulus bekehrte Stadt. Der weiße Schleier, das weiße Gewand und das schwarzgoldene Band um die Stirne bilden das Kleid der Himmelsbraut, als die das Mädchen im Kloster gelebt hat und, nach christlichen Gebräuchen mit Weihwasser – «Salz und Wasser» – besprengt, beerdigt worden ist. Bedeutsamkeit umwittert auf der Tafel auch der Ceres und des Bacchus Gaben, Brot und Wein. «Die sich vom Brote Nährenden» werden die Lebenden von Homer genannt. Die Toten aber, die sich um Odysseus drängen, schlürfen Wein. Zu ihnen gehört der «seltene Gast». Wenn der Jüngling ihr, der Abgeschiedenen, eine Locke gibt und eine Kette aus ihrer Hand empfängt, so ist er ihr verfallen. Erst allmählich wird es klar, daß in der weltgeschichtlichen Stunde dieser Nacht kein Ding mehr schlicht in seinem eigenen Wesen ruht, daß die Wohnlichkeit des irdischen Raumes aufgehoben ist und Götter nun Dämonen sind.

Erst nach und nach geht uns auch auf, daß eine Tote spricht und wandelt. Manche Leser glauben, eine Unstimmigkeit bemerken zu müssen. Das Mädchen redet zu Beginn, als sei der Tod ihr nicht bewußt, als stehe ihr das Sterben in der stillen Klause erst bevor. Erst wie sie von dem Wein gekostet hat und auf das Lager sinkt, warnt sie den Jüngling vor der Eiseskälte ihres jungen Leibes. Weckt der Wein die Erinnerung? Es wäre denkbar. Doch die Zeilen:

> «Aber, ach! berührst du meine Glieder,
> Fühlst du schaudernd, was ich dir verhehlt»

erklären das Vorangegangene als schonenden Betrug: Die Tote hofft, dem Bräutigam ihr grausiges Los verbergen zu können. Aber für ihn und den Leser wird so die Erkenntnis nur um so verstörender. In die Lust – wir wissen kaum schon recht warum – mischt sich ein Grauen und steigert sich zu einem zwischen Entzücken und Wahnsinn wogenden Taumel. Drei Strophen lang, da von der häuslich-späten Mutter zu reden ist, bleiben die Liebenden ihrem unbeschreiblichen Zustand überlassen. Dann wird das Gräßliche offenbar.

Die lange Rede der Toten folgt, in der die Sprache Goethes einen ihrer höchsten Gipfel erreicht. Der Jüngling und die Mutter kommen nicht mehr zu Wort; sie verharren stumm, wie für ewige Zeiten festgebannt in die Gebärde des Entsetzens.

Unbeirrbar schreitet die Erzählung fort zu diesem Ziel. Nicht um Haaresbreite wird die schnurgerade Linie des Wesentlichen je verlassen. In Prosa wäre das begreiflich, ja fast ein selbstverständliches Gebot der höheren Novellistik, wie Kleist sie ausgebildet hat. Doch niemand wäre in der Lage, sich ohne dieses Beispiel vorzustellen, daß dasselbe auch in Strophen, in so deutlich ausgeprägten Strophen, möglich ist. Die Strophen gliedern den Bericht. Wenn eine solche Gliederung auch sachlich sinnvoll sein soll, scheint es unvermeidlich, daß der Dichter hie und da ein Füllsel einlegt oder Zeilen überbürdet. Aber das geschieht hier nicht. Das Tempo bleibt sich immer gleich, ein Andante sostenuto, das von einer beinah übermenschlichen Selbstbeherrschung zeugt. Und dennoch fallen alle metrischen Zäsuren unfehlbar mit denen des Geschehens zusammen. Das ist nur aus der jahrelangen Beschäftigung von Goethes Phantasie mit diesem Stoff erklärlich. Jeder Winkel des Gemachs, jeder Zug und jede Gebärde der Braut, des Jünglings und der Mutter, jeder Augenblick des Vorgangs ist vor seinem Auge deutlich. Nur eine Auswahl aus der Fülle der Gesichte trägt er vor. So könnte man höchstens an einigen gewagten Verkürzungen Anstoß nehmen:

«Golden reicht sie ihm die Kette dar»,

wo das Adjektiv nicht flektiert ist und an falscher Stelle steht;

«Bräutigams und Braut»,

wo der Artikel und also bei «Braut» die Genitivbezeichnung fehlt;

«So zur Tür hinein»,

was uns als unvollständiger Satz in diesem Stil ein wenig überrascht. Auf solche Gedanken bringt uns aber nur eine künstlichnüchterne Prüfung. Wenn wir hingegeben lesen, so steigern solche Anomalien gerade die gewünschte Wirkung. Wir sind verwundert, befremdet, erstaunt und ahnen zuletzt die neue, über dem Grauen triumphierende Freiheit, die hier der Dichter gewonnen hat.

In erster Linie ist es aber doch die Strophe selbst, die Folge der vier längeren und zwei kürzeren Zeilen, denen eine letzte, wieder auf die zweite und vierte gereimte längere Zeile folgt, was uns das ganze Gedicht hindurch, achtundzwanzigmal, in immer neue, ja sich gegen Schluß noch steigernde Erregung versetzt. Goethe hat in den über sechzig Jahren seines dichterischen Schaffens unzählige Strophenformen erfunden, unzähliger schon bestehender sich in einem neuen Geist bedient. Aber der höchste Preis gebührt der in dem einen metrischen Schema erzielten Mannigfaltigkeit der lautlich-rhythmischen Magie in der Ballade «Die Braut von Korinth»:

«Nach Korinthus von Athen gezogen
Kam ein Jüngling, dort noch unbekannt.

> Einen Bürger hofft' er sich gewogen;
> Beide Väter waren gastverwandt,
> Hatten frühe schon
> Töchterchen und Sohn
> Braut und Bräutigam voraus genannt.»

Die Trochäen – übrigens in allen Balladen des Jahres 1797 das herrschende Maß – erzeugen gleich zu Beginn die Atmosphäre jener erhabenen Ruhe, die unerläßlich ist, wenn eine so lust- und grauenvolle Erzählung über die Lippen kommen soll. Aber am Ende der ersten Strophe sind wir eher wieder beschwichtigt. Die kürzeren Verse scheinen eine gewisse Behaglichkeit zu verbreiten und um das Lächeln des Hörers zu werben, wie das auch Wieland oft mit seinen wechselnden Zeilenlängen versucht. Die zweite Strophe scheucht indes das leise Lächeln bereits zurück:

> «Aber wird er auch willkommen scheinen,
> Wenn er teuer nicht die Gunst erkauft?
> Er ist noch ein Heide mit den Seinen,
> Und sie sind schon Christen und getauft.
> Keimt ein Glaube neu,
> Wird oft Lieb und Treu
> Wie ein böses Unkraut ausgerauft.»

Der Dichter benutzt den Strophenschluß, um eine Mahnung einzuschalten. Das ändert seinen stilistischen Sinn. Immerhin gewöhnen wir uns daran, daß sich die Aussage irgendwie in den kurzen Versen verdichtet und in der letzten längeren Zeile sich um weniges wieder löst. Doch mit welcher unerschöpflichen rhythmischen Erfindungskraft wird dieser Wechsel durchgeführt:

> «Wein und Essen prangt,
> Eh er es verlangt:
> So versorgend wünscht sie gute Nacht.»

Hier finden wir eine Anschauung auf engsten Raum zusammengedrängt. Die Mutter strengt sich für die Bedienung des Gastes an und entfernt sich erleichtert, wie das Geschäft vollendet ist. Schon minder harmlos geben die kritischen Zeilen sich in den folgenden Strophen:

> «Und er schlummert fast,
> Als ein seltner Gast
> Sich zur offnen Tür hereinbewegt.»

> «Wie sie ihn erblickt,
> Hebt sie, die erschrickt,
> Mit Erstaunen eine weiße Hand.»

Ein erstauntes, ein bestürztes Innehalten drückt sich aus. Etwas Alarmierendes liegt in den rasch aufeinanderfolgenden Reimen. Auch diese Möglichkeit jedoch gibt wieder einer anderen Raum. Den kurzen Zeilen werden erst geheimere, dann unverhüllte seelische Regungen anvertraut. Von den Urelementen der Poesie, die Goethe in der Ballade noch zu gleichen Teilen vereinigt sieht, gewinnt das lyrische an Gewicht, am deutlichsten wohl in dem Verspaar:

> «Die an dich nur denkt,
> Die sich liebend kränkt»,

dem wieder eine ruhigere Mitteilung folgt:

> «In die Erde bald verbirgt sie sich.»

Und je weiter wir vorwärts dringen, desto gewaltiger wird der Gegensatz zwischen den langen und kurzen Zeilen. Der letzte Schein natürlichen Lebens stößt mit dem Grauenhaftesten unmittelbar vor der Rede der Toten zusammen:

> «Und der Jüngling will im ersten Schrecken
> Mit des Mädchens eignem Schleierflor,
> Mit dem Teppich die Geliebte decken;
> Doch sie windet gleich sich selbst hervor.
> Wie mit Geists Gewalt
> Hebet die Gestalt
> Lang und langsam sich im Bett empor.»

Nun klingt die Erregung nicht mehr ab. Die Dehnung in dem letzten Vers von «lang» zu «langsam» und «empor» ist wie ein tiefes Atemholen, bevor die Meduse den Blick aufschlägt. Und dann, in der Rede, spannt die Sprache sich zwischen den «hohlen Worten», die das lang geahnte Geheimnis enthüllen, dem beinah schon tonlosen Rest der epischen Diktion, und Formeln von verzehrender Magie, die wie mit geschlossenen Augen und gramerstickter Stimme gesprochen sind.

Ein unerschütterlich-großes Werk, was immer Goethe, der von seiner eigenen Schöpfung verwirrte Klassiker, auch darüber sagen mag. Erst jetzt erkennen wir, daß wir das Epos, «Alexis und Dora», «Der neue Pausias und sein Blumenmädchen», nicht nur dem innig gefühlten Glück der reinen Gegenwart zu verdanken haben, sondern nicht minder einer Selbstzucht, einer ästhetischen Sittlichkeit, die, unter Dichtern wenigstens, nicht ihresgleichen haben dürfte. Solche dämonische Schauer regten sich im Grunde des Gemüts, das dem erfüllten Augenblick, der Jugendschönheit Hermanns und Dorotheas und den Gesprächen herzlich Liebender hingegeben war. Ähnlich überrascht uns in den «Wahlverwandtschaften» das Tragische, das seit der «Iphigenie» aus der Kunst und dem gültigen Leben verbannt ist, und in der «Klassischen Walpurgisnacht» die von den «Zahmen Xenien» verwünschte untermenschliche Sphäre. Daß Goethe die Ballade als eine immerhin mögliche Form entdeckte gerade in einer Zeit, da lang im Zaum gehaltene Meisterschaft, die Kunst der Strophe und des Reims, gebieterisch tätig zu sein begehrte und der Stoff der Vampyrsage innerlich durchgearbeitet war, das ist in der Dichtungsgeschichte wohl eins der verblüffendsten Beispiele dessen, was Hegel als «List der Vernunft» bezeichnet hat.

Schiller zog der «Braut von Korinth» den «Gott und die Bajadere» vor, und viele Leser stimmen ihm wohl auch heute noch zu. Der Stoff ist menschlicher, zugänglicher für das Empfinden weiterer Kreise. Die Sprache ist gelöster. Goethe scheint sich freier zu bewegen und über die auch hier auf wechselvolle Gegensätze gerichtete Strophe leichter zu verfügen. Doch eben deshalb bezaubert uns hier nicht mehr das Ereignis eines Einbruchs in lang vermiedene Reiche. Gewiß, auch diese Ballade ist gewichtiger als der «Zauberlehrling» und erst recht als die Balladen der späteren Zeit, das «*Hochzeitlied*», «*Johanna Sebus*», «*Der Totentanz*», «*Der getreue Eckart*», «*Die wandelnde Glocke*», die auf

Bestellung oder um Kinder zu unterhalten entstanden sind. Fremdartig, unerwartet, mit seltsamem Reiz erschließt sich die indische Welt. Verwandlung und Erlösung, ein großes Thema des Spätwerks, klingt schon auf und bereitet uns auf den «Paria», die letzte Ballade Goethes, vor. Die Liebe zu dem, was unter uns ist, dem immer überlegeneren Geist des älteren Dichters gemäß, verbreitet von oben herab ihr mildes Licht. Und doch, der Augenblick der höchsten Notwendigkeit scheint vorüber zu sein. Der «Reim- und Strophendunst» der Ballade lenkt Goethe zurück auf ein seit Jahren liegen gebliebenes größeres Werk, das ebenso «ungehörig» ist und eine noch viel unwiderstehlichere Anziehungskraft ausübt: den «Faust».

Noch einmal kehren wir in den Sommer 1797 zurück. Goethe hat die Balladen geschrieben. Er ist in einem «unruhigen Zustand», da er noch immer nicht weiß, ob die italienische Reise zustande kommt. Ein größeres einheitliches Werk zu planen, verbietet ihm seine Lage. Doch «um sich etwas zu tun zu geben», entschließt er sich, «an den Faust zu gehen und ihn wo nicht zu vollenden, doch wenigstens um ein gut Teil weiterzubringen».

«Da die verschiedenen Teile dieses Gedichts, in Absicht auf die Stimmung, verschieden behandelt werden können, wenn sie sich nur dem Geist und Ton des Ganzen subordinieren, da übrigens die ganze Arbeit subjektiv ist: so kann ich in einzelnen Momenten daran arbeiten, und so bin ich auch jetzt etwas zu leisten imstande[1].»

«Unser Balladenstudium», fährt er weiter, «hat mich wieder auf diesen Dunst- und Nebelweg gebracht.»

Auf diesen Zusatz legt die allzusehr mit religiösen und philosophischen Fragen beschäftigte Faust-Forschung in der Regel kein großes Gewicht. Und doch enthält er wohl den triftigsten, nämlich den künstlerischen Grund des Entschlusses, den selbst Schiller sich nach «gewöhnlicher Logik[2]» nicht zu erklären vermochte. Auch in der Folge äußert sich Goethe über den «Faust» wiederholt mit Worten, die er schon für die Balladen gebraucht hat. Er spricht von «Possen» und «Luftphantomen[3]», «Symbol-, Ideen- und Nebelwelt[4]», von der «Flor»-Wirkung der Reime[5]. Abermals hat er ein schlechtes Gewissen und denkt er, die «höchsten Forderungen mehr zu berühren als zu erfüllen[6]». Da es sich diesmal aber um ein Werk von gewaltiger Breite handelt, kommen neue schwere Bedenken kompositorischer Art dazu. Eine «große Schwammfamilie[7]», eine «barbarische Produktion[8]»: mit

[1] An Schiller, 22. Juni 1797.
[2] An Goethe, 23. Juni 1797.
[3] An Schiller, 1. Juli 1797.
[4] An Schiller, 24. Juni 1797.
[5] An Schiller, 5. Mai 1798.
[6] An Schiller, 27. Juni 1797.
[7] An Schiller, 1. Juli 1797.
[8] An Schiller, 28. April 1798.

solchen Glossen begleitet er die langsam zusammenwachsende
Schöpfung. Daß sie ein «ungeheures nordisches Publikum finden
muß [9]», tröstet ihn nicht. Er schämt sich beinahe, Meyer um
Zeichnungen für ein solches Gebilde zu bitten. Und in dem
«*Abschied*», der als lyrischer Nachklang vorgesehen war, erklärt
er – in einem Perfekt, das sich erst rechtfertigen sollte – das
Geschäft mit Verdruß vollendet zu haben und sich nie mehr auf
ein ähnliches Unternehmen einlassen zu wollen:

«Am Ende bin ich nun des Trauerspieles,
Das ich zuletzt mit Bangigkeit vollführt,
Nicht mehr vom Drange menschlichen Gewühles,
Nicht von der Macht der Dunkelheit gerührt.
Wer schildert gern den Wirrwarr des Gefühles,
Wenn ihn der Weg zur Klarheit aufgeführt?
Und so geschlossen sei der Barbareien
Beschränkter Kreis mit seinen Zaubereien [10].»

Doch ebenso wie bei den Balladen kann er sich dem unsäglichen
Reiz der verbotenen Kunstwelt nicht entziehen. Er bedient sich
wieder der Sprache, die ihm als Jüngling geläufig war. Die nie
vergessenen, nur in die stillsten Gründe des Herzens verbannten
Gestalten bewegen sich wieder vor seinem Blick und bringen alle
Schmerzen und Wonnen der längst vergangenen Jahre mit, die
Liebe Lilis, die Freundschaft Mercks, die Hoffnungsfülle der
Stube unter dem Dach im Haus am Hirschgraben, den Schimmer
der Retorten und Kolben, mit denen er sich beschäftigt, den Duft
der magischen Bücher, die er mit seiner frommen Freundin gelesen hat. Der Genius der Frühe, dem er so gerne huldigt, im
«Elpenor», im «Wilhelm Meister [11]», dem er immer wieder die
köstlichsten Gaben verdankt: hier schwebt er über seinem Haupt
und fleht ihn an, ihm zu vertrauen und sich nicht irre machen
zu lassen durch ein ästhetisches Prinzip. So lesen wir es in der
«*Zueignung*», die nun den «Faust» eröffnet, einer der schönsten

[9] An Schiller, 28. April 1798.
[10] V, 529.
[11] Vgl. S. 137.

Blüten Goethescher Lyrik, die uns, wie die Marienbader Elegie, wie der Schluß der «Novelle», wie viele Gedichte des «Divan», so innig und unwiderstehlich rührt, weil Goethe den gesicherten Besitz des Geistes, wie von einer höheren Gewalt ergriffen, preisgibt und wieder ins Geheimnis der Erinnerung zu versinken wagt:

> «Ihr naht euch wieder, schwankende Gestalten,
> Die früh sich einst dem trüben Blick gezeigt,
> Versuch ich wohl, euch diesmal festzuhalten?
> Fühl ich mein Herz noch jenem Wahn geneigt?
> Ihr drängt euch zu! nun gut, so mögt ihr walten,
> Wie ihr aus Dunst und Nebel um mich steigt;
> Mein Busen fühlt sich jugendlich erschüttert
> Vom Zauberhauch, der euren Zug umwittert.»

Die «Zueignung» datiert das Tagebuch auf den 24. Juni. Am Tag vorher hat Goethe ein «ausführliches Schema zum Faust» entworfen. Es ist verschollen. Wir wissen aber[12], daß es bestimmt war, das Vorhandene und noch zu Leistende zu ordnen. Vorhanden war das 1790 erschienene «Faust»-Fragment mit Fausts erstem Monolog, der Erdgeist- und der Wagner-Szene, dem Schluß der zweiten Studierzimmerszene (von V. 1770 an: «Und was der ganzen Menschheit zugeteilt ist»), der Schülerszene, Auerbachs Keller, Hexenküche, Wald und Höhle (damals noch nach der Szene am Brunnen) und große Partien der Gretchentragödie. Durch diese bereits gedruckten Stücke wußte sich Goethe festgelegt. Außerdem lagen Verse vor, die der Öffentlichkeit noch unbekannt waren: ein Fragment der Valentinszene und die Kerkerszene in Prosa, dann einige Schnitzel, die man jetzt unter die Paralipomena eingereiht findet, 18 und 19 zum Beispiel[13], in denen Mephisto sich selber vorstellt und die Seele Fausts zu gewinnen hofft, der Plan zu einer akademischen Disputation zwi-

[12] Vgl. E. Grumach, Prolog und Epilog im Faust-Plan von 1797, Jahrbuch der Goethe-Gesellschaft, 14.–15. Bd., Weimar 1953, S. 63ff.
[13] Die Paralipomena werden nach der auch in der Artemis-Ausgabe übernommenen Numerierung Max Heckers (Welt-Goethe-Ausgabe 1937) zitiert. Die Nummern der Sophien-Ausgabe sind in der Artemis-Ausgabe beigefügt.

schen Faust und Mephisto über naturwissenschaftliche Gegenstände und über den «schaffenden Spiegel» und endlich wenige Zeilen über den Streit Mephistos mit den Engeln und über sein Erscheinen vor Christus, der als «Reichsverweser» amtet[14] und den Streitfall gnädig schlichtet. Vielleicht war auch so etwas wie der Prolog im Himmel schon vorgesehen und in Einzelheiten skizziert[15]. Wir wissen darüber nicht sicher Bescheid. Doch wenn es uns weniger darum geht, die Entstehungsgeschichte des «Faust» zu verfolgen als die vollendete Dichtung, wie sie sich jetzt darstellt, zu verstehen, so können wir diesen Mangel verschmerzen. Denn an die unveröffentlichten Fragmente war Goethe nicht gebunden; hier hatte er völlig freie Hand, dies wegzulassen und jenes zu ändern, wie es ihm jeweils auf Grund erneuter Prüfung des Ganzen tunlich schien.

Indem wir dies zu beachten gewillt sind, bekennen wir uns – wie schon im ersten Band, im Kapitel «Urfaust[16]» – zu einem Grundsatz der Interpretation, der keineswegs allgemein anerkannt ist. Viele Erklärer neigen dazu, bei jeder Gestalt und jedem Vers die älteste Fassung vorzunehmen und Goethes Quellen nachzuschlagen, also bei Welling und Swedenborg, bei Paracelsus und Jacob Ayrer Auskunft über den Sinn und den Zusammenhang einer Stelle zu suchen. Das entspricht dem Gesetz einer Philologie, die objektiv zu forschen glaubt, aber gerade so ihren eigenen Geist mit dem des Dichters verwechselt, indem sie die historische Gewissenhaftigkeit und Treue, deren sie sich selbst befleißigt, auch seinem Verhältnis zu Büchern zutraut. Bei der Lektüre der Quellen zum «Faust» geraten wir aber in die Zonen der Theosophie und Alchemie, in eine von Phantastik und verworrener Ahnung erfüllte Welt. So verbindet sich hier mit der Philologie die Wunder- und Geheimnislüsternheit, die nie aussterben wird, die immer wieder das Erhellte zugunsten des brauenden Dunkels preisgibt und nicht zufrieden ist, bis abermals alles die eine Nacht verschlingt, aus der sich Geschlechterfolgen mit Kraft zum Licht emporgearbeitet haben. Sie nimmt den Text, den uns der Dichter

[14] Paralipomena 232.
[15] Vgl. E. Grumach, a. a. O., S. 67ff.
[16] Vgl. Bd. I, S. 204ff.

319

unterbreitet, nur als Anlaß, um hinter den Wortlaut zurückzugehen; und dort, in den Akten von Hexenprozessen und in barokken Dämonologien, in magisch-kabbalistischen Schriften, glaubt sie das Wesentliche zu finden. Es sei nun freilich nicht bestritten, daß eine solche Wissenschaft uns über vieles Aufschluß gibt und manchmal eine Zeile deutet, die sonst unverständlich bliebe. Doch wird sie der Absicht Goethes als des Schöpfers von «Faust I» gerecht? Die Frage rechtfertigt einen Exkurs.

Der junge Goethe hat sich entschlossen gegen die Aufklärung gewandt. Jede Darstellung seines Werdens legt größten Wert auf diesen Vorgang; und deutsche Forscher betonen mit Grund, daß damit Kräfte an Boden gewannen, die lange zurückgedämmt worden waren und sich nur außerhalb der gültigen Literatur behauptet hatten: die pietistische Frömmigkeit, die Geheimwissenschaften des 16. und 17. Jahrhunderts, Mystik und Pansophie. Nur ungern gibt man aber zu, daß Goethe von dem hier waltenden Geist mehr angeregt als gebildet wurde, daß alles ein andres Gesicht erhielt, sobald er damit in Berührung kam, und daß gerade er, bereits im Frühwerk und noch entschiedener in Weimar, berufen war, auch diese letzte geistliche Überlieferung in einen Säkularisationsprozeß von größtem Ausmaß einzubeziehen. Das Wachstum seiner lyrischen Sprache liefert ein fast blasphemisches Beispiel[17]. Er braucht die Vokabeln der Stillen im Lande mit einer erfrischenden Harmlosigkeit, um irdische Liebe zu gestehen. Ebenso geht er in seiner naturwissenschaftlichen Arbeit von den Begriffen und Lehren der Alchemisten aus[18]. Die «Metamorphose der Pflanzen» und die chromatischen Schriften enthalten noch Spuren. Doch alles ist anders bezogen, ausgerichtet auf einen weltlichen Sinn. Dies Neue, das, worauf Goethe hinauswill, läßt sich in keiner Weise aus der Herkunft seines Denkens erklären. Wer es versucht, der geht nur rückwärts auf dem Weg, den der Forscher und Dichter in anderer Richtung durchmessen hat, und entzieht seine Leistung unserem Blick. Er lebt des romantischen Glaubens, der Ursprung sei reicher und tiefer als das Ziel. Für die Deutung des «Faust» ergibt sich daraus: Reste der

---

[17] Vgl. Bd. I, S. 62 ff.
[18] Vgl. R. D. Gray, Goethe the Alchemist, Cambridge 1952.

Überlieferung, mit der die Sage verwachsen ist und Goethe sie einst in Zusammenhang brachte, sind mehr oder minder noch wahrnehmbar: Das Emanationssystem, von dem wir aus «Dichtung und Wahrheit» einiges wissen, die Luzifermythologie, die Geister- und Engellehre des Barock. Ebenso klar erkennen wir aber, daß Goethe im Lauf der Jahrzehnte sich immer weiter von diesen Dingen entfernt, ja, daß sich ihr ursprünglicher Sinn allmählich in seinem Bewußtsein verdunkelt. Schon in dem Fragment von 1790 wird die letzte Erinnerung an Luzifer mit Bedacht gestrichen[19]. Und dennoch sollen wir in der um dieselbe Zeit entstandenen Szene «Wald und Höhle» noch einen Reflex auf eine Erscheinung Luzifers sehen, die einmal geplant gewesen sein könnte[20]? Liegt es nicht auf der Hand, daß jetzt der «erhabene Geist» der Erdgeist ist? Denn wenn der Erdgeist im «Urfaust» noch ein untergeordnetes Wesen sein mag («Nicht einmal dir!» ruft Faust ihm zu), so hat er sich für Goethe doch offenbar immer weiter emporentwickelt bis zu der Berliner Aufführung vom Jahre 1819, für die er ein Transparent mit dem Haupt des Zeus von Otricoli vorschlug, um dann «geschmeichelt» festzustellen, daß man sich entschlossen hatte, sein eigenes kolossales Bild inmitten wallender Nebel zu zeigen[21]. Es handelt sich nicht darum, was uns besser gefällt, der Welt- und Luftgeist Wellings oder der Zeus von Otricoli. Wir haben uns einzig darum zu bekümmern, wie sich der Dichter selber, als er die fundamentalen Szenen schrieb, zu seinem eigenen Werk verhielt, in welchem Licht er es sah und welche Bedeutung er ihm zu geben gedachte: in zweiter Linie darum, ob der neue Gehalt sich mit den älteren Stücken immer vereinigen läßt. Auch dies ist gewiß kein leichtes Geschäft. «Zueignung» und «Abschied» verraten eine tief zwiespältige Haltung. Sie ist noch komplizierter, als die erste Lektüre dieser beiden Begleitgedichte vermuten läßt. In Frankfurt hat Goethe dem «Faust» getrost seine eigenen augenblicklichen Hoffnungen und Versuchungen anvertraut. Auch in Italien glaubt er sich das gestatten zu dürfen. «Wald und Höhle» faßt das Emp-

[19] Vgl. v. 1135 des Fragments mit v. 526 ff. des Urfaust.
[20] Vgl. E. Grumach, a.a.O., S. 104.
[21] An den Grafen Brühl, 2. Juni 1819.

finden und Denken der römischen Tage zusammen ohne Rücksicht auf die Frage, ob solche Worte innerhalb der Gretchentragödie möglich seien. 1797 jedoch ist Goethe durchdrungen von der Erkenntnis, daß er zu weiten Strecken des «Faust» sich nur historisch verhalten könne, ähnlich wie zum «Wilhelm Meister», bei dessen Vollendung er eigentlich bloß als Herausgeber tätig zu sein erklärte[22]. Der «Faust» bot aber ungleich größere Schwierigkeiten als der Roman. Wilhelm Meister mußte aus dem «Wirrwarr des Gefühles» auf den «Weg zur Klarheit» geleitet werden. Das lag in der Richtung, die Goethe selber immer zielbewußter verfolgte. Beim «Faust» dagegen fehlten die wichtigsten Szenen aus der ersten Hälfte, die von der «Macht der Dunkelheit» und von dem «Drange menschlichen Gewühles» Kunde geben sollten. Durfte er sich das noch zutrauen? Konnte er es überhaupt noch wollen? Alle diese Bedenken sind unauflöslich ineinander verflochten. Der «Zauberhauch» der Jugend kann den Dichter verführen, das historische Verhältnis zu mißachten, sich wieder einig zu fühlen mit Faust und unversehens dessen seelische Lage mit seinen eigenen reiferen Zweifeln und Sorgen zu verwechseln. Und umgekehrt kann ihn der Abstand von den «Barbareien» bestimmen, den Stoff virtuos und ironisch zu fassen oder ihm aber einen neuen, seiner höheren Erfahrung angemessenen Sinn zu unterlegen. Dies geschieht zum Beispiel in dem wichtigen Paralipomenon 1, das, wie schon Morris festgestellt hat[23], einen fortlaufenden Kommentar des Fragments von 1790 enthält:

> «Ideales Streben nach Einwirken und Einfühlen in die
> ganze Natur.
> Erscheinung des Geists als Welt- und Tatengenius.
> Streit zwischen Form und Formlosem.
> Vorzug dem formlosen Gehalt.
> Vor der leeren Form...»

Die letzte Bemerkung charakterisiert die Repliken auf die Reden Wagners. Wenn wir dann weiter lesen:

[22] An Schiller, 27. Aug. 1794.
[23] Goethe-Studien, 1.Bd., Berlin 1902, S. 154ff.

«Gehalt bringt die Form mit; Form ist nie ohne Gehalt. Diese Widersprüche, statt sie zu vereinigen, disparater zu machen», so scheint das den Vorsatz anzukündigen, Wagners Position zu stärken, ihm eine triftige Antwort zu gönnen und damit Kritik zu üben an Faust: ein bemerkenswerter Gedanke, der aber nicht durchgeführt worden ist.

Dann finden wir das «helle kalte wissenschaftliche Streben» Wagners dem «dumpfen warmen wissenschaftlichen Streben» des Schülers entgegengesetzt. «Lebens Genuß der Person von außen gesucht: in der Dumpfheit Leidenschaft» faßt die Szenen von «Auerbachs Keller» bis zur Gretchentragödie zusammen. Das Folgende weist über das Fragment von 1790 bereits hinaus. «Tatengenuß nach außen und Genuß mit Bewußtsein, Schönheit» kann sich nur auf die Begegnung mit dem Kaiser und mit Helena beziehen. «Schöpfungsgenuß von innen», das dürfte der Weisheit letzten Schluß umreißen: Faust, der endlich dazu gelangt ist, schaffender Spiegel der Gottheit zu sein. Was freilich mit dem «Epilog im Chaos auf dem Weg zur Hölle», mit diesen so verblüffend an den Schluß des «Vorspiels auf dem Theater» erinnernden Worten gemeint sein mag, das wagen wir, angesichts unversöhnlicher Deutungsversuche, nicht zu entscheiden. Genug wenn das Paralipomenon 1 uns mit dem Geist befreundet, in dem sich Goethe seiner Dichtung annimmt, dem klassischen Geist der neunziger Jahre, der, offenbar unter dem Einfluß Schillers, an eine systematische Ordnung der Möglichkeiten des Daseins glaubt. Wir wissen, es gelang ihm nicht, das ganze Werk in diesem Sinne zu bereinigen und zu vollenden. Doch die so klar geäußerte Absicht sollte es uns doch endlich verbieten, allzu emsig nach alchemistischen und pansophischen Rätseln zu stöbern und daran festzuhalten, daß der «Faust» ein «Mysteriendrama» sei. Man redet sogar nicht ungestraft von einem religiösen Problem. Um 1797 lag Goethe alles fern, was heute, innerhalb und außerhalb der gelehrten Welt, als Religion gilt. Der Blick ruht auf dem Menschen als einem in sich selber bestehenden und sich selber Verantwortung schuldigen Wesen. Die religiöse Sphäre mochte noch Zeichen und Symbole liefern und als stimmungsgesättigte Jugenderinnerung hochwillkommen sein. Das letzte Wort über Fausts

Bestimmung billigt der Dichter ihr nicht mehr zu. Und ist es nicht selbstverständliche Pflicht, sich um die Perspektive zu bemühen, die Goethe selber wählte, als er den ersten Teil abschloß? Wir jedenfalls denken es so zu halten. Und damit gehen wir endlich zur Erklärung der Szenen über, die um die Jahrhundertwende entstanden sind.

Das «*Vorspiel auf dem Theater*» bezieht sich, abgesehen von den letzten Versen, so wenig auf den «Faust», daß schon behauptet worden ist[24], es sei zuerst für ein anderes Stück, vermutlich für den zweiten Teil der «Zauberflöte», bestimmt gewesen. Die Verse des Theaterdirektors vom großen und kleinen Himmelslicht, von Wasser, Feuer, Felsenwänden, Tieren und Vögeln enthalten denn auch zweifellos eine Erinnerung an die szenischen Künste, die Goethe in seiner fragmentarischen Zauberoper nach Schikaneders Vorbild aufbot. Gemeint ist aber damit nur die Theaterbelustigung überhaupt – so wie das ganze Vorspiel sich in allgemeinen Bahnen bewegt und leicht, scherzhaft, überlegen die Fragen wieder zur Sprache bringt, die einst die ernsten Sorgen Tassos und Wilhelm Meisters gewesen sind. Es würde sich für jedes farbenreiche Bühnenkunstwerk eignen. Doch nur als Eingangstor zum «Faust» gerät es in das Lichterspiel ironischer, wehmütiger und heiterer Bedeutsamkeit, das Goethe seinem Unternehmen voranzuschicken für richtig hielt. «Zueignung» und «Abschied» klingen in anderer Tonart wieder auf. Der Dichter spricht – ein typischer Dichter der Goethe-Zeit, der «in sein Herz die Welt zurückschlingt», um sie in Schönheit wieder daraus entstehen zu lassen, der sich nach seiner Jugend sehnt, die ihn allein befähigen würde, seine Geschöpfe mit ungebändigten Leidenschaften auszustatten. Der Direktor fordert kommandierte Poesie und hält die Schöpfung eines einheitlichen Ganzen für verlorene Liebesmüh'. Ein Paralipomenon (5) fügt hinzu:

«Laßt unser Stück nur reich an Fülle sein,
Dann mag der Zufall selbst als Geist der Einheit walten»

und, noch um einen Grad frivoler (3):

[24] Vgl. O. Seidlin, Is the Prelude in the Theatre a Prelude to Faust? PMLA, New York, June 1949.

«Und wenn der Narr durch alle Szenen läuft,
So ist das Stück genug verbunden.»

Der Narr kann nur Mephisto sein. Der Künstler, der den Teufel
spielt, spielt auch die «lustige Person», des Amusements gewiß,
das er dem Publikum bereiten wird.

Das sind keine irreführenden Späße. Was die drei Figuren des
Vorspiels sprechen, ist nur ein Widerhall der Zweifel und Recht-
fertigungsversuche, die wir aus Goethes Briefen kennen. Eine
zwischen Leicht- und Tiefsinn, Ernst und Vergnügen schwebende
Stimmung scheint ihm für die folgenden Szenen die beste Voraussetzung zu sein. Man täte wohl, dies über all den Schwierigkeiten,
die uns der «Faust» bereitet, nicht ganz und gar zu vergessen.
Etwas von einem Panoptikum, von einer magischen Revue bewahrt auch noch das vollendete Werk; und wen nur die Vorgänge
interessieren, das Zauber-, Geister- und Hexenwesen, der steht
der Meinung Goethes nicht ferner, als wer nur Metaphysik begehrt. Wir werden es freilich ebenso wenig wie andre Erklärer
vermeiden können, länger bei den Problemen als bei den Gebilden einer abenteuerlich spielenden Phantasie zu verweilen.
Denn diese wissen sich selbst zu empfehlen; bei jenen bedarf der
Leser der Führung.

Aus der Bedrängnis und Zufälligkeit der Welt des deutschen
Magiers, die Goethe um die Jahrhundertwende so tief verdroß,
befreit er sich im «*Prolog im Himmel*» mit einer einzigen trium-
phalen Anstrengung. Wir sollen nicht nur die Geschichte eines
nordischen Sonderlings und dumpfen Geisterbeschwörers lesen,
sondern darin das Schicksal eines Menschen erkennen, der in
exemplarischer Weise strebt und irrt. Faust, von seiner Einzigartigkeit durchdrungen, glaubt allein zu stehen, und ist doch von
Anfang an ausgerichtet auf Mephistopheles und den Herrn, teilhaftig eines Gegensatzes, der so alt ist wie die Welt. Der Herr
als Widerpart des Teufels ist aber seinerseits, wie in der idealistischen Philosophie, nur Teil des Göttlichen, das alles, den Herrn
als Widerpart des Teufels und den Teufel, in sich schließt. Bevor
die Gegensätze auseinandertreten, verherrlichen dieses umfassende
Ganze die drei Erzengel Raphael, Gabriel, Michael in einem Ge-

sang, der alle Räume und Zeiten ruhevoll überschwingt und eine Weite eröffnet, in der die Lust und Not des Einzelnen wie ein Wellengekräusel untergeht. Es ist ein Lobgesang auf die Natur, die in sich selbst bewegte und doch unveränderlich-ewige, lebenspendende und beharrende Macht, die allen geschichtlichen Wandel entläßt und wieder aufnimmt und in unendlichem Kreis den Ursprung der Geschöpfe mit dem Ende zusammenfügt. Die Sonne wird zuerst genannt, das Licht, die höchste Offenbarung und Mitte des Seins, soweit der Mensch es innig anzuschauen und lebendig widerzuspiegeln vermag; dann die Sterne in ihren Bahnen, die unverrückbar scheinen für uns; der irdische Wechsel von Tag und Nacht, die gärende Tiefe, die Wetter der Höhe. Und allen Aufruhr überbieten das «sanfte Wandeln» und die Verse, die wieder in den Anfang münden, in die Strophe Raphaels, und damit im dichterischen Wort den Kreis des Universums nachvollziehen:

> «Und alle deine hohen Werke
> Sind herrlich wie am ersten Tag.»

Wenn wir diesen Engelgesang mit der voritalienischen Lyrik vergleichen, ermessen wir erst, was schließlich auch der Lyriker Goethe gewonnen hat. Kleinode der ersten Weimarer Zeit sind das Lied «An den Mond», «Wandrers Nachtlied», Dämmergedichte der Einsamkeit, Geflüster einer ungestörten, in sich selber versunkenen Seele. Die großen Hymnen dagegen, «Harzreise im Winter», «Das Göttliche», «Grenzen der Menschheit», sind zwar verehrungswürdig als Bekenntnisse höchsten sittlichen Adels, künstlerisch aber noch unsicher und von eigentümlicher Blässe. Goethe verzichtet offenbar bewußt auf die explosive Sinnengewalt und Fülle des «Mahomet», des «Ganymed» und des «Prometheus». Erst in den «Römischen Elegien» leuchtet das Irdische wieder auf, und reiner noch in «Alexis und Dora», im «Neuen Pausias» und «Amyntas». Die Farben werden nun aber mit klassischer Strenge in sichere Formen gebannt. Die Anschauung befestigt sich; Gestalten treten uns gegenüber, so klar, daß nur ein zarter Hauch von lyrischer Stimmung übrig bleibt. Der Stil der «Römischen Elegien» erfüllt sich am reinsten in «Hermann und

Dorothea», in einem epischen Werk. Doch auch die Stunde, die dieser Schöpfung günstig war, ist nun vorüber. Die neu erworbene sinnliche Dichte geht indes noch nicht verloren. Sondern es geschieht, was ähnlich in nachhomerischer Zeit geschah: die epische Sprache mit ihrem gegenständlichen Reichtum liegt bereit; dem folgenden Geschlecht bereitet sie keine Schwierigkeiten mehr. Man kennt auch nicht mehr das Bedürfnis, die Dinge dichterisch festzustellen. Das ist bereits vollbracht; die Späteren können sich gleichsam darauf verlassen. Sie fühlen sich heimisch in einer poetisch durchdrungenen, angeeigneten Sphäre und kommen leichter vom einen zum andern. Welt und Sprache geraten in einen flüchtigeren Aggregatzustand. Die lyrische Poesie entsteht.

Es ist im allgemeinen nicht rätlich, solche kühne Vergleiche zu ziehen. Aber es fiele uns schwer, die Entwicklung Goethes deutlicher zu erklären. Als Epiker und Dramatiker, als Dichter kunstgerechter Dramen hat er sich selbst mit seinen ästhetischen Theorien die Hände gebunden. Andrerseits ist er der höchsten und der tiefsten Register der Sprache mächtig und in die Erde, in alle sechs Tagewerke der Schöpfung als Mensch und Künstler, Forscher und Dichter eingeweiht. Nun erlaubt ihm ein Kunstwerk, das er als solches nicht völlig ernst nimmt, sich gehen zu lassen. Und alles Feste kommt in Fluß. Er fühlt sich nicht mehr auf den Umriß organischer Einzelgestalten verpflichtet. Er gleitet über das Ganze hin. In einem gewaltigen lyrischen Schwung durchbricht er den ängstlichen Kreis der Idylle und nimmt doch alles mit, was seinen wachen Sinnen die Enge beschert hat. Eine ähnlich beflügelte und gesättigte Sprache bewundern wir in «*Dauer im Wechsel*» und «*Tage der Wonne*». Doch alles übertrifft an Pracht der Engelgesang des «Prologs im Himmel», der unbegrenztes lyrisches Vertrauen mit dem Ereignis belohnt, daß sich der ganze Kosmos wie von selbst zum Kreise ründet und in gefühlter organischer Schönheit strahlt.

Nach diesem himmlischen Beginn tritt Mephistopheles auf den Plan, die für die zeitgenössischen Leser schon aus dem Fragment bekannte Gestalt, zuerst mit etwas gehobener Rede, wie von den Engeln angesteckt, dann wieder sich seiner selbst versichernd, wenn auch noch immer ein wenig verlegen, verdrossen, hämisch inmitten des Glanzes, eine komische Figur, die aus dem Rahmen fällt, doch nie – das sehen wir auf den ersten Blick – imstande sein wird, den Rahmen zu sprengen. Von «Sonn' und Welten» weiß er nichts zu sagen; denn da, in der Natur, ist alles, selbst für ihn, in Ordnung. Er hält sich an das einzige fragwürdige Wesen, an den Menschen, der höher angelegt und eben deshalb unvollendet ist, ein Zwischending von Vieh und Engel, wie es, noch deutlicher als der gültige Text, ein Paralipomenon sagt:

«Vier Beine lieb ich mir zu sichrem Stand und Lauf:
Er klettert stets und kommt doch nicht hinauf [25].»

«So wunderlich als wie am ersten Tag» – wir beachten den spöttischen Hinweis auf den Schluß des Engelgesangs – scheint ihm der von Gott erschaffene Mensch. Das Tadelnswürdige ist so alt und drum der gleichen Aufmerksamkeit wert wie die «lebendig reiche Schöne». Indes erschüttert das hier niemand. Das Wort des ungebetenen, aber geduldeten Gastes fällt nicht ins Gewicht. Der Herr ist bereit, das Wesen des Menschen an einem Beispiel darzulegen und wählt dazu ein auch Mephisto willkommenes: den Doktor Faust. Der bloße Name genügt, um den Verderber völlig zu ermuntern. Faust ist im eminentesten Sinn ein Mensch von der Zikadenart, die er soeben beschrieben hat. Er will den Himmel mit der Erde, eine grenzenlose Umsicht mit innig erfahrener Nähe vereinen und findet keine Ruhe, da immer das eine fehlt, wenn er das andre besitzt. Der Herr jedoch nimmt mit dem Gleichnis vom Gärtner und vom Bäumchen auch diesen Geist zurück in die Natur: nach einiger Zeit wird sich erweisen, daß er ebenso zum Ganzen stimmt wie die anderen Kreaturen; und vor dem Angesicht des Ewigen kommt die Zeit nicht in Betracht.

Nun bietet Mephisto die Wette an. Da sich uferlose Diskussionen an diesen Vorgang knüpfen, haben wir jedes Wort zu beachten.

[25] Vgl. E. Grumach, a.a.O., wo nachgewiesen wird, daß das Paralipomenon 50 zum Prolog im Himmel gehört.

«Was wettet Ihr? den sollt Ihr noch verlieren,
Wenn Ihr mir die Erlaubnis gebt,
Ihn meine Straße sacht zu führen!»

Das ist eine überflüssige Bitte. Mephisto hat ja ohnehin die
Erlaubnis, die Menschen auf seiner Straße zu führen, soweit sie
ihm folgen wollen. Gott selbst hat das so angeordnet:

«Des Menschen Tätigkeit kann allzu leicht erschlaffen,
Er liebt sich bald die unbedingte Ruh;
Drum geb ich gern ihm den Gesellen zu,
Der reizt und wirkt und muß als Teufel schaffen.»

Nur weil Mephisto nicht begreift, daß Gott sich seiner gelassen
bedient, weil er der vermessenen Meinung ist, er könne eigene
Ziele verfolgen, sichert er sich ein Recht auf Faust. Noch alberner
ist seine Wette. Gott kann nicht mit dem Teufel wetten, der doch
zu seinem Gesinde gehört und, wie er sich auch stellen mag, nur
den höheren himmlischen Willen vollzieht. Es ist denn auch mit
keinem Wort davon die Rede, daß der Herr sich auf Mephistos
Vorschlag einläßt[26]. Er fühlt sich nicht einmal zu irgendeinem
neuen Entschluß bewogen. Er spricht nur aus, was immer schon
in Kraft war, seit die Welt besteht:

«Solang er auf der Erde lebt,
Solange sei dirs nicht verboten:
Es irrt der Mensch, solang er strebt.»

Das heißt: Jedwedes irdische Streben ist fehlerhaft und unzulänglich. Dies Unzulängliche wird dichterisch dargestellt durch
den Gesellen Fausts, den schon die Sage kennt.

«Solang er auf der Erde lebt.»

Man hat den Ton auf «lang» gelegt und darin eine beachtliche
Dehnung der in dem Volksbuch auf vierundzwanzig Jahre be-
messenen Frist erblickt. Doch nicht die Verlängerung ist bedeutsam, sondern eben dies, daß alles Irdische unzulänglich bleibt,

[26] Vgl. zum Folgenden wie auch zur zweiten Studierzimmerszene die
unbestechlichen Ausführungen A.R.Hohlfelds in Fifty years with Goethe,
Madison 1953, S. 3–28.

daß Mephistopheles immer und wo es auch sei zum Wesen des Menschen gehört, als Schatten seiner Endlichkeit:

> «So*lang* er auf der *Erde lebt.*»

Und wenn er nicht mehr auf der Erde lebt? Dann fällt die Erlaubnis dahin; dann ist Mephistos Amt zu Ende. Mehr wird vorerst nicht gesagt. Im zweiten Teil ist Faust nach seinem Tod in einem unbeirrten Aufstieg zu höheren Sphären begriffen, gemäß dem Glauben, den uns Eckermann überliefert[27], daß ausgezeichneten Entelechien fortgesetzte Tätigkeit beschieden sei. Und schon im ersten Teil erwartet der Todbereite «neue Sphären reiner Tätigkeit» im Jenseits. Ein der Endlichkeit entrücktes Dasein hält Goethe also für möglich.

Bereitet nun Mephistos Antwort irgendwelche Schwierigkeiten?

> «Da dank ich Euch; denn mit den Toten
> Hab ich mich niemals gern befangen.
> Am meisten lieb ich mir die vollen, frischen Wangen.
> Für einen Leichnam bin ich nicht zu Haus:
> Mir geht es wie der Katze mit der Maus.»

Er gibt damit nur selber zu, daß er einzig zum irdischen Leben gehört. Man kann es auch etwas tiefsinniger sagen: Was Gott ihm zugebilligt hat, empfindet er als persönliche Neigung, als eine Laune seiner Natur.

Nun scheinen wir aber ein Leben nach dem Tod noch einmal erwägen zu müssen. Der Herr bekundet sein Vertrauen, daß Faust in seinem dunklen Drang sich doch des rechten Wegs bewußt sei. Mephisto, unbelehrt, erwidert:

> «Schon gut! nur dauert es nicht lange.
> Mir ist für meine Wette gar nicht bange.
> Wenn ich zu meinem Zweck gelange,
> Erlaubt Ihr mir Triumph aus voller Brust.
> Staub soll er fressen, und mit Lust,
> Wie meine Muhme, die berühmte Schlange!»

[27] 4. Febr. 1829.

330

Hier werden wir in der Tat an theologische Vorstellungen erinnert. Luzifer hat Adam durch die Schlange des Paradieses verdorben. Die Schlange ist dafür von Gott verurteilt worden, fortan auf dem Bauch zu kriechen und Erde zu fressen. Auch der gestürzte Adam bewahrt aber noch einen Abglanz des himmlischen Lichts. So legt der Teufel es darauf an, den Menschen gründlicher heimzusuchen. Den Fluch, mit dem der Herr die Schlange bestraft hat, soll auch er erfahren.

Das klingt in den Versen Mephistos an. Doch ist es angezeigt, daraufhin den ganzen Hintergrund der barocken Mythologeme aufzudecken und anzunehmen, er sei für die Konzeption des Prologs im Himmel verbindlich? Wenn man nur wissen will, «woher es der Dichter hat», so mag das angehen. Doch wer das Werk erklären will, begeht damit einen grundsätzlichen Fehler. Mephisto redet nämlich gar nicht von Fausts posthumer Existenz und einer an seiner Person vollzogenen ewigen Verdammnis des Menschengeschlechts, sondern, wie aus dem Zusammenhang und dem Wortlaut hervorgeht, einzig davon, daß er Faust zu erniedrigen und tierisch gemein zu machen hofft.

«Staub soll er fressen, und mit Lust!»

Wir hören weder bei Welling noch in der Genesis, daß die verfluchte Schlange Staub «mit Lust» gefressen habe. Und eben in diesem Zusatz verrät sich der ganz einfache menschliche Sinn: So weit soll es kommen mit Faust, daß er Lust am Gemeinsten und Niedrigsten findet. Ob dies eine Höllenstrafe nach sich ziehen wird, erfahren wir im «Prolog im Himmel» nicht. Es scheint hier keine Hölle zu geben.

Indes bleibt noch die «Muhme» übrig. Man hat natürlich auch dieses Wort sorgfältig geprüft in der Erwartung, Aufschluß über die Teufelshierarchie zu finden, die Goethe seinem «Mysteriendrama» zugrunde legt. Nun ist die Erklärung insofern leicht, als sich nach allgemeiner christlicher Auffassung der Genesis in der Schlange ein teuflischer Geist verkörpert. Das würde genügen, um die von Mephisto erwähnte Verwandtschaft zu begründen. Doch es genügt den dämonologisch Interessierten keineswegs. Sie ziehen Folgerungen daraus. Sie lassen Satan und Luzifer mit er ganzen Sippe aufmarschieren und ruhen nicht, bis sich das Goethesche Werk zu einem Höllenbrueghel verfinstert. Wir halten uns abermals an den Text. Da kann es uns nicht entgehen, daß Goethe diese Dinge mit Absicht verschleiert. Wir werden nie darüber verständigt, wie souverän Mephistopheles ist und welche Kompetenz er hat. Er selber nennt sich in einer gleichfalls um 1800 entstandenen Szene einen «Teil von jener Kraft, die stets das Böse will und stets das Gute schafft»; und wie Faust weiterfragt, nennt er sich «Geist, der stets verneint». Der Herr im «Prolog im Himmel» erklärt:

«Ich habe deinesgleichen nie gehaßt;
Von allen Geistern, die verneinen,
Ist mir der Schalk am wenigsten zur Last.»

«Schalk» bedeutet «im gewöhnlichen Sinne eine Person, die mit Heiterkeit und Schadenfreude jemand einen Possen spielt». Auch ein schweizerischer Gebrauch des Wortes, den Goethe 1797 vorgemerkt hat, ist beizuziehen[28]. Danach sind «Äußerungen der Schalkheit»: «Auf Fragen schiefe Antworten. Nichts loben. Alles wo nicht tadeln doch nicht recht finden und das Gegenteil wünschen» – lauter Charakterzüge Mephistos. Unter den verneinenden Geistern ist Gott der Schalk am wenigsten lästig. Es gibt also offenbar auch noch andere, die ihm unangenehmer sind. Zu diesen wird man wohl den Satan in der «Walpurgisnacht» zählen dürfen. Doch den schon weit gediehenen Auftritt des Satans hat Goethe wieder gestrichen. Von dem ganzen Höllengesindel ist einzig noch Mephistopheles da, ein untergeordneter, kaum mehr dämonischer, verhältnismäßig harmloser Wicht.

Was dies zu bedeuten hat, ist ganz klar. Goethe denkt nicht daran, dämonische oder satanische Mächte zu leugnen. Er hält es aber – seit der «Iphigenie auf Tauris» – für unangebracht, daß die Einbildungskraft sich mit ihnen beschäftigt. Ein höchster Begriff von Sittlichkeit, der auch für den Dichter verbindlich ist, verbietet, etwas zur Sprache zu bringen, was das Vertrauen des Menschen auf seine eigene Würde und Güte und auf die Güte

[28] Vgl. dazu R. Buchwald, Führer durch Goethes Faust-Dichtung, Stuttgart 1942, S. 443 f.

der Schöpfung zu sehr erschüttert und seine besten Kräfte mit Angst und Grauen und böser Ahnung lähmt[29]. Die meisten Leser unserer Tage werden eine solche Haltung unverständlich, feige oder bestenfalls langweilig finden. Sie mögen es tun. Es ist nur zu erwidern, daß ihre anderen Anforderungen in Goethes Sinn unsittlich sind. Sittlich ist die letzte Wendung, die der «Prolog im Himmel» nimmt, die Abkehr Gottes von dem zwar erträglichen, oft sogar unentbehrlichen, aber doch unerfreulichen Burschen und die Aufforderung zur Freude und zu dem reinen Geschäft des Dichters, das in der Erscheinung Schwankende, Flüchtige liebevoll festzuhalten im Wort und so ein Bleibendes zu stiften als Denkmal des unablässigen Werdens. Dieser Aufforderung genügen die «echten Göttersöhne», die Engel. Mephisto aber, allein, ist wie verdutzt von der Güte des großen Herrn. Sollte er ihm wiederholt begegnen, so möchte man fast erwarten, daß auch er am Ende noch in sich geht und überwältigt, mit dünner Stimme, in das Engelkonzert einstimmt.

Wir wissen nun, wozu der Prolog im Rahmen der ganzen Dichtung dient. Gott und der Teufel einigen sich, daß Faust ein Beispiel sein soll für den Wert oder Unwert des Menschengeschlechts. Doch bevor der fragwürdige Held auftritt, muß der gesamte Kosmos sichtbar werden als das vollkommene Kunstwerk, an das zu glauben, das überall nachzuweisen Glück und ebenso Pflicht eines menschenwürdigen Daseins ist. Außerdem sollen wir einsehen, daß auch der Teufel, soweit er hier in Betracht kommt, zum Gesinde Gottes gehört, daß also Faust wohl irren, aber sich nicht für immer verirren kann. Der Prolog prophezeit den glücklichen Ausgang.

Nun treten wir unter andern Voraussetzungen als im «Urfaust» in das «hochgewölbte, gotische Zimmer», wo Faust unruhig an seinem Pult sitzt, die Fakultäten schmäht, das Zeichen des Makrokosmos betrachtet, den Erdgeist beschwört und kläglich vor ihm versagt. Wir lassen uns nicht mehr vorbehaltlos auf seine Not und Unrast ein. Wir wissen, daß er bei aller Größe seines Trachtens auf einer verhältnismäßigen niederen Stufe steht, haben eher

[29] Vgl. zu der ganzen Frage G. Gerster, Die leidigen Dichter. Zürich 1954.

Mitleid mit ihm und hören sogar in dem Puppenspielton, der in den ersten Versen des Monologs noch durchschlägt und ursprünglich ganz anders gemeint war, eine nicht unberechtigte Ironie des Dichters, der nach der Feier der ewigen Schöne solche begrenzten Sorgen kaum mehr völlig ernst zu nehmen vermag. Selbst der Erdgeist büßt ein wenig von der ausschließlichen Wirkung ein, die das «Fragment» ihm noch zubilligt. Und eben dies ist Goethes neuer Konzeption des Werks gemäß. Freilich, nicht alles geht rein in ihr auf. Wir wissen bereits, daß Wagner etwas freundlicher dargestellt werden sollte. Für den Gott des «Prologs im Himmel» gibt es kein schlechthin lächerliches Geschöpf. So hätte wohl noch dies und jenes zart berichtigt werden müssen. Doch Goethe verzichtete schließlich darauf und ließ die Verse 354–605 unangetastet.

Die «große Lücke[30]» folgt bis zu den Versen der zweiten Studierzimmerszene «Und was der ganzen Menschheit zugeteilt ist» (1770ff.), die schon das Fragment enthält. Hier muß nun endlich das Bündnis zwischen Faust und dem Teufel behandelt werden. Goethe beeilt sich aber nicht. Er hat sich weder in Frankfurt noch in Rom entschließen können, diesen wichtigen Abschnitt auszuführen, und scheint auch jetzt die unangenehme Pflicht noch weiter hinauszuschieben. Nachdem ihn der Erdgeist zurückgeschreckt hat, wäre Faust wohl für Mephistopheles reif. Zu unserm Erstaunen bringt ihn aber der Osterchor wieder ins Gleichgewicht. Infolgedessen ist Goethe genötigt, ihn während des Osterspaziergangs abermals in den Zustand zu setzen, der uns aus dem ersten Auftritt bekannt ist. Nun kündigt sich Mephistopheles an. Es kommt aber immer noch nicht zum Vertrag. Ein zweites Mal findet sich Faust zurecht. Zwar resigniert, aber friedlich, wie ein Hieronymus im Gehäuse, übersetzt er das Neue Testament; und die erste Studierzimmerszene schließt in der seltsamsten Weise ergebnislos. Hier war zum Überfluß noch die akademische Disputation vorgesehen, in der sich Faust mit seiner These vom schaffenden Spiegel vermutlich ein drittes Mal hätte ins Rechte denken sollen. Erst in der zweiten Studierzimmerszene (oder der dritten, wenn wir schon «Nacht» als Studierzimmerszene gelten

[30] An Schiller, 4. April 1801.

lassen) findet das längst erwartete zentrale Ereignis der Sage statt. Dies alles ist denkbar unzweckmäßig, verwirrend, und nur so zu erklären, daß Goethe nicht recht an die Sache heran will, daß ihm gerade dieses Motiv die ernstlichsten Schwierigkeiten bereitet. Wir werden sie darzulegen versuchen. Vorher aber müssen wir uns mit den zwar überflüssigen, aber herrlichen Zwischenszenen befassen, also zunächst mit dem *Monolog*, der auf die Wagnerszene folgt und in die *Osterchöre* mündet (V. 606–807).

Goethe ist offenbar bestrebt, möglichst eng an die vor Jahrzehnten geschriebenen Verse anzuschließen. Rekapitulierend versucht er, sich in die unselige Stimmung zurückzuversetzen. «Ich, Ebenbild der Gottheit», «Wurm», das Gerät, das «angerauchte» Papier: das sind Zitate, mit denen wir über die Kluft hinweggetäuscht werden sollen, die zwischen den Worten des Jugendunmuts und denen des Fünfzigjährigen liegt. Sie läßt sich aber nicht verdecken. Verräterisch sind bereits die Zeilen:

> «In jenem selgen Augenblicke
> Ich fühlte mich so klein, so groß. »

Der Augenblick ist soeben vergangen; das «jenem» enthüllt, fast rührend naiv, die Ferne eines Vierteljahrhunderts. Dann drängen sich Gedanken vor, die nur ein reifer, in Leben und Arbeit erfahrener Mann zu fassen vermag. Ein solcher sollte zwar auch der Held des «Urfaust» sein; doch er war es noch nicht. Mit seinen vermessenen Wünschen strafte er das behauptete Alter Lügen. Nun wird ihm eine besser begründete Unzufriedenheit zugestanden. Schon die Wiederholung des Protests gegen all das unnütze Zeug, das sich im Studierzimmer angehäuft hat, nimmt eine würdigere Gestalt an. Im «Urfaust» wurde da nur die Ungeduld des nach einem Leben in wehender Luft begierigen Jünglings vernehmlich, der endlich er selbst und aller bedrängenden Überlieferung ledig sein will. Nun stellt sich die Frage nach dem Unsinn sowie nach dem Sinn der Tradition, nach dem Problem der Aneignung und Neubelebung des Vergangenen; und in die Kritik an den Instrumenten mischt sich das Wissen des Morphologen um das «offenbare Geheimnis». Am meisten erschüttert uns aber der Abschnitt:

«Wenn Phantasie sich sonst mit kühnem Flug
Und hoffnungsvoll zum Ewigen erweitert,
So ist ein kleiner Raum ihr nun genug,
Wenn Glück auf Glück im Zeitenstrudel scheitert.
Die Sorge nistet gleich im tiefsten Herzen,
Dort wirket sie geheime Schmerzen,
Unruhig wiegt sie sich und störet Lust und Ruh;
Sie deckt sich stets mit neuen Masken zu,
Sie mag als Haus und Hof, als Weib und Kind erscheinen,
Als Feuer, Wasser, Dolch und Gift;
Du bebst vor allem, was nicht trifft,
Und was du nie verlierst, das mußt du stets beweinen.»

Die Phantasie ist das Glück der Jugend. In reiferen Jahren
betätigt die freie Einbildungskraft sich nicht minder geschäftig.
Doch nun, da wir an keine unendliche Zukunft mehr zu glauben
vermögen, da unser Kreis gezogen und mit mannigfaltigem
Reichtum erfüllt ist, verkehrt die Freiheit sich in Sorge, in Vorstellungen von Verlust und Weissagungen von Gefahren. Den
Himmel des Lebens verfinstert der Dämon, den Goethe bereits
im «Egmont» bekämpft[31], durch Schweigen zu überlisten, durch
Geduld und Mut zu ertragen versucht und doch nie überwunden
hat, der auch dem hundertjährigen Faust ins Angesicht hauchen
und seine letzten Augenblicke bedrohen wird – der Schatten des
Dichterischen im Menschen, Preis, den wir entrichten, für unser
einzigartiges höchstes Gut.

Solche Qualen erwachsen nicht aus einem ungehörigen Anspruch. Sie sind in die für immer verfügten Grenzen der Menschheit eingeschlossen und also zu Zeiten wohl Grund genug, dem
Leben ein Ende setzen zu wollen. Der Faust Chamissos (1803)
begeht in ähnlicher Lage Selbstmord. Den Magier Goethes hält der
Glockenklang und der Chor der Engel zurück. Man hat behauptet,
Mephistopheles lasse die Himmelsmusik erklingen. Ein solcher Gedanke ist absurd. Freilich weiß er, daß Faust den «braunen Saft
nicht ausgetrunken» hat. Doch was er weiß, dazu braucht er ja selber nicht behilflich gewesen zu sein. Später rühmt er sich einmal:

[31] Vgl. Bd. I, S. 300 ff.

«Und wär ich nicht, so wärst du schon
Von diesem Erdball abspaziert» (3270f.).

Diese Verse stehen aber schon im Fragment von 1790 und
können sich nur auf die «Hexenküche», nicht auf die damals
kaum schon vorgesehene Osternacht beziehen.

Engel singen; das genügt. Die Weiber und Jünger schließen
sich an. Es ist banausisch zu fragen, ob wir an wirkliche Engel
oder an ein Konzert in der Kirche denken sollen, und wenn es
wirkliche Engel sind, wie es dann möglich sei, daß Faust nicht
an die heilige Botschaft glaubt. Was hier geschieht, ist nichts als
ein besonders herrliches Beispiel des Vorgangs, dem wir in Goethes
Werk an entscheidenden Stellen immer wieder begegnen: der
Wiedergeburt, der Erneuerung des Lebens aus den Tiefen des
Ursprungs. Über alle Zweifel und Aporien des konsequenten Denkens siegt ein unerklärliches, aber auch keines Beweises bedürf-
tiges Einverständnis mit dem Ganzen, ein Wissen, das höher ist
als die Vernunft und der tragischen Folgerichtigkeit spottet. Orest
wird es im Schlaf zuteil; dem Phileros der «Pandora» und dem
Felix der «Wanderjahre» im Wasser, dem lebenzeugenden Element. Es beruht auf einem Vergessen. Mit dem Vergessen dessen,
wozu wir spät und mit vollem Bewußtsein gelangt sind, erstarkt
die Erinnerung an ein Glück, in dem wir uns noch nicht als Selbst
von der ewigen «Werdelust» unterschieden. Diese Erinnerung
reicht vielleicht zurück in einen Urzustand, in ein Umfangensein
und Umfangen, das mit dem Erwachen des Geistes endet. Doch
jedem Menschen ist ähnliches noch aus seiner Kindheit und Jugend bekannt, vor allem Goethe, für den sich der Trost, im Müt-
terlichen geborgen zu sein, zeit seines Lebens nicht erschöpft hat.

Ein solches Heil widerfährt jetzt Faust. Es wird ausdrücklich
versichert, daß es nicht aus dem Glauben an das Dogma von
Christi Auferstehung stammt. Das war auch für Goethe bedeu-
tungslos. Von höchster Bedeutung aber sind in den selig sich über-
bietenden Reimen der Chöre der Engel, Weiber und Jünger die
schmeichelnden Insinuationen jugendlich-religiöser Gefühle, die
kindliche Innigkeit, die über alle Sorge triumphiert. Und höchst
bedeutsam ist es, daß ein Ostergesang dieses Wunder bewirkt, die

Frühlingsfeier des Neubeginns, des aus dem Grab der Winterlichkeit erstandenen unvergänglichen Lebens.

Fausts tödliche Verstrickung wird so auf eine echt Goethesche Weise gelöst. Doch von dem nächsten Ziel der Dichtung haben wir uns damit wieder entfernt. Im *Osterspaziergang* muß die innere Bereitschaft für einen Vertrag mit Mephistopheles abermals hergestellt werden. Goethe beginnt mit einem Gemälde bürgerlicher Frühlingsheiterkeit. Es gehört zum guten Ton der Faustkommentare, die philiströsen Züge nach Kräften herauszuarbeiten: das etwas alberne Geschäker der Mädchen, Schüler und Soldaten, die Kannegießerei der Bürger und ihre durch fernes Kriegsgeschrei nur noch erhöhte Behaglichkeit. Gewiß, das ist als Folie für den einsam ringenden Faust gedacht und drum jedweder Größe und aller ernsteren Problematik bar. Doch keine satirischen, höchstens leicht ironische Töne werden vernehmlich, nicht ganz so liebevoll ironische wie in «Hermann und Dorothea», aber doch immer noch freundliche, ja, von herzlichem Wohlgefallen belebte. Denn Goethe kann sich wohl weidlich über den deutschen Philister ärgern, wenn er – wie zum Beispiel der ältere Jean Paul – anmaßend und gebieterisch auftritt. Wenn er in seinem Kreis bleibt, läßt er ihn gelten und ist weit entfernt von jener Verachtung, die seit der Romantik und Nietzsche zur Tagesordnung gehört. Der Philister ist borniert, doch ungefährlich, in seiner Zufriedenheit sogar nützlich für die Gesellschaft und also, wenn auch ohne Verdienst und Würde, ein im Rahmen der klassischen Gegenwart ganz erträglicher Mensch. Von der Erdgeistszene aus gesehen wirkt er freilich komisch, wie alles fraglos-behagliche Leben neben der höchsten Anstrengung des Geistes und Willens komisch wirkt. Andrerseits nötigt uns aber auch unnötige Mühsal ein Lächeln ab; und wäre Faust nicht in großer Gefahr, so fiele von diesem Ostertag vielleicht auch ein komisches Licht auf ihn, der sich in seiner Stube quält und nach unmöglichen Zielen begehrt. Wie die Dinge liegen, bleibt es bei einem Gefühl von Erleichterung. Es ist wohltätig, aus der Gefangenschaft der Subjektivität hinauszutreten in offene Luft und sich zu versichern, daß der Mensch ein viel harmloseres Wesen sein kann. Der Bann, den die Persönlichkeit Fausts bisher ausgeübt hat, ist damit gebrochen.

Im selben Zug macht uns der Dichter mit der Welt bekannt, in der die Gretchentragödie spielen wird. Unter den Bürgern sind wohl auch Mädchen wie Bärbelchen, Lieschen und Gretchen zu finden. Eines hat in der Andreasnacht den künftigen Liebsten leiblich gesehen. Das sollte, nach Paralipomenon 33, Gretchen widerfahren. Auf Valentin bereitet uns das stramme Lied der Soldaten vor.

Während es in der Ferne verklingt, betreten Faust und Wagner die Bühne, Wagner noch immer in der Rolle des lächerlichen gelehrten Pedanten, aber doch um ein kleines erhöht, Faust befriedet, milde gestimmt durch den Nachklang des himmlischen Ostergesangs. Er hat Verständnis für die Freude, der groß und klein sich überläßt, und faßt zustimmend das Gefühl der Menge in die Worte zusammen:

«Hier bin ich Mensch, hier darf ichs sein!»

Das heißt in seinem Munde doch wohl, daß er sogar, der Hochgelahrte, in Lust und Freude, im Einklang des heiteren Gemüts mit der Heiterkeit der Natur, die Erfüllung des Menschenwesens erblickt; und nur insofern fällt er nicht ganz aus der Rolle, als er sich selbst stillschweigend ausnimmt und noch inmitten der verehrenden Bauern und Bürger einsam bleibt. Die Einsamkeit verdichtet sich in der Erzählung von seinen ärztlichen Taten. Goethe scheint die Handlung wieder aus den Augen zu verlieren. Er schildert Jugenderinnerungen, dieselben, die wir aus dem achten Buch von «Dichtung und Wahrheit» kennen. Freilich hätte er sie nirgends besser verwenden können als hier. Sie sind aber insofern unzweckmäßig, als nun Faust selbst das alchemistische Tun und Treiben als Schwindel darstellt und damit wieder unversehens im Geist des älteren Dichters spricht. Aber was kümmern uns solche Bedenken, wenn unmittelbar darauf die wunderbare Sehnsuchtsrede anhebt:

«Betrachte, wie in Abendsonneglut
Die grünumgebnen Hütten schimmern!
Sie rückt und weicht, der Tag ist überlebt,

Dort eilt sie hin und fördert neues Leben.
O daß kein Flügel mich vom Boden hebt,
Ihr nach und immer nach zu streben...»

Die Verse zielen auf den Wunsch:

«Ja, wäre nur ein Zaubermantel mein!»,

der die Warnung Wagners veranlaßt; diese wiederum bereitet
uns auf die Erscheinung des Pudels vor. Wir sollen verstehen:
Fausts überirdischer Drang zieht Mephistopheles an. Schon im
«Prolog im Himmel» frohlockt der Teufel über die Torheit, Nähe
und Ferne zugleich genießen zu wollen. Dasselbe Verlangen wittert er jetzt, wenn Faust von den zwei Seelen spricht, deren eine
sich an die Erde hält, indes die andre den Flug zu den «Gefilden
hoher Ahnen» wagt, den «silbernen Gestalten der Vorwelt», wie
es in «Wald und Höhle» heißt, in denen uns der vom Vergänglichen geläuterte reine Geist begegnet. Insofern mündet der
«Osterspaziergang» allerdings wieder in den Gedanken, den
schon im «Urfaust» der Vergleich von Makrokosmos und Erdgeist
anzeigt[32]. Doch wie viel menschlichere und mildere Formen nimmt
der Konflikt jetzt an, jetzt eben, da er so schroff wie bisher nie
empfunden werden sollte. Faust meint nicht mehr, von einem
einzigartigen Fluch verfolgt zu sein. «Jedem ist es eingeboren»,
sich so in die Weite zu sehen wie er. Er steht in der deutschen
Abendlandschaft wie Goethe einst am Ufer des Meers, als die
Fregatte mit ihren vollen Segeln «zwischen Capri und Kap
Minerva durchfuhr und endlich verschwand. Wenn man jemand
Geliebtes so fortfahren sähe, müßte man vor Sehnsucht sterben[33]!»
Diese Sehnsucht kommt in den neunziger Jahren kaum zur
Sprache; sie wird im klassischen Stil nicht produktiv. Aber das
ungehörige Werk, der «Faust», gewährt ihr einen Freibrief. Nun
strömt sie unaufhaltsam aus, so in sich selber selig jedoch, so voll
melodischen Entzückens, daß Faust nicht Grund hat, zu ver-
zweifeln und seine Triebe zu verwünschen. Erstaunlich ist ja eben

[32] Vgl. Bd. I, S. 213 ff.
[33] Italienische Reise, 5. März 1787.

dies, daß, wie im Engelchor, das Nahe im Fernen nicht verlorengeht, daß zwar nicht das leibliche Auge, doch das Organ der Phantasie in einem grenzenlosen Raum die Fühlung mit allen Dingen bewahrt, mit den «entzündeten Höhen», den «goldenen Strömen» und den «erwärmten Buchten», dem Adler, dem Kranich, den Flächen und Seen. Wir hören nicht Ganymed, der in sprachloser Seligkeit unterzugehen begehrt, nicht Werther, der beängstet und trunken zwischen dem Größten und Kleinsten taumelt. Eine dem Unendlichen offene Seele verwandelt die ausgebreitete Mannigfaltigkeit der Natur in ihrem Aufschwung in Musik.

«O wie sehnt' ich mich, mich so zu sehnen!»

Mörikes Vers drängt dem Leser sich auf. Was sonst nur leise anklingt und den Duft um Goethes Gestalten webt, der zarte Schmerz des Schönen – daß nur das Begrenzte schön sein kann – hier bricht er durch, hier behält einmal die unbegrenzte Innerlichkeit, der in die Ewigkeit ergossene Herzensstrom als Element der irdischen Dinge die Übermacht.

Eine solche Deutung läßt sich schwer mit der Absicht der Szene, Mephistopheles einzuführen, vereinen. Doch immer wieder sehen wir uns im «Faust» vor die Alternative gestellt, entweder das Ganze im Blick zu behalten und das Einzelne, sei's nachlässig, sei's gewaltsam zu behandeln, damit es sich ins Ganze fügt, oder aber uns liebevoll in Episoden zu vertiefen und dann zu erklären, daß sie nicht genau zum Plan des Ganzen passen. Nur weil die meisten Episoden so über alle Begriffe schön sind, stören die falschen Töne uns nicht. Wir alle aber vermögen mit reinem ästhetischem Sinn, der Vers und Gedanke, Motiv und Rhythmus als Eines erfaßt, nur Teile wahrhaft zu durchdringen. Über das Ganze beruhigt uns der jederzeit dienstbereite Verstand, der schon dem Dichter einige Widersprüche ausgeredet hat und seither in der Faust-Forschung die billigsten Triumphe feiert. Er meldet sich auch hier zum Wort und behauptet, Faust sei wieder vermessen und fordere damit den skeptischen, verneinenden Geist heraus, der denn auch nicht mehr auf sich warten lasse und seine «magisch leisen Schlingen zum künftigen Band» um die

Wanderer ziehe. Da Goethe offensichtlich selber so verstanden werden will, bleibt uns kein anderer Ausweg offen. Aber den unerhörten Versen 1070–1099 geschieht damit doch Unrecht; und erst die Replik auf Wagners Einwand, erst der Ruf zu den Geistern der Luft erinnert uns wieder an das Ereignis, das schon so lange fällig ist. Die Szene endet leicht burlesk mit den Sprüngen des Pudels und den weisen, ahnungslosen Sprüchen Wagners; wir nähern uns wieder dem Puppenspielton.

Dieser setzt sich vollends durch in der folgenden Szene «*Studierzimmer I*», die Goethe am meisten historisch genommen und mit der Virtuosität des «Schatzgräbers» und des «Zauberlehrlings» als lästiges Pensum glänzend bewältigt hat. Die friedliche Abendstimmung des Eingangs, auch die Bibelübersetzung, die an die Nähe Luthers erinnert, ist oft als wichtige Stufe in der Entwicklung Fausts gedeutet worden. Wir können uns nicht dazu entschließen. Es kommt hier nur auf Eines an: die Verwandlung des Pudels in Mephistopheles möglichst effektvoll, balladesk, dem Stoff der Sage gemäß, im Stil des Volkstheaters vorzutragen.

> «Vernunft fängt wieder an zu sprechen,
> Und Hoffnung wieder an zu blühn;
> Man sehnt sich nach des Lebens Bächen,
> Ach! nach des Lebens Quelle hin.»

Das ist ein inszeniertes, kein aus tiefstem Herzen geschöpftes Gefühl. Das ungewöhnliche, an Aufklärungslyrik erinnernde «man» wirkt kühl. Und beinah allzudeutlich prägt die Kontrapunktik sich metrisch aus. Die Auslegung des johanneischen Logos gemahnt an Herder und Hamann und könnte an sich sehr wohl aus beiseite gelegten Resten des «Urfaust» stammen, vielleicht auch einfach als Reminiszenz an den als «Welt- und Tatengenius» aufgefaßten Erdgeist gelten. Doch der Gedanke wird nicht entwickelt. Es genügt hier, wenn die Bibel den Hund zum Bellen und Heulen bringt. Erst recht gestaltet sich die Beschwörungszeremonie zu einer pathetischen Fratze. Wir erinnern uns wieder, daß die Zeit nicht allzu fern liegt, in der ein einziger Ausruf «Fauste!» das Publikum der deutschen Theater zum

Lachen brachte. Ein leichtes atavistisches Gruseln wird immerhin auch in Rechnung gesetzt. Wenn einige Interpreten sich aber auch hier um Abgründigkeiten bemühen, so nehmen wir das erheitert zur Kenntnis. Selbstverständlich ist jede Zeile durch magische Tradition bestimmt. Doch was geht sie uns an, da Goethe mit sichtlichem Galgenhumor ihre Zeichen handhabt, ohne sich um die Bedeutung zu kümmern, die seit Jahrzehnten für ihn verblaßt ist? Nach bewährtem Muster aller drastisch-komischen Dichtung steigert sich nach und nach der unnötige Ernst. Der Kunstgriff, die Akteure erzählen zu lassen, was auf der Bühne geschieht, das episierende Mittel, dessen sich schon der «Zauberlehrling» bedient hat, trägt das Seine zur möglichst schaubaren Ausgestaltung der Szene bei. Der Pudel schwillt zum Nilpferd an, zum Elefanten, er füllt den Raum. Das Zeichen Christi und beinah noch das glühende Licht der Trinität wird in die Posse einbezogen. Dann schnappt die Spannung plötzlich ab. Mephisto tritt hinter dem Ofen hervor, als fahrender Scholastikus, und spricht:

«Wozu der Lärm? was steht dem Herrn zu Diensten?»

Schon dieser Satz entwertet die ganze magisch-religiöse Erregung. Der Teufel ist nicht so fürchterlich, wie ihn der fromme Glaube malt. Er läßt mit sich reden; er ist so höflich, dem Professor als subordinierter Akademiker zu erscheinen. Wir kehren aus dem Mysteriendrama, das sich zum Schein vor uns aufgebaut hat, auf die weltlich-humane Bühne zurück.

So wäre Mephisto denn endlich da und mit dem Menschen konfrontiert, auf den er seine Hoffnung setzt. Einstweilen läßt er es aber bei einem bescheidenen Selbstporträt bewenden. Er stellt sich vor als Nihilist, als Teil der ursprünglichen Finsternis, als Feind des Lebendigen und des Lichts. Wir fühlen uns wiederum nicht veranlaßt, den Hintergründen dieser dämonologischen Reden nachzuspüren. In dem «Geist, der stets verneint», der nach dem «Prolog im Himmel» «reizt und wirkt und muß als Teufel schaffen», wird alles zusammengefaßt, was um 1800 für Goethe erheblich ist. Die mythisch-magischen Elemente sind nur willkommenes Kolorit.

Doch damit ist es wieder aus. Goethe hat der Sage mit beträchtlichem Aufwand kommandierter Poesie die erste unumgängliche Schuldigkeit entrichtet. Nun schöpft er abermals Atem und läßt den Teufel, ohne nach einem triftigen Grund zu suchen, wieder abziehn. Ist Faust im Augenblick zu gelassen, als daß Mephisto es wagen dürfte, ihm seinen Vorschlag zu unterbreiten? Warum hat Goethe die Szene dann nicht von vornherein anders angelegt? Faust hat von einem Pakt gesprochen. Muß Mephisto Luzifer, wie bei Marlowe, erst um Vollmacht bitten? Es gibt hier keinen Luzifer mehr. Doch Goethe könnte die Unterbrechung beibehalten haben, um Raum für den Disputationsakt auszusparen. Das dürfte die gültigste Auskunft sein. Auch sie besagt aber eigentlich nur, daß der das Ganze begründende Auftritt noch weiter hinausgeschoben wird. Wie dem auch sei, wir finden uns in unsrer Erwartung wieder getäuscht, aber, wie so oft, auch mit der fürstlichsten Freigebigkeit entschädigt: Die Geister, die Mephisto heraufbeschwört, um Faust in Schlaf zu singen, stimmen ein bilderreiches Lied von unbeschreiblichem Wohllaut an. Man traut sich nicht, es zu bewundern, weil es doch im Zusammenhang unernste Teufelskünste sind. Und Goethes Absicht dürfte eine gewisse Zurückhaltung gemäß sein. Die Flor- und Schmeichelwirkung der Reime wird auf die höchste Spitze getrieben. Erotische und bacchantische Farben spielen verwirrend ineinander. Möglich, daß die Beschreibung der Gemälde Philostrats nachwirkt. Ein ganz unklassischer Opernzauber bleibt der Gesang der Geister doch. Andrerseits ist er aber auch wieder seltsam spiritualisiert:

> «... die Laube,
> Wo sich fürs Leben,
> Tief in Gedanken,
> Liebende geben.»

«Tief in Gedanken» – wie schwer von Sinn scheint mit diesen Worten das Traumspiel zu werden.

> «Himmlischer Söhne
> Geistige Schöne,
> Schwankende Beugung
> Schwebet vorüber.»

Hier klingt schon leise der Spätstil an, in dem die sinnlichen wie die geistigen Elemente gesteigert sind, so, daß das klassische Ineinander der eigentümlichsten Spannung zwischen Bezauberung und Bedeutung weicht. Stünde der Geisterchor für sich in der Sammlung von Goethes Gedichten, er wäre längst als lyrisches Wunder geschätzt. So liegt das Odium einer mephistophelischen Veranstaltung auf ihm; und Goethe selber würde nicht wünschen, daß er uns allzu sehr bestrickt.

Nun endlich die *zweite Studierzimmerszene!* Wir wissen bereits, daß Goethe mit dem Vers

«Und was der ganzen Menschheit zugeteilt ist»

den Anschluß an das Fragment von 1790 findet, und dürfen uns also nicht verwundern, wenn nicht alles aus einem Guß ist. Es hapert jedoch noch an anderen Stellen. Der Auftritt beginnt so unvermittelt und das Gespräch erreicht so rasch den Gipfel des leidenschaftlichsten Jammers, daß es uns schwer fällt anzunehmen, Faust sehe Mephisto zum ersten Mal wieder, nachdem ihm, wie er glauben muß, «ein Traum den Teufel vorgelogen» (1528). Seltsam ist ferner der Geisterchor. Dem Inhalt nach können wir darin nur einen klagenden, warnenden Kommentar des Dichters zu Fausts Fluch erblicken. Mephistopheles aber nimmt die «Kleinen» als die «Seinen» in Anspruch und glossiert ihre Rede in einem dem Wortlaut entgegengesetzten Sinn. Lügt er? Etwas ist nicht in Ordnung. Denn nach «Wollen sie dich locken» (1634) fährt er ohne Übergang in einer ganz anderen Tonart weiter. Schon die alten Drucke lassen hier eine Zeile Zwischenraum. So deutet manches darauf hin, daß die zentrale Szene aus einzelnen Stücken mühsam zusammengesetzt ist. Sie wird der Interpretation beträchtliche Schwierigkeiten bereiten.

Mit vollen Segeln steuert Goethe endlich los auf den Zustand Fausts, der ihm so unwillkommen ist, den er so oft schon wieder behoben hat und den doch ein Vertrag mit Mephistopheles unbedingt erfordert. Wir werden auf die Stufe des zweiten Monologs zurückversetzt. Wieder geht es darum, die Verzweiflung menschenwürdiger zu begründen. «Entbehren sollst du, sollst entbehren!» Das ist ein Ausruf, den wir auch aus manchen Gesprächen Goethes kennen, der Gram, der ihn nach Italien trieb und den die «Braut von Korinth» enthüllt.

> «Der Gott, der mir im Busen wohnt,
> Kann tief mein Innerstes erregen;
> Der über allen meinen Kräften thront,
> Er kann nach außen nichts bewegen.»

Das weist zurück auf den Osterspaziergang:

> «Ach, zu des Geistes Flügeln wird so bald
> Kein körperlicher Flügel sich gesellen.»

Die Weite des Geistes, die Enge des Körpers – es ist das alte Faustische Lied. Doch diesmal soll es nicht in milder Resignation verklingen. Es steigert sich zu dem pathetischen Fluch auf das hohe Selbstbewußtsein des Menschen, den Glanz der Erscheinung, die Träume, den Ruhm, den Besitz und jede Art von Genuß, auf Hoffnung, Glauben und Geduld. Das ist kein virtuoses Theater. Wilhelm Meister im achten Buch, der Herzog in der «Natürlichen Tochter» stoßen dieselben Verwünschungen aus. Es ist das Nein zum Ganzen, zu dem sich nur ein Mensch zu entschließen vermag, der überhaupt das Ganze erfaßt hat. Doch damit ist die Stunde für Mephistos Anerbieten gekommen. Die Worte fallen, die jeder Leser einer Faust-Dichtung erwartet:

> «Ich will mich hier zu deinem Dienst verbinden,
> Auf deinen Wink nicht rasten und nicht ruhn:
> Wenn wir uns drüben wiederfinden,
> So sollst du mir das Gleiche tun.»

Hier scheinen alle Probleme denn aufs neue aufgerollt zu werden, die wir bereits im «Prolog im Himmel» gründlich erledigt zu haben glaubten. Von hüben und drüben ist die Rede, von ewiger Verdammnis Fausts. Es läßt sich nicht leugnen. Aber die Frage, wie ernst das zu nehmen sei, bleibt bestehen. Am 23. Juni 1797 schreibt Schiller an Goethe:

«Die Anforderungen an den Faust sind zugleich philosophisch und poetisch.»

Die poetischen und philosophischen Anforderungen geraten hier in Konflikt. Poetisch, im Geist der Tradition, ist der Vorschlag, den Mephistopheles macht, in dieser Form nicht zu umgehen. Philosophisch, im Hinblick auf den Sinn, den Goethe der Überlieferung gibt, hängt er in der Luft und kann er keine entscheidenden Folgen haben. Tatsächlich hat er auch keine Folgen. Faust leugnet zwar das Jenseits nicht; aber er kümmert sich nicht darum, so wenig wie sich Goethe selbst um 1800 darum kümmert. Es wäre denkbar, daß dennoch der Brauch im Stil der Sage vollzogen und Faust, dem Anerbieten des Teufels gemäß, sich feierlich verpflichten würde. Aber nicht einmal das geschieht. Es wird überhaupt kein Pakt geschlossen. Goethe hat sein Kompliment vor dem überlieferten Stoff gemacht und kommt nicht mehr darauf zurück. Mephisto preist seine Künste an. Faust zweifelt an ihrer Wünschbarkeit. Er ist zu tief von der Vergänglichkeit aller Erdenlust überzeugt. Dennoch erklärt er sich bereit, für diese vergängliche, diese im Augenblick des Genusses schon wieder entschwindende Lust sein besseres Selbst zu opfern (V.1675–1687). So sehr ist ihm das Dasein, wie er es bisher geführt hat, «eine Last». Mephisto schaut ihn spöttisch an, verspricht ihm volle Zufriedenheit und reizt ihn damit zu dem Entschluß, es auf eine Probe ankommen zu lassen. Der Pakt wird durch eine Wette ersetzt.

Mit diesem Einfall ist der schwierige Knoten der Sage gelöst; nun wird sich ungefähr sagen lassen, was Goethe auszusprechen am Herzen liegt. Worin besteht die Wette aber? Die wohlbekannten Verse lauten:

Faust: «Werd ich beruhigt je mich auf ein Faulbett legen,
So sei es gleich um mich getan!
Kannst du mich schmeichelnd je belügen,
Daß ich mir selbst gefallen mag,
Kannst du mich mit Genuß betriegen:
Das sei für mich der letzte Tag!
Die Wette biet ich!

347

Mephistopheles:	Topp!

Faust:	Und Schlag auf Schlag!

Werd ich zum Augenblicke sagen:
Verweile doch! du bist so schön!
Dann magst du mich in Fesseln schlagen,
Dann will ich gern zugrunde gehn!
Dann mag die Totenglocke schallen,
Dann bist du deines Dienstes frei,
Die Uhr mag stehn, der Zeiger fallen,
Es sei die Zeit für mich vorbei!

Mephistopheles:
Bedenk es wohl! wir werdens nicht vergessen.»

Szenisch ist das wohl so zu verstehen, daß Faust mit den Worten «Die Wette biet ich!» die Hand hinhält, Mephistopheles einschlägt – «Topp!» – und Faust mit «Und Schlag auf Schlag!» die linke Hand darüber deckt, der wieder die Linke Mephistos folgt, und daß die Hände sich erst mit dem «Bedenk es wohl!» voneinander lösen. Die ganze Rede Fausts ist also in die Wette eingeschlossen.

Das große Stichwort «Augenblick» fällt. Wir kennen es aus «Alexis und Dora» und einigen kunsttheoretischen Schriften. Wir haben seinen Sinn mit dem Blick auf die klassischen Werke ausführlich entwickelt. Es ist uns verehrungswürdig geworden. Es trifft das Wesen des nachitalienischen Schaffens, den Gipfel der Goethe-Zeit. Und noch in dem Gedicht «Vermächtnis» von 1829 heißt es:

«Genieße mäßig Füll und Segen;
Vernunft sei überall zugegen,
Wo Leben sich des Lebens freut.
Dann ist Vergangenheit beständig,
Das Künftige voraus lebendig,
Der Augenblick ist Ewigkeit.»

Das Wort bewahrt bis in die letzten Jahre Goethes seine Tragkraft. Wir können nicht glauben, daß es im «Faust» nur aus Zufall, ohne Bewußtsein seiner Bedeutungsfülle verwendet werde. Dann liegt die Pointe gerade darin, daß Faust selber der hohe und würdige Sinn des Begriffs verschlossen ist. In dem Augenblick, den *er* meint, ist nicht Vergangenes beständig und Künftiges voraus lebendig. Er spricht nicht von der organischen Zeit, als die wir Goethes Einbildungskraft kennen, der Zeit, in der jeder einzelne Teil zugleich Mittel und Zweck ist und unablässiger Fortschritt und selbstgenugsame Ruhe sich im Begriff der Stufe einen [34]. Fausts Augenblick ist der Moment, der unwiderruflich vorübergeht, der nicht zur Ewigkeit, nicht zum Symbol des Unvergänglichen werden kann. Diesen Augenblick zu schmähen, es daraufhin mit Mephisto zu wagen, darf und soll sich der Edle gestatten. Wenn nur dabei nicht ein bedenkliches Mißverständnis unterliefe! So wie die Wette formuliert ist, verurteilt Faust nämlich nicht nur das «Faulbett», sondern ebenso jenes Glück, das nach den unvergeßlichen Worten der Winckelmann-Studie erst den ganzen gewaltigen Aufwand des Weltalls lohnt. «Sich selbst zu gefallen» ist nicht verwerflich; und nur natürlich ist es – wenn auch aussichtslos – zu dem alles krönenden Augenblick des Zeniths und jeder sinnvollen Stufe des Lebens zu sprechen: «Verweile doch! du bist so schön!» «Denn wozu» – so lasen wir in dem Kapitel «Antikes» der Winckelmann-Schrift – «wozu dient alle der Aufwand von Sonnen und Planeten und Monden, von Sternen und Milchstraßen, von Kometen und Nebelflecken, von gewordenen und werdenden Welten, wenn sich nicht zuletzt ein glücklicher Mensch unbewußt seines Daseins erfreut?»

Die ungeheure Zweideutigkeit der Wette wird uns damit klar. Goethe ist es in seiner Person, in seinem Leben und Schaffen gelungen, die in sich selber ruhende Gegenwart der Antike mit der Zielstrebigkeit der christlichen Welt, den Kreis der Natur mit der Geraden des Fortschritts in einem höheren, die Gegensätze umfassenden Dasein zusammenzuschließen. Wir haben die Dokumente dieses einzigartigen Vorgangs gewürdigt. Noch die Dichtung, die wenige Jahre zurückliegt, spricht ausdrücklich davon, «Hermann und Dorothea» nämlich, am Anfang des fünften Gesangs, wo von der Bestimmung des Menschen die Rede ist:

[34] Zur Stufe vgl. S. 256.

«Ich weiß es, der Mensch soll
Immer streben zum Bessern; und, wie wir sehen, er strebt auch
Immer dem Höheren nach, zum wenigsten sucht er das Neue.
Aber geht nicht zu weit! Denn neben diesen Gefühlen
Gab die Natur uns auch die Lust zu verharren im Alten,
Und sich dessen zu freun, was jeder lange gewohnt ist.»

Der Preis des Landmanns schließt sich an, der mit dem Kreislauf der Natur lebt und sich dem Bürger entgegenstellt, den der Prozeß der Geschichte bestimmt. Was hier auf zwei Menschengruppen verteilt ist, das wird der um die höchste Bildung Bemühte in sich zu vereinigen suchen; und damit wird er die Vollständigkeit eines geistig-organischen Wesens gewinnen.

Anders Faust! Seine Größe ist es, daß er sich nie dem unablässigen Weiterschreiten des Geistes entzieht; sein Verhängnis, daß er als Weiterschreitender nie sich selber genügt und das Glück und die Ruhe der Stufe nicht kennt. Wenn er zu Goethescher Reife gelangt, gewinnt und verliert er die Wette zugleich. Er gewinnt sie, wenn man bereit ist, «Augenblick» als Moment zu verstehen, als un-bedeutende Gegenwart. Zu dieser wird er niemals sagen: «Verweile doch! du bist so schön!» Er verliert sie, wenn «Augenblick» in höherem Sinne gelten soll. Ebenso behält er halb Recht und halb Unrecht, wenn er zeitlebens nie zu einer höheren Einsicht gelangt und unmutvoll dabei beharrt, den Augenblick, wie er auch sei, zu schmähen.

Mit dieser Auslegung der Wette stimmen die Worte Goethes in dem Brief an Schubarth überein. Schubarth hatte vermutet, der Knoten der Handlung sei «dergestalt geschürzt, daß, indem Mephistopheles seine Wette gewinnt, Faust zugleich der Klarheit entgegengeführt sein muß». Goethe erwiderte am 3. November 1820:

«Auch den Ausgang haben Sie richtig gefühlt. Mephistopheles darf seine Wette nur halb gewinnen, und wenn die halbe Schuld auf Faust ruhen bleibt, so tritt das Begnadigungsrecht des alten Herrn sogleich herein, zum heitersten Schluß des Ganzen[35].»

Wir greifen auf diese Sätze zurück, wenn es sich darum han-

[35] Briefwechsel vom 17. Okt. und 3. Nov. 1820.

delt, die letzten Worte Fausts (V. 11559–11586) zu interpretieren. Goethe hat dort bekanntlich in spätester Stunde noch einige Stellen geändert, zum Beispiel auch das «darf ich sagen» in ein «dürft ich sagen» verwandelt und so die Weihe des Augenblicks in eine Zukunft verlegt, die der hundertjährige Held nicht mehr erlebt. So oder so gewinnt Faust aber dem Wortlaut nach die Wette nur halb. Es wird nur bald die eine, bald die andere Seite der Zweideutigkeit des zentralen Begriffs hervorgekehrt.

Die breitere deutsche Öffentlichkeit betont in der Regel die Größe Fausts und meint, das ruhelose Weiterschreiten sei schlechthin bewundernswert. Auf dieser Meinung baut sich die ganze Legende vom «Faustischen Menschen» auf; und die Geschäftigkeit des letzten Jahrhunderts war nie um ein Faust-Wort verlegen, wenn es das unaufhörliche Trachten und Streben und Leisten zu feiern galt. Faust ist zum Helden der Bismarck-Zeit, zum Symbol des deutschen Wesens geworden. Dagegen hätte gewiß auch Goethe wenig einzuwenden gehabt. Er hätte sich aber wieder, wie er es schon um 1800 tat, von seinem Helden distanziert, sein Streben, wie der Herr im «Prolog im Himmel», als natur- und geistgerechte Haltung anerkannt, die ewige Unrast und den Fluch auf jede Art von Glück und Erfüllung dagegen als unmenschliches Pathos, als tragische Narretei verdammt.

Aufs engste hängt damit das stilistische Urteil über das Werk zusammen. Der nordische Dunst- und Nebelweg, den hier die Phantasie einschlägt, der Knittelvers, die opernhafte oder balladeske Reimkunst, entbehrt so gut wie Fausts Charakter der sinnerfüllten Gegenwart. Auch dies ist «deutsch», und Goethe läßt es, dem Sinn des Werks gemäß, gewähren, mit überwältigendem Erfolg und einer Meisterschaft und Freiheit, an der wir erst ermessen, wie sehr auch er ein geborener «Deutscher» und allen «deutschen» Versuchungen ausgesetzt ist. Doch immer wach bleibt die Erkenntnis, ja, mehr als Erkenntnis, ein im tiefsten Grunde des Herzens behaustes Gefühl, daß so das Leben wie die Kunst das höchste Ziel verfehlt und ein Unrecht an der Natur und am Menschen geschieht, daß nur aus der Begrenzung und Entsagung das Ja zu dem Ganzen erblüht, das die «lebendig reiche Schöne» von uns erwartet und uns gönnt. Nicht minder echt als

die düsteren und verwegenen Abenteuer des Geistes und der entfesselten Poesie ist drum der verdrossene Kommentar, der in den
Briefen Goethes steht, und sind die ironischen Seitensprünge, die
viele Leser so befremden. Wir stehen hier der ganzen unendlich
heiklen und hochkomplizierten Goetheschen Existenz gegenüber
und dürfen nicht der Versuchung erliegen, um der ästhetischen
oder gedanklichen Konsequenz der Dichtung willen, die wir vorauszusetzen geneigt sind, einen Firnis über die ungleichartigen
Farben des Bildes zu ziehen.

Die Wette ist geschlossen. Um über das Fehlen des Pakts hin-
wegzutäuschen und dem poetischen Anspruch an das Teufels-
bündnis zu genügen, muß Mephistopheles Faust um ein paar mit
Blut geschriebene Zeilen bitten. Was sie enthalten, erfahren wir
nicht. Es sieht so aus, als werde Faust ein vorbereitetes Blatt hin-
gelegt. Das kann aber nicht der Fall sein, weil ja das Gespräch
eine unvorhergesehene Richtung genommen hat. Wir denken
nicht darüber nach. Das ist Theater, «Fratze», wie Faust selber
sagt und Goethe bei dergleichen auch zu sagen pflegte. Einige
Verse schließen sich an, in denen Faust aufs neue seinen grim-
migen Willen, gemein zu werden und sinnlichen Lüsten zu frönen, bekennt, unbekümmert um die Schmerzen, die aus der
grenzenlosen Steigerung glühender Leidenschaften erwachsen.
Das geht so weiter, haargenau bis zu der Bruchstelle zwischen den
Versen 1769 und 1770:

> «Mein Busen, der vom Wissensdrang geheilt ist,
> Soll keinen Schmerzen künftig sich verschließen. »

Das ist noch im Geist der Wette gesprochen oder doch mit der
Wette vereinbar, vereinbar aber auch mit den beiden darauf ge-
reimten Zeilen, die, wie der ganze Rest der Szene, schon im
Fragment von 1790 stehen und uns mit ihrem völlig andern
Gedankengang um zwanzig Jahre in Goethes Entwicklung zu-
rückversetzen.

> «Und was der ganzen Menschheit zugeteilt ist,
> Will ich in meinem innern Selbst genießen,
> Mit meinem Geist das Höchst und Tiefste greifen,

Ihr Wohl und Weh auf meinen Busen häufen
Und so mein eigen Selbst zu ihrem Selbst erweitern
Und, wie sie selbst, am End auch ich zerscheitern!»

Hier ist nun nicht mehr die Rede von verzweifelter Selbst-
erniedrigung. Hier spricht ein Faust, der alles, was die Menschheit je gefühlt und gedacht hat, in seiner Person versammeln und
das Höchste und Tiefste «genießen» will. «Genießen» bildet
zwar immer noch einen Gegensatz zum bloßen Wissen, doch
nicht mehr im Sinn von ‚gemeiner Genuß‘, sondern, gerade umgekehrt, im Sinn von ‚intensivster Erfahrung‘. Das Wort wird
nach Herderscher Weise gebraucht.

Die Unitarier machen geltend, das sei ein charakteristischer
Umschlag. Wie immer wieder, so dringe auch hier in Faust, zum
Ärger und zur Beschämung Mephistos, das bessere Wesen durch.
Doch diese Deutung läßt sich nicht halten. Zu viele Stellen
sprechen dagegen. Es sieht überhaupt nicht mehr so aus, wie wenn
schon etwas abgemacht wäre. Mephisto versucht aufs neue, Faust
zur Ausfahrt in die Welt zu bewegen. Faust, als hätte er sich nicht
längst bereit erklärt, stellt die naive Frage:

«Wie fangen wir das an?»

Und in dem abschließenden Monolog enthüllt Mephistopheles
ein Programm, das allen soeben getroffenen Abmachungen stracks
zuwiderläuft. Die Wette ist darauf angelegt, daß Faust im Genießen zur Ruhe kommt. Jetzt hat der Teufel nichts Eiligeres zu
tun, als seinen eigenen Erfolg zu verhindern:

«Den schlepp ich durch das wilde Leben,
Durch flache Unbedeutenheit,
Er soll mir zappeln, starren, kleben,
Und seiner Unersättlichkeit
Soll Speis’ und Trank vor giergen Lippen schweben;
Er wird Erquickung sich umsonst erflehn,
Und hätt er sich auch nicht dem Teufel übergeben,
Er müßte doch zugrunde gehn!»

Die sophistischen Wendungen sind uns bekannt, mit denen man sich auch hier behilft. Das Bündnis sei eine Falle gewesen. Fausts Seele sei gerade dann verloren, wenn er die Wette gewinnt. Darauf ziele ja auch der Vers:

«So hab ich dich schon unbedingt» (1855).

«Unbedingt» heißt ja: ohne daß die Vertragsbedingung erfüllt sein müßte. Auch andere Ausflüchte hat man gesucht. Des Ratens und Klügelns ist kein Ende. Aber mit jeder Erklärung, die für einmal hilft, verwickelt man sich in unzählige neue Widersprüche. Es bleibt nichts übrig als zuzugeben: Hier ist noch ein kleiner Flügel eines nach einem später verworfenen Grundriß errichteten Hauses stehen geblieben, offenbar aus dem einzigen Grund, weil Goethe die bereits gedruckten Verse nicht mehr zurücknehmen wollte. Es hält nicht schwer, den älteren Plan in den Zusammenhang seiner inneren Lebensgeschichte einzuordnen. Faust möchte «der Menschheit Krone» (1804) erringen. Er ist ein Mann vom Schlage des Prometheus, Mahomet und Cäsar, ein Titan im Stil der Geniezeit. Schon vor der Übersiedlung nach Weimar übte Goethe an solchem Titanentum, zu dem er sich selber versucht fühlt, Kritik. Kritik und Versuchung verschärfen sich noch in der zweiten Hälfte der siebziger Jahre, nachdem der Dichter in einen öffentlichen Wirkungskreis getreten ist. Aus dieser Zeit besitzen wir Briefe, die an die fragliche Szene erinnern. Am 6. März 1776 schreibt Goethe an Lavater:

«Ich bin nun ganz eingeschifft auf der Woge der Welt – voll entschlossen: zu entdecken, gewinnen, streiten, scheitern, oder mich mit aller Ladung in die Luft zu sprengen.»

Am 6. November an die Mutter:

«Übrigens hab ich alles, was ein Mensch sich wünschen kann, und bin freilich doch nicht ruhig, des Menschen Treiben ist unendlich, bis er ausgetrieben hat.»

Und am 8. Januar 1777 wieder an Lavater:

«In meinem jetzigen Leben weichen alle entfernte Freunde in Nebel, es mag so lang währen, als es will, so hab ich doch ein Musterstückchen des bunten Treibens der Welt recht herzlich mitgenossen. Verdruß, Hoffnung, Liebe, Arbeit, Not, Abenteuer, Langeweile, Haß, Albernheiten, Torheit, Freude, Erwartetes und Unversehenes, Flaches und Tiefes, wie die Würfel fallen, mit Festen, Tänzen, Schellen, Seide und Flitter ausstaffiert, es ist eine treffliche Wirtschaft. »

Mephisto transponiert die «Grenzen der Menschheit» in eine zynische Tonart. Der Passus vom «Herrn Mikrokosmos», der Assoziierung mit einem Poeten (1785–1802) berührt sich mit dem Gedicht «Meine Göttin», dem Preis der dichterischen Phantasie, die uns über den «dunklen Genuß» und die «trüben Schmerzen des augenblicklichen beschränkten Lebens», die «Notdurft» hinweghilft. Jede Zeile leuchtet auf, sobald wir sie vor dem Hintergrund der ersten Weimarer Jahre lesen, und jede wird trüb, sobald wir sie mit der ersten Hälfte der zweiten Studierzimmerszene in Einklang zu bringen versuchen.

Ein ungeheuerlicher Befund! Es geht hier ja nicht nur um das Sinngefüge eines einzelnen Auftritts. Diese Szene soll ihr Licht über alle folgenden Szenen verstrahlen, auf «Auerbachs Keller», die «Hexenküche», die ganze Gretchentragödie, auf «Wald und Höhle» und auf die «Walpurgisnacht». Doch welcher der beiden Strahlen soll gelten? Halten wir uns an das ältere Stück, so muß uns daran gelegen sein, daß Faust Mephistos Worten zum Trotz doch irgendwie Glück und Befriedigung findet. Halten wir uns an die erste Hälfte, so sind wir ängstlich darauf gespannt, ob Faust sich wohl verführen lasse, zu einem Augenblick zu sagen: «Verweile doch! du bist so schön!» Mit dieser ängstlichen Spannung lesen die meisten Kommentatoren das Werk. «Hexenküche», «Wald und Höhle» sind aber vor der Wette entstanden, «Auerbachs Keller» und Gretchentragödie sogar noch vor dem Schluß der Szene. Vernünftiger wäre es immerhin, sich auf das Bruchstück des Fragments von 1790 zu verlassen. Es steht dem «Urfaust» wesentlich näher. Doch freilich, es kommt jetzt gegen die klar umschriebene Wette nicht mehr auf; man liest darüber hinweg und biegt das Folgende, wie es geht, zurecht. Schließlich tröstet man sich damit, daß eigentlich nur die Ambivalenz des Augenblicks wieder zum Vorschein kommt. Das ewig unruhvolle Streben ist so falsch wie das bloße Beharren. Mephistopheles untergräbt die volle Menschlichkeit sowohl, wenn er die Unrast schürt, wie wenn er Faust zum «Schmaus in Ruhe» bringt.

Nur bei einer einzigen Szene sind wir sicher, mit der Besinnung auf die Wette nicht fehlzugehen, bei der *«Walpurgisnacht»*, die um die Jahrhundertwende entstanden ist. Damit es uns aber nicht zu wohl wird, tauchen hier alsbald neue, nicht minder peinliche Schwierigkeiten auf, die wieder nur aus der sonderbaren Entstehungsgeschichte verständlich sind[36]. Goethe war schon früh entschlossen, Faust auch auf den Blocksberg zu führen. Die Szene wäre, wie «Auerbachs Keller», einfach ein Abenteuer, ein erfolgloser Anschlag Mephistos gewesen. Doch wie sie nun ausgeführt werden sollte, kam ein scheinbar ganz widersinniger, unerwarteter Einfall dazwischen. Am 5. Juni 1797 meldet das Tagebuch: «Nach Tische Oberons goldene Hochzeit.» Das war eine Literatursatire, ein Nachklang des Xenienalmanachs. Was Goethe damit ursprünglich meinte, läßt sich ungefähr noch ermitteln. Titania und Oberon sind getrennt. Er wohnt im Norden, sie im Süden. Nun sollen sie vereinigt werden. Der Gegensatz von Norden und Süden, deutsch und antik, ist ein Problem, das, wie wir wissen, in diesen Jahren immer wieder zur Sprache kommt. Die Helenatragödie entfaltet es später im erhabensten Stil. «Oberons goldene Hochzeit» begnügt sich mit einigen witzigen Andeutungen. Mit den «fünfzig Jahren» (V. 4228 des Intermezzos, wie es jetzt als Teilstück der «Walpurgisnacht» vorliegt) ist das vergangene halbe Jahrhundert der deutschen Literatur gemeint. Ariel vertritt die edle, Puck die leichtere Poesie. In Fliegenschnauz und Mückennas, Frosch und Grille spielt das unübersehbare deutsche Dichterensemble fortissimo seine Weisen auf, ohne Rücksicht auf Maß und Takt, jeder, wie es ihm eben beliebt. Einzelne Gestalten, deren Namen leicht zu erraten sind, werden mit Sonderstrophen bedacht. Eine allgemeine Versöhnung kündigen die Verse Ariels an:

«Gab die liebende Natur,
Gab der Geist euch Flügel,
Folget meiner leichten Spur,
Auf zum Rosenhügel!»

[36] Vgl. Max Morris, Goethe-Studien, Berlin 1902, I. Bd., S. 54ff.

Schiller nahm das Ding nicht in den neuen Musenalmanach auf. Er hielt es für besser, diesmal «schlechterdings alle Stacheln wegzulassen und eine recht fromme Miene zu machen [37]». Goethe war damit einverstanden; er hatte unterdessen die kleine Komödie noch etwas ausgebaut und trat nun mit der Erklärung hervor:

«Ich sollte meinen, im Faust müßte sie am besten ihren Platz finden [38].»

Wir sehen zunächst keinen anderen Grund für diesen sonderbaren Entschluß, als daß sich Goethe durch den «Faust» besonders oft veranlaßt fühlt, das Verhältnis von deutsch und antik zu erwägen. Vermutlich denkt er aber schon jetzt daran, das Spiel als «*Walpurgisnachtstraum*» in die Blocksbergorgie einzulegen.

Ende 1799 gerät ihm Miltons «Verlorenes Paradies» zufällig in die Hand. Noch immer ist die Stellung Mephistos im höllischen Reich nicht abgeklärt. Das englische Epos bietet eine ganze Teufelshierarchie. Goethe sieht sie sich an und hofft, sie lasse sich für den «Faust» verwenden. Auf dem Gipfel des Brocken soll der Satan thronen und die Huldigung seiner Getreuen entgegennehmen. Zu den Getreuen gehören aber, wie uns die Fragmente verraten, in erster Linie deutsche Schriftsteller und Dichter. Zum zweiten Mal wird also eine Literatursatire geplant; und diesmal wäre sie wohl zu aristophanischen Maßen ausgewachsen. Die Behaglichkeit im Obszönen, von der die Paralipomena strotzen, die Speichelleckerei – wir brauchen einen zu sanften Ausdruck –, deren sich die Skribentenschar befleißigt, die noch zu erratende Absicht, Nicolai als Aufklärer einzuführen und dem Höllenfürsten ins Angesicht sein Dasein leugnen, seinem Steiß womöglich gar die berühmten Blutegel applizieren zu lassen, um, wie in Tegel, die ungehörigen Geistererscheinungen zu vertreiben – all dies ist beispiellos grotesk und übertrifft an Witz und Phantastik das ganze klassisch-romantische Schrifttum.

Um Mitternacht wäre der Spuk verschwunden. «Volkan, unordentliches Auseinanderströmen, Brechen und Stürmen [39]» ver-

[37] An Goethe, 2. Okt. 1797.
[38] An Schiller, 20. Dez. 1797.
[39] Paralip. 54.

heißt der Entwurf. Faust und Mephisto bleiben allein. Mephisto
versucht, durch Schmeichelgesänge[40] irgendwelcher Geister,
Faust dazu zu bringen, «sich selbst zu gefallen». Das mißlingt.
Faust hat nun überhaupt von den nordischen Hexen genug. Er
will nach Süden. Mephisto warnt:

«Dem Ruß, den Hexen zu entgehen,
Muß unser Wimpel südwärts wehen;
Doch dort bequeme dich, zu wohnen
Bei Pfaffen und bei Skorpionen[41]!»

Doch Faust setzt seinen Willen durch. Zauberpferde werden
gezäumt. Der Ritt nimmt eine falsche Richtung. Etwas Gespen-
stisches, gegen das selbst Mephistopheles nichts vermag, zieht die
Gespenstertiere an – eine Hochgerichtserscheinung:
«Auf glühendem Boden nackt das Idol. Die Hände auf dem
Rücken. Bedeckt nicht das Gesicht und nicht die Scham. Der
Kopf fällt ab. Das Blut springt und löscht das Feuer. Nacht.
Rauschen[42].»
Das Idol erinnert an Gretchen. Der Spuk weissagt den kommenden Tag. Kielkröpfe schwatzen das Grausige aus.
So also hätte die deutsche Walpurgisnacht einmal angelegt
werden sollen: Mephisto und Faust zum Gipfel klimmend; Wal-
purgisnachtfeier auf halber Höhe; Hof des Satans; Schmeichel-
gesänge; Mephisto und Faust auf Zauberpferden nach Süden
strebend; Hochgerichtsspuk. Das Hochgericht wäre dann unmit-
telbar in «Trüber Tag, Feld» übergegangen.
Von diesem Plan sind nur die beiden ersten Phasen zustande
gekommen. Der Auftritt des Satans hätte sich schwer mit den
Voraussetzungen des «Prologs im Himmel» vereinigen lassen.
Und schon die ersten Schwierigkeiten genügten offenbar, um
Goethe den Aufenthalt in diesen wüsten, nächtlichen Räumen
zu verleiden. So ließ er es bei dem Intermezzo «Oberons goldene
Hochzeit» bewenden. Zwei Literatursatiren wären ohnehin zu-

[40] Paralip. 64.
[41] Paralip. 63.
[42] Paralip. 65.

viel gewesen. Aber er wollte doch wieder nicht ganz auf die Blocksbergkandidaten verzichten. Einige, unter ihnen Nicolai als «Proktophantasmist», wurden in die Walpurgisnachtsfeier auf halber Höhe hinübergenommen. Die Naht ist unschwer zu erkennen. Unvermutet, obwohl es Faust zum Gipfel hinaufzieht, lenkt Mephisto ab auf einen Seitenpfad (V. 4027). Dort werden wir mit einer Gruppe von Mißvergnügten bekannt gemacht. Eine Trödelhexe erscheint, dann Lilith, «Adams erste Frau». Faust beginnt mit einer Jungen, Mephisto mit einer Alten zu tanzen. Nicolai ennuyiert die Gesellschaft. Es geschieht also immer noch viel. Dennoch fühlt der Leser sich um ein versprochenes Ereignis betrogen. Von der Hochgerichtserscheinung bleibt nur das blasse, schöne, mit geschlossenen Füßen gehende Mädchen übrig, das Faust an Gretchen erinnert. Und sogar dieser klägliche Rest wird nicht gebührend ausgewertet. Denn während Faust noch in die Betrachtung der Todgeweihten versunken ist

> – «Wie sonderbar muß diesen schönen Hals
> Ein einzig rotes Schnürchen schmücken,
> Nicht breiter als ein Messerrücken!» –

mischt sich Servibilis (Böttiger) ein und kündigt das Intermezzo an. Wir sollen uns wieder für literarische Streitigkeiten interessieren. Und wenn uns das schließlich mit Mühe gelingt, ist auch der Walpurgisnachtstraum zu Ende; unvermittelt bricht in «Trüber Tag, Feld» der Menschheit ganzer Jammer über uns herein. Wie finden wir uns da zurecht?

Goethe hat viele Motive seiner Walpurgisnacht in Büchern des 16. und 17. Jahrhunderts gefunden. Die Angst vor der Natur an sich, der geistentblößten Sinnlichkeit, die bis zu Leibniz und Wolff die deutsche, zumal protestantische Welt beherrscht und sich so oft mit einer für roheste Wunder empfänglichen Neugier verbindet, ist aber nun längst im Licht einer immer gewaltigeren Theodizee verblaßt, und was man einst als Aufschluß über hochgefährliche Zonen nahm, kommt nur noch als Kuriosität in Betracht. Ebensowenig dürfen wir um 1800 bereits an die tiefe und unheimliche Sympathie für das Grausige und Dämonische, die ächzende niedere Kreatur, die elementare Witterung denken, die Dichtern wie E. T. A. Hoffmann oder Annette von Droste-Hülshoff eignet. Wer unter solchen Voraussetzungen an die «Walpurgisnacht» herantritt, erliegt einem spätromantischen Mißverständnis und findet sich nie zurecht. Das Bild, das Goethe von dem nächtlichen Treiben auf dem Brocken entwirft, ist freilich grandios, ja grandioser als alles, was einer späteren Generation gelungen ist. Noch grandioser aber ist der überlegene Geist des Dichters, der von den Gewalten, die er entfesselt, selber in keiner Weise bezwungen, ja nicht einmal ernstlich erschüttert wird. Das Wohlgelungene, Reine, Schöne rührte Goethe bis zu Tränen. Das Ungeheuerliche und Wilde, sofern es sich in der Natur abspielt, nahm er verwundert, erstaunt, belustigt, doch nie mit jener Erregung wahr, die uns, durch Schopenhauer und Nietzsche und durch die Tiefenpsychologie erhitzte Gemüter, so leicht befällt. Man erinnere sich des Eindrucks, den der Krater des Vesuvs auf ihn machte, oder gar des verblüffenden Aufsatzes über «Die Faultiere und die Dickhäutigen» vom Jahre 1822. So vorbereitet, beginne man die Lektüre der deutschen Walpurgisnacht. Dann wird man vielleicht nicht länger verkennen, wie die Akzente hier gesetzt sind.

Faust und Mephistopheles sind unterwegs in der Gegend von Schierke und Elend. Faust spürt den Frühling; Mephistopheles ist es «winterlich im Leibe». Ein Irrlicht kreuzt den Pfad der Wanderer und gesellt sich zu ihnen als Führer. Der «Wechselgesang» der Drei hebt an. Es wird nicht gesagt, welche Strophen das Irrlicht und welche Faust und Mephisto singen. Doch da Mephistopheles Eile hat, ist ihm die erste zuzuweisen; die zweite steht dem Irrlicht an; die dritte kann nur Faust gehören. Mit «Uhu! Schuhu!» setzt aufs neue die mephistophelische Tonart ein; die Verse «Aber sag mir, wo wir stehen» eignen sich nur für Faust. Schon das ist bezeichnend. Die «Traum- und Zaubersphäre» wird opernhaft ausgestattet. Die Molche, Schlangen und Eulen, das dämonisch relevante Getier, beschäftigt wider alle moderne Erwartung Mephistos Einbildungskraft. Goethe würde es blinzelndes, lichtscheues Gesindel und, mit dem Parsen im «Divan», «Ungeschöpfe» nennen. Zur selben Ordnung gehören die Wurzeln, die Mephistopheles so beredt schildert. Sie gingen «mich eigentlich gar nichts an», hat Goethe gelegentlich erklärt; «denn was habe ich mit einer Gestaltung zu tun, die sich in Fäden, Strängen, Bollen und Knollen und, bei solcher Beschränkung, sich nur in unerfreulichem Wechsel allenfalls darzustellen vermag, wo unendliche Varietäten zur Erscheinung kommen, niemals aber eine Steigerung[43]». Auch Faust hat keinen Sinn für dergleichen. Die eilenden Bäche flüstern ihm Lieder und holde Liebesklagen zu; «Stimmen jener Himmelstage», der Tage mit Gretchen, sind es für ihn, für uns aber auch der Harzreise im Winter, die fünfundzwanzig Jahre zurückliegt[44]. Das ist die «Sage alter Zeiten», die Goethes Busen wieder, nach dem Wort der «Zueignung», wie ein Zauberhauch seiner entschwundenen Jugend anweht.

Die folgenden Verse beschreiben das Innere des Berges, die Lagerstätten der Erze und geben wieder der Landschaft einen im höheren Sinn bedeutenden Inhalt. Der Geologe blickt mit den Augen des Geistes, Faust mit dem leiblichen Auge durch die Erdoberfläche hindurch. Ein wunderbares und doch bis ins Einzelne wohlbegründetes Bild erscheint. Dann ist es wieder Mephisto, der das Dröhnen und Ächzen und Knarren, den «wütenden Zaubergesang» des Sturmes beschreibt.

Wir finden also von Anfang an das Verworrene, Magisch-Mächtige mit dem «Geist, der stets verneint» gepaart. Und so gehört es sich, da dieser wie jenes dem Wohlgebildeten feind ist. Doch wenn der Teufel mit solchem Bündnis einen Triumph zu feiern glaubt, wird doch die Gewalt des Magischen durch seinen kühlen Verstand, seine eigensinnige Skepsis und witzig-weltmännische Haltung wieder gebrochen, womit er sich mehr denn je als unfreiwilliger Diener Gottes erweist.

Haben wir uns dies klar gemacht, dann wundern wir uns nicht länger darüber, daß, wie schon die «Hexenküche», so hier der Aufzug der Hexen ganz von satirischen Anspielungen durchsetzt ist, und daß sich die Orgie fast in politischen und literarischen Possen verliert. Es ist nicht so, wie man hören kann, daß Goethe

[43] «Unbillige Forderung», Juni 1824.
[44] Vgl. Bd. I, S. 498 ff.

das Wüste und Schauerliche nachträglich durch ironische und witzige Einlagen und Zerstörung der Illusion zu mildern versucht. Er nimmt es von vornherein nicht ganz ernst und scheint sich keiner μετάβασις εἰς ἄλλο γένος bewußt zu sein. Molche, Eulen, Wurzelfasern, die alte Baubo, ihr Mutterschwein, die häßlichen Vetteln, der Junker Voland, die verkröpften Literaten, Nicolai als Proktophantasmist, Reichardt, der Hinterteil des Satans – dies alles, was wir romantisch Geschulte mit ganz verschiedenen Zeichen versehen, gehört für ihn als «Unbildung», als körperliche und geistige Mißgestalt auf selbstverständlichste Weise zusammen. Es ist ein Fest für die zu lange klassisch gebundene Phantasie, eine nach vollbrachtem Tagewerk vergönnte Ausschweifung, und für die hohe Zuversicht des «Prologs im Himmel» ein wilder Spaß, übrigens, wo nicht in dem besonderen zeitgeschichtlichen Inhalt, so doch in seinem allgemeinen Charakter von echtester Volkstümlichkeit: gerade das Volk ist ja immer bereit, das Höllenwesen und Teufelszeug mit witzigen Glossen zu versehen und sich auf diese Weise einer im Grunde heilen Welt zu versichern. Wenn dem so ist, dann wird man freilich darauf verzichten müssen, die geplante Satansszene und die ausgeführten Partien als einen ungeheuren Kontrapunkt zu den himmlischen Reichen zu deuten, welche uns zu Beginn der Dichtung empfangen, oder in Lilith, dieser in wenigen Versen ausgeführten Gestalt, so etwas wie einen Gegensatz zur Regina coeli, zu dem Weiblichen, das uns hinanzieht, zu sehen. Alle diese Motive sind nur aus einer riesigen Vorratskammer nach Belieben aufgerafft, damit das Ganze möglichst toll sei. Sobald man es mit Tiefsinn auslegt, entsteht eine quälende Disharmonie.

Quälend und selbst für die liebevollste Bemühung um sachgerechte Deutung unzugänglich und unbegreiflich ist einzig noch der Übergang vom Gretchenidol zum Intermezzo und wieder vom Intermezzo zu der Szene «Trüber Tag, Feld». Nach der ursprünglichen Intention wären wir von der bizarren und grotesken Hofhaltung des Satans stufenweise zum Bänglichen, Schmerzlichen, Fürchterlichen geleitet worden. Dieser Zusammenhang ist zerrissen. Goethe hat die Geduld verloren und mit groben Stichen einige Reste und Fetzen zusammengenäht. Man gebe das unumwunden zu und suche die mißliche Sache nicht durch vage, jeder Stütze im Text entbehrende Konstruktionen zu retten.

Wir blicken auf das Ganze zurück. Eine Interpretation des «Faust», so wie sie hier durchgeführt worden ist, wird vielen Lesern ein Ärgernis sein. Theologische und mythologische Interessen befriedigt sie nicht. Philosophische Ansprüche ist sie nur im Einzelnen anzuerkennen bereit. Die tragischen und dämonischen Schauer werden auf ein bescheidenes Maß zurückgeführt und einer humanen Atmosphäre eingeordnet. Was aber das Gefühl der meisten Leser wohl noch empfindlicher stört, ist die Behauptung, der Dichter habe sich ungeheuerlicher Unstimmigkeiten und Widersprüche schuldig gemacht. Weiß er über sein Werk nicht besser Bescheid als jeder Interpret? Ist es nicht angezeigt, Goethe zu glauben und dort, wo wir nicht weiter wissen, eher ein Versagen unsererseits als seinerseits anzunehmen? Was bleibt noch übrig von dem Gipfelwerk der deutschen Sprache, wenn man es so in unzählige Fetzen zerreißt? Alle diese Fragen sind berechtigt und müssen beantwortet werden.

Zunächst bestehen wir darauf, daß ein Erklärer eine Dichtung besser verstehen kann und soll als der, der sie geschaffen hat. Goethe besitzt noch keinen «Gräf», der über jede Phase der Entstehungsgeschichte Auskunft gibt. Er liest seine eigenen Verse nicht mit der Gewissenhaftigkeit und Ehrfurcht, die wir ihnen schulden. Für ihn ist alles noch im Fluß. Er wird nicht fragen: Was heißt das eigentlich? Sondern er wird gleich weiter denken und seinen Text über all dem Neuen, das ihn bedrängt, aus den Augen verlieren. Er nimmt sich selbst nicht philologisch, sondern mit der ganzen Willkür eines phantasiebegabten, empfindungsreichen Laien zur Kenntnis. Ja, bei Goethe wird dies noch viel mehr als bei anderen Dichtern der Fall sein. Denn er behandelt die Poesie überhaupt nicht mit jenem kultischen Ernst, der uns etwa in Klopstock, Hölderlin, Stifter, George entgegentritt. Etwas von dem Geist des Rokoko, lebensfreundlicher Nonchalance hat er zeitlebens nicht verleugnet.

Doch wichtiger ist ein anderer Umstand. Bei den meisten Dichtern fixiert sich eines Tags die poetische Welt, bei Kleist und Hebbel schon in den ersten Dramen, bei Schiller im «Wallenstein», bei Gottfried Keller im «Grünen Heinrich» und in den «Leuten von Seldwyla», bei Jean Paul im «Hesperus». Im Einzelnen mag sich manchmal wohl noch eine neue Aussicht eröffnen. Die Fundamente sind festgelegt. Das Leben geht indessen weiter. Der Dichter altert; aber sofern er immer noch schöpferisch tätig ist, bleibt er ausgerichtet auf die Ordnung, die sich ihm vor Zeiten dargestellt, den Sinn und Stil, in dem er sich beruhigt hat. Immer schwieriger ist es, in das Jugendreich zurückzukehren. Es rückt in die Ferne, verschleiert sich, wird unsichtbar; der Greis verstummt.

Bei Goethe löst die Poesie sich nie vom Wandel des Lebens ab. Sie bildet sich unaufhaltsam um und hält mit dem Menschlichen gleichen Schritt. Dies aber hat zur Folge, daß er eigentlich nicht in der Lage ist, ein Werk von größerem Umfang, das ihn viele Jahre in Anspruch nimmt, in *einem* Geiste zu vollenden. Eine gewisse Konstante läßt sich wohl in allem Wandel erkennen. Wir werden sie am Ende des dritten Bandes herauszuarbeiten versuchen. Aber wie wandelbar sind die Gedanken über die letzten menschlichen Dinge, wie wandelbar insbesondere das, was in künstlerischer Hinsicht entscheidend ist, der Stil, in dem das Wesen erscheint. «Wilhelm Meisters Lehrjahre», «Tasso», die «Wanderjahre» leiden daran. Nicht immer freilich wird diese Not, die eigentlich eine einzigartige Tugend ist, dem Werk zum Verhängnis. Oft entsteht gerade dadurch eine reizende Vieldeutigkeit, der bezaubernde opalisierende Glanz, der erst die ganze lebendige Wahrheit eines dichterischen Gebildes verbürgt. Man kann das sogar, wenngleich nur mit größten Vorbehalten, vom «Faust» behaupten. Wenn man die Augen ein wenig zudrückt, wenn die Konturen der einzelnen Teile in einem leichten Nebel verschwimmen, dann ist die Goethesche Menschlichkeit, der Goethesche Geist im allgemeinsten, schwer zu bestimmenden Sinn des Begriffes so mächtig und unwiderstehlich groß, daß man sich gern zufrieden gibt und ohne Anstoß weiter liest.

Mephistopheles bleibt sich gleich; höchstens seine höllischen Hintergründe werden in einer etwas veränderlichen Beleuchtung sichtbar. Faust erscheint als Mann und Jüngling, als Liebender und als Gelehrter; im Grunde aber ist er stets der wesentlich unbefriedigte Mensch. So bleibt auch die Spannung zwischen Faust und Mephistopheles immer dieselbe. Sie bilden ein unzertrennliches Paar wie Don Quixote und Sancho Pansa; und wer wollte dem Dichter verwehren, ein solches Paar auf eine ziemlich beliebig gestaltete Weltfahrt zu schicken und in dem Spiegel ihrer Gemüter ein wechselvolles Bild des inneren und äußeren deutschen Lebens zu zeigen?

Goethe selber ist es, der es nicht dabei bewenden läßt. Er hat sich mit größter Anstrengung um eine klarere Einheit bemüht. Dieser Anstrengung verdanken wir Verse, die zum Schönsten der ganzen deutschen Literatur gehören. Ihr Ziel erreicht sie aber nicht. Im Gegenteil! Erst jetzt, da der Wille zur Einheitlichkeit so fühlbar ist, verlieren wir die Naivität, so wie sie der Dichter selber verliert, werden wir auf Nähte, Mängel und Widersprüche aufmerksam und stellen wir verwundert fest, daß hier keine geschlossene Dichtung, sondern, wie Goethe selbst sagt, eine «Schwammfamilie» von Szenen vorliegt, deren Zusammenhang fragwürdig und durch die seltsamsten Zufälle eines langen dichterischen Lebens bedingt ist.

Wir brauchen uns aber auch dadurch in unsrer Verehrung nicht beirren zu lassen. Eben deshalb, weil Goethe einzelne Teile nicht auszurichten vermochte und weil er darauf verzichtete, das Werk stilistisch einzuebnen, ist es zu dem gewaltigsten Panorama der deutschen Sprache geworden und in jedem Vers, da jeder in der ihm günstigen Stunde des Lebens wie eine reife Frucht vom Baum fiel, herrlich wie am ersten Tag.

DIE NATÜRLICHE TOCHTER

Das neue Jahrhundert kündigte sich in Goethes Leben mit Unheil an. Am 2. Januar 1801 erkrankte er, so schwer, daß Ärzte und Freunde um sein Leben bangten. Tagelang lag er ohne Bewußtsein. Der Schlund verengte sich; das linke Auge verschwand in einer Geschwulst. Hohe Fieber schienen alle Kräfte des Körpers verzehren zu wollen. Der Anteil der Öffentlichkeit war groß. In weitesten Kreisen wurde man sich der Bedeutung Goethes erst bewußt. Auch viele, die sich ihm entfremdet, von denen er selber sich abgewandt hatte, empfanden damals, was Charlotte Schiller in die Worte faßte:

«Ich liebe Goethe so herzlich, daß ich mir die Welt ohne ihn schwer denken kann[1].»

Fast noch mehr als die Krankheit ergreifen uns aber die Nachrichten von der Genesung. Frau von Stein erzählt, bei wiederkehrendem Bewußtsein habe Goethe lange geweint, besonders beim Anblick seines Sohnes. Er habe sich nach dem Fieber nur eines «sonderbaren Gefühls erinnert, als wenn er etwas Ganzes gewesen wäre: eine Landschaft, so etwas Allgemeines. Wie er sein Individuum wieder fühlte, war ihm die Empfindung unglücklich[2]».

Alle Zeichen deuten auf eine tiefe Verwandlung seiner Natur. Wir wissen, wie er in seinen Briefen, sogar in seinen Tagebüchern, bei jedem Ereignis nur das Förderliche hervorzuheben versucht. So sind wir weiter nicht erstaunt, neben flüchtigen Klagen über eine länger anhaltende Reizbarkeit auch manches Wort des Dankes für das Geschenk der Wiedergeburt zu lesen:

«Wie das Glück der ersten Jahre darin besteht, daß in ihnen mehr die Neigung als die Abneigung herrscht, so sollte ich auch bei meinem Wiedereintritt ins Leben dieses Glücks teilhaft werden, mit aufgehobenem Widerwillen eine neue Bahn anzutreten[3].»

---

[1] Goethe in vertraulichen Briefen seiner Zeitgenossen, 1.Bd., Berlin 1918, S. 690.
[2] a.a.O., S. 688.
[3] An Reichardt, 5. Febr. 1801.

Das noch weiche, zu neuer Bildung bereite Gemüt verlangt nach Musik, wie später wieder nach der Krise des Jahres 1823. Dennoch gewinnen wir nicht den Eindruck, daß Goethe sich schon bald einer neuen Heiterkeit habe erfreuen dürfen. Die Tage in Pyrmont, von Mitte Juni bis Mitte Juli, waren qualvoll. Die später verfaßten «Annalen» reden hier eine unmißverständlichere Sprache als die ersten Aufzeichnungen. Doch auch in diesen begegnen wir gelegentlich einem Geständnis, einem leisen Wort, das uns schmerzlich berührt und uns die Vermutung nahelegt, daß die «Empfindung des Individuums» immer noch «unglücklich» sei:

«Wenn ich von einem Resultate reden soll, das sich in mir zu bilden scheint, so sieht es aus, als wenn ich Lust fühlte, immer mehr für mich zu theoretisieren und immer weniger für andere. Die Menschen scherzen und bangen sich an den Lebensrätseln herum, wenige kümmern sich um die auflösenden Worte. Da sie nun sämtlich sehr recht daran tun, so muß man sie nicht irre machen[4].»

So in einem Brief an Schiller. Die Tage des glaubensfrohen Wirkens, das 1794 anfing, gehören nun der Vergangenheit an, auch wenn sich nach außen nicht viel ändert. Ein Brief an Jacobi verrät uns einen noch tieferen, bänglicheren Verzicht. Von der neueren Philosophie ist die Rede:

«Wenn sie sich vorzüglich aufs Trennen legt, so kann ich mit ihr nicht zurechte kommen und ich kann wohl sagen: sie hat mir mitunter geschadet, indem sie mich in meinem natürlichen Gang störte; wenn sie aber vereint, oder vielmehr wenn sie unsere ursprüngliche Empfindung, *als seien wir mit der Natur eins*, erhöht, sichert und in ein tiefes, ruhiges Anschauen verwandelt, in dessen immerwährender σύγκρισις und διάκρισις wir ein göttliches Leben fühlen, wenn uns ein solches zu führen auch nicht erlaubt ist, dann ist sie mir willkommen und du kannst meinen Anteil an deinen Arbeiten darnach berechnen[5].»

Dieses «als seien wir» ist erschütternd, dieser Konjunktiv, der alles, was Goethe bis jetzt geglaubt und als Denker und Dichter

[4] 12. Juli 1801.
[5] 23. Nov. 1801.

367

verkündet hat, zur Fiktion erniedrigt, zu einem nur noch subjektiven Gefühl, das freilich nach wie vor als köstlichster innerer Besitz gehegt und gepflegt, doch ohne jeden Anspruch auf allgemeinere Geltung vertreten wird. Man könnte erwidern, die Zeugnisse seien zu spärlich, um Urteile zu begründen. Wir kennen aber die Schweigsamkeit, zu der sich Goethe nach der Rückkehr aus Italien genötigt fand, und wissen längst, daß wir auf zarte Winke angewiesen sind, wenn wir es wagen wollen, den Schleier seiner Seele behutsam zu lüften. Indes, auch die vorsichtigste Behauptung wäre unstatthaft, erhellte sie nicht das dichterische Werk.

In Pyrmont faßte Goethe den Plan zu einer «sehr weitschichtigen Arbeit[6]», die schon um ihres utopischen Charakters willen bemerkenswert ist. Ein knapper Entwurf steht in den «Tag- und Jahresheften» 1801; genauer unterrichtet uns der Aufsatz *«Aufenthalt in Pyrmont[7]»*. Das Ganze sieht aus nach einem halb gelehrten, halb dichterischen Roman. Den Kern des Geschehens enthüllen die Sätze:

«Im Jahre 1582 begab sich auf einmal aus allen Weltteilen eine lebhafte Wanderschaft nach Pyrmont, einer damals zwar bekannten, aber doch noch nicht hochberühmten Quelle; ein Wunder, das niemand zu erklären wußte. Durch die Nachricht hiervon wird ein deutscher wackerer Ritter, der in den besten Jahren steht, aufgeregt; er befiehlt seinem Knappen, alles zu rüsten...»

«Sie machen sich auf den Weg und finden unzählige Wanderer, die von allen Seiten herzuströmen...»

«Endlich kommt der Ritter als Führer einer großen Karawane in Pyrmont an... Das Getümmel und Gewimmel wird vorgeführt; von den endlosen Krankheiten werden die widerwärtigen mit wenig Worten abgelehnt; die psychischen aber, als reinlich und wundervoll, ausführlich behandelt, sowie die Persönlichkeit der damit behafteten Personen hervorgehoben. Bezüge von Neigung und mancherlei Verhältnisse entwickeln sich, und das Unerforschliche, Heilige macht einen wünschenswerten Gegensatz gegen das Ruhmwürdige. Verwandte Geister ziehen sich zusam-

[6] XII, 627 ff.
[7] a.a.O., S. 627 ff.

men, Charaktere suchen sich, und so entsteht mitten in der Welt-
woge eine Stadt Gottes, um deren unsichtbare Mauern das Pöbel-
hafte nach seiner Weise wütet und rast: denn auch Gemeines
jeder Art versammelte sich hier: Marktschreier, die besondern
Eingang hatten; Spieler, Gauner, die jedermann, nur nicht unseren Verbündeten drohten.»

«Den Bezirk der edeln Gesellschaft hatte der Ritter mit Pali-
saden umgeben und so sich vor jedem physischen Andrang
gesichert. Es fehlt nicht an mißwollenden, widerwärtig-heim-
lichen, trotzig-heftigen Gegnern, die jedoch nicht schaden konnten; denn schon zählte der tugendsame Kreis mehrere Ritter, alt
und jung, die sogleich Wache und Polizei anordnen, es fehlt ihm
nicht an ernsten geistlichen Männern, welche Recht und Gerechtigkeit handhaben.»

Als ein «Märchen» bezeichnen die «Tag- und Jahreshefte»
diese Handlung. Wir fühlen uns an das Gedicht erinnert, das
Goethe in Zeiten einer vielleicht vergleichbaren inneren Not er-
sann, an die «Geheimnisse», jenen Trost der letzten voritalienischen Jahre. Das Weltgetümmel und der kleine Kreis, der im
Reinen und Rechten lebt: das ließe freilich auch vermuten, daß
hier nur das Idyll, das uns in «Hermann und Dorothea» entzückt, in eine archaische, ritterlich-geistliche Tonart übertragen
werde. Denn schon in «Hermann und Dorothea» bewahrt sich
ja das Menschlich-Reine gegen drohende Anarchie. Doch die
Akzente sind verschoben. Das Epos deutet die Peripherie des
Ungestalten an, um so den Glanz der gestalteten Welt zu erhöhen: die Revolution ist eine Gefahr, aber eine Gefahr, in der
sich die Kraft des Guten erst recht zu fühlen beginnt. Die Gottesstadt des Pyrmonter Entwurfs dagegen erscheint als Geheimnis
und Wunder. Sie bietet eine unwahrscheinliche Zuflucht, keineswegs gegen dämonische Mächte, sondern, wie der Verletzliche
ihrer bedarf, gegen «Spieler» und «Gauner», gegen den Markt
der Eitelkeiten, lautes Getue und freches Geschwätz. Keine gewöhnlichen Bürger, sondern Auserwählte sind es, die sich in
dieser Weise zusammentun – im Jahre 1582! Goethe, der Verfasser der «Propyläen» und Verkünder einer dem Raum und der
Zeit entrückten Kunst, bezeichnet das Datum und gibt damit zu,

daß nicht mehr von ewiger Gegenwart, daß vielmehr von einem vergangenen, einzigartigen Ereignis ohne ironische Vorbehalte die Rede sein soll. Der Hauch der Ferne schwebt auch über den vielen historischen Einzelheiten, die eingewoben worden wären. Lauter Züge, die eine neue Dichtart anzukündigen scheinen, einen Stil, der nach dem langen Aufenthalt in antikischen Zonen entdeckungsfroh und belebend wirkt, der aber doch auf einer tiefen Enttäuschung und einem Verzicht beruht.

Auch im folgenden Jahr hat Goethes Umgebung Anlaß, sich um ihn zu sorgen. Der Frühling in Jena, in heiterer Gesellschaft, gewährt zwar ein bescheidenes Glück und lockt sogar einige Lieder hervor. Daneben geschieht aber mancherlei, was der noch kaum Genesene mit ungewohnter Empfindlichkeit aufnimmt. Friedrich Schlegels Tragödie «Alarcos» wird in Weimar ausgelacht; um August Wilhelm Schlegels «Ion» entbrennt ein langwieriger häßlicher Streit. Kotzebue legt es darauf an, die Freundschaft Goethes und Schillers zu sprengen. Die Jagemann, Carl Augusts Maitresse, erschwert mit ihrer Impertinenz die ohnehin schwierige Leitung der Bühne. Es ist, als spüre man Goethes Schwäche und rüste sich, ihn beiseitezudrängen. Frau von Stein, Karoline Herder, Herder, Knebel – von Fernerstehenden ganz zu schweigen – alle verzeichnen in ihren Briefen und Tagebüchern gehässig, fühllos, unbarmherzig, sogar mit Genugtuung jedes gereizte Wort und jede hastige Handlung. Wilhelm von Humboldt weilt in Rom. Heinrich Meyer gründet in diesen Tagen einen eigenen Hausstand. Zelter nähert sich erst allmählich. Im engsten Kreis bewahren die reinste Treue nur Christiane und Schiller. Aber auch diese können sich einer tiefen Beklommenheit nicht erwehren. Am 17. Februar 1803 schreibt Schiller an Humboldt, Goethe lebe zurückgezogen wie ein Mönch; er habe «seit einem Vierteljahr, ohne krank zu sein, das Haus, ja nicht einmal die Stube verlassen...

Wenn Goethe noch einen Glauben an die Möglichkeit von etwas Gutem und eine Konsequenz in seinem Tun hätte, so könnte hier in Weimar noch manches realisiert werden, in der Kunst überhaupt und besonders im Dramatischen. Es entstünde doch etwas, und die unselige Stockung würde sich geben. Allein kann ich nichts machen. Oft treibt es mich, mich in der Welt nach einem andern Wohnort und Wirkungskreis umzusehen. Wenn es nur irgendwo leidlich wäre, ich ginge fort.»

Einige Tage später hören wir, Goethe sei bei seinem ersten Besuch im Garten umgesunken. Christiane berichtet:

«Er ist manchmal ganz hypochonder, und ich stehe viel aus. Weil es aber Krankheit, so tue ich alles gern. Habe aber so gar niemand, dem ich mich anvertrauen kann und mag. Schreiben Sie mir aber auf dieses nichts; denn man muß ihm ja nicht sagen, daß er krank ist. Ich glaube aber, er wird wieder einmal recht krank[8].»

Doch wie ganz anders sieht alles aus, wenn wir vernehmen, daß in dieser Zeit «*Die natürliche Tochter*» entstand, das «wunderbare Erzeugnis[9]», dessen Wachstum auf vollkommene Stille und Schonung angewiesen war. Schiller, dem Goethe seine Quelle, die «Mémoires historiques de Stéphanie-Louise Bourbon-Conti», verdankte, hatte im Juni 1800 etwas von dem schon 1799 skizzierten Plan vernommen. Dann war davon nie mehr die Rede gewesen. Die Krankheit von 1801, der Aufenthalt in Pyrmont und Göttingen, die Geschäfte, die sich häuften, hatten die Arbeit unterbrochen. Am Ende des Jahres verzeichnet das Tagebuch die Vollendung des ersten Akts. Auch die folgenden Monate waren günstig. Im März trat eine Stockung ein. Goethe klagt, daß die «produktiven Momente sich immer seltener machten[10]». Doch schon am 4. Mai erfährt Christiane, daß der zweite Akt des «bewußten Stückes» fertig sei. Sie scheint als Einzige in das Unternehmen eingeweiht worden zu sein. Dann folgen wieder leere Wochen. Im August wurde «an Eugenien gedacht[11]»; einen größeren Fortschritt bringt der November. Doch erst im März des Jahres 1803 liegen alle fünf Aufzüge vor, das erste Stück der Trilogie, als die das Ganze angelegt war, das einzige, das zustande kam. Am 2. April fand die Aufführung statt: «Die natürliche Tochter, erster Teil.» Die Überraschung war allgemein, doch ebenso allgemein das Befremden. Nur Schiller und Fichte spra-

[8] Goethe in vertraulichen Briefen, I, 757.
[9] In dem Aufsatz Bedeutende Fördernis durch ein einziges geistreiches Wort.
[10] An Schiller, 9. März 1802.
[11] Tagebuch, 6. Aug. 1802.

chen überzeugend ihre Bewunderung aus. Herder rühmte die «Silberstiftzeichnung» und nannte das Stück zuerst «die köstlichste, gereifteste und sinnigste Frucht eines tiefen, nachdenkenden Geistes, der die ungeheuern Begebenheiten dieser Zeit still in seinem Busen getragen und zu höheren Ansichten entwickelt[12]» habe. Auf ein hämisches Urteil Knebels hin aber glaubte er, sich getäuscht zu haben, und zog sein Lob rasch wieder zurück. Zelter, besten Willens, rang sich seltsam gewundene Worte ab. Die Öffentlichkeit blieb kühl und übernahm das Verdikt der Madame de Staël, die das Werk «un noble ennui» nannte.

Doch Zustimmung und Tadel der Zeitgenossen treffen die Sache nicht. Mit der «Natürlichen Tochter» beginnt eine neue Epoche von Goethes Schaffen, deren Gesetz und Wesen zu ergründen erst unsere Zeit sich anschickt. Wohl ist es erlaubt, darauf hinzuweisen, daß Voltaires Tragödien «*Mahomet*» und «*Tancred*», die Goethe um 1800 übersetzte und aufführte, die Annäherung an den strengen Stil der französischen Bühne begünstigten und daß die Theaterbearbeitung der «Iphigenie» von 1801, die mit Schillers Hilfe zustande kam, der neuen Schöpfung nahesteht. Sie folgte, von außen gesehen, der Richtung, die man jetzt eben in Weimar einschlug und gegen die realistischen Kassenstücke mit großen Opfern vertrat[13]. Doch wer die «Natürliche Tochter» nur in diesem Zusammenhang sehen würde, müßte sie völlig mißverstehen und käme nicht über scheinbare Fehler, scheinbare Unstimmigkeiten hinweg. Nur die größte Vorsicht befähigt uns, die Ahnung einer Vollkommenheit, die unvergleichlich ist, zur festen Überzeugung abzuklären.

Über die Quelle Goethes, die «Mémoires historiques», fassen wir uns kurz. Man hat bewiesen[14], daß gerade die unglaubwürdigsten Behauptungen wahr sind. Stéphanie-Louise Bourbon-Conti, natürliche Tochter des Prinzen Louis-François de Bourbon-Conti und der Herzogin von Mazarin, wurde kurz vor ihrer Legitimation durch ihren Halbbruder gewaltsam entfernt und zur Ehe

[12] Nach Falk, Gespräche, 25. Jan. 1813.
[13] Vgl. Goethes Aufsatz «Weimarisches Hoftheater».
[14] Vgl. Gustav Kettner, Goethes Natürliche Tochter, Berlin 1912, S. 15 f.

mit einem Bürgerlichen gezwungen. Beim Ausbruch der Revolution gelingt es ihr, nach Paris zurückzukehren. Sie dringt sogar bis zum König vor. Ihr Ziel indes, die Annullierung ihrer Ehe und völlige Rehabilitation, erreicht sie nicht. Das Buch ist eine leidenschaftliche Anklage und ein Plaidoyer für ihre angestammten Rechte, doch kaum geeignet, ihr die Sympathien der Nachwelt zu gewinnen. Im Einzelnen nämlich nimmt sie es mit der Wahrheit offenbar nicht genau. Der hysterisch-verbissene Ton verstimmt. Schiller nennt die Geschichte ein «Märchen[15]». Goethe verzichtet auf ein Urteil. Ihm scheint sich alles schon während des Lesens ins Dichterische verwandelt zu haben. Wie bei der Lektüre der Euripideischen «Iphigenie bei den Tauern» bemerkt er gar nicht oder vergißt und bildet er um, was für ein zarteres sittliches Empfinden peinlich sein könnte. Die Mutter, die bei Stéphanie-Louise eine so empörende Rolle spielt, ist gestorben, bevor die Handlung beginnt. Die Vermählung wird nicht erzwungen; der Gatte bewährt sich als Mann von vollkommenstem Takt. So finden wir noch manches behutsam und doch bis zur Unkenntlichkeit verändert. Das fürchterliche Schicksal der Ausgestoßenen aber, in dem sich der Zeitgeist spiegelt, wird in keiner Weise beschönigt.

«In dem Plane bereitete ich mir ein Gefäß, worin ich alles, was ich so manches Jahr über die Französische Revolution und deren Folgen geschrieben und gedacht, mit geziemendem Ernste niederzulegen hoffte[16].»

«Mit geziemendem Ernst» – das dürfte im Hinblick auf die «Aufgeregten», den «Bürgergeneral» und den «Groß-Cophta» gesagt sein. Die bemühenden Scherze werden verbannt. Der Dichter ist entschlossen, alle Kraft des Geistes aufzubieten, um des gewaltigen Stoffes endlich mächtig zu werden und sich zu befreien von dem Druck, der seit den Tagen der Halsbandaffäre auf ihm lastet. Die Zeit ist reif dafür; die Revolution gehört der Vergangenheit an. Vom Konsulat Napoleons verspricht man sich einen gefestigten Zustand.

Die Absicht ist aber nicht, eine möglichst treue dramatische

---

[15] An Körner, 28. März 1803.
[16] Tag- und Jahreshefte 1799.

Chronik zu schaffen, so wie das Büchner in «Dantons Tod» oder Grabbe in seinem «Napoleon» tut. Nichts läge Goethe ferner als das. Gerade weil alles noch so nah und das Grauen noch nicht überwunden ist, vermeidet er jede unmittelbare Anspielung auf Zeiten und Räume und einzelne Persönlichkeiten. Wir dürfen deshalb von einer Besinnung auf die Geschichte so wenig erwarten wie von dem Rückgriff auf das Buch der Stéphanie-Louise Bourbon-Conti. Charakter und Schicksal Ludwigs XVI. haben nur eine ganz vage Beziehung zum König in der «Natürlichen Tochter»: ein schwacher Monarch in drangvoller Zeit; weiterzugehen ist kaum gestattet. Ebensowenig dürfen wir uns die Haltung und Person des Herzogs näher zu bringen versuchen durch einen Vergleich mit Philippe-Égalité: der Aristokrat, der eine Vermittlung zwischen den Gegensätzen erstrebt und den Aufruhr von oben zu dämpfen versucht; das ließe sich allenfalls als summarisches tertium comparationis nennen. Aber schon damit leisten wir einem drohenden Mißverständnis Vorschub. Sogleich erhebt sich nun nämlich die Frage, wie denn in Goethes Drama eigentlich die politischen Fronten verlaufen. Steht der Herzog auf seiten des Königs? Wenden sich beide gegen den übermütigen Adel oder das Volk? Oder ist der König mehr aristokratisch, der Herzog mehr demokratisch gesinnt? Wie ist es dann aber möglich, daß der König mit dem – vermutlich echten – Dekret Eugeniens Verbannung verfügt? Welche Rolle spielt der Graf, der Sohn des Herzogs, Eugeniens Bruder? Richtet sich seine Verschwörung gegen die Krone oder gegen den Vater, der revolutionäre Ideen begünstigt? So läßt sich endlos weiter fragen; und wer auf diese Fragen eingeht, der wird zu der Überzeugung gelangen, Goethe sei nicht imstande gewesen, ein klares politisches Bild zu entwerfen; er sei, noch ängstlicher als im «Egmont», einer Entscheidung ausgewichen und habe das Pro und Contra verwedelt. Oder man hilft sich mit der freilich ganz willkürlichen Erklärung[17], er habe sansculottisch begonnen, sich dann

[17] Vgl. Hans M. Wolff, Goethe in der Periode der Wahlverwandtschaften, Bern 1952, S. 65 ff. Die höchst scharfsinnigen, aber dennoch nicht überzeugenden Schlüsse beruhen auf einer Interpretation, die von Goethes Drama die Wahrscheinlichkeit fordert, die man allenfalls bei Hauptmann oder Ibsen voraussetzen darf.

374

erschrocken zur Ordnung gerufen, eine Wendung vollzogen, aber nicht alle Spuren des Anfangs getilgt und so zwei völlig unvereinbare Fassungen ineinandergeschoben.

Es geht aber gar nicht, wie man in unseren Tagen so selbstverständlich annimmt, um einen politischen Gegensatz; es geht um den viel bedeutenderen von Politik und wahrem Leben. Das Recht und die Ideologie der Parteien als solche beschäftigen Goethe wenig. Man darf in der Tat an den «Egmont» erinnern. Schon dort steht im Mittelpunkt nicht das Problem, ob die Wünsche des Volks berechtigt seien, sondern das andre, für das wir heute fast das Verständnis eingebüßt haben: wie ein wohlgeratener Mensch inmitten politischer Drangsal, deren Ernst er nicht verkennt, ein Wesen eigenen Rechts zu bleiben und sich selber die Treue zu halten vermag.

Seither hat sich die Lage verschärft. Der «Egmont» gründet noch in einem mehr allgemein literarischen als Goetheschen revolutionären Pathos und gewinnt die persönliche Note aus dem Widerstand gegen den Dämon Sorge, von dem der zum Staatsmann gewordene Dichter die innere Freiheit gefährdet fühlt. Die «Natürliche Tochter» dagegen weiß von einem allgemeineren Verhängnis, von der Bedrohung nicht nur des eigenen Daseins, sondern aller lebendigen Schöne durch den Geist der Zeit, der Auflösung des Menschenbilds im Getümmel des ungestümen Begehrens, im Aufruhr ungestalter Gewalt. In «Hermann und Dorothea» siedeln wir uns im Kreis der Idylle an, teilen ihre Beschränkung und hoffen, sie werde die große Welt überleben. Im Entwurf von Pyrmont kommt ein solcher Ausgang kaum in Betracht. Aber wir sind zufrieden, in der Gottesstadt wohnen zu dürfen, solange uns Gnade dieses Asyl gewährt. Nichts dergleichen tröstet und beruhigt uns in der «Natürlichen Tochter». Goethe verzichtet auf alle Hoffnungen, Sicherungen und innigen Träume. Er hat mit beispielloser Geduld und Glaubenskraft in fremder Umgebung sein eigenes Reich geschaffen und zu vollkommener Schönheit abgerundet. Nun setzt er es dem Zeitgeist aus, schaudernd, wie mit geschlossenen Augen, doch unerbittlich, um der Wahrheit und des Lebens willen, das kein eigensinniges Beharren duldet.

Dies also ist das Thema des Stücks: nicht die Französische Revolution in ihrer geschichtlichen Einmaligkeit, und nicht ein politischer Kampf, in dem der Dichter Partei zu ergreifen oder den er weise zu schlichten gedächte, sondern das Schicksal seines Kosmos im Drang der politischen Wirklichkeit, die, wie sie auch beschaffen sein mag, sein unsichtbar-allgegenwärtiger schrecklicher Widersacher bleibt.

Wie sie auch beschaffen sein mag! Das ist vor allem festzuhalten. Ob «absoluter Despotismus, ohne eigentlich Oberhaupt» oder «Gärung von unten», «Gewalt» und «Intrige»: alles ist ungestalt und entsetzt ein Dasein, das auf sich selber beruht und Ebenbild Gottes heißen darf. Aus diesem Grunde kümmert sich Goethe um die politischen Fronten nicht und fragt auch niemand danach, der ohne Vorurteil zu lesen beginnt. Sogar der Zweifel, ob es sich bei den Machenschaften des Grafen um eine politische oder um eine private Intrige handle, quält uns kaum. Wir sehen: der Wille zur Macht ist am Werk, die Gier, die alle Liebe und gelassene Bildung mit Angst erfüllt. Da erübrigt es sich, politische von privaten Intrigen zu unterscheiden.

Berechtigter scheint die Frage, wie Goethe den Willen zur Macht, der ihm so fremd ist, mit seinen dichterischen Mitteln erfassen und glaubhaft zur Anschauung bringen wird. Wieder ist Vorsicht im Urteil geboten. Wie nahe liegt es einzuwenden: das Dunkel über dem ruchlosen Treiben des Sekretärs werde kaum erhellt; die Hofmeisterin sei unsicher gezeichnet; bald habe sie, die gezwungen handelt, Anspruch auf unser Mitleid, bald empöre uns ihre Herzlosigkeit. Der Weltgeistliche habe zwar eine Geschichte und damit ein gewisses Profil: in ländlichem Frieden tritt der Versucher an ihn heran und lehrt ihn fordern, wonach ihn bisher nie verlangt hat; Glück und Ruhe sind dahin; und um sein besseres Selbst zu vergessen, stachelt er sich zu Freveln auf, vor denen sogar sein Meister zurückschreckt. Derselbe Geistliche aber spreche dann wieder Worte hoher Weisheit; ja er erhebe sich auf die Stufe der reinsten Goetheschen Humanität.

Diese Beobachtungen sind richtig; und sicher wäre es falsch, die Widersprüche mit feinen psychologischen Künsten, die jederzeit zur Verfügung stehen, beiseiteschaffen zu wollen. Richtig ist auch, daß hier eine Grenze von Goethes Genius sichtbar wird. Mit welcher Lust hätte Schillers Einbildungskraft sich dieses Betrügers bemächtigt! Dennoch kann und darf es nach den Stilgesetzen der «Natürlichen Tochter» nicht anders sein, als es ist. Wir haben vorausgesetzt, das Personenverzeichnis einer Tragödie müsse lauter Charaktergestalten umfassen. Auf solche kommt es hier aber – von Eugenie abgesehen – so wenig an wie auf die politischen Fronten. Die Heldin allein ist mit Namen genannt. Sonst begnügt sich Goethe mit den Bezeichnungen: König, Herzog, Gerichtsrat... Das wird in der Regel aus einer allzu klassischen Neigung zum Typus erklärt, aus einer Scheu vor dem Individuellen und zeitgenössischen Bezügen. Es ist tatsächlich nicht einzusehen, wie etwas der König heißen könnte, wenn jedermann gleich an Frankreich denkt und Ludwig XVI. doch, in seinem persönlichen Dasein, nicht gemeint ist. Das Fehlen der Namen ist aber noch tiefer im Sinn der Trilogie begründet. Der Name hebt den Menschen als eigenständiges, unverwechselbares Wesen aus seiner Umgebung heraus. Und eben dieses Verhängnis waltet über politisch erregten Zeiten, daß es hier nicht mehr möglich ist, ein eigenständiger Mensch zu sein.

Der König, im ersten Aufzug, blickt ergriffen in die arkadische Landschaft:

«Hier sollen Gatten aneinander wandeln,
Ihr Stufenglück in wohlgeratnen Kindern
Entzückt betrachten; hier ein Freund dem Freunde,
Verschloßnen Busen traulich öffnend, nahn.»

Aber die Sehnsucht nach den ewigen Naturgestalten des Menschenlebens zu stillen, ist ihm nicht vergönnt. Noch klingt das Weltgetöse nach, und der König wird wieder den Menschen verzehren. Der Herzog hütet in seiner Tochter den Traum eines menschenwürdigen Daseins. Umsonst! Sie wird ihm entrissen; die idyllische Stätte, die seine Liebe gebaut hat, überwächst die Wildnis. Die Menschlichkeit der Hofmeisterin versinkt vor unseren Augen in dem Strudel von Leidenschaft und Schuld, aus dem sich ihr Geliebter, der Sekretär, längst nicht mehr zu retten vermag. Andere Dichter hätten gerade hier die Sonde angesetzt und das Geflecht von Gut und Böse, das Rätselhaft-Unheimliche der Seele des Menschen bloßgelegt; und darin hätten sich für sie die Individuen differenziert. Für Goethe verschwindet der Mensch in der unpersönlichen Finsternis des Verbrechens; und er verschwindet ebenso in den Abstraktionen der Öffentlichkeit, in seinem Amt, in seiner Stellung, im Staat, der nirgends und überall ist: die Gestalt erlischt in der Funktion. Und nur das Grauen vor solchem Erlöschen, vor dem Triumph des Namenlosen, wird in der Dichtung noch vernehmlich, so wie dem Griechen vor der Nacht und vor den Rändern der Erde graut.

Die Verse der «Natürlichen Tochter» wollen darum auf weite Strecken anders gelesen sein als die der «Iphigenie» und des «Tasso». Wo Seelisches noch lebt, da bricht es oft in erschütternden Klagen hervor und ist die Sprache wie früher Ausdruck des Inneren der Gestalt, die spricht. Was kann sie aber leisten, wo die Seele verscherzt ist, wo das Herz in seiner Einsamkeit verstummt? In dem Zwiegespräch zwischen der Hofmeisterin und Eugenie im zweiten Aufzug fällt das bedeutungsschwere Wort:

«Der Schein, was ist er, dem das Wesen fehlt?
Das Wesen, wär es, wenn es nicht erschiene?»

Die beiden Zeilen erleuchten die tiefsten Zusammenhänge des Goetheschen Denkens[18]. Wir nehmen sie hier in einem begrenzten, für die «Natürliche Tochter» aber besonders aufschlußreichen Sinn. Wo sich der Mensch verflüchtigt hat, da muß die Sprache sich als Schein erweisen, dem das Wesen fehlt. So ist es in den Lügenreden des Geistlichen und des Sekretärs, so in dem unfruchtbaren, durch keine Tat bewährten Wohlwollen des Gouverneurs und der Äbtissin. So ist es aber auch in dem vollendeten höfischen Zeremoniell, das uns im ersten Akt begegnet. Wir glauben uns an den «Tasso» erinnern zu dürfen; aber wir täuschen uns. Was gefällt und was sich ziemt, Gesetz und Neigung sind am Hof Alfonsos von Ferrara eins, und wer die Einheit nicht

[18] Vgl. E. Staiger, Die Zeit als Einbildungskraft des Dichters, 2.Aufl., Zürich 1953, S. 122.

bestätigt, scheidet aus der Gesellschaft aus. In der «Natürlichen Tochter» gibt es eine solche Welt nicht mehr. Die Huldigung des Herzogs, formvollendet, kommt nicht aus dem Herzen; der König schenkt ihr keinen Glauben. Seiner eigenen Haltung, die nach außen makellos sein mag, gebricht es an echter Autorität. Der Spätling spielt noch, seiner Pflicht bewußt, die Würde und die Macht, auf die er selbst nicht mehr vertraut. Schein ist das alles, wesenlos.

Doch allzu lange hält es Goethe nicht im Wesenlosen aus. Wenn seine Menschen in dem Schicksal ihrer Zeit befangen sind, so spricht er über sie hinweg, im eigenen Namen aus ihrem Mund, was auszusprechen eines überlegenen Geists Bedürfnis ist. Das Recht, das er sich damit nimmt, ist ungewöhnlich, stört jedoch den stetigen Gang des Geschehens nicht. Es fügt sich ein in eine Art der Darstellung, die allgemein in diesem Drama vorherrscht und den Stil des späteren Schaffens anbahnt. Wir holen etwas weiter aus.

In den «Annalen» schildert Goethe, wie er «unter allen Tumulten» des Jahres 1802 «den Liebling Eugenien im Stillen hegte»:

«Da mir das Ganze vollkommen gegenwärtig war, so arbeitete ich am Einzelnen, wie ich ging und stand; daher denn auch die große Ausführlichkeit zu erklären ist, indem ich mich auf den jedesmaligen einzelnen Punkt konzentrierte, der unmittelbar in die Anschauung treten sollte.»

Goethe spricht von Anschauung. Die Ausführlichkeit des Einzelnen ist aber mehr der Besinnung gewidmet. Der König fragt den Herzog, ob er heimlich in niederen Kreisen Liebe und Vaterglück gefunden habe. Der Herzog erwidert mit der Sentenz:

«Das Große wie das Niedre nötigt uns,
Geheimnisvoll zu handeln und zu wirken,»

um dann erst eigentlich zu berichten:

«Nur allzuhoch stand jene heimlich mir
Durch wundersam Geschick verbundne Frau.»

Ebenso Eugenie. Der Vater sucht sie von übertriebenem Reiten zurückzuhalten; bereits die Warnung ist beinahe wieder ein Spruch:

«Und locket Übung des Gefährlichen
Nicht die Gefahr an uns heran?»

Erst recht die Antwort der Tochter:

«Das Glück
Und nicht die Sorge bändigt die Gefahr.»

Das geht – auch in idealisierendem Stil – schon über die Möglichkeiten der «sehr jung supponierten[19]» Heldin hinaus. Man darf nicht fragen, wie das Mädchen, das über ein solches Wissen verfügt, uns kurz darauf wieder mit «kindlicher», ja «kindischer Naivität[19]» bezaubert. Der Gouverneur verbreitet sich mit einer der Stunde unangemessenen Gründlichkeit über die Last, die verstoßene Kinder für ihre Beschützer bedeuten. Der Gerichtsrat spricht erschöpfend über das Leiden der Frau in einem von männlichen Launen beherrschten Haus, nur um zu beweisen, daß ein Gatte auch im Guten mächtig sei. Es läßt sich kaum bestreiten, daß an solchen Stellen die Essenz einer langen Erfahrung, abgeklärte Weisheit eines alternden Mannes über die augenblicklichen Anforderungen des Dialogs hinausschwillt, während Sentenzen der «Iphigenie» oder des «Tasso» immer noch an die Person des Sprechers gebunden sind.

Das fällt uns am meisten in den Reden der Intriganten auf, in deren Gemüter einzudringen Goethe durchaus widerstrebt. Sie sprechen nicht nur reifer und allgemeiner verbindlich, sondern oft auch edler, als sie nach unseren psychologischen Maßen sprechen dürften:

«Gar manchen Schatz bewahrt von Jugend auf
Ein edles, gutes Herz und bildet ihn
Nur immer schöner, liebenswürdiger aus
Zur holden Gottheit des geheimen Tempels.»

[19] An Marianne von Eybenberg, 4. April 1803.

380

Diese Goetheschen Verse vernehmen wir aus dem Munde des Sekretärs. Auch die Fortsetzung wäre dem Wortlaut nach in der menschlichsten Sphäre noch möglich:

> «Doch wenn das Mächtige, das uns regiert,
> Ein großes Opfer heischt, wir bringens doch,
> Mit blutendem Gefühl, der Not zuletzt.
> Zwei Welten sind es, meine Liebe, die,
> Gewaltsam sich bekämpfend, uns bedrängen.»

Erst wenn wir bedenken, was hier gemeint, was dieses «Mächtige» wirklich ist, entdecken wir, wie hinter weißem Schleier, die frevelhafte Gesinnung. Sie tritt auch in der folgenden Rede nur in der letzten Zeile zutage:

> «Wer wagt, ein Herrschendes zu leugnen, das
> Sich vorbehält, den Ausgang unsrer Taten
> Nach seinem einzgen Willen zu bestimmen?
> Doch wer hat sich zu seinem hohen Rat
> Gesellen dürfen? Wer Gesetz und Regel,
> Wonach es ordnend spricht, erkennen mögen?
> Verstand empfingen wir, uns mündig selbst
> Im irdschen Element zurechtzufinden,
> Und was uns nützt, ist unser höchstes Recht.»

Wir sind verwirrt; dann besinnen wir uns, geben nach und sehen ein, daß auch in dieser Tragödie keine Nachlässigkeit oder Willkür waltet, sondern ein andres, in seiner Art gewiß nicht minder strenges Gesetz, das ungefähr so zu fassen wäre: Oft ist es nicht wichtig, *wer* etwas sagt; *was* gesagt wird ist bedeutsam. Was von der höchsten Warte aus jeweils erwogen werden soll, das kommt zur Sprache; und die Sprache bedient sich einer der Gestalten, die gerade verfügbar sind. Ein kühnes, aber mögliches, ja wahrhaft königliches Verfahren! Denn wenn es zwar zutrifft, daß wir die Menschen von Fleisch und Bein auf weite Strecken des Dramas aus den Augen verlieren, so werden wir reichlich entschädigt durch die erhabene Melodie, zu der die tragische Handlung sich verklärt. Jedes Ereignis, jede, auch die geringste Wendung des Geschehens rührt an die schlummernden Harfensaiten von Goethes Gemüt und setzt das gewaltige Instrument mit seiner Fülle von Tönen in Schwingung. Was kümmert uns der Anlaß noch, wenn eine solche Musik erklingt? Gerade damit bewahrt der Dichter hier sich selbst, daß sein Gedanke, sein Gefühl die Wirklichkeit, die so beängstigend ist, überströmt.

Nun nehmen wir auch nicht mehr Anstoß an dem umstrittenen dritten Akt. Eugenie ist verschwunden. Dem Herzog täuscht man vor, sie sei verunglückt. Dem ersten Augenblick des Entsetzens wohnen die Zuschauer aber nicht bei. Goethe hat es von jeher gern vermieden, sich und uns einem jäh bestürzenden Vorfall auszusetzen. Erst wenn die allmähliche Aneignung des Ungeheueren schon begonnen hat, ergreift er wieder das Wort. Das ist schon so in «Wilhelm Meisters Lehrjahren» und in «Alexis und Dora[20]» und muß noch mehr der Fall sein hier, wo das Bedenken und Sinnen so ganz das zu Bedenkende überwiegt. Auch die Entführung sehen wir nicht und nicht den verzweifelten und vergeblichen Auftritt Eugeniens vor der Menge zwischen dem vierten und fünften Aufzug. Solche spektakuläre Szenen, die Wonne geborener Bühnendichter, blieben in Goethes Händen Stoff.

Die Botschaft ist also schon eingetroffen; den Herzog hat ein tiefer Schlaf den ersten zerrüttenden Leiden entrückt. In Totenstille beginnt der Akt. Weltgeistlicher und Sekretär betreten das prächtige Vorzimmer und verabreden ihr satanisches Spiel. Es ist der Auftritt, der uns den tiefsten Einblick in die Dämonie der politischen Hintergründe gewährt. Der Sekretär, an den Frevel gewöhnt, zu allen Konsequenzen entschlossen, nun aber von seinem Schüler bedrängt, der Sitz und Stimme im Rate derer, die Fürchterliches beschließen, begehrt: der Wille zur Macht enthüllt sein Antlitz und wendet sich gegen seine Propheten, noch ehe die ersten Ziele erreicht sind. Unterdessen erwacht der Herzog; der Geistliche zieht sich einstweilen zurück. Der zweite Auftritt enthält noch nichts, was einer Rechtfertigung bedürfte. Der Unglückselige verflucht das Licht, das Bleibende, Gebildete, und

[20] Siehe S. 229.

ruft die Elemente auf, damit sie das Werk der Zerstörung vollbringen und das verwüstete Bild der Erde zu seiner verwüsteten Seele stimme. Der Sekretär spricht wenig; seine Zwischenreden, die geheuchelten Anteil zu verraten scheinen, geben jeweils nur das Stichwort für eine neue Flut von Klagen.

Das ändert sich im vierten Auftritt. Der Weltgeistliche beginnt, sein Lügengewebe auszubreiten. Bald aber haben wir den Eindruck, daß er aus der Rolle falle. In seine Reden mischen sich immer häufiger teilnahmsvolle Worte; und in der zweiten Hälfte scheint ein anderer Mensch vor uns zu stehen. Er fordert den Herzog auf, sein Leid dem allgemeinen Wohl zu opfern. Er öffnet ihm den Weg in das geborgene Reich der Innerlichkeit. Und auf die Frage, wer getrenntes Leben wieder vereinige, erklingt wie eine Stimme aus unvergänglichen Himmeln sein Ruf: «Der Geist!»

Niemand kommt hier durch, der auf folgerichtiger Charakterzeichnung beharrt. Versteifen wir uns aber nicht! Folgen wir dem Zug des Herzens! Das Schicksal des verstörten Vaters, der seine Tochter und mit ihr die Blume des Lebens verloren hat, ist so gewaltig und erschütternd, daß es, koste es, was es wolle, auf höchster Ebene zu Ende gedacht und ausgelitten werden muß. Ein Intrigant ist unbrauchbar als Partner; ein anderer ist nicht da und könnte nur künstlich herbeigeschafft werden. So wird die Heilkraft unbedenklich dem Weltgeistlichen anvertraut. Der handlungsmäßige Dialog blüht auf zu einem Zwiegespräch, das Goethe mit sich selber führt. Damit verliert die Szene nichts. Im Gegenteil! Nur so genügt sie unserer Gefühlsbereitschaft und gewinnt das Pathos, dessen wir bedürfen, freie Bahn. In einem Seelenlabyrinth vom Abgrund der Verzweiflung bis zum Gipfel ewiger Gewißheit drängt die Sprache unaufhaltsam weiter und verzehrt in ihrer Glut jedwede andere Rücksicht. Wir sollen nicht einmal bedenken, daß sogar der letzte Trost, die Unvergänglichkeit der Jugend Eugeniens im Bewußtsein des Herzogs, der Schutz des Todes, Täuschung ist und daß die Totgeglaubte jetzt erst alle Grausamkeit und Unbill des Lebens am eigenen Leibe erfährt. Die Klage um entschwundene Schönheit, das Grauen vor den Elementen, die das Götterbild zerstören, die Stockung kräftiger

Werdelust, der Übergang von lebendigem Wandel in das Todes-reich der Dauer, des abgeklärten, reinen Wesens, das kein Zufall mehr gefährdet, die Wonne des innerlichen Besitzes, des Einzig-Gewissen im Drang der Zeit: das ists, was unser Herz bewegt und jeden anderen Gedanken ausschließt.

Modernen dramaturgischen Begriffen entspricht das freilich nicht, wohl aber dem Brauch der attischen Tragiker, die nicht zögern, Unstimmigkeiten auf niederer Stufe in Kauf zu nehmen, wenn es gilt, die Leidenschaften und die Gedankentiefe einer großen Szene auszuschöpfen [21]. Zugegeben sei, daß es die Griechen darin leichter hatten. Die Fülle, die Gesetzlichkeit der Charaktere lag vor ihren Augen nicht so offen da, wie wir sie wahrzunehmen meinen. Goethe mußte vergessen, was für Aischylos noch dunkel war. Doch das Vergessen wurde begünstigt durch die allgemeine Neigung dieser schmerzensreichen Jahre, von der Mannigfaltig-keit des irdischen Lebens abzusehen, des widerwärtigen, weil es sich als unheilbar verstockt erwies, des angemessenen, weil er seiner nur noch in Andeutungen bedurfte, um sich längst er-kannter Sinnzusammenhänge zu versichern. Etwas Abstraktes und Spielerisches kennzeichnet den Stil des Jahrhundertbeginns. In der Lyrik werden wir vor allem die spielerischen Züge be-merken; in der Tragödie waltet das Abstrakte vor – so dürfen wir sagen, sofern wir uns hüten, bei dem Begriff an Nüchtern-heit und Kälte zu denken. Der dritte Aufzug ist abstrakt in seiner Gleichgültigkeit gegenüber der handlungsmäßigen Reali-tät, abstrakt aber eben deshalb, weil das Letzte, der innerliche Bereich, mit einer ungeheueren Anstrengung verteidigt werden muß.

Dieselbe Anstrengung bezeugt die Sprache des einzigartigen Werks. ‚Marmorkalt' und ‚marmorglatt' hat man die Verse zu nennen gewagt, was kaum etwas anderes heißen kann, als daß hier eine klassizistische Harmonie im Leeren schwebe. Ein fal-scheres Urteil gibt es nicht. Schon die betonte Symmetrie im Aufbau einiger Dialoge, die ausgedehnten Stichomythien und wohlbemessenen Kadenzen behaupten die Ordnung nur deshalb

[21] Vgl. Ernst Howald, Die griechische Tragödie, München und Berlin 1930.

so deutlich, weil sie der Gang der Handlung gefährdet. Und um so geistiger werden die Menschen und Dinge in reine Bezüge verwebt und aufbewahrt in ihrer Bedeutung, je roher sich das Wirkliche vordrängt.

«Das flüchtge Ziel» – so beginnt das Gedicht. Gemeint ist der gejagte Hirsch. Der Körperlichkeit, die früher so wichtig gewesen wäre, wird nicht gedacht. Das Tier besteht nur noch in seiner Beziehung auf die verfolgenden Jäger, in seiner Bedeutung im Rahmen der Jagd. Schon das erste Wort verrät demnach das Übergewicht des Geistes, der aufgerufen ist, sich seiner beziehenden, deutenden Kraft zu versichern. «Der Welt gedrängte Posse», «doppelte zentaurische Gewalt», «bedeutender Gebärde dringend Streben», dann, von Eugenie gesagt: «das schön entworfne Bild», was auf die Kunst des höchsten Schöpfers weist, «der Stirne schöner Raum», «aus meiner Enge reingezognem Kreis» – wir sehen die Erscheinung kaum mehr. Allgemeines, das in ihr enthalten ist, das sie durchwaltet, wird dem inneren Auge sichtbar, geometrische Figuren, ein Gefüge von Bewegung, ein Zusammenspiel von Kräften. Das Platonische in Goethe tritt nirgends so deutlich hervor wie hier.

Aufgehoben wird das Gegenständliche zugunsten seiner Auswirkung im Ganzen, seines Sinns auch in den substantivierten Partizipien und Adjektiven, die jedem Leser gleich auffallen: «Das Mächtige, das uns regiert», «Entscheidung hoffst du dir vom Waltenden», «das in der Mittelhöhe des Lebens wiederkehrend Schwebende», «Wer wagt, ein Herrschendes zu leugnen». «Mittelhöhe» ist zugleich ein Beispiel des Bestrebens, die Bedeutung sprachlich zu verdichten. «Sehnsuchtswert» schließt sich an, «frohe Bundestage» für die Tage froh verbundener Menschen, «Rätselschlinge», «Todesblatt», «Wonnedank», «Prachtgenüsse». Da wir höchsten Sinn auf engstem Raume aufzufassen haben, müssen wir sehr langsam lesen. Wer wäre sonst imstande, jene Stufenfolgen zu würdigen, die Goethe so behutsam anlegt?

«Die Wenigen, geschaffen, dieser Menge
Durch Wirken, Bilden, Herrschen vorzustehen.»

Das «Wirken» steigert sich allmählich zu immer fühlbarerer Intensität.

«Und was wir unserm Vater, König, Gott
Von Wonnedank, von ungemeßner Liebe
Zum reinsten Opfer bringen möchten...»

«Erholung, Trost und Lebenslust gewähren.»

Die Gefahr besteht, daß uns der Blankvers, dieses flüchtige Gebilde, allzu rasch dahinträgt. Goethe beugt ihr vor durch Alliterationen, Responsionen und ungewöhnliche Wortstellung:

«Laß dieser Lüfte liebliches Geweb
Uns leis umstricken, daß an Sturm und Streben
Der Jagdlust auch der Ruhe Lust sich füge.»

«Was sie gewann, wer will es ihr entreißen?
Was sie verlor, wer gibt es ihr zurück?»

«Doch dieser Wille, diese Kraft, auf ewig,
Was sie vermögen, dir gehört es an.»

Lauschen wir dazwischen zur «Iphigenie auf Tauris» und zum «Tasso» zurück, so werden wir nicht überhören, wie nun das Tempo herabgesetzt und jede einzelne Zeile beschwert ist. Iphigenie, im dritten Aufzug, spricht:

«Wie man den König an dem Übermaß
Der Gaben kennt – denn ihm muß wenig scheinen,
Was Tausenden schon Reichtum ist – so kennt
Man euch, ihr Götter, an gesparten, lang
Und weise zubereiteten Geschenken.
Denn ihr allein wißt, was uns frommen kann,
Und schaut der Zukunft ausgedehntes Reich,
Wenn jedes Abends Stern- und Nebelhülle
Die Aussicht uns verdeckt. Gelassen hört
Ihr unser Flehn, das um Beschleunigung
Euch kindisch bittet; aber eure Hand
Bricht unreif nie die goldnen Himmelsfrüchte...»

Schon diese Verse strömen eine wunderbare Ruhe aus. Doch wie viel ruhevoller noch ist etwa die folgende Rede des Mönchs im fünften Akt der «Natürlichen Tochter»:

«Jawohl! Das ewig Wirkende bewegt,
Uns unbegreiflich, dieses oder jenes
Als wie von ohngefähr zu unserm Wohl,
Zum Rate, zur Entscheidung, zum Vollbringen,
Und wie getragen werden wir ans Ziel.
Dies zu empfinden, ist das höchste Glück,
Es nicht zu fordern, ist bescheidne Pflicht,
Es zu erwarten, schöner Trost im Leiden.»

Wie hier die Stufen der Erfahrung des Göttlichen unterschieden sind! Wenn wir mit uns zu Rate gehen, sichtet es unser verworrenes Denken; in der Entscheidung, die wir endlich fällen, erkennen wir seine Gnade; im Vollbringen dessen, was wir entschieden haben, steht es uns bei. Ebenso behutsam werden Fordern und Erwarten und Empfinden auseinandergebreitet. Wie Gott und Mensch verbunden sind und was dem Menschen ziemt vor Gott, kein Dichter hat es jemals wohl mit milderer Bestimmtheit in so wenigen stillen Worten ausgesprochen.

Trotz aller Vorsicht aber, allen rhythmischen Verzögerungen drängt sich oft die Frage auf, ob Goethe den klassischen Vers des Dramas hier nicht über Gebühr beansprucht. In der «Pandora», doch auch schon während der Arbeit an der «Natürlichen Tochter» in kleineren Spielen und dramatischen Entwürfen, geht er zum Trimeter über, der länger und mit der regelmäßigen Hebung am Ende schärfer begrenzt ist und so den Leser von vornherein zu einer bedächtigeren Haltung zwingt. Auch in der metrischen Krise deutet sich also der große Zusammenhang an, den wir herauszuarbeiten versuchen. Von Haus aus nähert der Blankvers sich mehr dem Tempo der natürlichen Rede. Die künstliche Dehnung, die Goethe den Ersatz durch den Trimeter nahelegt, ist die hörbare Störung des Gleichgewichts der sinnlich-geistigen Existenz, hörbares Überschwellen des Sinns, der mächtig arbeitenden Innerlichkeit.

In dieser Welt nun spielt sich ab und dargestellt mit solchen Mitteln wird das Geschick Eugeniens, der natürlichen Tochter, vom Augenblick ihres ersten Erscheinens vor dem König bis zu der Vermählung mit dem Gerichtsrat. Die Fabel verleugnet die Herkunft aus einer phantastischen Lebensbeschreibung nicht. Sie ist romanhaft und zerfällt in einige große Episoden. Nur diese sind jeweils zu strengen dramatischen Fugen zusammengeschlossen: die Jagd im ersten Akt, der von der Eröffnung des Geheimnisses um Eugenie über den Schrecken des Sturzes zu ihrem Erwachen und zur Beruhigung in erhöhtem Zustand vordringt; der zweite, der die Kontrapunktik von Gefahr und Jugendmut bis hart an die Schwelle des Unglücks durchführt; der dritte, der wieder einen besonderen großen pathetischen Bogen schlägt; die beiden letzten, in denen der Horizont sich stufenweise verfinstert, bis aus der tiefsten Nacht der Verzweiflung ein neues Lebenslicht aufglänzt. Wenn aber so die Teile eine größere Selbständigkeit behaupten, als wir es sonst im Drama gewohnt sind, so bildet sich doch für das Auge des Geistes eine einzige Anschauung. Vielleicht umschreiben wir sie am besten, wenn wir uns abermals auf die beiden bereits erwähnten Verse besinnen:

«Der Schein, was ist er, dem das Wesen fehlt?
Das Wesen, wär es, wenn es nicht erschiene?»

Die erste Zeile fanden wir in der politischen Öffentlichkeit bewährt, in dem höfischen Zeremoniell, der Welt, in der das Menschliche sich verflüchtigt. Die zweite nehmen wir als Hinweis auf das Geschick der natürlichen Tochter. Ihre Geburt ist in Dunkel gehüllt. Das Kind entfaltet sich im Verborgenen, von der Sorge des Vaters und von wenigen Eingeweihten behütet:

«Wie in dunklen Grüften,
Das Märchen sagts, Karfunkelsteine leuchten,
Mit herrlich mildem Schein der öden Nacht
Geheimnisvolle Schauer hold beleben,
So ward auch mir ein Wundergut beschert...»

Man flüstert sich zwar am Hof seit einiger Zeit die verheimlichte Abkunft zu. Noch ist sie aber nicht anerkannt. Und ein nicht anerkanntes Dasein, ist es eigentlich, was es ist? An diesem Punkt betreten wir die unausweichliche tragische Bahn. Von jeher ist Goethe davon durchdrungen, daß der Mensch nur wahrhaft lebt, sofern er sich im Menschen spiegelt, andre bestimmt und von andern bestimmt wird, sofern im Wechselspiel des Gebens und Nehmens eine Welt entsteht. Die adlige Schönheit Eugeniens bedarf des Widerscheins, um ganz zu erblühen, der Neigung und Liebe des huldigenden Kreises, um sich zu fühlen in ihrem Wert, der Gnade des Königs, um sich in seinem Dienst zu verschwenden. Was ist der Vogel ohne die Luft, die seine Schwingen kräuselt, oder das Reh, das nicht der Wald umrauscht?

«Das Wesen, wär es, wenn es nicht erschiene?»

Doch das Erscheinen in einer Welt wie der gegenwärtigen bringt Gefahr, Gefahr des Selbstverlustes, wenn sich Eugenie ihren Gesetzen fügt, des Untergangs, wenn sie sich treu bleibt. Der Sturz vom Pferd im ersten Akt nimmt das Ereignis, dem die Tragödie gewidmet ist, symbolisch voraus. Der Herzog hat sich zu seiner Tochter bekannt, ihr Bild vor dem König entworfen. Wir harren des beglückenden Anblicks. Da wird sie «für tot» hereingetragen, als hätte der erste Versuch, sie in die Wirklichkeit zu rücken, genügt, um sie für immer auszulöschen. Doch alsbald richtet sie sich auf. Im Kleinen wiederholt sich die Folge des Verschwindens und Wiedererscheinens: sie breitet ein Tuch vor ihr Gesicht; sie nimmt es weg: «Da bin ich wieder!» So wird ihr kurzes Leben verlaufen bis zum Verschwinden im wahren Tod.

Auch der Herzog überhört die stumme Sprache des Vorgangs nicht:

«Und nun auf einmal, wie der jähe Sturz
Dir vorbedeutet, bist du in den Kreis
Der Sorgen, der Gefahr herabgestürzt.»

Des Zeichens achtend, entschließt er sich, mit größter Vorsicht zu verfahren. Schon vorher hat der König bis zur Feier seines Geburtstags, an dem Eugenie zum ersten Mal hervortreten soll, Verschwiegenheit gefordert:

«Geheimnis nur verbürget unsre Taten;
Ein Vorsatz, mitgeteilt, ist nicht mehr dein;
Der Zufall spielt mit deinem Willen schon. »

Die Verse könnten im «Wallenstein» stehen; und nicht zufällig fühlen wir uns an Schillers zögernden Feldherrn erinnert,
die «Fremde des Lebens» und «Angst des Irdischen», die sein
Denken und Handeln umwölkt. Goethe hat diese Fremde schon
früher gespürt, im «Götz», im «Mahomet», im «Egmont», in
den Jahren, in denen er sich mit dem Plan der «Geheimnisse»
trug. Doch nach der italienischen Reise büßte sie ihre Bedeutung
ein. Wohl wußte sich der Heimgekehrte mehr denn je von ihr
umgeben. Sein Schaffen berührte sie aber kaum. Der Dichter und
Forscher war ausgerichtet auf die Aneignung des Kosmos und
verstummte oder versagte, wenn die Erfahrung ihm widersprach.
Die erste Zeit der Freundschaft mit Schiller stärkte seine Zuversicht und ermutigte ihn, das Reich der Bildung im Menschenwesen und in der Natur gegen alle Widersacher zu schützen.

Nun, da das Blatt sich wendet und die Liebe doch noch immer
der lebendig-reichen Schöne gilt, da wieder ins Bewußtsein tritt,
was in den hochgemuten Jahren sich nur am Ende behauptet hat,
da Goethe mit Ernst die Frage prüft, wie seine Welt sich zu der
anderen, widerwärtigen verhalte, und, körperlich geschwächt
und reizbar, die Gebrechlichkeit des einzig Lebenswerten tiefer
fühlt, nun wacht der Sinn für Hut und Schonung, für das Geheimnis wieder auf, begleitet jeden Schritt, bestimmt die dichterische Phantasie und gibt der Sprache einen neuen Klang. Er
sieht sogar sein Werk, die Trilogie, demselben Schicksal unterworfen wie Eugenien. Es bleibt Fragment, erstickt im Werden,
weil er es gewagt hat, das Geheimnis vor der Zeit zu lüften.

«Ich hatte den großen unverzeihlichen Fehler begangen, mit
dem ersten Teil hervorzutreten, eh' das Ganze vollendet war. Ich
nenne den Fehler unverzeihlich, weil er gegen meinen alten ge-
prüften Aberglauben begangen wurde, einen Aberglauben, der
sich indes wohl ganz vernünftig erklären läßt.

Einen sehr tiefen Sinn hat jener Wahn, daß man, um einen
Schatz wirklich zu heben und zu ergreifen, stillschweigend ver-

fahren müsse, kein Wort sprechen dürfe, wie viel Schreckliches und Ergötzendes auch von allen Seiten erscheinen möge. Ebenso bedeutsam ist das Märchen, man müsse, bei wunderhafter Wagefahrt nach einem kostbaren Talisman, in entlegensten Bergwildnissen, unaufhaltsam vorschreiten, sich ja nicht umsehen, wenn auf schroffem Pfade fürchterlich drohende oder lieblich lockende Stimmen ganz nahe hinter uns vernommen werden.

Indessen wars geschehen, und die geliebten Szenen der Folge besuchten mich nur manchmal wie unstäte Geister, die wiederkehrend flehentlich nach Erlösung seufzen[22]. »

Wir finden nicht, daß sich der Aberglaube schon früher bestätigt habe. Auch mit dem «Faust» war Goethe vor der Zeit hervorgetreten, und über «Wilhelm Meister», «Hermann und Dorothea» und viele andere Werke hatte er seine Freunde vor dem Abschluß harmlos unterrichtet. Erst die «Natürliche Tochter» gebot die Scheu vor dem Geheimnis wieder, die Dichtung, deren Fabel selbst auf einem verletzten Geheimnis beruht.

Denn während sich der Herzog noch in sorgenvollen Reden ergeht, beschäftigt das Gemüt Eugeniens schon die Wonne des Erscheinens, als mädchenhafte Lust an «ausgesuchter Pracht», «vollkommnem Schmuck»; und wenn sie gleich dem Vater schwört, daß sie die Neugier zähmen werde, wir sehen doch voraus, daß hier das Schicksal seine Schlinge legt und daß die jugendliche Natur die leichte Prüfung nicht besteht.

Der zweite Akt bestätigt die Erwartung, aber so wie wir es nicht vorausgesehen haben und wie es nach dem Schulbegriff des Dramas unverständlich ist. «Zimmer Eugeniens, im gotischen Stil.» Der Zusatz fällt uns auf. Es sei nur rasch an die Worte erinnert, die Goethe 1799 schrieb:

«Wer fühlte wohl je in einem barbarischen Gebäude, in den düstern Gängen einer gotischen Kirche, eines Schlosses jener Zeit, sein Gemüt zu einer freien tätigen Heiterkeit gestimmt[23]. »

Das Zimmer wäre danach ein Raum, der Unheil fördert, indem er ein düsteres Sinnen begünstigt oder unverwüstliche Freude zu Widerspruch und übereiltem Handeln drängt.

[22] Tag- und Jahreshefte 1803.
[23] XIII, 320.

Die Hofmeisterin und der Sekretär besprechen, was geschehen wird. Alles ist bereits festgelegt. Eugenie soll totgesagt werden und auf den verpesteten Inseln verschwinden, aber sterben, wenn sich die Hofmeisterin dem verruchten Plan widersetzt. Die Bedrohte hat also keine Wahl, und von ihrem Verhalten hängt nichts ab. Auch wenn sie die Neugier besiegen und den verschlossenen Schrein nicht öffnen würde, es hülfe ihr nichts; ihr Schicksal, das längst beschlossen ist, nähme doch seinen Lauf. Goethe hat aber noch mehr getan, um unsere gewohnten Vorstellungen von Schuld und Sühne abzuweisen. Die Hofmeisterin gesteht Eugenien, daß sie weiß, was der Kasten verbirgt. So scheint es, wenigstens ihr gegenüber, sinnlos, das Versprechen zu halten:

> «Und wenn du's weißt, was soll ich dirs verbergen?
> Soll ich die Neugier, dies Geschenk zu sehn,
> Vor dir umsonst bezähmen! – Hab ich doch
> Den Schlüssel hier! – Der Vater zwar verbots.
> Doch was verbot er? Das Geheimnis nicht
> Unzeitig zu entdecken; doch dir ist
> Es schon entdeckt. Du kannst nicht mehr erfahren,
> Als du schon weißt, und schweigst nun, mir zuliebe.»

Das ist darauf angelegt, die moralische Schuld Eugeniens möglichst zu mildern. Sie selbst versucht im vierten Aufzug, ihren Fehler abzuschätzen:

> «Auf jenen Gipfeln schwebt' ich voll Entzücken,
> Der Freuden Übermaß verwirrte mich.
> Das nahe Glück berührt' ich schon im Geist,
> Ein köstlich Pfand lag schon in meinen Händen.
> Nur wenig Ruhe! wenige Geduld!
> Und alles war, so darf ich glauben, mein.
> Doch übereilt' ichs, überließ mich rasch
> Zudringlicher Versuchung. – War es das? –
> Ich sah, ich sprach, was mir zu sehn, zu sprechen
> Verboten war. Wird ein so leicht Vergehn
> So hart bestraft? Ein läßlich scheinendes,
> Scherzhafter Probe gleichendes Verbot,

Verdammts den Übertreter ohne Schonung?
Oh, so ists wahr, was uns der Völker Sagen
Unglaublichs überliefern! Jenes Apfels
Leichtsinnig augenblicklicher Genuß
Hat aller Welt unendlich Weh verschuldet.
So ward auch mir ein Schlüssel anvertraut:
Verbotne Schätze wagt ich aufzuschließen,
Und aufgeschlossen hab ich mir das Grab.»

«War es das?» Eugenie erinnert an den Verlust des Paradieses, das Mißverhältnis zwischen Adams und Evas Schuld und dem Weh der Welt, das Urereignis, das den Menschen aus der Mitte der Dinge rückt, seiner klassisch-humanen Würde beraubt und unbekannten Händen preisgibt.

Aber Eugenie täuscht sich – so glauben wir sagen zu müssen – wenn sie meint, ein wenig Geduld und Ruhe hätten genügt, das Schicksal abzuwenden. Es lag nicht mehr in ihrer Hand.

Sagen wir das im Sinne des Dichters? Goethe deutet hier etwas an, was klar zu Tage liegt und dennoch dunkel bleibt für menschliches Denken, ein «offenbares Geheimnis» also nach seinem eigenen Rätselwort. Er hatte dafür ein großes Vorbild, den «Agamemnon» des Aischylos, dessen Spuren wir um die Jahrhundertwende so oft begegnen wie denen Homers. Klytaimestra breitet vor dem Gatten den Purpurteppich aus. Er scheut sich, ihn zu betreten; solche Ehre ziemt allein den Göttern. Sie drängt; da gibt er schließlich nach; er setzt den Fuß auf den schimmernden Prunk, schreitet ins Haus, und das Mordbeil fällt. Er wäre ihm auch nicht entronnen, wenn er den Frevel vermieden hätte. So glauben wir abermals sagen zu müssen. Doch solche Klügeleien sind machtlos. Die Folge von Frevel, sei's auch noch so ungewolltem, und Untergang behauptet sich in der Einbildungskraft mit unausweichlicher Evidenz. Ähnlich müssen wir uns im zweiten Aufzug der «Natürlichen Tochter» einer höheren Ahnung fügen. Der Kasten wird hereingetragen. Verhängnisvoll steht er im Grunde des Zimmers. Ihn aufzuschließen ist gefährlich, auch ohne Warnung und Verbot. Verbot und Warnung können nur auf eine bemessene Frist verhindern, was stets und überall Gefahr bringt, was auch in diesem Augenblick die feindlichen Mächte bereits erregt: das Aufglänzen des Reizenden, das Erscheinen des ausgezeichneten Wesens. Eugenie, die den Schlüssel dreht und die inneren Spiegel nach außen wendet, spielt ahnungslos mit dem Verderben, das selbst ein apotropäischer Ritus schwerlich aufzuhalten vermöchte. Nun quillt es hervor in Gold und Farben, «der Perlen sanftes Licht, auch der Juwelen leuchtende Gewalt», die Schärpe, die «bedeutend schmückt», das «Ordensband der Fürstentöchter». Der Glanz überwältigt uns, zumal im Rahmen dieses hochgeistigen Werks, wo sonst der «Silberstift» die Dinge und Menschen mit äußerster Vorsicht umreißt. Doch eben weil wir an Vorsicht gewöhnt und von ihrer Notwendigkeit überzeugt sind, erschauern wir auch vor dem blendenden Schein. Er ist Eugenien angemessen; er ziemt dem edlen Blut. Doch in der Welt, in der sie lebt, in der «Fremde», ist das ihr Angemessene tödlich. Da verstummen wir denn; wir sehen voraus, was kommen muß, was eine solche Prachtentfaltung magisch anzieht. Ein faßlicher Zusammenhang von Schuld und Sühne brächte bei weitem keine so tiefe Wirkung hervor wie das Gesetz der unterirdischen Gottheit, das sich hier erfüllt.

Der Vorhang fällt. Eugenie begegnet uns erst im vierten Aufzug wieder, elend, «in einen Schleier gehüllt», den Blicken der Öffentlichkeit entzogen wie nach dem Sturz vom Pferd und in den Tagen ihrer ersten Kindheit. Das grausame Spiel mit dem «Blatt» beginnt, dem Dokument, das offenbar vom König unterzeichnet ist und der Hofmeisterin Vollmacht verleiht. Über der Frage nach dem Inhalt, den wir nie genau erfahren, der Echtheit und nach den Motiven des Königs hat man auch hier das Nächste, Augenscheinliche aus dem Blick verloren. Dreimal ereignet sich dasselbe. Der Gerichtsrat, der Gouverneur, die Äbtissin, sie alle sind ergriffen von der Schönheit der Verstoßenen und überzeugt von ihrer Unschuld. Erschrocken treten sie aber zurück, sobald sie des Blatts ansichtig werden. Darin erschöpft sich, was in diesem Zusammenhang bedeutsam ist. Das Blatt ist ein «Symbol» der Politik, Symbol wie jenes Flämmchen in Giulio Romanos «Verleugnung Petri», das den flackernden Holzstoß im Hof des Hohenpriesters «lakonisch vorstellt», «ins Enge gezogen zu künst-

394

lerischem Zweck»: «Es ist die Sache, ohne die Sache zu sein, und doch die Sache; ein im geistigen Spiegel zusammengezogenes Bild, und doch mit dem Gegenstand identisch[24].»

Niemand würde es wagen, sogar der König und der Graf nicht, Eugenie ins Antlitz eines Verbrechens zu zeihen. Vor ihrer leuchtenden Jugendunschuld müßte das Wort auf der Zunge ersterben. Doch wenn sie fern ist, allein in einem Zimmer, vor einem weißen Papier, verfügt ein Fürst, der sich bedroht fühlt, ohne zu zaudern das Schreckliche, dessen Folgen er nicht mit Augen sieht. Und ist das Urteil unterschrieben, so finden sich alle, die es vollstrecken, jene sogar, die es veranlaßt haben, kaum daran beteiligt. Die klare Handlung – dieser Mensch stürzt jenen Menschen ins Unglück – löst sich auf in ein anonymes Geschehen, das nur noch für den Unglückseligen selber Wirklichkeit besitzt.

Der scheinbar so harmlose Satz, der, von dem Manne ausgesprochen, der an die hunderttausend Seiten geschrieben hat, fast wie ein Scherz klingt: Schreiben sei ein Mißbrauch der Sprache, gewinnt einen ungeheuren Sinn. Denn nur die Schrift erlaubt uns, aus dem Wechselspiel des Lebens, dem Vergehen und Werden auszutreten und unserer augenblicklichen Meinung starre Geltung zu verleihen. Ein mündlich überliefertes Wort verändert sich in Raum und Zeit mehr als das schriftlich festgebannte. Wer wiederholt dieselbe Weigerung unerbittlich angesichts des Nächsten, der sich ständig wandelt? Sogar die Hofmeisterin, die nicht nach eigenem Willen vorgeht, die ein Zwang verängstigt, ist kaum imstande, ihren Auftrag durchzuführen. Sie spricht das Entsetzliche auch nicht aus. Sie weist nur auf das stumme Blatt, in dessen «Hand und Siegel» der König da ist, ohne da zu sein. Wer würde ihr auf Hörensagen Glauben schenken, wer nicht eher den reinen Zügen Eugeniens trauen, der «Stirne schönem Raum», dem Meisterwerk aus Gottes Künstlerhand? Und wäre das Papier gefälscht – wogegen freilich alles spricht – so träte nur ein neues Verhängnis des geschriebenen Worts zutage: die Möglichkeit, das Zeichen zu brauchen, wo das Bezeichnete nicht besteht. Einem lebendig gegenwärtigen Menschen gelingt das nicht so leicht. Doch das Geschriebene ist losgelöst von dem, der es geschrieben

---

[24] XIII, 868 in dem Aufsatz «Kunstgegenstände».

hat. Wer könnte gar in Aktenstücken echt und unecht unterscheiden, in diesen konventionellen Formeln, die schon im Augenblick der Niederschrift allen eigenen Klanges bar sind, die nicht einmal der Gebietende selbst nach eigenem Ermessen wählt und aufsetzt? Mit solchen Dokumenten aber, die keines Menschen Sprache sprechen, wird die moderne Welt regiert; und aussichtslos ist jeder Versuch, die Köstlichkeit und Würde des Geschöpfs dagegen zu behaupten.

Wir nähern uns dem Höhepunkt. Eugenie, abgewiesen von den Vertretern des weltlichen und des geistlichen Standes, vor der angebotenen Ehe schaudernd als vor einer Entwürdigung, spricht den Monolog, der Goethe selbst, bei einer Leseprobe, aus der Fassung brachte. Als die Schauspielerin die Verse sprach:

> «Und wenn ich dann vom Unbill dieser Welt
> Nichts mehr zu fürchten habe, spült zuletzt
> Mein bleichendes Gebein dem Ufer zu,
> Daß eine fromme Seele mir das Grab
> Auf heimschem Boden wohlgesinnt bereite»,

überwältigte ihn die Rührung; mit Tränen im Auge bat er sie, innezuhalten. Die zarte Menschlichkeit antiker Grabepigramme leuchtet hier inmitten der Nacht der Neuzeit auf, das Meer, die Gebeine, der Hirt oder Wandrer, der still den letzten Dienst verrichtet. Doch nur der Toten scheint eine solche schlichte Treue vergönnt zu sein. Eugenie ist entschlossen zu sterben:

> «So sei's! Ich gehe! Doch mich soll das Schiff
> In seines Kerkers Räume nicht verschlingen.
> Das letzte Brett, das mich hinüberführt,
> Soll meiner Freiheit erste Stufe werden.
> Empfangt mich dann, ihr Wellen, faßt mich auf,
> Und fest umschlingend senket mich hinab
> In eures tiefen Friedens Grabesschoß.»

Wieder hören wir den Geist des gewaltigen Freundes herübersprechen: Die Heldin ist dort angelangt, wo Schiller seine

Triumphe feiert und dem in der Welt befangenen Geschlecht
das unverlierbar-höchste Gut, die ewige Freiheit präsentiert. Nun
aber scheiden sich die Wege. Eugenie schreitet vor: «Wohlan
denn!» Doch der Fuß gehorcht ihr nicht. Was für Schiller unvereinbar wäre mit Größe, hält sie zurück:

«Unselge Liebe zum unwürdgen Leben!»

Wie könnte blühende Jugend aus dem Kreis der Lebendigen
scheiden wollen? Eugeniens Umkehr, weit entfernt, uns zu sitt-
lichem Tadel zu nötigen, läßt die tiefste Flut der Liebe und des
Erbarmens unseren Herzen entströmen. Wir heben fast die Hände
auf, um das preisgegebene Kleinod zu schützen. Und dies ist nun
ein Augenblick, in dem nur das Gebet noch hilft. Die irdischen
Mittel sind erschöpft, die letzte menschliche Kraft vertan. Wie
Ottilie in den «Wahlverwandtschaften», wie Iphigenie auf Tauris
in der äußersten Bedrängnis erwartet Eugenie einen heiligen
Wink. Eine Pause tritt ein. Sie sieht vor sich hin. Sie hebt die
Augen auf und erblickt den Mönch, der lautlos, wir wissen nicht
woher, herangetreten ist, als hätte er sich aus Luft verdichtet.
Die himmlische Stille des Vorgangs, den wohl keine Bühne darzustellen vermag, ist über alle Begriffe. Doch glauben wir nicht,
daß Goethe nun den Menschen in einem überirdischen Walten
auszulöschen gedenke! Wohl weht die Gnade fühlbar wie ein
leiser Hauch vom Gestade des Meeres über Eugenie und den
Mönch und soll auch uns umwittern als ein unerfindliches Ereignis. Was ist die Gnade aber, wenn sie nicht in unserer Seele
lebt?

«Läg nicht in uns des Gottes eigne Kraft,
Wie könnt uns Göttliches entzücken?»

Eugeniens «schmerzliches Vertrauen», der Trost, den die Nähe
des Mönchs gewährt, ist ein Geschenk des Himmels und zugleich
das Erwachen einer ihr selber bisher unbekannten Begabung. Mit
größter Behutsamkeit hat Goethe das Wunder menschlich auf-
gehellt. Eugenie bittet um ein Orakel, wie Goethes Mutter, wenn
sie mit gläubiger Nadel in die Bibel stach. Der Mönch weist die

Versuchung ab. Darauf erzählt sie ihm in allgemeinen Zügen ihre Geschichte. Er kann das Allgemeine nur mit allgemeinem Rat erwidern:

> «Bist du zur Wahl genötigt unter zwei
> Verhaßten Übeln, fasse sie ins Auge
> Und wähle, was dir noch den meisten Raum
> Zu heilgem Tun und Wirken übrig läßt,
> Was deinen Geist am wenigsten begrenzt,
> Am wenigsten die frommen Taten fesselt.»

Rät er ihr zur Ehe? Rät er ihr, auf die verseuchten Inseln zu gehen? Er vermeidet es, klarer zu sprechen. Eugenie entgegnet aber:

> «Die Ehe, merk ich, rätst du mir nicht an»,

und damit gibt erst sie dem Rat des Mönchs eine feste Gestalt. Wenn *sie* die Ehe nicht als Raum zu heiligem Tun und Wirken auffaßt, kann er ihren Bund nicht segnen. So hat er schon eine erste Entscheidung aus ihr selber hervorgerufen und fährt nun überzeugter fort. Er schildert ihr die neue hilfsbedürftige Heimat, aus eigener Erfahrung, und schildert in einem apokalyptischen Bild die grauenvollere Zukunft, die das Vaterland bedroht:

> «Du aber fliehe, die ein guter Geist
> Verbannend segnete. Leb wohl und eile!»

Dies wäre bei Calderon, in der deutschen Romantik das letzte unwidersprechliche Wort aus dem Munde des heiligen Mannes, und alles geschähe, wie er es verkündet. Bei Goethe aber folgt Eugeniens zweiter großer Monolog:

> «Und solche Sorge nähm ich mit hinüber?
> Entzöge mich gemeinsamer Gefahr?
> Entflöhe der Gelegenheit, mich kühn
> Der hohen Ahnen würdig zu beweisen,
> Und jeden, der mich ungerecht verletzt,

In böser Stunde hilfreich zu beschämen?
Nun bist du, Boden meines Vaterlands,
Mir erst ein Heiligtum, nun fühl ich erst
Den dringenden Beruf, mich anzuklammern.
Ich lasse dich nicht los, und welches Band
Mich dir erhalten kann, es ist nun heilig.»

Sie entschließt sich zur Ehe mit dem Gerichtsrat. Auch die zweite, gültige Entscheidung fällt sie also selbst, in offenem Widerspruch sogar zu dem, was ihr empfohlen ist. Und dennoch wäre sie dessen ohne die Hilfe des Mönchs nicht fähig gewesen. So unauflöslich sind Ich und Du und Mensch und Gott ineinander verwebt.

Als Bruder soll der Gerichtsrat Eugenien mit reiner Neigung empfangen, um ihr,

«Der liebevollen Schwester, Schutz und Rat
Und stille Lebensfreude zu gewähren.»

Innigere Verbindung verheißt nur ein «vielleicht» für künftige Tage. Die Lösung des Konflikts ist heikel und erfordert den zartesten Takt. Fast unmöglich scheint es schon, Eugenien die Ehe nur nahezulegen. Der Gerichtsrat umschreibt sie in Form eines Rätsels.

«Errätst du's nicht, so liegt es fern von dir.»

Ähnlich wie der Mönch versucht er, sie selbst ihr Bestes finden zu lassen. Es mißlingt; sie errät es nicht. Da spricht er das Wort aus. Sie steht überrascht. Nun darf sie ihrerseits den schmalen Grat des Richtigen nicht verfehlen, nicht annehmen, der Gerichtsrat sei es, der ihr seine Hand anbietet. Er wieder muß auch den Schein vermeiden, daß er eigensüchtig spreche:

«Der Männer Schar ist groß in dieser Stadt.»

Doch eben damit wird die Peinlichkeit des Vorschlags erst recht fühlbar. Das schwierige Gespräch bewegt sich langsam zu dem Gipfel hinauf, den eine Stichomythie erreicht:

«*Eugenie:*   In leere Träume denkst du mich zu wiegen.
Gerichtsrat: Du bist gerettet, wenn du glauben kannst.
Eugenie: So zeige mir des Retters treues Bild.
Gerichtsrat: Ich zeig ihn dir, er bietet seine Hand!
Eugenie: Du! welch ein Leichtsinn überraschte dich?
Gerichtsrat: Entschieden bleibt auf ewig mein Gefühl.
Eugenie: Der Augenblick, vermag er solche Wunder?
Gerichtsrat: Das Wunder ist des Augenblicks Geschöpf.
Eugenie: Und Irrtum auch der Übereilung Sohn.
Gerichtsrat: Ein Mann, der dich gesehen, irrt nicht mehr.
Eugenie: Erfahrung bleibt des Lebens Meisterin.
Gerichtsrat: Verwirren kann sie, doch das Herz entscheidet.»

Die Kunst, das Augenblickliche unmittelbar zur letzten Bedeutung abzuklären, beglückt uns abermals in scheinbar nicht zu
entwirrender Lage. Wir sind aber lange noch nicht am Ziel. In
Bühnendichtungen muß eine innere Folge zusammengezogen
werden. Dramatiker nehmen sich gern dies Recht, und unbewußt
räumt man es ihnen ein. Doch Goethe bringt es nicht über sich,
den Entschluß in Eugenie reifen zu lassen, ohne daß einmal der
Vorhang fällt und unbemessene Zeit vergeht. Nachgerechnet mag
es wenig mehr als eine Stunde sein. Aber das kommt nicht in
Betracht. Es ist dunkel geworden und wieder hell. Dazwischen
sind alle Verwandlungen möglich. Eugenie hat zu der Menge gesprochen, ohne Erfolg. Der Gouverneur und die Äbtissin weisen sie
ab. Der Mönch erscheint. Und jetzt, im achten Auftritt erst, reift
der Rat zur Entscheidung, und das Vollbringen beendet das Stück.

Im Rahmen des Ganzen besagt der Schluß: Eugenie verschwindet aus der Welt, noch ehe sie völlig erschienen ist. Sie
kehrt in die Enge zurück, in einen umschlossenen, abgelegenen
Raum, zum reinen Wachstum der Natur.

Dem Schema der Fortsetzung gemäß[25] dringt dann auch hier
das Übel ein. Der Gerichtsrat ist revolutionär gesinnt. Eugenie

[25] G. Kettner, a.a.O., S. 140ff., gibt die überzeugendste Deutung des
Schemas. Es ist vor allem zu beachten, daß die Skizzen zur Fortsetzung
erst zwei, noch nicht drei Stücke voraussetzen, also bis zum Ende der
Handlung reichen dürften.

erfährt es mit Entsetzen. «Partei und Liebe» streiten in ihm. Sie faßt den Entschluß, in die Hauptstadt zu gehen. Dort findet sie den Vater wieder. Doch diesmal wird *er ihr* entrissen. Eine Begegnung mit dem bereits gefangenen König findet statt, in dem gotischen Zimmer, das wir kennen. Das wieder hervorgeholte Sonett beweist ihre königstreue Gesinnung, liefert sie aber zugleich den Häschern der revolutionären Gewalten aus. Die meisten der bisher genannten Gestalten begegnen uns im Gefängnis wieder: der Graf, der Gouverneur, die Äbtissin, der Weltgeistliche, der Mönch, die Hofmeisterin und der Sekretär. Das Todesurteil wird verkündet. Der Gerichtsrat versucht, Eugenie als seine Gattin loszubitten. Sie weigert sich, das geforderte politische Bekenntnis abzulegen. Eine «begeisterte Rede des Mönchs» scheint ihre Treue zu feiern und die fernere Zukunft zu enthüllen. Der Gerichtsrat, der Handwerker und der Soldat, die sich schon auf Eugeniens Landgut zu einer Besprechung zusammengefunden haben, erhalten als die Vertreter der neuen politischen Ordnung das letzte Wort.

Man sucht in diesen knappen Andeutungen nach Gründen für Goethes Verzicht. Der «Platz in der Hauptstadt» mit den Volksszenen hätte wohl Schwierigkeiten bereitet. Erregte Massen aufzunehmen, war der stilistische Rahmen der «Natürlichen Tochter» nicht eingerichtet. Doch davon abgesehen – wer wäre imstande, sich fünfzehn Akte in so gewichtiger Sprache vorzustellen? Goethe meinte zwar, die Tragödie werde sich auf dem Theater erhalten[26]. Und wenn wir ermessen, welche Bedeutung hier dem Erscheinen und Verschwinden, dem Zeremoniell, der Gebärde, dem Schmuck, dem weithin sichtbaren Glanz zukommt, so geben wir gerne zu, daß in mancher Hinsicht die Anforderungen der Bühne besser berücksichtigt sind als in der «Iphigenie auf Tauris» und im «Tasso[27]». Aber das wird doch wieder mehr als aufgewogen durch die gesteigerte Innerlichkeit der Diktion, das unbeirrbare stetige Sinnen, das jeden Vorgang in die tiefe Stille des einsamen Geistes zurücknimmt. Und wäre das Stück zu Ende gediehen, so hätte es sich noch klarer gezeigt, daß die Erfindung

[26] An Marianne von Eybenberg, 4. April 1803.
[27] Vgl. Verena Bänninger, Goethes Natürliche Tochter, Zürich 1956.

im Grunde nicht dramatisch, sondern romanhaft ist. Goethe erklärt, er habe versucht, «das weibliche, in die Welt aufblickende Wesen von kindlicher, ja kindischer Naivität an bis zum Heroismus durch hunderterlei Motive hin und wieder zu führen[28]». Ähnlich entwickelt sich Hermann, der Knabe und Jüngling, vor unseren Augen zum Mann. Was aber das Epos gerade noch zuläßt, das hätte das Drama in eine endlose Folge von großen Momenten zerlegt. Und wäre viel Neues zu sagen gewesen? Der Weg, den Eugenie vom ersten Aufzug bis zur Begegnung mit dem Mönch zurücklegt, scheint für ein ganzes menschliches Leben lang und steil genug. Sie hätte nur auf der Höhe weiterwandern und in wechselnden Lagen ihr zur schönsten Blüte entfaltetes Wesen aufs neue beweisen können.

So klagen wir nicht zu sehr darüber, daß die Trilogie Fragment blieb. Was Goethe für den Stoff einnahm, was zu gestalten um die Jahrhundertwende sein dringendes Anliegen war: das Schicksal des wohlgeratenen, adligen, für die höchsten Stufen bestimmten Menschen in einer politischen Welt, in der Fremde des Lebens unserer Zeit, das liegt vollendet vor uns da, ein Zeugnis kaum erträglicher Leiden und dennoch ungebrochener Kraft.

[28] An Marianne von Eybenberg, 4. April 1803.

FARBENLEHRE

Den dritten Band der Akademie-Ausgabe von Goethes naturwissenschaftlichen Schriften, der die Vorarbeiten zur «Farbenlehre» enthält, eröffnet unter dem Titel «Antizipation» ein
Abschnitt aus dem Brief an Friederike Oeser vom 13. Februar
1769:

«O, meine Freundin, das Licht ist die Wahrheit, doch die
Sonne ist nicht die Wahrheit, von der doch das Licht quillt. Die
Nacht ist Unwahrheit. Und was ist Schönheit? Sie ist nicht Licht
und nicht Nacht. Dämmerung; eine Geburt von Wahrheit und
Unwahrheit. Ein Mittelding. In ihrem Reiche liegt ein Scheide-
weg so zweideutig, so schielend, ein Herkules unter den Philosophen könnte sich vergreifen[1].»

Die Farben werden noch nicht erwähnt, wohl aber der Gegensatz Licht und Nacht und die vermittelnde Dämmerung, das auf-
gehellte Dunkel, die getrübte Helle, die als Schönheit Unwahrheit
und Wahrheit ausgleicht. Seine «Lieblingsmaterie» nennt der
junge Goethe diesen Gedanken. Er ist von allgemeiner Bedeutung
und bereitet ebenso die Nebel- und Schleiersymbole der Lyrik
wie die ästhetischen Schriften oder die sittlichen Überzeugungen
vor, die das Thema «Grenzen der Menschheit» umfaßt. Wir sehen,
wie er sich stets verändert, oft bis zur Unkenntlichkeit verhüllt
und wieder in neuer Gestalt erscheint. Ganz unverkennbar tritt
er dann aber in den chromatischen Schriften hervor und vollendet
sich in der «Farbenlehre», die, nach manchen Verzögerungen,
1810 veröffentlicht wurde. Wir haben demnach anzuerkennen,
daß diese viel umstrittene Schrift in den alchemistischen Forschungen gründet, denen sich Goethe nach der Rückkehr von
Leipzig hingab; und Spuren dieses Ursprungs verleugnet sie
keineswegs[2]. Böhmes Lehre von Gottes Spiegel, die Aurea Catena
mit ihrem Parallelismus von Mensch und Natur, die Steigerung
bis hinauf zum Purpur, der wie der Stein der Weisen dem höch-

---

[1] Goethe, Die Schriften zur Naturwissenschaft, erste Abt., 3. Bd., hg.
von R. Matthaei, Weimar 1951, vor S. 1.
[2] Vgl. Ronald D. Gray, Goethe the Alchemist, Cambridge 1952,
S. 101 ff.

sten Wunsch genügt, das Farbenhexagramm, das an die Form des Davidsterns und an Salomons Siegel erinnert: es ist verlockend und lohnend, diese geheimen Beziehungen zu verfolgen und wahrzunehmen, wie Goethe sogar in einem naturwissenschaftlichen Werk den Geist der Frühe heraufbeschwört und kein höheres Glück kennt, als auch hier die entschwundene Jugend wieder zu finden. Darüber vergesse man aber nicht, daß der «Entwurf einer Farbenlehre» denn doch kein alchemistisches Buch ist, sondern auf exakter, wenngleich nicht physikalischer Forschung beruht und über jeden Schritt genaue methodische Rechenschaft ablegt. Auch hier bemerken wir also jenen Prozeß der Säkularisation, den wir im «Faust», in der Morphologie, in der lyrischen Sprache beobachtet haben[3]. Zonen des Geheimnisvollen, an denen die Denker und Dichter der Aufklärung mit Verachtung vorübergingen, werden erforscht, erhellt und einem erweiterten Kosmos eingegliedert.

Doch in der Farbenlehre hat Goethe mit größeren Schwierigkeiten zu kämpfen als in der Botanik und Osteologie. Newtons Lehre steht ihm im Weg, die bei den Physikern hochangesehene, kaum widersprochene Theorie von der Zerteilung des Lichts in Farben, mit der er nichts anzufangen weiß, die ihn verärgert, ja empört. So hören wir vor der italienischen Reise noch nichts von optischen Studien. In Rom beunruhigt ihn die Frage nach den Gesetzen des Kolorits: Die großen Meister, deren Kompositionen er zu begreifen glaubt, scheinen mit den Farben nach einem heiteren Ungefähr umzugehen. Ein künstlerisches Interesse verbindet sich also mit dem symbolischen, das in den Farben ein Urgesetz des Kosmos bestätigt zu finden hofft. Um 1790 meint Goethe plötzlich, Newtons Fehler entdeckt zu haben. 1791 erscheinen die beiden ersten «Beiträge zur Optik». Goethe spricht hier noch behutsam, höflich, aber mit einer geradezu rührenden Zutraulichkeit, und erwartet, daß man ihm Glauben schenken und Newtons Lehre ad acta legen werde. Er irrte sich. Die Physiker erklärten entschieden, einer neuen Farbentheorie bedürfe es nicht. Die beschriebenen Phänomene seien auch nach der alten Lehre verständlich. Damals befestigte sich in Goethe die bittere

[3] Vgl. S. 320.

Überzeugung, daß die «Gilde» unbelehrbar sei und daß ein Gelehrter lieber den Worten des Meisters als seinen Sinnen vertraue. Newton wurde aus einem Forscher, der sich zufällig einmal geirrt hat, zu einem ungeheuren Popanz und mußte sich des Selbstbetrugs und der Unredlichkeit bezichtigen lassen. In der zweiten Hälfte der neunziger Jahre, im Hochgefühl der ersten Freundschaft mit Schiller, redet Goethe siegesgewisser und denkt, mit Newton wie mit den Xenien-Gegnern fertig zu werden. Das neue Jahrhundert aber, das so unheilvoll beginnt, verleiht auch den wissenschaftlichen Sorgen eine neue beängstigende Gewalt. Goethe scheint geradezu krankhaft dem Bedürfnis nachzugeben, sich in der Farbenlehre seiner traurigen Einsamkeit zu versichern. Das Werk, an dem er zwei Jahrzehnte gearbeitet hat, gehört doch vor allem in die Zeit der «Natürlichen Tochter» und der Jahre, die ihr folgen. Newtons Lehre ist «unmenschlich», ein Mal der öden Gegenwart. Und andrerseits entsprechen die Farben der körperlosen Geistigkeit, die in der Sprache des Revolutionsdramas so rein zutage tritt. So dürfte es sich empfehlen, hier das heikle Kapitel einzuschieben.

Wir beginnen mit der Beobachtung, nach der sich Goethe für berechtigt hielt, gegen Newton vorzugehen. Hofrat Büttner hatte ihm einen Satz Prismen geliehen und verlangte sein Eigentum eines Tages zurück:

«Schon hatte ich den Kasten hervorgenommen, um ihn dem Boten zu übergeben, als mir einfiel, ich wolle doch noch geschwind durch ein Prisma sehen, was ich seit meiner frühsten Jugend nicht getan hatte. Ich erinnerte mich wohl, daß alles bunt erschien, auf welche Weise jedoch, war mir nicht mehr gegenwärtig. Eben befand ich mich in einem völlig geweißten Zimmer; ich erwartete, als ich das Prisma vor die Augen nahm, eingedenk der Newtonischen Theorie, die ganze weiße Wand nach verschiedenen Stufen gefärbt, das von da ins Auge zurückkehrende Licht in so viel farbige Lichter zersplittert zu sehen.

Aber wie verwundert war ich, als die durchs Prisma angeschaute weiße Wand nach wie vor weiß blieb, daß nur da, wo ein Dunkles dran stieß, sich eine mehr oder weniger entschiedene Farbe zeigte, daß zuletzt die Fensterstäbe am allerlebhaftesten farbig erschienen, indessen am lichtgrauen Himmel draußen keine Spur von Färbung zu sehen war. Es bedurfte keiner langen Überlegung, so erkannte ich, daß eine Grenze notwendig sei, um Farben hervorzubringen, und ich sprach wie durch einen Instinkt sogleich vor mich laut aus, daß die Newtonische Lehre falsch sei[4].»

In diesem Augenblick war in der Tat die Goethesche Farbenlehre geboren und die Polemik gegen Newton im Wesentlichen schon festgelegt. Newton lehrte, daß alle Farben im weißen Licht enthalten seien; die Refraktion im Prisma teile das Licht in die einzelnen Farben auf; jede Farbe des Spektrums sei demnach durch den Brechungswinkel bestimmt. Diese Erklärung entspricht durchaus dem Geist einer Gruppe von Physikern, die die Natur berechnen will und als wissenschaftlich nur gelten läßt, was mathematisch formuliert ist. Goethe dagegen machte zwar seine Reverenz vor der Mathematik; doch alles Berechnen der Natur war seiner Art durchaus zuwider:

«Es geht über alle Begriffe, wie zur Unzeit Newton den Geometer in seiner Optik macht, es ist nicht besser, als wenn man die Erscheinungen in Musik setzen oder in Verse bringen wollte, weil man Kapellmeister oder Dichter ist[5].»

Das heißt: wer eine Erscheinung berechnet und es dabei bewenden läßt, der merzt sie als solche eigentlich aus. Goethe hat wiederholt erklärt, die Farbenlehre Newtons könnte ein Blinder für Blinde geschrieben haben. Denn eben das, worauf es ihm bei aller Naturbetrachtung ankam, eine Begegnung von Ich und Du, ein brüderliches Erkennen des Gleichen, das war bei Newton ausgeschlossen. Das Phänomen verschwand in Zahlen, und das Auge dessen, der die Farbe sieht, blieb außer Betracht. Dabei mußte ihm ähnlich zumute sein wie angesichts der Politik und der anonymen Öffentlichkeit mit ihrem Netz von Institutionen, in denen sich der Mensch verfängt, seiner Würde beraubt und zu einem Spiel von Funktionen erniedrigt wird. Der Vorwurf traf also nicht allein Newton. Er traf die Physik seiner Zeit überhaupt und in der Physik den Geist der Epoche.

[4] XVI, 708 f.
[5] An Schiller, 13. Jan. 1798.

«Daß eine Physik unabhängig von der Mathematik existiere, davon schien man keinen Begriff mehr zu haben[6].»

Wir beachten diesen Satz. Denn so leicht es ist, nachzuweisen, daß Goethe nichts von «Physik» verstand und gegen Newton unrecht hatte, so schwierig ist es, einzusehen, warum er sich so verzweifelt wehrte und was er als höheres Recht bei seinem Kampf in Anspruch nehmen durfte. Wir alle sind überwältigt von dem Erfolg der modernen Naturwissenschaft. Was sie behauptet, finden wir in ungezählten Versuchen bestätigt. Ihre Errungenschaften haben das Antlitz der Erde verändert. Wer darf an ihrer Wahrheit zweifeln?

Was heißt aber Wahrheit? «Wahr» ist alles nur im Licht eines Apriori, einer voraus-gesetzten Welt[7]. Der Physiker, sofern er Gegenspieler Goethes ist, setzt voraus, daß die Natur berechnet werden kann, und die Experimente stimmen ihm zu. Schon die Voraussetzung schränkt jedoch den Geltungsbereich seiner Wahrheit an. Der Physiker wird nie anderes finden – oder auch nie etwas anderes vermissen – als eine berechenbare Natur. Das ist aber nicht die Natur überhaupt. So wenig der Offizier eine Landschaft restlos ergründet, indem er ihre taktische Eignung überprüft, oder der Bauer, wenn er die Frage nach den Bodenerträgnissen stellt, so wenig darf der Physiker meinen, er habe ein Phänomen an sich erfaßt, sobald er es experimentell und mathematisch dargestellt hat. Innerhalb seines Horizonts mag alles bewiesen und richtig sein. Gerade dieser Horizont schließt aber andere ebenso gültige und nachweisbare Aspekte aus. Sein Entdecken ist, wie alles menschliche Wissen, auch ein Verbergen. Seinsweisen der Natur, die der Antike oder dem Mittelalter sichtbar waren, sind in unserer physikalischen Welt verdunkelt.

Goethe fehlte also nicht, indem er neben die mathematische Theorie eine andere stellte. Er kündigte nur dem herrschenden Geist die Gefolgschaft, wie er sie ihm bereits als Dichter aufgekündigt hatte. Ob er seinerseits etwas in anderer Hinsicht Wahres zu sagen habe, das war damit noch nicht ausgemacht.

[6] XVI, 715.
[7] Vgl. M. Heidegger, Vom Wesen der Wahrheit, Frankfurt a.M. 1943.

Ins Unrecht aber setzte er sich, indem er Newton widersprach und ausrief, dessen Lehre sei falsch.

Dazu bewog ihn seine antike Verehrung des Lichts, der göttlichen Sonne. «Alme Sol!» Wir wissen, wie tief ihn diese Horazischen Worte bewegten. Wir kennen das «Vermächtnis des Parsen» aus dem «Westöstlichen Divan» und das Bekenntnis aus seinen letzten Tagen, das Eckermann überliefert:

«Fragt man mich: ob es in meiner Natur sei, ihm (Christus) anbetende Ehrfurcht zu erweisen, so sage ich: durchaus! – Ich beuge mich vor ihm als der göttlichen Offenbarung des höchsten Prinzips der Sittlichkeit. – Fragt man mich, ob es in meiner Natur sei, die Sonne zu verehren, so sage ich abermals: durchaus! Denn sie ist gleichfalls eine Offenbarung des Höchsten, und zwar die mächtigste, die uns Erdenkindern wahrzunehmen vergönnt ist. Ich anbete in ihr das Licht und die zeugende Kraft Gottes, wodurch allein wir leben, weben und sind und die Pflanzen und Tiere mit uns [8].»

Die Sonne war Goethe das Göttlich-Eine jenseits allen endlichen Wandels und irdischer Mannigfaltigkeit. So mußte er die Behauptung, daß die Farben in ihr enthalten seien, als Gotteslästerung empfinden. Von der «beschmutzten Sonne» redet er noch ergrimmt in einem späten Brief an Sulpice Boisserée [9]; und aus den ersten Jahren seiner Gegnerschaft stammen die Epigramme:

«Spaltet immer das Licht! wie öfters strebt ihr zu trennen,
Was euch allen zum Trutz Eins und ein Einziges bleibt.»

«Das ist ein pfäffischer Einfall! denn lange spaltet die Kirche
Ihren Gott sich in drei, wie ihr in sieben das Licht [10].»

Auf wissenschaftlichem Feld war freilich mit solchen Verwünschungen nichts getan. Wenn Goethe leugnete, daß das Farbenspektrum das zergliederte Licht sei, so war er genötigt,

[8] 11. März 1832.
[9] 24. Nov. 1831.
[10] Schriften zur Naturwissenschaft, a.a.O., S. 232 u. S. 228.

das Phänomen auf andere Weise zu erklären. Dazu glaubte er nach dem Blick auf Büttners Prismen imstande zu sein. Wenn wir eine völlig weiße Fläche durch ein Prisma betrachten, so nehmen wir keine Farben wahr. Farben zeigen sich nur an Rändern, beim Übergang von Hell zu Dunkel. Das war auch der Newtonschen Schule bekannt. Sie führte es auf den Umstand zurück, daß sich bei reinem Weiß die durch Brechung entstandenen Farben überdecken und also wieder Weiß ergeben. Goethe dagegen stellte fest: die Refraktion allein genügt noch nicht, um Farben hervorzubringen. Nur wenn hellere Flächen gegen dunklere oder dunklere gegen hellere Flächen verschoben werden, entstehen Farbenphänomene. Die abgebildete Figur (1), durch ein Prisma mit nach unten gerichtetem Brechungswinkel betrachtet, wird uns folgende Farben zeigen: links, beim Übergang von Weiß zu Schwarz, zunächst Blau, dann Violett; rechts, beim Übergang von Schwarz zu Weiß, erst Rot darunter Gelb. Links nämlich wird, nach Goethe, die weiße Fläche über die schwarze verschoben: Schwarz, durch ein helles Mittel gesehen, erscheint uns blau, dunkelblau, bis violett, je klarer das Mittel ist. Rechts dagegen schiebt sich die schwarze Fläche über die weiße hin: Weiß, durch ein trübes Mittel gesehen, erscheint uns gelb; das Gelbe geht bei trüberem Mittel über in Rot. Das volle Farbenspektrum aber bildet sich dann, wenn sich die beiden farbigen Ränder einer schmalen weißen Fläche einander nähern, das Blau zuletzt das Gelb überschneidet und aus der Vereinigung von Blau und Gelb in der Mitte Grün entsteht (§ 214 der Farbenlehre). Versuche mit schmaleren und breiteren Feldern, mit stärker und mit schwächer brechenden Prismen bestätigen die Erklärung (Abb. 2). Daß sie komplizierter ist als Newtons These, darf uns nicht stören. Denn Goethe erwidert, eben dies sei Newtons Mißgriff, daß er ein mannigfaltig bedingtes Phänomen an die Spitze seiner Versuche setze und sich dann genötigt sehe, das Einfache künstlich abzuleiten. Die Natur kennt keine Prismen und kein kleines Loch in der Wand. Sie zeigt uns aber den blauen, auf hohen Bergen zum Violett neigenden Himmel: die Finsternis des Alls, die durch beleuchtete Luft gesehen wird; und sie zeigt uns die Sonne gelb im Zenith und dunkelrot am Horizont als weißen

Körper, den wir durch mehr oder minder dichte Trübe betrachten. Mit diesen allbekannten Erscheinungen hätte Goethe am liebsten begonnen. Der früheste «Beitrag zur Optik» ist nur deshalb dem Farbenspektrum gewidmet, weil Newton zuerst auf seinem eigenen Feld geschlagen werden sollte. Nun da ihn Goethe für besiegt hält, tritt er hervor mit seiner Behauptung, nicht das Licht enthalte die Farben, sondern die Farben entstünden durch eine Mischung von Licht und Finsternis; aus einer Durchdringung von Hell und Dunkel; sie seien ein Schattiges, ein σκιερόν.

Sogleich erkennen wir, wie diese schon in der Antike vorbereitete Lehre in Goethes Welt eingeht. Faust steht geblendet vor der gewaltigen Helle, die der Erdgeist ausstrahlt. Später aber bescheidet er sich in der Erkenntnis, daß den Menschen das Leben im farbigen Abglanz vergönnt ist. Auch den Wanderer in der «Zueignung» blendet der überirdische Glanz; nur die mit Morgenduft verwebte Sonnenklarheit, die Schattenkühle des Schleiers der Dichtung erträgt sein Blick. Die Farben sind das Mittelreich, in dem der Mensch zu wohnen vermag. Reines Licht und reine Finsternis wären ihm gleicherweise verderblich. Aber die Farben entstehen aus einer Vermählung von Licht und Finsternis, aus einem ursprünglichen Gegensatz, wie alles, was hienieden lebt. Erst dann verstehen wir ihren Sinn, wenn wir die Tafel überblicken, auf der sich Goethe die Dualität der Erscheinungen klar zu machen versucht:

> «Wir und die Gegenstände,
> Licht und Finsternis,
> Leib und Seele,
> Zwei Seelen,
> Geist und Materie,
> Gott und die Welt,
> Gedanke und Ausdehnung,
> Ideales und Reales,
> Sinnlichkeit und Vernunft,
> Phantasie und Verstand,
> Sein und Sehnsucht[11]. »

[11] XVII, 707.

Abbildung 1

Abbildung 2

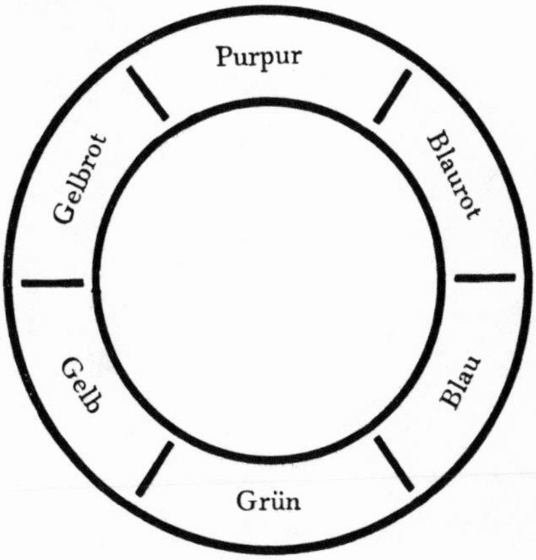

Rot
Gelb
Grün
Blau
Violett

Purpur

Gelrot

Blaurot

Gelb

Blau

Grün

Abbildung 3

Wir und die Gegenstände, Subjektives und Objektives zusammengenommen bilden die Wirklichkeit; aus Realem und Idealem ist alles irdische Schicksal geflochten; Sinnlichkeit und Vernunft durchdringen sich unauflöslich in der Erkenntnis; der Ausgleich der zwei Seelen in unserer Brust ermöglicht das innere Wachstum. Und so durchaus! Das ewige Gleichnis von Zettel und Einschlag, das Goethe so liebte, erfüllt sich in sämtlichen Zonen des Daseins. Und in den Farben tritt es uns unmittelbar als Anschauung entgegen, als Urphänomen, das heißt, als Erscheinung, die selber nicht weiter erklärbar ist, die aber ihrerseits alles erklärt. Wie freudig mußte da Goethe die biblische Kunde vom Regenbogen begrüßen, dem hochgewölbten Zeichen, das die Versöhnung von Himmel und Erde verbürgt! Und wie schmerzlich mußte es ihm wieder sein, daß er gerade dieses schönste Symbol der kosmischen Ordnung mit seiner Lehre nicht zu erklären, daß er nichts Triftiges zu erwidern vermochte, wenn man ihm vorhielt, der Regenbogen bestätige Newton in freier Natur, ohne die «Folterkammer» des verdunkelten Raums und des engen Spalts. Er nennt den Regenbogen den kompliziertesten Fall von Refraktion, «wozu sich noch Reflexion gesellt[12]», und noch wenige Tage vor seinem Tod empfiehlt er Boisserée ein Verfahren, dem Rätsel auf die Spur zu kommen[13]. Doch über die Unzulänglichkeit seines Vorschlags weiß er genau Bescheid:

«Nun aber denken Sie nicht, daß Sie diese Angelegenheit jemals los werden. Wenn sie Ihnen das ganze Leben über zu schaffen macht, müssen Sie sichs gefallen lassen.»

Er selber ließ es sich gefallen, indem er «glaubte, wo andre verzweifeln». Ein solcher Glaube mag uns zunächst als unverantwortliche Haltung befremden. Vielleicht verstehen wir ihn besser, wenn wir noch andre Zusammenhänge der Farbenlehre ausführlicher schildern.

Als die beiden gleichsam ursprünglichen Farben nennt Goethe Gelb und Blau, Gelb, das entsteht, wenn wir das weiße Licht durch zarte Trübe sehen, Blau, das sich bildet, wenn wir die Finsternis durch ein erleuchtetes Mittel erblicken. Gelb steht also

[12] XVI, 834.
[13] XVI, 834 ff.

zunächst am Licht, Blau zunächst an der Finsternis. Werden Gelb und Blau «in reinstem Zustand dergestalt vermischt, daß sie sich völlig das Gleichgewicht halten[14]», so entsteht eine dritte Farbe: Grün. Verdichtet sich die Trübe, durch die wir das weiße Licht wahrnehmen, so finden wir das Gelb gesteigert zu Gelbrot. Wenn andrerseits die Trübe, durch die wir die Finsternis sehen, durchsichtiger wird, so steigert sich das Blau zu Blaurot. Und werden Gelbrot und Blaurot vereinigt, so bildet sich das höchste und reinste Rot, das Goethe «um seiner hohen Würde willen[15]» auch Purpur nennt. In diesen Farben: Gelb, Blau, Grün, Gelbrot, Blaurot, Purpur vollendet sich der Goethesche Farbenkreis (Abb. 3). Die physikalischen Gründe, die für oder gegen ein solches Schema sprechen, haben wir hier nicht zu erörtern. Wohl aber beschäftigt uns der Sinn, den Goethe mit der Figur verbindet. Bedeutsam ist zunächst die durch den Kreis behauptete Totalität. Der Streifen des durch ein Prisma hervorgerufenen Spektrums geht nach beiden Seiten ins Unsichtbare über. Das mochte romantischen Geistern gefallen. Goethe dagegen biegt die beiden Enden des Farbenstreifens zusammen, gewinnt dadurch den Purpur, den er bei Newton nicht gewürdigt findet und auch im Regenbogen nicht antrifft, und freut sich jener Geschlossenheit, die kein Entweichen der Phantasie in unbekannte Zonen gestattet, die uns im Gegenwärtigen festhält, wie jene Bereiche der bildenden Kunst, die ihn am meisten überzeugten. Der Farbenkreis ist ein System, vergleichbar der Kategorientafel Kants, der anthropologischen Ordnung, um die sich Schiller so lange bemühte, Schellings System des Idealismus und andern großen Versuchen der Zeit, das ganze Dasein zu umfassen und im Zusammenhang darzustellen.

Er ist aber kein fixiertes System, sondern, wie Goethe wiederholt betont hat, immerzu im Werden. Farben *sind* nur im Entstehen und Verschwinden, in einem Hin- und Herüberschwanken von Plus und Minus, gegen das Licht und die Finsternis hin. Auch darin zeigt sich eine Verwandtschaft mit den Systemen des Idealismus, zumal mit den Potenzen Schellings.

Der Kreis allein aber hätte Goethes Bedürfnis doch nicht ganz

[14] XVI, 23.
[15] XVI, 189.

414

entsprochen. Wir wissen, wie seine Einbildungskraft die Kreisbewegung der Antike mit der Geraden des Fortschritts, die den
neueren Zeiten gehört, verbindet[16]. Die Felder des Farbenkreises
liegen nicht gleichberechtigt nebeneinander. Grün ist unten,
Purpur oben. Die grüne Farbe, die entsteht, wenn Blau und Gelb
sogleich bei ihrem ersten Erscheinen, auf der ersten Stufe der
Wirkung, vereinigt werden, beruhigt Auge und Gemüt (§ 802).
«Man will nicht weiter und man kann nicht weiter. Deswegen
für Zimmer, in denen man sich immer befindet, die grüne Farbe
zur Tapete meist gewählt wird.» Es ist ein alltägliches, niedriges
Behagen, das uns die grüne Farbe gewährt. Der Plusseite zugeordnet sind die Farben Gelb, Rotgelb, Gelbrot. «Sie stimmen reg-
sam, lebhaft, strebend» (§ 764). Der Minusseite gehören die
Farben Blau, Rotblau, Blaurot an. «Sie stimmen zu einer unruhigen, weichen und sehnenden Empfindung» (§ 777). Plus-
und Minusfarben aber steigern sich beide empor zum Purpur,
dessen gewaltige Pracht und Würde Goethe zu preisen nicht
müde wird:

«Wenn wir beim Gelben und Blauen eine strebende Steigerung
ins Rote gesehen und dabei unsre Gefühle bemerkt haben, so
läßt sich denken, daß nun in der Vereinigung der gesteigerten
Pole eine eigentliche Beruhigung, die wir eine ideale Befriedigung
nennen möchten, stattfinden könne. Und so entsteht bei physischen Phänomenen diese höchste aller Farbenerscheinungen aus
dem Zusammentreten zweier entgegengesetzten Enden, die sich
zu einer Vereinigung nach und nach selbst vorbereitet haben.»
(§ 794)

«Die Wirkung dieser Farbe ist so einzig wie ihre Natur. Sie
gibt einen Eindruck sowohl von Ernst und Würde als von Huld
und Anmut... Von der Eifersucht der Regenten auf den Purpur
erzählt uns die Geschichte manches... Das Purpurglas zeigt eine
wohlerleuchtete Landschaft in furchtbarem Lichte. So müßte der
Farbeton über Erd' und Himmel am Tage des Gerichts ausge-
breitet sein.» (§ 796–98)

Ähnlich schon in der Beschreibung des Blaurot:

«Indem die hohe Geistlichkeit diese unruhige Farbe sich an-

[16] Vgl. S. 517.

geeignet hat, so dürfte man wohl sagen, daß sie auf den unruhigen Staffeln einer immer vordringenden Steigerung unaufhaltsam zu dem Kardinalpurpur hinaufstrebe.» (§ 791)

Der Farbenkreis bedeutet uns demnach Totalität und Steigerung wie auf ganz andere Weise schon der Organismus des Tiers und der Pflanze. Aber auch damit ist sein tiefer symbolischer Sinn noch nicht erschöpft. Unvermerkt sind wir aus der Beschreibung objektiver Befunde ins Gebiet des Subjektiven geraten. Dieses läßt sich von jenem nicht trennen. Denn eben darin besteht ja eines der Hauptargumente gegen Newton, daß er die Farben von aller Beziehung auf den Menschen losgelöst und so betrachtet habe, wie wenn an unserm Sehen gar nichts läge. Für Goethe ist eine nicht gesehene Farbe ein gegenstandsloser Begriff. Unsichtbare Strahlen, wie die Physik sie zuzugeben genötigt ist, erschienen ihm als Unsinn; und schon die Behauptung, daß die Farben im weißen Licht enthalten seien, mußte er, ganz abgesehen von ihrem «gotteslästerlichen» Charakter, als müßiges Spiel mit Worten verdammen. «Wirklich» im Goetheschen Sinne ist nur das Zusammenspiel von Subjekt und Objekt. Dieselbe Aufmerksamkeit wie das Licht, die Trübe und die Finsternis verdient demnach das menschliche Auge. Ja, in der Verärgerung über Newton ist Goethe sogar geneigt, dem Subjektiven ein Vorrecht zuzugestehen. In einer «Älteren Einleitung» zur «Farbenlehre» lesen wir:

«Der Abteilungen sind drei. Die erste enthält diejenigen Farben, welche dem Auge selbst angehören, indem sie schon durch farblose Anregung von außen entspringen und die Gegenwirkung des Auges gegen äußere Eindrücke betätigen. Es sind also solche, die der Person, dem Betrachter eigens angehören, und verdienen daher den ersten Rang; wir nennen sie die physiologischen[17].»

Demgemäß beginnt der erste Abschnitt «Physiologische Farben»:

«Diese Farben, welche wir billig obenan setzen, weil sie dem Subjekt, weil sie dem Auge, teils völlig, teils größtens, zugehören, diese Farben, welche das Fundament der ganzen Lehre machen und uns die chromatische Harmonie, worüber so viel gestritten

[17] Sophien-Ausgabe, II. Abt., 5. Bd., 1, 326.

wird, offenbaren, wurden bisher als außerwesentlich, zufällig, als Täuschung und Gebrechen betrachtet.»

«Wir haben sie physiologische genannt, weil sie dem gesunden Auge angehören, weil wir sie als die notwendigen Bedingungen des Sehens betrachten, auf dessen lebendiges Wechselwirken in sich selbst und nach außen sie hindeuten.»

Es folgen die Untersuchungen, die mit Newton nichts zu schaffen haben, die völlig außerhalb der physikalischen Fragestellung liegen und deshalb auch schon früh als gültige Leistung anerkannt worden sind. Das Auge verhält sich nicht nur passiv. Es setzt der Wirkung von Licht und Finsternis eine eigene Wirkung entgegen und zeigt sich bestrebt, ein Plus durch ein Minus, ein Minus durch ein Plus zu ergänzen.

«Wie dem Auge das Dunkle geboten wird, so fordert es das Helle; es fordert Dunkel, wenn man ihm Hell entgegenbringt, und zeigt eben dadurch seine Lebendigkeit, sein Recht, das Objekt zu fassen, indem es etwas, das dem Objekt entgegengesetzt ist, aus sich selbst hervorbringt.» (§ 38)

Versuche mit weißen Bildern auf schwarzen und schwarzen Bildern auf weißen Flächen, dem Abklingen solcher Bilder im geschlossenen Auge bewähren den Satz.

Gehen wir nun zu den Farben über, so wird der Farbenkreis wieder bedeutsam. Subjektive Farbenerscheinungen sind zum Beispiel die farbigen Schatten:

«Man setze bei der Dämmerung auf ein weißes Papier eine niedrig brennende Kerze; zwischen sie und das abnehmende Tageslicht stelle man einen Bleistift aufrecht, so daß der Schatten, welchen die Kerze wirft, von dem schwachen Tageslicht erhellt, aber nicht aufgehoben werden kann, und der Schatten wird von dem schönsten Blau erscheinen.

Daß dieser Schatten blau sei, bemerkt man alsobald; aber man überzeugt sich nur durch Aufmerksamkeit, daß das weiße Papier als eine rötlich gelbe Fläche wirkt, durch welchen Schein jene blaue Farbe im Auge gefordert wird.» (§ 65f.)

Ebenso lassen sich gelbe Schatten auf bläulich dunklem Grund erzeugen. Andere Erscheinungen schließen sich an, so jene, die Goethe seinerzeit auf dem Harz im Winter beobachtet hat:

«Auf einer Harzreise im Winter stieg ich gegen Abend vom Brocken herunter, die weiten Flächen auf- und abwärts waren beschneit, die Heide von Schnee bedeckt, alle zerstreut stehenden Bäume und vorragenden Klippen, auch alle Baum- und Felsenmassen völlig bereift, die Sonne senkte sich eben gegen die Oderteiche hinunter.

Waren den Tag über, bei dem gelblichen Ton des Schnees, schon leise violette Schatten bemerklich gewesen, so mußte man sie nun für hochblau ansprechen, als ein gesteigertes Gelb von den beleuchteten Teilen widerschien.

Als aber die Sonne sich endlich ihrem Niedergang näherte und ihr durch die stärkeren Dünste höchst gemäßigter Strahl die ganze mich umgebende Welt mit der schönsten Purpurfarbe überzog, da verwandelte sich die Schattenfarbe in ein Grün, das nach seiner Klarheit einem Meergrün, nach seiner Schönheit einem Smaragdgrün verglichen werden konnte. Die Erscheinung ward immer lebhafter, man glaubte sich in einer Feenwelt zu befinden, denn alles hatte sich in die zwei lebhaften und so schön übereinstimmenden Farben gekleidet, bis endlich mit dem Sonnenuntergang die Prachterscheinung sich in eine graue Dämmerung, und nach und nach in eine mond- und sternhelle Nacht verlor. » (§ 75)

Solche Phänomene hatte man bisher als pathologisch betrachtet oder einer färbenden Wirkung der Atmosphäre zugeschrieben. Goethe dagegen erklärt sie so:

«Das Auge verlangt dabei ganz eigentlich Totalität und schließt in sich selbst den Farbenkreis ab. In dem vom Gelben geforderten Violetten liegt das Rote und Blaue; im Orange das Gelbe und Rote, dem das Blaue entspricht; das Grüne vereinigt Blau und Gelb und fordert das Rote, und so in allen Abstufungen der verschiedensten Mischungen. Daß man in diesem Falle genötigt werde, drei Hauptfarben anzunehmen, ist schon früher von den Beobachtern bemerkt worden. » (§ 60)

Die drei Hauptfarben sind Gelb, Blau, Rot. Die Gegenwirkung des Auges läßt sich aus dem Farbenkreis ablesen. Es fordert die Farbe, die auf den Feldern des Kreises gegenüberliegt, und bringt sie aus sich selbst hervor, um sich der Totalität zu erfreuen. Daraus ergibt sich zunächst die praktische Lehre für Maler und Kunstfreunde, nach der sich Goethe in Italien vergeblich umgesehen hat. Das Kolorit der großen Meister genügt dem Verlangen nach Totalität, freilich nicht immer unmittelbar so, daß der vollendete Farbenkreis in ihren Bildern sichtbar würde, sondern in Abwandlungen, die sie gegen Charakterlosigkeit sichern, ähnlich wie der Dichter den Typus durch individuelle Züge belebt. Es ist eine klassische Kunsttheorie, die der Farbenkreis zu begründen erlaubt. Das uns längst vertraute Bekenntnis zu einer restlos befriedigenden Gegenwart vernehmen wir abermals.

Schließlich aber – und damit haben wir seine Symbolik wohl erschöpft – vereinigt der Farbenkreis subjektive und objektive Gesetzlichkeit. Er läßt sich objektiv aus dem Urgegensatz von Gelb und Blau konstruieren und subjektiv aus dem Kontrastbedürfnis des menschlichen Auges gewinnen. Die Farben ordnen sich zum System. Ein System ist auch das Auge. Das heißt: die Gesetze des Gegenstandes sind die des Organs, und umgekehrt. Dahin deuten bereits die fundamentalen Sätze der Einleitung:

«Das Auge hat sein Dasein dem Licht zu danken. Aus gleichgültigen tierischen Hülfsorganen ruft sich das Licht ein Organ hervor, das seinesgleichen werde; und so bildet sich das Auge am Lichte fürs Licht, damit das innere Licht dem äußeren entgegentrete.

Hierbei erinnern wir uns der alten ionischen Schule, welche mit so großer Bedeutsamkeit immer wiederholte: nur von Gleichem werde Gleiches erkannt, wie auch der Worte eines alten Mystikers, die wir in deutschen Reimen folgendermaßen ausdrücken möchten:

> Wär nicht das Auge sonnenhaft,
> Wie könnten wir das Licht erblicken?
> Lebt' nicht in uns des Gottes eigne Kraft,
> Wie könnt' uns Göttliches entzücken?»

Wieder drängt sich die Analogie zu Kants Kritik und zur Philosophie des deutschen Idealismus auf. Auch bei Kant sind die Gesetze der Gegenständlichkeit die des Subjekts. Der Farbenkreis ist, gleich der Kategorientafel, ein System der Erscheinungen *und* des Erkenntnisorgans. So stellt er sich dar als Symbol einer Zeit, die wieder das Ganze wahrzunehmen und denkend zu umfassen wagt, dies Ganze jedoch nur anerkennt, sofern es im Ich begründet und aus dem Geist des Menschen entwickelt ist. Eine immer werdende, sich zum Höchsten steigernde Totalität, in der der Gegensatz des Subjektiven und Objektiven verschwindet: diese nachzuweisen auf einem bestimmten Feld der Erfahrung, das alle möglichen Felder repräsentiert, ist Goethes meist nur angedeutete, aber unverkennbare Absicht.

Um dieser metaphysischen Absicht willen ertrug er Widerspruch schwer und reizte ihn auch das Schweigen, mit dem die «Gilde» seine Bemühungen aufnahm. Es handelte sich für ihn nicht um Meinungsverschiedenheiten in einzelnen Fragen, sondern um eine Welt und um das Verhältnis des Menschen zur ganzen Natur. So wich er keinen Schritt zurück und bot um so eigensinniger Trotz, als er sich sagen durfte, daß er den Physikern in exakter Forschung gewachsen, an methodischer Einsicht aber weit überlegen sei. Niemand, der die Dokumente nachgeprüft hat, zweifelt an Goethes peinlicher Sorgfalt und Geduld. Man kann in der Empirie nicht weiter gehen, als er gegangen ist, nicht ängstlicher jeden Versuch anlegen und durch neue Versuche ergänzen. Und wenn die Schule die magna charta der Wissenschaft einfach übernahm und, ohne sich je zu besinnen, nach dem Buchstaben ihrer Vorschrift verfuhr, so stellte Goethe auch diese in Frage und machte es sich zur Pflicht, die ersten Voraussetzungen zu überprüfen.

Man nimmt zunächst erstaunt zur Kenntnis, daß er, der sich alles Berechnen verbat, gerade die Mathematik als Vorbild wissenschaftlicher Darstellung pries. So heißt es in dem Aufsatz «Der Versuch als Vermittler von Objekt und Subjekt»:

«Ich habe in den zwei ersten Stücken meiner optischen Beiträge eine solche Reihe von Versuchen aufzustellen gesucht, die zunächst aneinander grenzen und sich unmittelbar berühren, ja, wenn man sie alle genau kennt und übersieht, gleichsam nur *einen* Versuch ausmachen, nur *eine* Erfahrung unter den mannigfaltigsten Ansichten darstellen.

Eine solche Erfahrung, die aus mehreren andern besteht, ist offenbar von einer *höhern* Art. Sie stellt die Formel vor, unter welcher unzählige einzelne Rechnungsexempel ausgedrückt werden. Auf solche Erfahrungen der höhern Art loszuarbeiten halt' ich für die Pflicht des Naturforschers, und dahin weist uns das Exempel der vorzüglichsten Männer, die in diesem Fache gearbeitet haben, und diese Bedächtlichkeit, nur das Nächste ans Nächste zu reihen oder vielmehr das Nächste aus dem Nächsten zu folgern, haben wir von den Mathematikern zu lernen, und selbst da, wo wir uns an keine Rechnung wagen, müssen wir immer so zu Werke gehen, als wenn wir dem strengsten Geometer Rechenschaft zu geben schuldig wären.

Denn eigentlich ist es die mathematische Methode, welche wegen ihrer Bedächtlichkeit und Reinheit gleich jeden Sprung in der Assertion offenbart, und ihre Beweise sind eigentlich nur umständliche Ausführungen, daß dasjenige, was in Verbindung vorgebracht wird, schon in seinen einfachen Teilen und in seiner ganzen Folge dagewesen, in seinem ganzen Umfange übersehen worden und unter allen Bedingungen richtig und unumstößlich erfunden worden. Und so sind ihre Demonstrationen immer mehr *Darlegungen, Rekapitulationen* als *Argumente*[18].»

Freilich sind diese Sätze geschrieben, bevor im Streit mit den Newtonianern die Fronten hüben und drüben erstarrten. Aber auch später hätte sie Goethe nicht zurückzunehmen brauchen. Denn was ihn verdroß, das war das Erlöschen der Farben in Brechungswinkeln und Zahlen, die *Übersetzung* der Phänomene in die Sprache der Mathematik. Hier dagegen empfiehlt er etwas ganz anderes, nicht den Ersatz der Farben durch Formeln, sondern nur ihre geordnete Darstellung in einer der mathematischen analogen Methode.

An der Stelle der Axiome begegnen wir da den Urphänomenen. Maßgebend für die Bestimmung des viel mißbrauchten Begriffs ist der § 175 der «Farbenlehre»:

«Das, was wir in der Erfahrung gewahr werden, sind meistens nur Fälle, welche sich mit einiger Aufmerksamkeit unter allgemeine empirische Rubriken bringen lassen. Diese subordinieren

[18] Schriften zur Naturwissenschaft, a. a. O., I, 3, S. 293f.

sich abermals unter wissenschaftliche Rubriken, welche weiter hinaufdeuten, wobei uns gewisse unerläßliche Bedingungen des Erscheinenden näher bekannt werden. Von nun an fügt sich alles nach und nach unter höhere Regeln und Gesetze, die sich aber nicht durch Worte und Hypothesen dem Verstande, sondern gleichfalls durch Phänomene dem Anschauen offenbaren. Wir nennen sie Urphänomene, weil nichts in der Erscheinung über ihnen liegt, sie aber dagegen völlig geeignet sind, daß man stufenweise, wie wir vorhin hinaufgestiegen, von ihnen herab bis zu dem gemeinsten Falle der täglichen Erfahrung niedersteigen kann. Ein solches Urphänomen ist dasjenige, das wir bisher dargestellt haben. Wir sehen auf der einen Seite das Licht, das Helle, auf der andern die Finsternis, das Dunkle, wir bringen die Trübe zwischen beide, und aus diesen Gegensätzen, mit Hülfe gedachter Vermittlung, entwickeln sich, gleichfalls in einem Gegensatz, die Farben, deuten aber alsbald durch einen Wechselbezug unmittelbar auf ein Gemeinsames wieder zurück.»

Im Sinne dieser Worte ist etwa der blaue Himmel oder das Rot der sinkenden Sonne ein Urphänomen, in dem uns unmittelbar die Vermählung von Licht und Finsternis sichtbar wird. Dagegen sind, streng genommen, Typus und Urpflanze keine Urphänomene, da sie wesentlich nicht erscheinen, sondern nur allen Erscheinungen als Variationsbasis zugrunde liegen. Wenn Goethe selbst – sofern wir den Partnern seiner Gespräche vertrauen wollen – die Ausdrücke manchmal läßlich verwendet, so darf er sich dies gestatten, weil dem Urphänomen im Ganzen der Wissenschaft dieselbe Würde zukommt wie der Urpflanze und dem Typus. An sich unerklärbar und keiner Erklärung bedürftig, erklärt es eine ganze Reihe von Phänomenen, sofern wir nur imstande sind, die abgeleiteten richtig zu ordnen. Die «Farbenlehre» ist aus didaktischen Gründen nicht ganz so aufgebaut, wie es die Sache erfordern würde. Goethe versäumt aber nicht, auf die natürliche Folge hinzuweisen. Er unterscheidet physiologische, physische und chemische Farben. Die physiologischen Farben sind subjektiv, die chemischen objektiv. Bei den physischen Farben ist Subjektives und Objektives verbunden. Auch diese Gruppen gliedern sich aber wieder in Reihen, die kontinuierlich von subjektiveren zu objektiveren Phänomenen hinüberführen, so etwa die Gruppe der physischen Farben in die katoptrischen, die den physiologischen noch sehr nahe stehen, die paroptischen und die dioptrischen, die die Mittelzone bilden, und die epoptischen, die bereits zu den chemischen Farben überleiten. In dieser Ordnung der Phänomene besteht die eigentliche Lehre Goethes, wir dürfen sagen: die Theorie. Der hätte sie am besten verstanden, der keines deutenden Worts mehr bedürfte, sondern die Blicke auf der Reihe vor- und rückwärts gleiten ließe und das Mannigfaltige wieder im Urphänomen zusammenfaßte. Ein so Belehrter bliebe im Bereich der Farben wie der Mathematiker im Bereich der Zahlen. Er übertrüge nichts in eine dem Gegenstand unangemessene Sprache und würde sich nicht bemüßigt fühlen, nach einer Erklärung von außen zu suchen. Er wäre freilich auch nicht imstande, mit einer solchen Farbenlehre irgend etwas anzufangen. Sie läßt sich weder für chemische noch für astronomische Zwecke verwenden. Technisch ist sie unbrauchbar. Sie genügt sich selbst; sie gibt sich damit zufrieden, ein Schöpfungswunder in seinen Zusammenhängen erschlossen und der Anschauung als mannigfaltig gegliedertes Ganzes vermittelt zu haben.

Über den «Polemischen Teil» im besonderen zu sprechen, erübrigt sich. Dagegen verdient der dritte, der «historische», noch unsere Aufmerksamkeit. Goethe empfindet das Bedürfnis, in der Geschichte den Beistand zu suchen, den die Gegenwart ihm versagt. So plant er eine Darstellung der Theorie der Farben von der Antike bis auf die neueste Zeit. Was uns vorliegt, sind aber nur «Materialien zur Geschichte der Farbenlehre», Auszüge aus naturwissenschaftlichen Schriften aller Jahrhunderte, vermischt mit ausführlichen Reflexionen geschichtsphilosophischen, biographischen oder kulturgeschichtlichen Charakters. Auch in dieser fragmentarischen Fassung sind sie unschätzbar. Nie hat sich Goethe beredter über geistesgeschichtliche Fragen verbreitet, nie ein historisches Bewußtsein ernstlicher zu gewinnen versucht.

Er faßt die Geschichte, wie wir erwarten durften, als Kreisbewegung auf und läßt den Fortschritt nur insofern gelten, als er auch gegen eine Spiralbewegung nichts einzuwenden wünscht.

Jedenfalls steht für ihn fest, daß die Menschheit den Kreis schon öfter durchlaufen hat und daß sich «alle wahren Ansichten und alle Irrtümer wiederholen[19]». Eine genauere Beschreibung des Kreises glaubt man in dem bedeutenden Abschnitt über die «Zwischenzeit» – das ist das «barbarische» Mittelalter – zu finden:

«Es gibt zwei Momente der Weltgeschichte, die bald aufeinander folgen, bald gleichzeitig, teils einzeln und abgesondert, teils höchst verschränkt, sich an Individuen und Völkern zeigen.

Der erste ist derjenige, in welchem sich die einzelnen nebeneinander frei ausbilden; dies ist die Epoche des Werdens, des Friedens, des Nährens, der Künste, der Wissenschaften, der Gemütlichkeit, der Vernunft. Hier wirkt alles nach innen und strebt in den besten Zeiten zu einem glücklichen häuslichen Auferbauen; doch löst sich dieser Zustand zuletzt in Parteisucht und Anarchie auf.

Die zweite Epoche ist die des Benutzens, des Kriegens, des Verzehrens, der Technik, des Wissens, des Verstandes. Die Wirkungen sind nach außen gerichtet; im schönsten und höchsten Sinne gewährt dieser Zeitpunkt Dauer und Genuß unter gewissen Bedingungen. Leicht artet jedoch ein solcher Zustand in Selbstsucht und Tyrannei aus, wo man sich aber keineswegs den Tyrannen als eine einzelne Person zu denken nötig hat; es gibt eine Tyrannei ganzer Massen, die höchst gewaltsam und unwiderstehlich ist[20].»

Doch wer nun hofft, die Weltgeschichte auf die beiden Momente aufgeteilt zu finden, der wird enttäuscht. Goethe ist viel zu liberal und hat vor der Fülle des Lebens zu große Achtung, als daß er es wagen würde, alles in Bausch und Bogen in die beiden Fächer unterzubringen. Er schildert Gelehrte, bald mehr anekdotisch, bald indem er behutsam anthropologische Kategorien annimmt. Mit flüchtigen Strichen läßt er uns manchmal so etwas wie einen Zeitgeist ahnen. Markantere Sätze, Aphorismen, die apodiktischen Urteilen gleichen, wollen als Vorschläge aufgefaßt sein. Es bleibt dem Leser überlassen, ob und wie er das Ganze zu einer Geschichtsphilosophie ergänzen will. Wir schonen diese

[19] XVI, 247.
[20] XVI, 341.

Zurückhaltung und weisen nur auf wenige besonders aufschluß-reiche Abschnitte hin.

Dazu gehören die Ausführungen über Kunst und Wissenschaft: «Da im Wissen sowohl als in der Reflexion kein Ganzes zu-sammengebracht werden kann, weil jenem das Innre, dieser das Äußere fehlt, so müssen wir uns die Wissenschaft notwendig als Kunst denken, wenn wir von ihr irgendeine Art von Ganzheit er-warten. Und zwar haben wir diese nicht im allgemeinen im Über-schwenglichen zu suchen, sondern wie die Kunst sich immer ganz in jedem einzelnen Kunstwerk darstellt, so sollte die Wissenschaft sich auch jedesmal ganz in jedem einzelnen Behandelten erweisen. Um aber einer solchen Forderung sich zu nähern, so müßte man keine der menschlichen Kräfte bei wissenschaftlicher Tätig-keit ausschließen. Die Abgründe der Ahndung, ein sicheres An-schauen der Gegenwart, mathematische Tiefe, physische Ge-nauigkeit, Höhe der Vernunft, Schärfe des Verstandes, beweg-liche, sehnsuchtsvolle Phantasie, liebevolle Freude am Sinnlichen, nichts kann entbehrt werden zum lebhaften fruchtbaren Ergreifen des Augenblicks, wodurch ganz allein ein Kunstwerk, von wel-chem Gehalt es auch sei, entstehen kann[21].»

Newton freilich denkt nicht daran, in seiner «Optik» den ganzen Menschen einzusetzen und aufzurufen. Er widmet sich als Fachmann einem eng begrenzten Wissensgebiet. Und eben dies verübelt ihm Goethe. Es widerstrebt ihm, daß der Mensch mit optischen Apparaten über die Grenze seiner Natur hinausgeht und sich in einen Vorteil setzt, den ihm der Schöpfer nicht ver-gönnt hat. Nicht minder widerstrebt es ihm aber, wenn der Mensch darauf verzichtet, seine ganze Kraft zu gebrauchen, und sich nur eines Organs bedient, wo viele zur Verfügung stünden. Der ganze Mensch vor der ganzen Natur: das wäre die würdigste Wissenschaft. Dies Ganze ist immer erreichbar, sofern wir das Einzelne nur symbolisch nehmen. Symbolisch aber faßt die ein-zelnen Gegenstände der Künstler auf.

Den ältesten Griechen wäre noch ein solches Künstlertum zu-zugestehen. Über die Römer dagegen weiß Goethe wenig Vor-teilhaftes zu sagen. Die Naturkenntnisse stockten bei ihnen.

[21] XVI, 332 f.

«Denn eigentlich interessierte sie nur der Mensch, insofern man ihm mit Gewalt oder durch Überredung etwas abgewinnen kann. Wegen des letzteren waren alle ihre Studien auf rednerische Zwecke berechnet. Übrigens benutzten sie die Naturgegenstände zu notwendigem und willkürlichem Gebrauch so gut und so wunderlich, als es gehn wollte[22].»

Hier treten wir nun offenbar in den zweiten Moment der Geschichte ein, die Epoche der Technik und des Benutzens. Dazu stimmt, was Goethe über das Griechische und das Lateinische sagt:

«Das Griechische ist durchaus naiver, zu einem natürlichen, heitern, geistreichen, ästhetischen Vortrag glücklicher Naturansichten viel geschickter. Die Art, durch Verba, besonders durch Infinitiven und Partizipien zu sprechen, macht jeden Ausdruck läßlich; es wird eigentlich durch das Wort nichts bestimmt, bepfählt und festgesetzt, es ist nur eine Andeutung, um den Gegenstand in der Einbildungskraft hervorzurufen.

Die lateinische Sprache dagegen wird durch den Gebrauch der Substantiven entscheidend und befehlshaberisch. Der Begriff ist im Wort fertig aufgestellt, im Worte erstarrt, mit welchem nun als einem wirklichen Wesen verfahren wird[23].»

Die lateinische Sprache ist praktisch. Sie bemächtigt sich kurzerhand der Dinge und erledigt sie mit Vokabeln. Ähnlich, nur nicht so schroff, hat Goethe oft das Französische charakterisiert. Dann stünde das Deutsche dem Griechischen näher, das, andeutend und umschreibend und alles Diktatorische meidend, Ehrfurcht vor dem Leben bezeugt und den Strom des Werdens nicht unterbricht.

«Welch eine andre wissenschaftliche Ansicht würde die Welt gewonnen haben, wenn die griechische Sprache lebendig geblieben und sich anstatt der lateinischen verbreitet hätte[24].»

Mit der Herrschaft des Lateins bringt Goethe den Geist in Zusammenhang, der die Natur, statt ihren Gesetzen in reiner Verehrung nachzuspüren, verfügbar macht und unterwirft. Es ist

[22] XVI, 335.
[23] XVI, 387.
[24] XVI, 387.

auch der Geist des 18. Jahrhunderts. Und damit zeichnet sich schließlich denn doch zart die Geschichtskonzeption ab, zu der sich der Verfasser der «Farbenlehre» in seiner Not bekennt. Er findet sich auf wissenschaftlichem Feld allein und unverstanden. Schuld an seinem Schicksal sind aber nicht nur einige unbelehrbare, übelwollende Zeitgenossen. Das Unheil ist tiefer begründet in einem großen Rhythmus der Weltgeschichte, der wieder einmal der römischen, oder, um es vorsichtiger auszudrücken, einer der römischen analogen Betrachtung der Dinge zum Sieg verhilft. Wie sich die Deutschen aber im vergangenen Jahrhundert im Dichten und Denken von der Aufklärung befreiten, so läßt sich hoffen, daß auch die deutsche Wissenschaft berufen sei, den technischen Geist zu überwinden und zu der Unschuld längst vergangener Tage der Menschheit zurückzukehren. Das wird nicht klipp und klar gesagt. Doch es läßt sich einigermaßen erraten. Freilich, nicht nur Mangel an Zeit, nicht nur der Drang der Geschäfte verhinderte Goethe, sich deutlicher zu erklären. Er traute der eigenen Hoffnung nicht und ebensowenig seiner halb verschwiegenen Konstruktion der Geschichte. So wäre es denn auch falsch, ihn als Historiker und Geschichtsphilosophen auf den «Materialien zur Geschichte der Farbenlehre» zu behaften. In *diesem* Zusammenhang sprach er so, zu seinem Trost und seiner Stärkung. Doch mit der Geschichte an ein Ende zu kommen, traute er sich nicht zu.

WANDLUNGEN

Indem wir uns die Aufgabe stellen, Goethes Entwicklung während der ersten Dekade des neuen Jahrhunderts zu schildern, fühlen wir uns mehr denn je an sein Mißtrauen gegen die Sprache erinnert, die Sprache, die Seiendes festzustellen, doch Werden und Vergehen nur notdürftig zu umschreiben vermag.

Um 1800 ist noch der Schöpfer einer hochklassischen Epik am Werk, der Hüter des im Umgang mit der Antike gewonnenen gültigen Maßes. Um 1810 dagegen liegen die «Wahlverwandtschaften» vor, ein Buch, das Goethe vor wenigen Jahren selbst noch kaum gebilligt hätte. Novellen und Märchen entstehen, deren Sinn nicht leicht zu entziffern ist; und in der «Pandora» entfaltet sich eine unruhige, beinah barocke Pracht, die nichts mehr mit der Kunsttheorie der «Propyläen» zu schaffen hat. Diese Dichtungen aber begründen ihrerseits keine Tradition. Wie Meteore leuchten sie auf; und in den folgenden Jahren beginnt aufs neue ein verlegenes Tasten. Erst 1814 stellen die frühesten «Divan»-Gedichte sich ein als Boten eines Stils, der wieder für einige Zeit eine Heimat gewährt. Gleichsam unterirdisch vollzieht sich dieser wunderbare Prozeß. Man hat zwar öfter versucht, in seine Tiefen einzudringen und lebens- oder bildungsgeschichtliche Zusammenhänge ausfindig zu machen[1]. Doch alle diese Bemühungen erreichen nicht den Grad von Evidenz, den wir erwarten zu dürfen glauben. Sie scheitern an Goethes Schweigsamkeit, an jener Neigung zum Geheimnis, die sich seit der «Natürlichen Tochter» mehr und mehr bemerkbar macht. Tagebücher, Briefe und Gespräche verweigern fast alle Auskunft über die künstlerischen Entschlüsse, deren Folgen uns in den genannten Werken überraschen. Noch weniger gewähren sie uns Einblick in den privaten Bereich. Wir haben uns abzufinden mit einer undurchdringlichen Diskretion, die ebenso den Nächsten, einen Freund oder eine Geliebte, wie das eigene Herz zu schonen scheint. «Denn mein Geheimnis ist mir Pflicht.» Wer darf es wagen, ein Siegel mit

[1] Vgl. insbesondere Paul Hankamer, Spiel der Mächte, Tübingen 1943, und Hans M. Wolff, Goethe in der Periode der Wahlverwandtschaften, Bern 1952.

einer solchen Devise aufzubrechen? Wir verzichten darauf, mit vermeintlichen Andeutungen und verwischten Spuren ein mutwilliges Spiel zu treiben, und geben uns mit einer Besinnung auf unmißverständlich Bezeugtes zufrieden.

Bezeugt ist eine nachhaltige Erschütterung von Goethes Gesundheit. Die schwere Krankheit von 1801 war nur der Anfang eines Zustands, der viele Jahre dauern sollte. Fast jeder Winter kündigte sich mit mancherlei schmerzhaften Übeln an. Die Briefe Christianes an Nikolaus Meyer sind von den Sorgen erfüllt, die der Geheimrat ihr bereitet. Und wenn die Leiden nachlassen, so bleibt doch eine Gereiztheit, eine Verstimmung und Lebensunlust zurück, die seine Freunde ängstigt und seinen Widersachern den Rücken stärkt. Böttiger und Kotzebue werden lästig. Verdrießlich sind die Jenaer Händel: Hufeland, Paulus, Loder und Schelling verlassen gleichzeitig die Universität, wie Goethe wohl mit Recht vermutet, infolge des Atheismusstreits, der Entlassung Fichtes, die das Vertrauen auf akademische Freiheit untergrub. Die «Allgemeine Literaturzeitung» wird von Jena nach Halle verlegt. Goethe sieht sich genötigt, in Jena eine neue Zeitschrift zu gründen. Die Korrespondenz mit ihrem Redaktor, Eichstädt, nimmt in den ersten Jahren Zeit und Kraft des Geschwächten in Anspruch.

Unterdessen verändert sich der Weimarer Zustand unaufhaltsam. 1803 stirbt Herder. Goethe äußert sich nicht darüber. Der Freund und Meister seiner Jugend hat sich ihm schon lang entfremdet und einer kleinen Gruppe grämlicher Dissidenten beigesellt. Dennoch dürfte ihn das Ereignis in tiefster Seele getroffen haben. Eine große Epoche sank in die ewig-stille Vergangenheit.

Über die Spätzeit der Freundschaft mit Schiller gehen die Meinungen weit auseinander. Man glaubt, eine Abkühlung zu erkennen. Schiller beklagt sich einmal über Goethes Unentschlossenheit und denkt sogar daran, eine andere Wirkungsstätte aufzusuchen. Von Goethe werden kritische Worte über Schillers Dramen berichtet, zum Beispiel über das Weibergezänk im dritten Akt der «Maria Stuart[2]». Die Briefe, die sie wechseln, sind bei weitem nicht mehr so erregend wie die aus der Mitte der neun-

[2] Biedermann, Goethes Gespräche, Leipzig 1909, I, 285.

ziger Jahre. Dies alles läßt sich nicht bestreiten, doch freilich auch nicht leicht bewerten. Schiller siedelte schon 1799 nach Weimar über. Briefe werden minder bedeutsam, wenn man sich täglich sehen kann. Freimütige Kritik war zwischen den beiden Freunden von jeher üblich, und ein Erstaunen über die Eigenart des andern verlor sich nie. Daß Goethe an der «Natürlichen Tochter» arbeitete, wußte Schiller nicht, als er sich über die Stockung alles erfreulichen Tuns in Weimar ausließ. Allerdings, *daß* er nichts davon wußte, nehmen wir nicht so leicht, wie er es hinzunehmen für seine Pflicht hielt. Goethes Zurückhaltung läßt vermuten, daß ihn der Kunstkreis, den er mit Schiller gezogen hatte, allmählich beengte, daß er es vorzog, wieder einmal auf ungebahnten Wegen zu wandeln, ohne schon sein Ziel zu kennen und ohne genau zu wissen, vor welchem Forum es sich rechtfertigen lasse.

Dahin deutet auch die Verbindung mit August Wilhelm und Friedrich Schlegel. Friedrich hatte sich Schiller gegenüber ungebührlich betragen. Schiller fand sich dadurch bewogen, auch mit August Wilhelm, der es mit dem Bruder hielt, zu brechen. Goethe nahm das wohl zur Kenntnis, konnte sich aber nicht entschließen, sich seinerseits von den Brüdern zu trennen. Er führte August Wilhelms «Ion» und Friedrichs absurden «Alarkos» auf und begründete dies mit dem Wunsch, die Schauspieler schwierige Verse sprechen zu lehren. Das sieht nach einem Vorwand aus. Wer aber näher zusieht, bemerkt, daß Goethe damit sein eigenes Interesse wahrheitsgetreu formuliert. Er ist der Blankverse müde geworden. Auch andere Maße, so der Hexameter und das Distichon, verlieren um diese Zeit ihre Anziehungskraft[3], nicht nur weil Voß und August Wilhelm Schlegel als Richter in metrischen Fragen immer unbequemer werden; selbst wie sich Goethe gelegentlich aufrafft und den Entschluß faßt, künftig wieder nach eigener Weise zu verfahren, kommen keine epischen und elegischen Verse mehr zustande. Statt dessen legt er schon in dem lieblichen Spiel «*Paläophron und Neoterpe*» eine ganze Musterkarte neuer Maße vor. Der «*Löwenstuhl*» von 1803 vereinigt antike

[3] Vgl. E. Staiger, Die Kunst der Interpretation, Zürich 1955, S. 115 ff. über Goethes antike Versmaße.

Trimeter mit spanischen Trochäen und Edda-Rhythmen, Anapästen und Choriamben[4]. Man fühlt, es ist dem Dichter nicht mehr wohl in seiner alten Haut. Unbehaglich wechselt er seinen Platz und rückt bald hier- bald dorthin. Die neuen Verse aber beschwören auch eine neue Welt herauf, eine altdeutsche im «Löwenstuhl», ja 1807 sogar – man traut seinen Augen nicht – Gruftszenen mit Märtyrern und Scheintoten in der «*Tragödie aus der Zeit Karls des Großen*», die bis ins Einzelne dem Vorbild Calderons verpflichtet ist. Beide Pläne bleiben Fragment. Was Goethe an Calderon gemäß war, blüht erst in der Lyrik des «Divan» auf. Die ernste Bemühung aber, es den Romantikern gleich zu tun, die Hoffnung, daß bei den Experimenten Friedrich Schlegels, bei Tiecks Legendenkünsten und bei den opernhaften Unternehmungen Zacharias Werners eine Art Erlösung winke, daß hier etwas zu machen sei, auch wenn die Leistungen dieser Jüngeren an sich noch mangelhaft sein mochten: das sind wir zu verzeichnen schuldig, wie unbequem es uns auch sein mag. Denn offenbar haben wir von der Lage noch immer einen ganz falschen Begriff. Wir sehen in Goethe und Schiller die beiden schlechthin überlegenen Meister und unterschätzen den zunächst verwirrenden und betäubenden Eindruck, den das plötzliche Erklingen einer so ungeheuren Fülle neuer Töne machen mußte. Selbst Schiller hat sich aber beeilt, die «Jungfrau von Orléans», im Hinblick auf die «Genoveva», als «romantische Tragödie» einzurichten; und noch die «Braut von Messina» läßt den Einfluß von Schlegels «Ion» erkennen[5]. Freilich geht das nicht sehr tief. Schiller faßt sich wieder und beharrt auf seinem persönlichen Sinn. Man mag im «Wilhelm Tell» noch einige Spuren romantischen Zaubers entdecken, in der Beleuchtung der Rütliszene vielleicht und in dem Chronikstil, der manchmal angedeutet ist. Der «Demetrius» wird davon kaum mehr berührt. Die leise Unsicherheit und Rücksicht auf eine verwegene literarische Jugend scheint überwunden zu sein.

[4] Vgl. Max Morris, Goethe-Jahrbuch 1910, S. 85 ff.
[5] Vgl. Wilhelm Wiget: Die Träume in Schillers «Braut von Messina», Dichtung und Forschung, Festschrift für Emil Ermatinger, Frauenfeld u. Leipzig 1935.

Goethe gelang das nicht so rasch. Sich wie Schiller in einer einmal erworbenen Meisterschaft immer neu zu bewähren, war ihm von jeher versagt. Sogar die klassische Vollendung erwies sich in seinem Schaffen als Stufe. Sobald sie erreicht und gesichert war, verlor sie für ihn den lebendigen Sinn. Er blieb nicht länger angewiesen auf die Anschauung und Bildung der organischen Gestalt. Ihre Gesetze waren erkannt, die Kunst als eine zweite Natur in einer Reihe von Werken erprobt. Da lockte es ihn, der Phantasie wieder eine gewisse Freiheit zu gönnen. Es schien erlaubt, ja es empfahl sich, zumal im Hinblick auf die Fragwürdigkeit der mustergültigen Schöpfungen vom Charakter der «Achilleis», die den strengsten Gesetzen entsprachen und dennoch nicht befriedigen konnten. Die ganze Problematik einer Nachahmung der Antike, wie sie schon Herder empfunden hatte, drängte sich Goethe in diesen Jahren auf. So lesen wir in den «Materialien zur Geschichte der Farbenlehre»:

«Zu dem gepriesenen Glück der Griechen muß vorzüglich gerechnet werden, daß sie durch keine äußre Einwirkung irre gemacht worden: ein günstiges Geschick, das in der neuern Zeit den Individuen selten, den Nationen nie zuteil wird; denn selbst vollkommene Vorbilder machen irre, indem sie uns veranlassen, notwendige Bildungsstufen zu überspringen, wodurch wir denn meistens am Ziel vorbei in einen grenzenlosen Irrtum geführt werden [6].»

Noch schärfer klingen die Sätze aus den «Anmerkungen zu Rameaus Neffen»:

«Wohl findet sich bei den Griechen sowie bei manchen Römern eine sehr geschmackvolle Sonderung und Läuterung der verschiedenen Dichtarten, aber uns Nordländer kann man auf jene Muster nicht ausschließlich hinweisen. Wir haben uns andrer Voreltern zu rühmen und haben manch andres Vorbild im Auge. Wäre nicht durch die romantische Wendung ungebildeter Jahrhunderte das Ungeheure mit dem Abgeschmackten in Berührung gekommen, woher hätten wir einen Hamlet, einen Lear, eine Anbetung des Kreuzes, einen Standhaften Prinzen?

Uns auf der Höhe dieser barbarischen Avantagen, da wir die

[6] XVI, 332.

antiken Vorteile wohl niemals erreichen werden, mit Mut zu erhalten ist unsre Pflicht, zugleich aber auch Pflicht, dasjenige, was
andre denken, urteilen und glauben, was sie hervorbringen und
leisten, wohl zu kennen und treulich zu schätzen[7]. »

Hier bekennt sich Goethe so entschieden wie seit Jahrzehnten
nicht mehr zu neueren Überlieferungen. «Barbarisch» nennt er
sie noch immer, wie er den «Faust» barbarisch nannte. Er fügt
aber halb ironisch-grimmig, halb scherzhaft «Avantagen» hinzu,
und gibt damit den Wunsch zu erkennen, aus der Zeitlosigkeit
der Klassik herauszukommen und wieder den Anschluß an die
deutsche Geschichte zu finden. Dies war es, was ihn bewog, die
romantischen Dichter aufmerksam zu studieren. Sie machten es
sich oft leicht; sie kannten nicht die humane Verantwortung, die
Goethe selbstverständlich war. Sie frömmelten, verirrten sich in
heilige Ungeheuerlichkeiten und forderten so den Widerspruch
des lebensfreundlichen Geistes heraus. Ihr großer Vorzug aber
war die geschichtliche Basis ihres Schaffens und eine Aussicht auf
Volkstümlichkeit, wie sie die Klassik bei dem besten Willen kaum
erwarten durfte. Der Anteil an «Des Knaben Wunderhorn» und
am Nibelungenlied gehört in diesen Zusammenhang.

Von da aus dürfte es möglich sein, die letzten Jahre der Freundschaft mit Schiller in einem klareren Licht zu sehen. An der persönlichen Achtung des Menschen und des Dichters ändert sich
nichts. Nach wie vor bleibt Goethe taub für alle listigen Einflüsterungen und unzugänglich für alle Intrigen, die gegen den
Freund gesponnen werden. Wir spüren aber eine gewisse Beklommenheit, ein dunkles Gefühl, daß sein Weg von nun an ein
andrer sei. Zu Lebzeiten Schillers wächst dies Gefühl noch kaum
über eine Ahnung hinaus. Die Weimarer Kunstfreunde sind noch
vereint und halten an ihren Zielen fest. 1805 wird das Werk über
«Winckelmann und sein Jahrhundert» vollendet. Von seiten
Schillers gewährt der «Wilhelm Tell» die tiefste Befriedigung.
Nur untergründig ist die Flut von neuen Möglichkeiten im Steigen,
und ehe sich eine Entscheidung aufdrängt, erklingt in «schreck-
haft mitternächtigem Läuten» die Kunde von Schillers Tod.

Damit war in Weimar eine völlig neue Lage geschaffen. Goethe,

[7] XV, 1035.

selber noch krank, empfindlich und schonungsbedürftig, fühlte sich wie betäubt von dem so lange schon drohenden, aber eben deshalb bereits wieder unwahrscheinlich gewordenen Schlag. Dann raffte er sich auf und versuchte, nach seiner Art, den Verlust zu leugnen. Er wollte den «Demetrius» vollenden und damit beweisen, daß Schiller noch immer lebendig sei.

«Nun aber setzten sich der Ausführung mancherlei Hindernisse entgegen, mit einiger Besonnenheit und Klugheit vielleicht zu beseitigen, die ich aber durch leidenschaftlichen Sturm und Verworrenheit nur noch vermehrte; eigensinnig und übereilt gab ich den Vorsatz auf, und ich darf noch jetzt nicht an den Zustand denken, in welchen ich mich versetzt fühlte. Nun war mir Schiller eigentlich erst entrissen, sein Umgang erst versagt. Meiner künstlerischen Einbildungskraft war verboten, sich mit dem Katafalk zu beschäftigen, den ich ihm aufzurichten gedachte, der länger als jener zu Messina das Begräbnis überdauern sollte; sie wendete sich nun und folgte dem Leichnam in die Gruft, die ihn gepränglos eingeschlossen hatte. Nun fing er mir erst an zu verwesen; unleidlicher Schmerz ergriff mich, und da mich körperliche Leiden von jeglicher Gesellschaft trennten, so war ich in traurigster Einsamkeit befangen[8].»

Stille Tage folgen, aus denen uns wenig überliefert ist, wo nur der Sand im Glase rinnt und alles außer der Zeit erlischt, eine jener Epochen also, die Goethe auch bei seinen Gestalten – bei Wilhelm Meister, wie der Traum der Liebe zu Mariane zerrinnt, bei Faust nach Gretchens Untergang – in tiefstes Schweigen zu hüllen pflegt, die Zone des Todes, die der Geist durchwandern muß, wenn vernichtetes Leben im Innern auferstehen soll.

Die Auferstehung Schillers beginnt in dem «*Epilog zum Lied von der Glocke*», in diesen von unendlichem Schmerz und geheimem Triumph durchbebten Stanzen, die das aus Nebeln sich gestaltende grandiose Bild des Freundes der Ewigkeit als unverlierbar-gegenwärtiges anvertrauen. «Du warst, du bist!» Mit diesen Worten faßt der Herzog in der «Natürlichen Tochter» seinen Trost zusammen. Wir werden uns ihres wunderbar verschlungenen Sinns erst jetzt bewußt. Schillers lebendige Nähe hat

[8] Tagebuch 7. Aug. 1806.

Goethe manchmal geängstigt und in den letzten Jahren vielleicht sogar, bei aller Bewunderung, Ehrfurcht und Liebe, bedrückt. Nun aber, da er gewesen ist, kann Goethe erst eigentlich sagen: «Du bist!» Der Tote drängte ihn nicht; er hatte kein «ungeheures Fortschreiten» mehr. Er war Geschichte geworden, eines der größten, doch unwiderruflich abgeschlossenen Kapitel des deutschen Geistes. Wenn Goethe nun Schillers gedachte, gedachte er seiner eigenen Vergangenheit. Die Zukunft aber war unbestimmt, trostlos oder verheißungsvoll, je nach dem Bewußtsein von Kraft oder Schwäche, ein Reich der Freiheit wieder, reizend und unheimlich für den alternden Mann.

Wir nähern uns dem Jahr 1806. Die Spaltung des römischen Reiches hat Goethe bekanntlich gar keinen Eindruck gemacht. Er hörte im Reisewagen davon und erklärte, der «Zwiespalt des Bedienten und Kutschers auf dem Bocke» habe ihn «mehr in Leidenschaft versetzt[9]». Um so tiefer erschütterten ihn die Ereignisse nach der Schlacht von Jena. Sie warfen ihre Schatten voraus und verliehen dem Dämon Sorge unerträgliche Macht über sein Gemüt. Was dann tatsächlich in Weimar geschah, war, wenigstens für seine Person und die Seinigen, nicht so gräßlich, wie es die Einbildungskraft sich ausgemalt hatte. Sogar der bekannte Bericht von der Lebensgefahr und von der Rettung durch Christiane scheint eine Legende zu sein. «Plünderung, schreckliche Nacht. Erhaltung unseres Hauses durch Standhaftigkeit und Glück[10].» So viel berichtet das Tagebuch. Das Übrige wurde, offenbar im Anschluß an die Trauung mit der Lebensgefährtin, die fünf Tage später stattfand, frei erfunden. Die allgemeine Verwirrung aber, die Not der nähern und ferneren Freunde hat Goethe doch völlig verstört. In den Briefen an Carl August erschrecken uns einige seltsame Sätze:

«Wo wir jetzt einen Anfang des Lebens erblicken, hat es einen besonderen Reiz der Hoffnung; kann sich nun die Liebe daran schließen, so ist der Glaube sogleich unfehlbar da, und die Sache ist gemacht, indem wir überzeugt sind, daß alles zugrundegeht[11].»

[9] 7. Aug. 1806.
[10] Tagebuch 14. Okt. 1806.
[11] Zwischen 19. und 26. Okt. 1806.

Noch mysteriöser ist die Bemerkung in einem Brief vom Ende des Jahres:

«Aber erlitten habe ich etwas vom 14. Oktober an, auch etwas Physisches, das mir noch zu nahe steht, um es ausdrücken zu können. Geb uns allen der Himmel Jahre, um diesen Gegenstand in den Sehewinkel zu bringen[12].»

Von einem «ungeheuren Riß» spricht Goethe in einem Brief an Runge.

Er glaubte sich das Heil von einem erhöhten kulturellen Bewußtsein der Deutschen und gesteigerter geistiger Tätigkeit versprechen zu dürfen. Schon der Besuch Madame de Staëls im Winter 1803–04 hatte deutlich gemacht, daß sich das europäische Klima verändert habe. Die geistreiche und unruhige Dame scheint sich darüber freilich selber keineswegs klar gewesen zu sein. Mit der gewohnten Sicherheit des Franzosen trat sie den Deutschen entgegen.

«Es bleibt immer dieselbe Empfindung», schrieb Goethe damals an Schiller; «sie geriert sich mit aller Artigkeit noch immer grob genug als Reisende zu den Hyperboreern, deren kapitale alte Fichten und Eichen, deren Eisen und Bernstein sich noch so ganz wohl in Nutzen und Putz verwenden ließe; indessen nötigt sie einen doch, die alten Teppiche als Gastgeschenk und die verrosteten Waffen zur Verteidigung hervorzuholen[13].»

Es war indes schon nicht mehr nötig, sich auf Verteidigung zu beschränken. Um 1800 gab es in Frankreich keine Literatur, die der deutschen ebenbürtig gewesen wäre. Zu dieser Erkenntnis rang sich Goethe in den Jahren der Drangsal durch, widerstrebend, wie es scheint, lange zögernd und voll Scheu, in jugendliche Anmaßungen zurückzufallen oder romantische Einbildungen zu unterstützen. Der literarische Patriotismus steht ihm seltsam zu Gesicht; und es fällt uns nicht leicht zu glauben, daß er sich ernsthaft, wie uns Woltmann berichtet, «mit der Idee getragen habe, einen Kongreß ausgezeichneter deutscher Männer in Weimar zustande zu bringen, damit sie über Gegenstände der deutschen Kultur sich gemeinschaftlich beraten[14]».

[12] An Carl August, Mitte Dez. 1806.
[13] 23. Jan. 1804.
[14] Biedermann, I, 536.

436

Das war vielleicht als Schachzug gegen den Fürstentag in Erfurt gedacht, doch schwerlich mehr als ein flüchtiger Traum[15]. Wenn Goethe ihn tatsächlich hegte, so wurde er alsbald überschattet durch den Anblick Napoleons, der ihm einige Tage später vergönnt war. Die Symbolkraft dieser Begegnung ist so mächtig, daß man darüber leicht übersieht, was wirklich geschah. Und doch, wer könnte mit Gründen bestreiten, daß das Gespräch, dessen Goethe stets mit geheimnisvollen Formeln gedachte, das öffentlich mitzuteilen er sich erst viele Jahre später entschloß, in jeder Fassung, in der wir es kennen, nicht eben besonders gehaltvoll war, daß er dem «voilà un homme!» einen viel zu tiefen Sinn unterlegte und daß die Bemerkung des Kaisers über den «Werther[16]», sofern wir sie überhaupt richtig auf die Motive zum Selbstmord des Helden beziehen, nur ein im französischen Rahmen konventionelles Verständnis für Dichtung verrät. Wieland scheint Napoleon ungleich mehr bedeutet zu haben als Goethe. Goethe jedoch war wie benommen, fasziniert von dem Anblick einer die ganze Welt bewegenden Kraft, einer ununterbrochenen «Produktivität der Taten», des Bändigers der Revolution, des Imperators im römischen Stil, und außerstande, die Magie des einzigartigen Augenblicks am Ewig-Menschlichen zu messen. Man wird sich hier gern an Wilhelm von Humboldt und seine unbestechliche, erfrischende Nüchternheit erinnern. Humboldt freilich hatte es leichter. Er war ein kühler Geist. Und Goethe wäre es früher, in den neunziger Jahren, auch besser gelungen, Phantasie und Gegenwart zu sondern. Die Unterredung mit Napoleon ereignete sich in einer Epoche, in der wieder alles im Werden war und neue Organe des Fühlens und Schauens sich eben erst zu bilden begannen.

Zu diesen neuen Organen gehört nun aber gerade ein Sinn für das Individuum ineffabile, den unwiederholbaren einzelnen Menschen, ein Interesse, das uns seit der Teilnahme an der Physiognomik Lavaters nicht mehr begegnet ist. Derselbe Mann, der vor Napoleon wie geblendet steht und einem dämonischen Fluidum unterliegt, hat vor zwei Jahren angefangen, Autographen

[15] Vgl. E. Redslob, Goethes Begegnung mit Napoleon, Weimar 1944.
[16] Vgl. Bd. I, S. 153 f.

zusammenzusuchen. Eine «fromme Sammlung[17]» nennt er seinen Besitz und fügt hinzu:

«Denn fromm ist doch wohl alles, was das Andenken würdiger Menschen zu erhalten und zu erneuern strebt.»

Auch diese Bemühung entspringt vielleicht dem nie verwundenen Schmerz um Schiller. «Ich kann, ich kann den Menschen nicht vergessen[18]!» hatte er ausgerufen, als die Schauspielerin Wolff den Epilog zum «Lied von der Glocke» einübte. Das war ein Leiden bei Tag und Nacht. Furchtbar aber wäre es gewesen, wenn die Welt, er selber Schiller hätte vergessen können. 1807 starb die Herzoginmutter Amalia. Vergänglichkeit, das «ernste Wort[19]», es prägte sich ihm tiefer ein, und im geheimen wuchs der Zweifel, ob auch nur wenige Hochbegünstigte ihr entrissen werden könnten. Alles Menschliche aber war der Ehrfurcht und Bewahrung würdig. So häuften die Dokumente sich an, Schriftzüge, die etwas länger dauerten als die Stunde, der sie galten, Münzen, die den Umriß eines in Staub zerfallenen Angesichts notdürftig noch erkennen ließen.

«Was einmal war, in allem Glanz und Schein,
Es regt sich dort; denn es will ewig sein.»

So Faust, «großartig», vor der Beschwörung Helenas am Kaiserhof. In der Handschrift aber schleichen sich gerade hier die entgeisterten Worte ein: «Und doch verschwindets[20].» Seit Schillers Tod ist diese Angst von Goethes Seele nie gewichen. Sie drängt ihn, auch an die Bewahrung seines eigenen Lebens zu denken, nicht nur jener Schätze, die in gültigen Werken niedergelegt sind, sondern gerade des besondern, durch Raum und Zeit bedingten Daseins. Er läßt sich durch Bettina Brentano Geschichten aus seiner Jugend, wie die Mutter allein sie noch kennt, erzählen und faßt den Plan zu «Dichtung und Wahrheit»:

[17] An Blumenbach 20. Juni 1806.
[18] Biedermann, I, 400.
[19] Der in diesen Jahren allgemein zunehmende Sinn für das Vergängliche und Vergangene prägt sich besonders aus in Schellings «Weltaltern».
[20] Vgl. W. Emrich, Die Symbolik von Faust II, Berlin 1943, S. 255, und Sophien-Ausgabe, I. Abt., 15. Bd., 2. Abt., S. 34.

«Das Individuum geht verloren; das Andenken desselben verschwindet, und doch ist ihm und andern daran gelegen, daß es erhalten werde.

Jeder ist selbst nur ein Individuum und kann sich auch eigentlich nur fürs Individuelle interessieren. Das Allgemeine findet sich von selbst, dringt sich auf, erhält sich, vermehrt sich. Wir benutzen's, aber wir lieben es nicht.

Wir lieben nur das Individuelle; daher die große Freude an Vorträgen, Bekenntnissen, Memoiren, Briefen und Anekdoten abgeschiedener, selbst unbedeutender Menschen.

Die Frage: ob einer seine eigene Biographie schreiben dürfe, ist höchst ungeschickt. Ich halte den, der es tut, für den höflichsten aller Menschen[21].»

Doch nicht nur Pflichtgefühl und Höflichkeit nötigten ihn, sich mitzuteilen. Nun da er seine besten Tage für unwiderruflich vergangen hielt, bekannte er sich wieder zu der so lange geschmähten Erinnerung. Oder war es umgekehrt? Erinnerung wachte wieder auf und brachte ihm zu Bewußtsein, daß die hohe Zeit vorüber sei. Am 14. Dezember 1807 schrieb er an Lili die Worte, die jeden, der seinen gemessenen, unpersönlichen Briefstil kennt, überraschen, ergreifen und dann mit tiefstem Erbarmen erfüllen:

«Zum Schluß erlauben Sie mir zu sagen: daß es mir unendliche Freude machte, nach so langer Zeit einige Zeilen wieder von Ihrer lieben Hand zu sehen, die ich tausendmal küsse in Erinnerung jener Tage, die ich unter die glücklichsten meines Lebens zähle. Leben Sie wohl und ruhig nach so vielen äußern Leiden und Prüfungen, die zu uns später gelangt sind und bei denen ich oft Ursache habe, an Ihre Standhaftigkeit und ausdauernde Großheit zu denken. Nochmals ein Lebewohl mit der Bitte, meiner zu gedenken.
Ihr ewig verbundener
Goethe.»

Wie haben sich seit einigen Jahren Seele, Himmel und Erde verwandelt! 1797 ist Goethe in den Straßen Frankfurts herum-

[21] XII, 640.

gewandert, als ob es eine beliebige Stadt unter andern wäre und nicht die Heimat seiner von den freundlichsten Genien behüteten Jugend. 1814 sucht er den Hirschgraben wieder auf, geht an dem alten Haus vorüber und lauscht auf den bekannten Ton der schlagenden Uhr[22]. Es fällt uns schwer, in diesem jenen Menschen wiederzuerkennen. Was er inzwischen erfahren hat, hüllt ein zu tiefes Dunkel ein.

Das gilt besonders von allem, was wir unter dem so vieldeutigen Namen «Liebe» zusammenzufassen gewohnt sind. Des Rätselratens ist kein Ende. Da unwidersprechliche Zeugnisse fehlen, hat man einzelne Sätze und Worte der Tagebücher und Briefe in einer Weise benutzt, die unwissenschaftlich und menschlich unerlaubt ist. Ein abgekürzter Gruß bedeutet Kühle gegenüber der Gattin, betonte Herzlichkeit schlechtes Gewissen. Die Scherze und Zärtlichkeiten, mit denen Goethe während des Sommers in Karlsbad 1808 so viele Frauen der näheren und ferneren Umgebung beglückte, werden nach Willkür ausgewählt und einer Einzigen zugedacht. Noch bedenklicher sind die Versuche, aus den Werken Einzelheiten der Biographie zu rekonstruieren, als ob die bekannte Bemerkung über die «Bruchstücke einer großen Konfession» so zu verstehen wäre, daß jedes leidenschaftliche, verzweifelte oder glückselige Wort eines unmittelbaren Anlasses bedürfe und Goethesche Dichtung als seltsam maskiertes Tagebuch auszulegen sei. Wir werden die Möglichkeit zugeben müssen, daß Goethe epimetheische Sehnsuchtsgesänge aus der tiefsten Vergangenheit seiner Seele heraufbeschwor, und nicht vergessen, wie oft er das Leben dichterisch überflügelt hat.

Dagegen werden wir auch Geständnisse wie das folgende nicht überhören:

«Niemand verkennt an diesem Roman [den ,Wahlverwandtschaften'] eine tief leidenschaftliche Wunde, die im Heilen sich zu schließen scheut, ein Herz, das zu genesen fürchtet[23]. »

Damit berührt sich, was Boisserée im Oktober 1815 aufschrieb:

«Die Sterne waren aufgegangen; er sprach von seinem Verhältnis zur Ottilie, wie er sie lieb gehabt, und wie sie ihn un-

[22] An Christiane 29. Juli 1814.
[23] Annalen 1809.

glücklich gemacht. Er wurde zuletzt fast rätselhaft ahndungsvoll in seinen Reden[24]. »

Aber wohin weist diese Spur ? Minna Herzlieb wird erwähnt, die Goethe schon 1798 als kleines Mädchen gekannt und im Winter 1807–08 im Haus ihrer Pflegeeltern Frommann öfter wiedergesehen hat. «Ich nehme mir gar nicht übel, sie einmal mehr als billig geliebt zu haben», schreibt er im November 1812 aus Jena an Christiane[25], und an Zelter im Januar 1813: «In ihrem sechzehnten Jahr liebte ich sie mehr wie billig[26]. »

‚Mehr als billig.' Diese Worte haben die Forschung irregeführt. Wenn man dann gar noch erfährt, daß Minna im Alter geistig umnachtet war, so scheint der Erfindung eines tragischen Romans nichts mehr im Wege zu stehen[27]. Tatsächlich wissen wir aber nur, daß Goethe Minna mehr geliebt hat, als er, der Gatte Christianes, mit seinen zarten Begriffen von Sitte, mit seiner Scheu, ein Leben zu verwirren, es glaubte vereinen zu können. Minna Herzlieb selber ahnte nichts von seiner Leidenschaft. Anders wäre es kaum zu verstehen, daß sie noch am 10. Februar 1808 einer Freundin schrieb:

«Er [Goethe] war immer so heiter und gesellig, daß es einem unbeschreiblich wohl und doch auch wieder weh in seiner Gegenwart wurde. Ich kann dir versichern, liebe, beste Christiane, daß ich manchen Abend, wenn ich in meine Stube kam und alles so still um mich herum war und ich überdachte, was für goldne Worte ich den Abend wieder aus seinem Munde gehört hatte, und dachte, was der Mensch doch aus sich machen kann, ich ganz in Tränen zerfloß und mich nur damit beruhigen konnte, daß die Menschen nicht alle zu einer Stufe geboren sind...[28]»

Hier spricht Verehrung, nicht Liebesschmerz. Offenbar hat

[24] Biedermann, II, 353.

[25] 6. Nov. 1812.

[26] 15. Jan. 1813.

[27] P. Hankamer, a.a.O., redet z. B. davon, daß Goethe Minna «an sich gerissen» habe und zitiert außerdem die eben angeführte Briefstelle falsch. Statt «mehr als billig», wie es bei Goethe beide Male heißt, schreibt er S. 55: «mehr als es erlaubt ist», was freilich einen ganz anderen Sinn ergibt. Von den Spekulationen H.M.Wolffs, die ebenso geistreich wie völlig unbeweisbar sind, sei weiter nicht die Rede.

[28] Vgl. K.Th.Gaedertz, Goethes Minchen, Bremen 1887, S. 54.

Minna aber auch die Sonette, mit denen sie Goethe und Zacharias Werner im Wettstreit bedachten, als spielerische Huldigung aufgefaßt. Und was in Goethes Seele vorging, wer getraut sich das zu wissen? Wer wagt zu entscheiden, was der Anblick des lieblichen Kindes in ihm aufregte, was sonst noch in diesen Jahren, in Briefen und Tagebüchern Verschwiegenes, geschah, was in der «Pandora», in den Gedichten, in den «Wahlverwandtschaften» Erinnerung, Gegenwart oder Ahnung war? Wir rühren an diese Dinge nicht. In halber Dämmerung nach undeutlichen lebensgeschichtlichen Spuren zu suchen, hilft wenig zum Verständnis des Werks, und in den Jahren, die uns beschäftigen, hilft es weniger als je.

Zumal in der Lyrik bemerken wir nämlich, daß das Gewicht sich immer mehr auf Goethes innere Welt verschiebt und daß der Reichtum seines Geistes und Herzens jedes Ereignis, jede Begegnung gleich so überströmt, so überwältigt, daß ein Äußeres kaum mehr als solches erkennbar ist. Als Beispiel diene das Gedicht *«Weltseele»*, das in seiner eigentümlichen abstrakten Beweglichkeit bereits gewisse Züge des «Westöstlichen Divan» vorwegnimmt. Es ist schon 1801 entstanden und 1804 unter den «der Geselligkeit gewidmeten Liedern» in einem Taschenbuch erschienen. 1806 wurde es den Liedern, 1815 der neuen Gruppe «Gesellige Lieder» eingereiht. So lange war sich Goethe also noch seiner ursprünglichen Absicht, einer «Gesellschaft» dichterisch zu huldigen, bewußt. Es handelt sich um das im Oktober 1801 gegründete Mittwochskränzchen, die «cour d'amour» von sieben Paaren, die nach der «wohlbekannten Minnesängersitte» alle vierzehn Tage am Mittwoch zusammenkam und sich jenes heiteren Tons befliß, der uns auch aus einigen anderen Liedern, die Goethe damals schuf, bekannt ist, aus dem *«Stiftungslied»* etwa, der *«Generalbeichte»* oder dem *«Tischlied»*, Versen, deren Fröhlichkeit uns oft etwas gewollt anmutet, als habe der Dichter sich entschlossen, in großer Drangsal das wenige Glück noch zusammenzuraffen, das übrig blieb. Das sonst so innige Band von Leben und Dichtung scheint gelockert zu sein. Die Cour d'amour ist eine Kunstwelt, durch scherzhafte, aber genaue Regeln, die manche sonst nicht eben übliche Freiheit im Umgang mit Damen gestatten oder sogar zum Gebot erheben, von der Welt des Tages geschieden. Die romantische Bezeichnung des Kreises war also durchaus am Platz. Sein Stifter suchte sich ein «himmlisches Behagen» zu verschaffen.

Wenn das «Tischlied» dieses Behagen in einer vom Wein umnebelten Stimmung noch hienieden zu finden hofft, so tragen uns die Strophen der «Weltseele» wirklich «gar zu den Sternen hinauf». Der «heilige Schmaus», das ist das Mahl, zu dem sich das Mittwochskränzchen versammelt. Gespräche, die durch die naturphilosophischen Schriften Schellings angeregt sein könnten, haben es «geheiligt» – so wie man sich bei solcher Gelegenheit halb im Ernst geheiligt fühlt. Und nun geht es empor. Der Vorgang wird verständlich aus einem Gespräch mit Falk:

«Ich nehme verschiedene Klassen und Rangordnungen der letzten Urbestandteile aller Wesen an, gleichsam der Anfangspunkte aller Erscheinungen in der Natur, die ich Seelen nennen möchte, weil von ihnen die Beseelung des Ganzen ausgeht, oder noch lieber Monaden – lassen Sie uns immer diesen Leibnizischen Ausdruck beibehalten! Die Einfachheit des einfachsten Wesens auszudrücken, möchte es kaum einen bessern geben. – Nun sind einige von diesen Monaden oder Anfangspunkten, wie uns die Erfahrung zeigt, so klein, so geringfügig, daß sie sich höchstens nur zu einem untergeordneten Dienst und Dasein eignen; andere dagegen sind stark und gewaltig. Die letzten pflegen daher alles, was sich ihnen naht, in ihren Kreis zu reißen und in ein ihnen Angehöriges, das heißt in einen Leib, in eine Pflanze, in ein Tier, oder noch höher herauf, in einen Stern zu verwandeln. Sie setzen dies so lange fort, bis die kleine oder große Welt, deren Intention geistig in ihnen liegt, auch nach außen leiblich zum Vorschein kommt... Es folgt hieraus, daß es Weltmonaden, Weltseelen, wie Ameisenmonaden, Ameisenseelen gibt, und daß beide in ihrem Ursprunge, wo nicht völlig eins, doch im Urwesen verwandt sind[29].»

Auch eine Stelle aus einem viel späteren Brief an Zelter ist beizuziehen:

«Wirken wir fort, bis wir, vor- oder nacheinander, vom Welt-

[29] 25. Jan. 1813.

geist berufen in den Äther zurückkehren! Möge dann der ewig Lebendige uns neue Tätigkeiten, denen analog, in welchen wir uns schon erprobt, nicht versagen! Fügt er sodann Erinnerung und Nachgefühl des Rechten und Guten, was wir hier schon gewollt und geleistet, väterlich hinzu, so würden wir gewiß nur desto rascher in die Kämme des Weltgetriebes eingreifen. Die entelechische Monade muß sich nur in rastloser Tätigkeit erhalten; wird ihr diese zur andern Natur, so kann es ihr in Ewigkeit nicht an Beschäftigung fehlen[30].»

Sehr ernste Fragen sind es also, an die uns das Gedicht erinnert. Sein Ton jedoch, den man oft als rhetorisch und unecht getadelt hat, darf nicht buchstäblich ernst genommen werden. Leicht übertrieben und eifrig beteuernd, trifft er genau den Gemütszustand auf dem Höhepunkt eines kleinen Gelages, den Schwung, den ein Rest von Besonnenheit noch mit heiterer Skepsis überwacht. Schon dies ist ja ein dem galanten Charakter des Mittwochkränzchens gemäßer Spaß, daß immer zwei Monaden sich zu ihrem Tun zusammenfinden und nach dem Flug durch alle Zonen der Schöpfung als paradiesisches Paar auf Erden wiedererscheinen müssen. Der Anlaß aber, der Schmaus, wird in der Fülle der Gesichte völlig vergessen. Entzückungen überfluten ihn. Die Gelegenheit löst das Gedicht nur aus. Es bleibt nicht mehr auf sie bezogen, erfüllt sich nicht in ihrer Entfaltung. Eine Freizügigkeit ist erreicht, wie sie in Anspruch zu nehmen Goethe früher kaum das Bedürfnis empfand.

Wir müssen diese Ankündigung von neuen Möglichkeiten beachten. So insbesondere bei den «Sonetten» vom Winter 1807/08, die nicht so leicht zu deuten sind.

Goethe hat die Sonette im Wettstreit mit Zacharias Werner, dem geistlichen Faun und «Liebesgesellen», gedichtet[31]. Sie sind – das läßt sich ernstlich nicht bestreiten – an Minna Herzlieb gerichtet. Das zehnte Stück «Sie kann nicht enden» spielt anmutig mit ihrem Namen:

«Lieb Kind! Mein artig Herz! Mein einzig Wesen!»

[30] 19. März 1827.
[31] «Liebesgeselle» nannte sich Werner selbst.

In «Epoche» wird der Advent von 1807 als unvergeßlicher Liebestag genannt; damals verkehrte Goethe bei Frommanns. «Herzlieb» lautet wieder die Auflösung der «Charade» im letzten Sonett. Die ersten fünfzehn Sonette erschienen 1815, «Epoche» und «Charade» erst 1827 in der Ausgabe letzter Hand, was sich wohl nur aus Goethes gewohnter Diskretion erklären läßt. Die persönlichen Hinweise waren zu deutlich. Ebenso steht aber fest, daß Goethe Stellen aus Briefen Bettina Brentanos für die Sonette verwertet hat. Er machte kein Geheimnis daraus. «Schreiben Sie bald, daß ich wieder was zu übersetzen habe.» So bittet er sie in einem Brief vom 9. Januar 1808. Fürchtet er vielleicht, in der Erfindung von Motiven hinter dem Liebesgesellen zurückzubleiben oder es jedenfalls nicht mit dessen Jugendglut aufnehmen zu können? Wir treten mit einer solchen Frage seiner Schöpferkraft nicht zu nahe. Die Form des Sonetts, der Gehalt im Geist Petrarcas, dessen sie bedurfte, lag seinem Wesen eher fern. Und einen Zyklus von Liebesgedichten auf Termin zu bewältigen, hatte er bisher niemals unternommen. Wenn Minna Herzlieb ihm so viel bedeutet hat, wie man gemeinhin annimmt, so ist es jedenfalls nicht der Kranz der Sonette, der davon Zeugnis gibt. Eine Gestalt ist nicht zu erkennen. Lili steht in «An Belinden» unverkennbar vor unserem Blick. Frau von Stein umfließt das bleiche Mondlicht der früheren Weimarer Lyrik. Christiane wird in den «Römischen Elegien» sogar mit bewußtem malerischem Ehrgeiz porträtiert. Das Mädchen der Sonette aber, ein «liebes Kind» und eine «Fürstin», eine geistreiche Dame bald und bald ein holdselig-naives Geschöpf – es wandelt sich und entschwindet uns, sobald wir es anzuschauen versuchen.

Darüber dürfen wir uns nicht wundern. Zu viele Fäden kreuzten sich, und Ernst und Spiel sind nicht zu entwirren. Der Widerstreit von Ernst und Spiel erscheint aber selbst als poetisches Thema. Das Mädchen zweifelt am Ernst der Empfindung, die sich in verschränkten Zeilen und abgezählten Reimen ausspricht. Der Dichter antwortet mit dem Gleichnis vom Feuerwerker, der gelernt hat, «nach Maßen zu wettern», und unversehens mit seinen Künsten in die Luft geht. Ein andres Sonett begründet die unverbrüchliche Ordnung mit den Worten:

«Das Allerstarrste freudig aufzuschmelzen,
Muß Liebesfeuer allgewaltig glühen.»

Solche Verse legen uns nahe, eine gewaltige Spannung zwischen
Form und Inhalt vorauszusetzen. Doch damit kommt man dem
eigenartigen Stil der Sonette schwerlich bei. Etwas Ungeheures
geistert hin und wieder zwischen den Zeilen; öfter aber scheint
alles doch nur artistische Sprachgebärde zu sein. Beides läßt sich
wohl vereinen, wenn wir so etwas wie ein dichterisches Alibi anzunehmen bereit sind, eine Haltung, die also wieder den «West-
östlichen Divan» ankündigt, die Maske Hatems und Suleikas, den
Freibrief, den das persische Kostüm den Leidenschaften gewährt.
In den Sonetten hat Goethe weder für sich noch für die Geliebte
schon eine eindeutig bestimmte Rolle gefunden. Er weicht in
den «Canzoniere», in Bettina Brentanos Einfälle aus und schließt
sich Werners Themen an. Wir wissen nicht recht, woran wir
sind. Doch das genügt. Er hofft, daß man ihn nicht erkennen
werde, und wagt es daraufhin gelegentlich, ein persönliches
Schicksal anzudeuten. So vor allem in den drei Sonetten «Mächtiges Überraschen», «Freundliches Begegnen» und «Abschied».

In «Freundliches Begegnen» erfährt der in sich selbst ge-
festigte, auf schroffem Pfade wandernde Mann, den die Kälte
des nahenden Alters umschauert, die lang entbehrte Gnade der
Liebe. Der Mantel, der seine Gestalt umhüllt und den er weg-
wirft, die verschränkten Arme, die er öffnet – in einem so
schlichten, fast archaischen Vorgang wird hier ausgesprochen, was
viele Jahre später die Marienbader Elegie wiederholt. Eine Verwandlung findet statt, in der nicht dies und jenes, sondern alle
Maße anders werden, oder vielmehr alles Maß und alles, was Weg
und Ziel war, aufhört und der Sinn des Daseins unbegreiflich
sich von selbst ergibt.

«Mächtiges Überraschen» faßt dieses Ereignis in ein mythi-
sches Bild. Oreas, die Bergnymphe, der Berg wirft sich dem Strom
entgegen und dämmt seine eilende Flut zum See. Der «Maho-
metsgesang» klingt an, der den prophetischen Genius im Bild des
Stromes feiert, auch der «Gesang der Geister über den Wassern»,
wo die Bewegung des Wassers vom Himmel zur Erde und wieder

446

zum Himmel hinauf zum Gleichnis des menschlichen Daseins wird. Einige Verse erinnern uns an die Stromdichtungen Hölderlins, die Goethe freilich nicht gekannt hat, die aber ihrerseits auf Stromsymbole des Sturm und Drang zurückgehen.

«Ihr folgen Berg und Wald in Wirbelwinden.»

Hölderlin sagt vom Rhein:

«... wie Bezauberte fliehn
Die Wälder ihm nach und zusammensinkend die Berge.»

«Zum Vater hin das Streben»

winkt hinüber zum Schluß des «Gefesselten Stroms»:

«Denn nirgend darf er bleiben, als wo
Ihn in die Arme der Vater aufnimmt.»

In Goethes Sonett gelingt aber eine völlig unerwartete Wendung. Das Streben zum Vater hin wird gehemmt, das Forschen und Wirken, das durch die Endlichkeit zum Unendlichen drängt, unterbrochen. Doch diese Hemmung ist kein hartes Schicksal wie in Hölderlins «Rhein». Der Fels, der unüberwindliche Widerstand, erscheint als Oreas, als Nymphe; Liebe hemmt den Lauf. Die Liebe aber, die den Strom auf seinem Weg zum Vater aufhält, enthebt ihn überhaupt der Not, das Ziel auf einem *Weg* zu suchen. Es gibt nun keinen Anfang, keine Mitte und kein Ende mehr. Das Ewige ist allgegenwärtig in der Spiegelung der Gestirne. Das in der Liebe gestillte Gemüt erfreut sich einer Offenbarung, die dem tätigen, immer vorwärts drängenden Geist verschlossen bleibt.

«Dämonisch» nennt Goethe solche Begegnung. Wir hören an ausgezeichneter Stelle das Wort zum ersten Mal, das später, in «Dichtung und Wahrheit» und in den Gesprächen mit Eckermann, so bedeutsam wird. Untergründiges, Finsteres – was wir heute ,dämonisch' zu nennen pflegen – braucht nicht damit gemeint zu sein, sondern nur eine «der moralischen Weltordnung wo nicht entgegengesetzte, doch sie durchkreuzende Macht[32]».

[32] Dichtung und Wahrheit 20. Buch.

Ihr liefert der Dichter sich aber nicht aus. Dem ungeheuren Eingang entsprechen die folgenden Stücke keineswegs. Schon in «Freundliches Begegnen» ist ein viel leichterer Ton gewählt. Und das siebente Sonett, der «Abschied», schließt mit den beiden Terzinen:

> «Und endlich, als das Meer den Blick umgrenzte,
> Fiel mir zurück ins Herz mein heiß Verlangen;
> Ich suchte mein Verlornes gar verdrossen.
>
> Da war es gleich, als ob der Himmel glänzte;
> Mir schien, als wäre nichts mir, nichts entgangen,
> Als hätt ich alles, was ich je genossen.»

Damit ist die geschützte Zone der Innerlichkeit bereits wieder gewonnen, die Goethe seit der «Natürlichen Tochter» allein noch Trost zu bieten scheint. Da gibt es kein verstörendes und beglückendes Überraschen mehr, wohl aber ein stilles, inniges Wachstum und eine Verheißung jener Reife, deren Früchte wir in den «Wahlverwandtschaften» und in der «Pandora» kosten.

Nur in diesen beiden Werken, in dem Festspiel und in dem Roman, gewinnt die rätselhafte Epoche einen großen selbständigen Sinn. Alles andere, was seit dem Abschluß des Revolutionsdramas geschieht, sofern es sich nicht gerade um naturwissenschaftliche Arbeiten handelt, ist schwer zu bestimmen und widerspruchsvoll. Da müssen wir uns gedulden, bis uns wieder ein klareres Bild begegnet, und inzwischen mit vollem Bewußtsein auf ein befriedigendes Wort verzichten.

PANDORA

«*Pandora*» – oder, nach dem ursprünglichen Titel, «Pandoras Wiederkunft» – das Festspiel, das Goethe einer Wiener Zeitschrift «Prometheus» in Aussicht stellte, Ende 1807 begann, im Frühling des folgenden Jahres unvollendet beiseitelegte und 1810 als Fragment veröffentlichte, bezeugt das Ringen nach einer neuen Kunst, das nach dem Tode Schillers in einer veränderten Welt anhebt. Ein Schauplatz tut sich auf «im großen Stil nach Poussinischer Weise gedacht». Überhöhte Gestalten betreten die Bühne. Die Sprache, schwer und prunkvoll, erinnert uns an die Tragödie des Aischylos und zugleich, in den eingelegten Gesängen und Chören, an die barocke Oper. Auch der konstruierte Mythos scheint eher dem 17. als dem Anfang des 19. Jahrhunderts anzugehören. Indes, so befremdlich dies alles ist, wir glauben doch einen Zusammenhang mit früheren Schöpfungen noch zu erkennen, zumal mit der «Natürlichen Tochter», dem Drama, das in mancher Hinsicht die Grenze der klassischen Möglichkeiten berührt und öfter schon überschreitet. Von einem Überschwellen des Sinns und der Ordnung über den Gegenstand, die Anschauung haben wir damals gesprochen[1]. Die Fülle des Lebens, ja sogar die Folgerichtigkeit seiner Gestalten schien Goethe, von Eugenie abgesehen, minder wichtig zu sein als die Erörterung einer Lage, die Klärung seelischer Drangsal und eine weitgespannte szenische Rhythmik. Der flüchtige Blankvers war der Last der Bedeutsamkeit kaum mehr gewachsen, die Abstraktion so weit gediehen, die Silberstiftzeichnung bereits so zart, daß jeder Versuch, in dieser Richtung fortzuschreiten, sich verbot, der Dichter in einen unsichtbaren Geisterraum zu entschwinden drohte.

Es war ihm aber auch nicht erlaubt, zurückzugehen oder stillzustehen. Wenn sich der Geist als «Vorwalten des oberen Leitenden[2]» durchgesetzt hat, vermag ihn keine Macht, kein Flehen und kein Fluch mehr aufzuhalten. Wie schon zu Beginn der achtziger Jahre, so hätte wohl auch um 1805 ein Kenner prophezeien können, daß es mit Goethes Dichten aus sei und daß man

[1] Vgl. S. 387.
[2] Noten und Abhandlungen zum Divan, Allgemeinstes.

sich von nun an höchstens noch Bücher der Altersweisheit, Maximen und Reflexionen verspreche dürfe. Goethe aber bahnte sich einen Weg in der festlichen Allegorie, in einem ganz vom Gedanken erzeugten, doch prächtig ausgestatteten Spiel, das künstlerische Errungenschaften einiger Maskenzüge und Theaterprologe der letzten Jahre, die wenig zu bedeuten schienen, auf einmal in den Dienst einer großen weltgeschichtlichen Frage stellt.

Zu diesen Errungenschaften gehören die Trimeter der antiken Tragödie und komplizierte lyrische Maße. Deutsche Trimeter hatte Goethe schon 1800 in Wilhelm von Humboldts Übersetzung des äschyleischen «Agamemnon» kennen gelernt und in der «Helena», soweit sie damals zustande kam, nachgeahmt[3]. Wir finden Trimeter wieder in «Paläophron und Neoterpe» (1800), in einem Lauchstädter Theaterprolog von 1802, in Fragmenten des «Löwenstuhl» (1803) und in dem «Vorspiel zu Eröffnung des Weimarischen Theaters» 1807, dem unmittelbar die «Pandora» mit ihren feierlichen Gebilden folgt. Wie sehr bestätigt sich abermals die alte Erfahrung Goethes, daß etwas Magisches in den Metren sei. Man möchte zunächst die Neuerung wohl nicht für allzu wesentlich halten. Der jambische Blankvers wird von fünf zu sechs vollständigen Füßen erweitert. Schon dies setzt aber das Tempo herab. Wir müssen Trimeter langsamer lesen. Außerdem enden die Verse nun ausnahmslos mit einer betonten Silbe. Der Zeilensprung wird damit erschwert, das Gleiten, die beim Blankvers mögliche Annäherung an die Prosa verhindert. Die Verse grenzen sich schärfer ab. Sie wirken stilisierter; die metrische Ordnung drängt sich entschiedener auf. Insofern erscheint der Trimeter als das Maß, zu dem der Blankvers der «Natürlichen Tochter» hinstrebt. Er hält die Bedeutungsschwere aus und macht das erhabene Schalten des in Gesetzen gefestigten Geistes vernehmlich.

Im Anschluß an gewisse Möglichkeiten des antiken Verses, die wir hier nicht zu schildern brauchen[4], gestattet Goethe sich nun aber auch an jeder beliebigen Stelle der Zeile statt einer Sen-

---

[3] Vgl. Karl Reinhardt, Sprachliches zu Schillers Jungfrau, Akzente, 3/1955, S. 207 ff., München.

[4] Vgl. dazu E. Staiger, Goethes antike Versmaße in: Die Kunst der Interpretation, Zürich 1955, S. 115 ff.

kung deren zwei, oder, anders ausgedrückt, ersetzt er die Jamben durch Anapäste:

«Die neidischen! Wie Kriegsgefährte den Schützen deckt
Mit dem Schild, so sie der Augen treffende Pfeilgewalt.» (617 f.)

«Der Schulter schmiegten sie zwitzernd, glimmernd gern sich
an.» (620)

«Entgegnete sie im Garten mir, verschleiert noch.» (695)

Wie griechische Trimeter mit den Längen und Kürzen klingen, wissen wir nicht. Im Deutschen machen solche Verse den Eindruck des Gedrängten, Gestopften. Es ist, als würde mehr in die Zeile hineingepreßt, als ihr eigentlich zukommt. Und diesem Effekt hilft Goethe noch durch kühne Nebenbetonungen nach:

«Kindheit und Jugend, allzu glücklich preis ich sie.»

Schon der erste Vers beginnt mit einem gegenrhythmischen Takt.

«Daneben zieht, so sprach sie fort, Schmucklustiges» (105),

«Wie sich frei das Haupt anmutiglich bewegete.» (622)

Wir sehen, es ist darauf angelegt, auch die Senkungen zu beschweren und so die Fracht der Verse noch höher zu türmen. Ähnlich wirken die Choriamben mit ihren aufeinanderstoßenden Hebungen in dem Klagegesang:

«Mühend versenkt ängstlich der Sinn
Sich in die Nacht, suchet umsonst
Nach der Gestalt. Ach! wie so klar
Stand sie am Tag sonst vor dem Blick.» (789–92)

Oder die Ionici a minore in Epimeleias' Angstgeschrei:

«Das Gehäg stürzt
Und ein Wald schlägt
Mächtge Flamm' auf.
Durch die Rauchglut
Siedet Balsam
Aus dem Harzbaum.» (847–852)

Wie durch eine zähflüssige Masse arbeitet sich hier die Sprache vorwärts. Es ist aber klar, daß dies keineswegs aus Ungeschicklichkeit oder Mühsal, sondern mit Wissen und Willen geschieht. Goethe hält sich gewaltsam zurück. Absichtlich schafft er Widerstände, um zum Beharren genötigt zu sein und dem Einzelnen Nachdruck geben zu können. Ebenso in den ungezählten anschauungsträchtigen Neubildungen, die Raum einsparen und so auf andere Weise die Zeile wieder belasten: «Lockenglut, Abendasche, Erzgewältger, Hammerchortanz, Hüllepracht, Nachtburg, Meerschwall.» In der «Natürlichen Tochter» bereitet ähnliches sich erst schüchtern vor; und eher einen bedeutenden Sinn als eine reiche Anschauung fanden wir dort in den Neubildungen verdichtet. Bei jedem allzu heftigen Ansatz wäre der Silberstift abgebrochen. Nun greift der Meister zu einem noch unerprobten, viel massiveren Werkzeug. In der «Pandora» versucht er, die Gefahren einer schon fast zu weit gediehenen Abstraktion zu bannen. An der hohen Geistigkeit hält er zwar fest. Er steigert sie noch mit einer betonten Ordnung, mit einem verschränkten Satzbau und einer tiefsinnigen Diktion. Zugleich aber gibt er mit größter Anstrengung dem Sinnlichen wieder Gewicht. Er zwingt es herbei; er bauscht es auf und drängt es zusammen: Die «Pandora» ist eine allegorische Dichtung, ein im Gedanken gründendes, erst nachträglich künstlich mit Farben und Formen verschwenderisch ausgestattetes Werk.

Zum eigentlich allegorischen Versmaß hat Goethe den Trimeter ausgebaut. Er eignet sich zwar, wie im Prolog von Lauchstädt, auch zu anderen Zwecken, ist aber doch vor allem befähigt, den Gegensatz von üppiger Fülle und hoher Geistigkeit auszuhalten. Die andern antiken Maße der «Pandora» sind kurzatmiger und sprechen eher Bedrängnis aus als Tiefsinn oder weite Sicht. Oder sie sind, wie die trochäischen Metren, nicht so scharf profiliert und gewähren eine gewisse Entspannung. Aber in jeder Zeile bedient sich Goethe der Formen mit höchstem Bewußtsein. Er gleitet nicht wie sonst in eine Stimmung hinein; er zieht von vornherein ein ganz bestimmtes Register, fast wie Klopstock, der sich zuerst das metrische Schema überlegt und dann erst um einen Inhalt bekümmert. Sogar bei den gereimten Liebes- und Sehnsuchtsgesängen ist dies der Fall. Sie blühen nicht, wie die Lieder der ersten Weimarer Zeit und wie die späte Lyrik, von selber aus dem Dunkel der innig bewegten Seele auf, sind nicht getragen von Glück und Wehmut, sondern gewollt in jedem Zug, man möchte geradezu sagen: skandiert – was selbstverständlich keineswegs ausschließt, daß ihr Gehalt doch durchaus echt ist, das heißt, wie man so gern zu sagen pflegt, auf einem ‚Erlebnis‘ beruht. Goethe spricht nur nicht so unmittelbar, wie wir es sonst gewohnt sind. Er hat in jungen Jahren seine Verse ohne alle Rücksicht in höchster Eile niedergeschrieben[5] und in der klassischen Ära sich der überraschenden Einigung von Willkür und Gesetz erfreut. Jetzt strömt die gefährlichste Leidenschaft in vorbereitete Formen ein. Es fragt sich nicht mehr, welche Gestalt das vage Gefühl annehmen wird; es fragt sich, ob die glühende Masse das vorgesehene Gefäß nicht sprengt. Offenbar war es nur so möglich, lyrisch auszusprechen, was sich in Goethes Gedichten kaum je findet: Abschiedswahnsinn, Sehnsuchtsschmerz und Klage um verscherztes Glück.

Wir sehen bereits, daß die «Pandora» unter anderen Zeichen steht als alle früheren Dichtungen Goethes. Das Spiel entströmt nicht frei dem großen sinnerfüllten Augenblick. Gedanken und Formen greifen vor, und das Lebendig-Mannigfaltige wird nachträglich beigeschafft. Wir mögen uns dabei an ältere Dichter erinnern oder an jüngere, etwa Platen oder George, und mögen auf Grund moderner Begriffe von Stil und hieratischer Strenge dem Werk besonders gewogen sein. Im Hinblick auf das ganze Schaffen Goethes dürfte niemand einen tief unseligen Zug verkennen. Die Majestät dieser Sprache ist schmerzhaft, die ungeheure Gebärde, die grandiose Weite fast erschreckend. Doch freilich, es kann nicht anders sein. Denn eben dies Unselige, eine Spannung, die dem Herzen fast zu viel zumutet, ist auch das Thema, das die mythische Fabel entwickelt, die Sage von Pandora, wie sie Goethe in sehr freier Verwendung antiker Motive neu gestaltet.

Ein Vergleich mit Hesiod und Protagoras erübrigt sich[6]. Goethe

[5] Vgl. Bd. I, S. 247.
[6] Vgl. dazu Werner Kohlschmidt, Goethes Pandora und die Tradition, Archiv für Literatur und Volksdichtung I. Bd. 1949, S. 5 ff.

hält sich an die Namen Pandora, Epimetheus, Prometheus, nimmt auf, was ihm gerade bequem ist, deutet es um und bildet es weiter und erfindet, was er für seinen besonderen Sinnzusammenhang braucht. Ebensowenig empfiehlt sich eine Besinnung auf das Prometheusfragment, das schon in Frankfurt entstanden ist. Alle Voraussetzungen sind anders. Es handelt sich nicht mehr um den Trotz des Menschenbildners gegen die Götter. Pandora ist nicht das Geschöpf des Prometheus. Sie steigt von himmlischen Räumen hernieder und bietet ihre Gaben an. Prometheus weist sie ab; Epimetheus heißt sie willkommen und wohnt ihr bei. Nachdem sie ihm zwei Kinder, Epimeleia und Elpore, geschenkt hat, verläßt sie ihn; Elpore nimmt sie mit; nur Epimeleia bleibt, dem einsamen Vater zu schmerzlichem Trost. Seither sind viele Jahre vergangen. Die beiden Brüder leben getrennt, Prometheus in ungebrochener Tatkraft, Epimetheus versunken in Gram. Mit seinem nächtlichen Monolog beginnt das gloriose Geschehen:

«Kindheit und Jugend, allzuglücklich preis' ich sie,
Daß, nach durchstürmter, durchgenoßner Tageslust
Behender Schlummer allgewaltig sie ergreift
Und, jede Spur vertilgend kräftger Gegenwart,
Vergangnes, Träume bildend, mischt Zukünftigem.
Ein solch Behagen, ferne bleibts dem Alten, mir.
Nicht sondert mir entschieden Nacht und Tag sich ab,
Und meines Namens altes Unheil trag ich fort:
Denn Epimetheus nannten mich die Zeugenden,
Vergangnem nachzusinnen, Raschgeschehenes
Zurückzuführen, mühsamen Gedankenspiels,
Zum trüben Reich gestaltenmischender Möglichkeit.
So bittre Mühe war dem Jüngling auferlegt,
Daß, ungeduldig in das Leben hingewandt,
Ich unbedachtsam Gegenwärtiges ergriff
Und neuer Sorge neubelastende Qual erwarb.
So flohst du, kräftge Zeit der Jugend, mir dahin,
Abwechselnd immer, immer wechselnd mir zum Trost,
Von Fülle zum Entbehren, von Entzücken zum Verdruß.
Verzweiflung floh vor wonniglichem Gaukelwahn,

Ein tiefer Schlaf erquickte mich von Glück und Not;
Nun aber, nächtig immer schleichend wach umher,
Bedaur ich meiner Schlafenden zu kurzes Glück,
Des Hahnes Krähen fürchtend wie des Morgensterns
Voreilig Blinken. Besser blieb es immer Nacht!
Gewaltsam schüttle Helios die Lockenglut;
Doch Menschenpfade, zu erhellen sind sie nicht.»

Als Eckermann eines Tages gestand, er sei bei der «Pandora»
erst nach und nach zum Verständnis durchgedrungen, erwiderte
Goethe: «Das glaube ich wohl; es ist alles wie ineinandergekeilt.»
Und in der Tat, der Text bereitet uns nicht nur Schwierigkeiten,
weil er so konzentriert ist, sondern vor allem, weil er die Folge
vermissen läßt, die Goethe sonst so genau beachtet. Hier wird
nicht ein Ergebnis langsam aus Voraussetzungen entwickelt. Der
Geist, der sich uns kundgibt, scheint nicht mehr im Wachstum
begriffen zu sein. Des Früheren und des Späteren ist er sich in
der gleichen Weise bewußt. So schiebt er es träumerisch ineinander, und eine Rede entsteht, die wie geologische Schichten Ver-
werfungen aufweist. Wir müssen sehr behutsam vorgehen.

Aus dem Namen Epimetheus, ‚Nachbedacht‘, wird das Wesen
und Schicksal des «Nachtwandlers», des «sorgenvollen», «schwer-
bedenklichen» (V. 314) Mannes entwickelt. Es ist ihm nicht gegeben, der Stunde ihr Recht widerfahren zu lassen. Er sinnt dem
Vergangenen nach und quält sich mit der Frage, wie dies und
jenes sich anders hätte ereignen können. Statt dem Wirklichen
gegenüberzutreten und sich damit auseinanderzusetzen, spielt er
mit Möglichkeiten. Er lebt in seiner Phantasie, die eine unbedingte, doch freilich auch unfruchtbare Freiheit gewährt. Erlauben
wir uns den halb scherzhaften Satz: Epimetheus hat die Schule der
italienischen Reise versäumt[7]. Er hat es nie gelernt, sich einer kräf-
tigen Gegenwart gehorsam, offen, selbstlos anzuvertrauen. Immer
weicht er aus ins Unbestimmte, Dämmerhafte, um seinem Herzen
mit Wahngebilden zu schmeicheln. Eine «bittre Mühe», da jeder
Tag das Erträumte wieder verscheucht, da die nach innen gewandte Betrachtung kein dauerndes, wahres Genügen schenkt.

[7] Vgl. S. 12 ff.

Um so ungeduldiger drängt er darum in das wirkliche Leben hinaus. Sein Ziel erreicht er aber nicht. Denn gerade die Ungeduld verhindert eine echte Begegnung. Epimetheus ergreift das Gegenwärtige «unbedachtsam»; er hält ihm nicht stand, es überwältigt ihn, wie jene nordischen Reisenden, denen Goethe vorwirft, daß sie sich der Plötzlichkeit des Effekts überlassen. So bildet sich nichts Bleibendes. Die Dinge wandeln sich wie die Stimmung; sie sehen bald so, bald anders aus. Große Momente lösen sich in unverständlicher Folge ab. Himmelhochjauchzend, zu Tode betrübt verbringt der Träumer seine Jugend, und alle Schmerzen und Freuden werden nur wieder zum Stoff fruchtlosen Sinnens. Schließlich verzweifelt er daran, daß jemals Klarheit, Ordnung, Folge im menschlichen Leben zu finden sei. Helios leuchtet umsonst. Der Tag ist trügerisch, tröstlich aber die Nacht, die keiner Sehnsucht widerspricht.

In diesen Gedankengang wird aber noch ein zweiter eingeschoben, der zum Verständnis dessen, was sich ereignen wird, ebenso wichtig ist. Epimetheus preist die Jugend, nicht etwa, weil sie fähiger wäre, sich der Gegenwart zu widmen, sondern weil sie schlafen und im Schlaf den Tag vergessen darf. Auch ihm war dieses Glück vergönnt. Doch seit er alt ist, «sondern Nacht und Tag sich nicht entschieden ab». «Im Alter schlafe man eigentlich nicht», bemerkte Goethe einmal zu Riemer [8]; «der Schlaf ziehe sich nur über die Gegenstände des Tags wie eine Art von Flor und lasse sie durchscheinen». Halb wach, halb schlafend wandert Epimetheus in der Nacht umher und sinkt am Tag in unruhigen Schlummer. Er kommt vom Vergangenen nicht mehr los. Er ist zu tief darein verstrickt, zu sehr mit seiner Erinnerung, dem «göttlichen Vermögen» (V. 597), um ein unwiederbringliches Gut bemüht.

So tritt er aus der Landschaft hervor, mit einer von jahrelanger vergeblicher Mühsal schmerzlich gefurchten Stirn, mit schwerer Zunge eine Sprache redend, die ungeheure Lasten von Gedanken und Träumen schleppt.

Seine ganze Kraft erschöpft sich in der Erinnerung an Pandora, die «allschönste und allbegabteste» (V. 87), die «Uranione»

[8] 21. Mai 1807.

(V. 603), das «höchste Gut» (V. 585), die «Schönheit» (V. 656) «in Jugend-, in Frauengestalt» (V. 678). Vieler Namen wird sie gewürdigt, und vieldeutig ist ihre Erscheinung. Doch der Begriff der Schönheit, wie ihn Goethe und Schiller ausgebildet, wie Goethe ihn weiter entwickelt hat, als Schein, Idee, vollkommener Ausgleich aller Gegensätze des Daseins, wird ihrer Würde am besten gerecht. Epimetheus, der ungeduldig ins Leben Hingewandte, hat sie «mit berauschtem Sinn» (V. 91) empfangen. Wir werden gut tun, hier wieder der «Italienischen Reise» zu gedenken. Im Palazzo Giustiniani [9] hat Goethe eine Minerva betrachtet; die Frau des Kustos erzählt, die Engländer pflegten die Göttin anzubeten.

«Da ich auch von der Statue nicht weg wollte, fragte sie mich, ob ich etwa eine Schöne hätte, die diesem Marmor ähnlich sähe, daß er mich so sehr anzöge. Das gute Weib kannte nur Anbetung und Liebe, aber von der reinen Bewunderung eines herrlichen Werkes, von der brüderlichen Verehrung eines Menschengeistes konnte sie keinen Begriff haben.»

Der Tragweite dieser Bemerkung ist Goethe sich in Italien noch kaum bewußt. Er weiß nur, daß die reine Kunst sich weder dem religiös Ergriffenen noch dem Verliebten offenbart. Erst Schiller lehrt ihn, theoretisch Idee und Wirklichkeit zu unterscheiden; und ein Ereignis, das die Tagebücher, Gespräche und Briefe verschweigen, das höchstens Sulpice Boisserées Aufzeichnung [10] über Ottilie zart andeutet, scheint ihm eingeprägt zu haben, wie hochgefährlich es sei, das Schöne leidenschaftlich umarmen und ins irdische Leben ziehen zu wollen.

Das erfährt auch Epimetheus – zu spät, obwohl ihn Pandora warnt. Sie tritt zu ihm heran mit einem Gefäß, aus dem ein Dampf hervorschwillt,

«Als wollt' ein Weihrauch danken den Uraniern.
Und fröhlich fuhr ein Sternblitz aus dem Dampf heraus,
Sogleich ein andrer; andre folgten heftig nach.
Da blickt ich auf, und auf der Wolke schwebten schon

[9] Italienische Reise, 13. Jan. 1787.
[10] Vgl. S. 440.

Im Gaukeln lieblich Götterbilder, buntgedrängt;
Pandora zeigt' und nannte mir die Schwebenden:
Dort, siehst du, sprach sie, glänzet Liebesglück empor!
Wie? rief ich, droben schwebt es? Hab ichs doch in dir!
Daneben zieht, so sprach sie fort, Schmucklustiges
Des Vollgewandes wellenhafte Schleppe nach.
Doch höher steigt, bedächtig ernsten Herrscherblicks,
Ein immer vorwärts dringendes Gewaltgebild.
Dagegen, gunsterregend, strebt, mit Freundlichkeit
Sich selbst gefallend, süß zudringlich, regen Blicks,
Ein artig Bild, dein Auge suchend, emsig her.
Noch andre schmelzen kreisend ineinander hin,
Dem Rauch gehorchend, wie er hin und wider wogt,
Doch alle pflichtig, deiner Tage Lust zu sein.
Da rief ich aus: Vergebens glänzt ein Sternenheer,
Vergebens rauchgebildet wünschenswerter Trug!
Du trügst mich nicht, Pandora, mir die Einzige!
Kein andres Glück verlang ich, weder wirkliches
Noch vorgespiegeltes im Luftwahn. Bleibe mein!
Indessen hatte sich das frische Menschenchor,
Das Chor der Neulinge, versammelt mir zum Fest.
Sie starrten froh die muntern Luftgeburten an
Und drangen zu und haschten. Aber flüchtiger
Und irdisch ausgestreckten Händen unerreich-
bar jene, steigend jetzt empor und jetzt gesenkt,
Die Menge täuschten stets sie, die verfolgende.
Ich aber zuversichtlich trat zur Gattin schnell
Und eignete das gottgesandte Wonnebild
Mit starken Armen meiner lieberfüllten Brust.
Auf ewig schuf da holde Liebesfülle mir
Zur süßen Lebensfabel jenen Augenblick.» (97–131)

Die Geschichte mit dem Gefäß hat Goethe von Hesiod über-
nommen, aber freilich ganz anders gewendet. Keine Übel, sondern
liebliche Schattengestalten entschweben ihm. Sie werden so genau
geschildert, daß es selbstverständliche Pflicht ist, sie auch genau
zu interpretieren.

Pandora wünscht, daß Epimetheus sich mit Bild und Schein begnüge. Nachdem er sie mit Augen angeschaut hat, soll er Künstler werden, und zwar Dichter, wie eine sorgfältige Auslegung der Verse ergibt. Die mannigfaltigen Luftgestalten nämlich lassen sich doch wohl nur als poetische Gattungen restlos begreifen[11]. Die lyrische Dichtung gibt sich in dem schwebenden «Liebesglück» zu erkennen; des «Vollgewandes wellenhafte Schleppe» deutet auf den breiten, langwierigen Vortrag, das «Schmucklustige» vermutlich auf die Epitheta ornantia der epischen Poesie. Als «immer vorwärts dringendes Gewaltgebild» erscheint die Tragödie, während die folgenden Verse den Geist der Komödie zu umschreiben versuchen, die sich im «Maskenzug» von 1818 mit ähnlichen Worten vorstellt:

«Ich aber, Schwestern, kann mich nicht verleugnen,
Mit frohem Sinne blick ich alles an.
Hier kann sich nichts als Freudiges ereignen;
Ich brauche nichts zu tun, es ist getan.
So will ich mich in dieses Band verweben,
Und was mir ähnelt, führ ich froh heran.
Hier seh und fühl ich ein erregtes Leben,
Ich teile, was ich sonst gegeben.»

Die Gattungen sind damit nicht erschöpft. Auch verschmelzen sie ineinander. Doch alle dienen den Menschen zur Lust, zur dauernden, sofern sie ihre Sprache richtig zu hören verstehen.

Das «frische Menschenchor» jedoch, ein naives Geschlecht, vermag der Kunst noch kein ästhetisches, «interesseloses Wohlgefallen» zu widmen. Es nimmt den Schein für Wirklichkeit, so wie es noch heute ein ungebildetes Publikum im Theater tut. Ebensowenig erfaßt Epimetheus das Wesen zeitentrückter Vollendung. Er schließt Pandora in die Arme und setzt sie damit der Vergänglichkeit aus. Der lebendige Körper, den er berührt, in dem er «der Seligkeit Fülle» (V. 655) genießt, entschwindet wieder wie alles, was dem Kreis des Lebendigen angehört. Des Ewigen teil-

[11] Schon H. Düntzer hat dies vermutet, die richtige Fährte dann freilich wieder verlassen.

haftig ist allein die Gestalt, die Form an sich, die «Idee» im platonischen Sinn des Begriffs[12]. Wer diese nicht von jenem scheidet, dem fehlt die Kraft, in der Erscheinungen Flucht das Dauernde zu bewahren. Pandora kehrt zurück ins Jenseits, in einen ὑπερ-ουράνιος τόπος, und Epimetheus, der die Kunst verschmäht hat, trauert ihr hilflos nach.

Der Name seiner einen Tochter «Epimeleia» bedeutet eigentlich ,Sorgfalt, Sorge, Fleiß, Bemühung'. Und einige Verse legen ihm auch diesen sprachlich richtigen Sinn bei. Goethe scheint aber zugleich das επι- wie das in Epi-metheus zu nehmen und demnach eine mehr rückwärts gewandte Sorge und Bemühung zu meinen, eine Sinnesart, die der grüblerischen des Vaters nahe verwandt ist. Nur so wird Epimeleia nämlich zum Gegensatz ihrer Schwester Elpore, der Hoffnung, die der Zukunft gilt.

Indes verleugnet auch Elpore die väterliche Herkunft keineswegs. Sie ist nicht jene Hoffnung, die dem entschlossenen Täter Flügel verleiht, die Egmont im Untergang aufrecht erhält, die in Elpenor sich verkörpert, von der es in den «Urworten» heißt, daß sie Äonen überwinde, sondern jene andere, die nur spielerisch mit dem Künftigen umgeht, die es phantastisch antizipiert und in Erfüllungsträumen schwelgt. «Ich will nicht hoffen und fürchten wie ein gemeiner Philister», sagt Goethe einmal; und ein «Zahmes Xenion» lautet so:

> «Was ist ein Philister?
> Ein hohler Darm,
> Mit Furcht und Hoffnung ausgefüllt.
> Daß Gott erbarm!»

«Philister» ist ein hartes Wort. Man könnte es übel angebracht finden bei einem Greis wie Epimetheus, der so gewaltig vor uns steht. Sein Leiden schützt ihn gegen den Vorwurf. Doch eben dies ist seine Art: zu hoffen und fürchten, statt etwas zu wagen. So tritt er schon Phileros in den Weg, bedenklich warnend vor Gefahren, die irgendwo vielleicht lauern könnten; so fällt er in seinen Morgentraum, wie Elpore hinter dem Hügel heraufsteigt.

[12] Vgl. E. Cassirer, Goethes Pandora, in Idee und Gestalt, Berlin 1921.

Goethe hat die Szene zwar mit bezaubernder Grazie ausgeführt, mit einer Anmut, die das ganze deutsche Rokoko hinter sich läßt. Aber die Meinung ist unmißverständlich. Epimetheus kennt die Tochter nur, solang er von ihr getrennt ist. Die «natürliche Magie der Phantasie» – um an die Schrift Jean Pauls zu erinnern, die uns schon früher beschäftigt hat[13] – erfordert Ferne, um sich in völliger Freiheit erträumten Glücks zu erfreuen.

«Wie vergeht sein schönes blasses Licht und seine ganze Magie in der Nähe! Als wenn Zukunft Gegenwart wird!» sagt in Jean Pauls «Titan[14]» die Fürstin, die den Mond durch ein Fernrohr betrachtet. So ist auch Epimetheus befremdet, wie das Wunschbild sich ihm nähert. Er gleicht dem Dichter, den Goethe besonders schroff als Philister abgelehnt hat. Der Mut zum wirklichen, scharf umrissenen, unausweichlichen Dasein fehlt.

Andrerseits ist sich Elpore durchaus ihres spielerisch-nichtigen Wesens bewußt. Sie spricht von Ehre, Macht und Reichtum:

> «Hoffe niemand solche Güter;
> Wer sie will, ergreife sie.»

Nur die Liebenden möchte sie trösten; sie sind des Trosts am meisten bedürftig und mit dem nichtigsten zufrieden. So treibt sie holden Schabernack. Das Echo redet ihr «Ja, Ja!» nach, ungreifbar, irgendwoher. Es ist die lieblichste Musik. Doch wehe dem, der sich darauf verläßt! Er wird erwachen wie Epimetheus, den Epimeleias Angstruf aufschreckt.

Das Bild des Schmerzensmannes ergänzen die eingeschalteten Gesänge «Jener Kranz, Pandorens Locken» und «Mühend versenkt ängstlich der Sinn». Mit dem Schein des Schönen wollte sich Epimetheus nicht begnügen. Doch hochwillkommen hieße er jetzt die Verewigung, welche die Kunst vollbringt. Er selbst verzehrt sich in dem Versuch, die Entschwundene zu vergegenwärtigen. Aber umsonst! Aus lebenden Blumen ahmt er den Kranz Pandoras nach; er kann die Fülle nicht halten, verliert, was er gepflückt hat, und Rose und Lilie welken, bevor die Krone sich

---

[13] Vgl. S. 13.
[14] Titan, 92. Zykel.

ründet. Kunstgerechter scheint die in den Choriamben geschilderte Mühsal zu sein. Epimetheus begehrt nach Pinsel und Stahl, um sein Erinnerungsbild auf der Leinwand oder im Marmor festzuhalten. Nun aber muß er erfahren, daß das Bild sich unablässig verwandelt. Jetzt erscheint ihm Pandora so, jetzt so und gleich darauf wieder anders. Das ist der alte Mangel, den schon der Eingangsmonolog beklagt. Epimetheus verliert sich an den Moment. Er ist außerstande zurückzutreten, das Frühere mit dem Späteren zu vergleichen, das Wechselnde auszuschalten, sich des Bleibenden zu versichern und so zum Wesen vorzudringen, zum «Stil», wie Goethe ihn begreift und wie er ihn in Italien durch denkende, abstrahierende Betrachtung der Dinge erworben hat[15]. Dem Moment verfallen, hat Epimetheus Pandora «berauscht» umarmt, Schein und Wirklichkeit nicht geschieden, die Anschauung der Idee versäumt und ermüdet nun in vergeblicher Qual.

Einfacher stellt sich Prometheus dar, der vorbedachte, tätige, auf Zwecke ausgerichtete Mann. Er schläft in der Nacht, um Kräfte zu sammeln, und erhebt sich vor Sonnenaufgang, des Morgens froh, der belebende Aussicht auf die noch leeren, mit Wirken auszufüllenden Stunden des Tages eröffnet. Dem nützlichen Handwerk ist er befreundet. Das Schmiedefeuer, das gen Himmel lodert, gleicht seinem starken Gemüt, das einem Ziel entgegendrängt und unbedenklich um einer Leistung willen die Gaben der Erde verbraucht. Die Schmiede bereiten die Waffen des Kriegers. Prometheus billigt dies ausdrücklich. Der Starke behaupte sich gegen den Schwächern, und jeder bestehe auf seinem Sinn:

«Des tätgen Manns Behagen sei Parteilichkeit.» (V. 218)

In all dem ist Prometheus seinem Bruder entgegengesetzt gemäß dem Wort in Wilhelm Meisters Lehrbrief:

«Der Sinn erweitert, aber lähmt; die Tat belebt, aber beschränkt.»

Prometheus, obwohl dem Volk seiner Schmiede und Krieger

[15] Vgl. S. 27 ff.

weit überlegen, hat wenig «Sinn», das heißt: Empfänglichkeit. Sein großer Verstand erlaubt ihm zwar, sogar Epimetheus anzuerkennen. Doch inniges Fühlen, Sichversenken, holde Betörungen sind ihm fremd und unvereinbar mit seinem Begriff von der Würde und der Bestimmung des Menschen.

Damit versäumt nun aber auch er die Gegenwart, die sich selber genügt. Wie Epimetheus immer nachsinnt, sinnt Prometheus immer voraus und ist mit keiner Erfüllung zufrieden, ein Repräsentant des technischen, ökonomischen und politischen Geistes, der über der Organisation der Arbeit und immer wacher Bereitschaft die Antwort auf das ‚Wozu?' vergißt.

«Leider komme ich mir», schreibt Goethe im Juni 1811 an Zelter, «wie eine Doppelherme vor, von welcher die eine Maske dem Prometheus, die andre dem Epimetheus ähnlicht, und von welchen keiner, wegen des ewigen Vor und Nach, im Augenblick zum Lächeln kommen kann. »

Die Ausgangslage der «Pandora» ist der Verlust des Augenblicks, der klassischen Höhe des Zeniths. Das Zwiegespräch der Brüder über Pandora macht sie uns unmittelbar vor der großen Wende noch einmal klar. Prometheus sieht in dem himmlischen Gast nur ein Gebilde Hephaists, der Kunst, und fragt sich, was es allenfalls leiste und was zu lernen sei von ihm. Da die schöne Gestalt in solchen Begriffen nicht ganz aufgeht, weist er sie als verführerisch und gefährlich ab. Epimetheus hebt hervor, was an Pandora gnadenhaft, Geschenk der Natur ist; was der Künstler beigesteuert hat, schätzt er gering. Prometheus fehlt das Gefühl für das Wunder des Schönen; Epimetheus fehlt die Kraft, es zu fassen und festzuhalten. Jener möchte es gern für seine eigenen praktischen Zwecke verwenden und alles opfern, was ihm nicht dient. Dieser gibt sich willenlos hin und opfert sich selbst in seiner Verzückung. Bei keinem ist zu hoffen, daß ihm Pandora wieder erscheinen werde. Prometheus wiese sie abermals ab, und Epimetheus verlöre sie wieder.

Doch unterdessen bereitet sich schon in dem jüngeren Geschlecht ihre Wiederkunft vor. Phileros, der Sohn des Prometheus, unterbricht das nächtliche Sinnen des Oheims mit seinem «herzerhebenden», von Liebesjubel erfüllten Gesang. Er hat die Entschlossenheit seines Vaters, zugleich aber auch den berauschten epimetheischen Sinn und liebt die Tochter des Epimetheus, Epimeleia. Des Rats und der Warnung achtet er nicht und tut wohl daran, obwohl er, wie Epimetheus befürchtet, «ins Unglück rennt». Denn eben damit bringt er das entschwundene Glück auf die Erde zurück. Es ist ein sehr geheimnisvoller, wie alles, was dem tiefsten Glaubensbedürfnis eines Dichters entspringt, nicht restlos aufklärbarer Vorgang. Epimeleia hat für Phileros die Gartenpforte geöffnet. Einzig dies kann sie meinen, wenn sie später von ihrer Reue, ihrer Scham und ihrem Verschulden spricht. In der titanischen Landschaft nimmt sich eine solche geradezu bürgerliche Sittsamkeit vielleicht seltsam aus. Doch wir haben uns damit abzufinden. Ein fremder Hirt ist eingedrungen. Phileros überrascht ihn bei Epimeleia, glaubt die Geliebte treulos, erschlägt den vermeintlichen Nebenbuhler und ist im Begriff, auch Epimeleia zu töten. Diese flieht zu ihrem Vater. Auch Prometheus tritt dazwischen und droht, seinen Sohn in Ketten zu legen:

> «Doch was bedarfs der Ketten? Überwiesener!
> Gerichteter! Dort ragen Felsen weit hinaus
> Nach Land und See, dort stürzen billig wir hinab
> Den Tobenden, der, wie das Tier, das Element,
> Zum Grenzenlosen übermütig rennend stürzt.

> *(Er läßt ihn fahren)*

> Jetzt lös ich dich. Hinaus mit dir ins Weite fort!
> Bereuen magst du oder dich bestrafen selbst.»

Phileros, in Worten, die bereits an die «Wahlverwandtschaften» erinnern, hält dem Vater entgegen, wie wenig starre Gesetzlichkeit gegen die Leidenschaft und den Zauber der Schönheit vermöge, heißt aber das angedrohte Gericht willkommen und stürzt sich, am Glück des Lebens verzweifelnd, vom Felsen hinab in die Flut. Unterdessen haben Hirten aus der Sippe des Erschlagenen Wälder und Wohnstätten im Bereich des Epimetheus angezündet. Dorthin wendet sich Epimeleia:

«Nicht dahin trägt
Mich der Fuß, wo
Phileros wild
Sich hinabstürzt
In den Meerschwall.
Die er liebt, soll
Seiner wert sein!
Lieb und Reu' treibt
Mich zur Flamm' hin,
Die aus Liebsglut
Rasend aufquoll. »

Epimetheus versucht sie zu retten; Prometheus bietet die Krieger auf. Doch beider Bemühung erübrigt sich. Eos, aus dem Meer aufsteigend, heißt die Fischer nach Phileros tauchen und weist die Hilfe des Vaters ab:

«Weile, Vater! Hat dein Schelten
Ihn dem Tode zugetrieben,
Deine Klugheit, dein Bestreben
Bringt ihn diesmal nicht zurück.
Diesmal bringt der Götter Wille,
Bringt des Lebens eignes, reines
Unverwüstliches Bestreben
Neugeboren ihn zurück. »

Noch ehe die Fischer kommen, erhebt sich Phileros aus eigener Kraft.

«Dort! er taucht in Flutenmitte
Schon hervor, der starke Schwimmer:
Denn ihn läßt die Lust zu leben
Nicht, den Jüngling, untergehn.

Spielen rings um ihn die Wogen,
Morgendlich und kurz beweget,
Spielt er selbst nur mit den Wogen,
Tragend ihn, die schöne Last.
Alle Fischer, alle Schwimmer,

Sie versammeln sich lebendig
Um ihn her, nicht, ihn zu retten:
Gaukelnd baden sie mit ihm.
Ja, Delphine drängen gleitend
Zu der Schar sich, der bewegten,
Tauchen auf und heben tragend
Ihn, den schönen Aufgefrischten.
Alles wimmelnde Gedränge
Eilet nun dem Lande zu.

Und an Leben und an Frische
Will das Land der Flut nicht weichen;
Alle Hügel, alle Klippen
Von Lebendgen ausgeziert.»

Die glückliche Landung gestaltet sich zu einem dionysischen Fest. Auch Epimeleia zieht es herbei:

«Aus den Fluten schreitet Phileros her,
Aus den Flammen tritt Epimeleia;
Sie begegnen sich, und eins im andern
Fühlt sich ganz und fühlet ganz das andre.
So, vereint in Liebe, doppelt herrlich,
Nehmen sie die Welt auf. Gleich vom Himmel
Senket Wort und Tat sich segnend nieder,
Gabe senkt sich, ungeahnet vormals.»

Nach den Entwürfen ist damit Pandoras Wiederkunft einge-leitet. Aber freilich, um dies zu verstehen, müssen wir ziemlich weit ausholen.

Der Zwischenfall mit dem fremden Hirten löst die ganze Be-wegung aus, ähnlich wie der Anblick von Norbergs Brief das Schicksal Wilhelm Meisters. Die Sorge und Bedenklichkeit des Alters spricht nicht mit; die Jugend handelt mit ihrer unbedingten und verblendeten Leidenschaft. So werden die Elemente ent-fesselt. Die Flamme quillt, nach Epimeleias Wort (V. 873), aus Phileros' Liebesglut auf. Daß andrerseits das Wasser Epimeleia zugeordnet sei, wird nicht so deutlich ausgesprochen. Wir dürfen höchstens an das Wogenhafte und Zerrinnende, dessen ihr Vater so oft gedenkt, erinnern. Doch wie dem auch sei: das Liebespaar, das Wasser und Feuer ausgesetzt ist, war Goethe seit dem Anfang der neunziger Jahre ein wohlvertrautes Bild. Er hatte selbst mit Liebe Mozarts «*Zauberflöte*» inszeniert und zur Ergänzung des Repertoires einen *zweiten Teil* zu dichten begonnen. In diesem zweiten Teil gelingt es der Königin der Nacht und ihren Helfern, das Kind Taminos und Paminas in einen goldenen Sarg zu bannen. Wieder müssen Tamino und Pamina durch Wasser und Feuer schreiten. Sie finden den Sarg; der Deckel springt auf; das Kind, das nun «Genius» heißt, entschwebt[16]. Ton und Stimmung der Oper gehören freilich zu einer ganz anderen Welt. Daß aber der Sinn des Geschehens dem der «Pandora» gleicht, ist leicht zu er- kennen. Nacht hält den Genius gefangen. Jugendliche Liebe, die alles wagt, das Sichere, Feste, Gebildete preisgibt, den Tod nicht scheut und, ohne sich zu besinnen, die Elemente durchschreitet, befreit den Genius und vertreibt die Nacht. Später wird sich Helena aus dem Tumult der Elemente erheben; und noch die «Wanderjahre» schließen mit dem Sturz des liebeskranken Felix in die Fluten des Stroms und seiner Erneuerung in erhöhter innerer und äußerer Schönheit. Der Vorgang bleibt sich immer gleich. Was allem Fleiß und allen Schmerzen unermüdlichen Sinnens, der Prüfung von tausend Möglichkeiten versagt bleibt, gelingt der Leidenschaft, die sich verschwendet, oder besser, ge- währt der «Götter Wille» der ungebrochenen Frühkraft, welche die Fühlung mit den unendlichen, nährenden und gefährlichen Zonen des Lebens noch nicht eingebüßt hat. Nur das Samenkorn, das stirbt, bringt reichliche Frucht; nur was den Tod erlitten hat, kann auferstehen.

Von da aus fällt noch ein helleres Licht auf die ersten Worte des Epimetheus. Er, der wach die Nacht zubringt, dem der den andern Sterblichen allabendlich gewährte Tod, das Vergessen im Schlaf, nicht mehr vergönnt ist, der unablässig Brütende, in seine von Vergangenheit trächtigen Träume und Gedanken Befangene, kann der Welt das Heil nicht bringen. Goethe, der Alternde,

---

[16] Vgl. das für alle Symbolforschung grundlegende Buch von W. Em- rich, Die Symbolik von Faust II, Berlin 1943.

schreckt vor dieser bitteren Einsicht nicht zurück. Auf kühnen Pfaden, wie er sie selbst einst wandelte, die zu schildern er sich nun bald in «Dichtung und Wahrheit» anschickt, werden andere wandern müssen, die keine zu große Erfahrung beschwert, die kaum schon wissen, worum es geht.

Die Rede der Eos an Prometheus fügt aber noch einen Gedanken hinzu. Goethe deutet eine Coincidentia oppositorum an. Phileros und Epimeleia, Feuer und Wasser durchdringen sich. So, heißt es, «nehmen sie die Welt auf». Die Väter waren einander fremd. In den Kindern vereinigt sich beider Wert. Sie können das Schöne empfangen und fassen, sind hingegeben und stark zugleich, geführt und führend, berauscht und klar. Sie sind zusammen der ganze Mensch und also würdig des höchsten Guts.

Ein gewisser Abschluß ist damit erreicht, worauf es ankommt, ausgesprochen. Einzig die Erfüllung dessen, was Eos weissagt, steht noch aus. So können wir es verschmerzen, daß Goethe den zweiten Teil nicht ausgeführt hat. Immerhin wollen auch die Paralipomena kurz gewürdigt sein.

«Phileros in Begleitung von Fischern und Winzern. Dionysisch. Völliges Vergessen.»

Darüber wissen wir schon Bescheid. Das Fest, das Eos geschildert hat, wäre wohl auf der Bühne fortgesetzt, die Lösung von allem Vergangenen noch entschiedener gegen die epimetheische Erinnerungsmühsal ausgespielt worden.

Dann wird die *Κυψελη* «von weitem gesehen. Anlangend. Deckt den eben hervortretenden Wagen des Helios.»

Das sonderbare Motiv ist angeregt durch einen Aufsatz Heynes: «Über den Kasten des Cypselus, ein altes Kunstwerk zu Olympia mit erhobenen Figuren, nach dem Pausanias, Göttingen 1770.» Einzelne Übereinstimmungen hat Max Morris nachgewiesen[17]. Wir legen den Nachdruck mehr darauf, daß hier schon wieder, wie in der «Natürlichen Tochter» und in der «Zauberflöte», eine verschlossene Lade erscheint, ein Äußeres, das ein Inneres birgt – man kann es kaum anders sagen, wenn man in Kürze der ganzen Bedeutungsfülle dieses Symbols gerecht werden will. In der «Natürlichen Tochter» birgt der Schrank Eugeniens fürstlichen

[17] Goethe-Studien, Berlin 1902, Bd. I, S. 277 ff.

Schmuck, der ihr, der Ahnungslosen, sobald er zutage tritt, Verderben bringt. Im zweiten Teil der «Zauberflöte» umschließt der Schrein das schlafende Kind. Das Innere ist jeweils der «Sinn», der «Geist», Eugeniens strahlender, aber bisher unsichtbarer Adel, der dichterische Genius, der sich im stillen bildet, um einst die Welt zu verklären. Es ist, wenn sich die Lade öffnet, das «offenbare Geheimnis», das die Widersprüche des Daseins löst oder in der Fremde zugrunde geht.

Die Kypsele der «Pandora» enthält einen «Tempel, sitzende Dämonen, Wissenschaft, Kunst» und einen «Vorhang», der vielleicht noch ein tieferes Geheimnis verhüllt. Der Kunstcharakter ist dem Eingeweihten schon in dem Augenblick klar, wie die Lade sich vor die Sonne schiebt. Die Menschen sind geschaffen, «Erleuchtetes zu sehen, nicht das Licht» (V. 958). So dämpft auch in der «Zueignung» «der Dichtung Schleier aus der Hand der Wahrheit» den allzu blendenden Glanz.

Phileros heißt die Gabe willkommen; Prometheus bleibt sich treu; er will die Kypsele «vergraben und verstürzt» wissen. Krieger wollen sie zerschlagen, den Inhalt rauben. Die Schmiede «wollen das Gefäß schützen und es allenfalls stuckweis auseinandernehmen, um daran zu lernen». Die Menge bewundert, gafft und berät. So wiederholen sich in der Breite, auf tieferer Stufe die Einseitigkeiten, die bisher die Brüder repräsentierten.

Doch nun tritt Epimeleia heran.

> «Weissagung
> Auslegung der *Κυψελη*
> Vergangenes in ein Bild verwandeln
> Poetische Reue, Gerechtigkeit.»

Auch jetzt dem Vergangenen nachzusinnen, ist Epimetheus' Tochter gemäß. Es geschieht nun aber in höherer Art. Sie bleibt im Vergangenen nicht mehr befangen; es wird verwandelt in ein Bild. Das heißt: nun endlich gelingt, was Epimetheus so lange umsonst versucht hat. Das Schwankende, Fließende festigt sich. «Scharf» bleibt es stehen «gegen dem Blick»; «Blinzen des Augs» verscheucht es nicht mehr (V. 802ff.). Es ist «stilisiert»

469

und damit abgelöst von der Wandelbarkeit des Gemüts. «Der Dichter verwandelt das Leben in ein Bild», sagt Goethe in dem Schema zu «Dichtung und Wahrheit» von 1809. Das ist zugleich, wie im «Werther», in der Gretchentragödie oder im «Tasso», «poetische Reue, Gerechtigkeit». Der Dichter weist sich selbst den richtigen Platz im Ganzen des Lebens an. Er gewinnt Distanz und macht damit das Vergangene erst zu seinem Besitz. Wie Epimeleia dies freilich als Auslegung der Kypsele vorgetragen hätte, wagen wir nicht zu vermuten.

Da vom Vergangenen die Rede ist, erscheint auch Epimetheus wieder. Die Krieger und Schmiede des Prometheus beharren auf ihrer Einstellung. Aber sie müssen bald verstummen. Denn nun ereignet sich die lang erwartete Wiederkunft Pandoras. Sie

> «Paralysiert die Gewaltsamen.
> Hat Winzer, Fischer, Feldleute, Hirten auf ihrer Seite.
> Glück und Bequemlichkeit, die sie bringt.
> Symbolische Fülle.
> Jeder eignet sichs zu.»

Eine neue sinnerfüllte glückliche Gegenwart hebt an. Über die folgenden Worte

> «Schönheit.
> Ruhe, Frömmigkeit, Sabbat. Moria»

haben die Interpreten sich mit geradezu komischem Scharfsinn gestritten. «Moria» sollte der Name des bekannten Bergs bei Jerusalem sein, auf dem der Tempel Salomons stand. Wilamowitz kam auf Grund spitzfindiger Kombinationen auf den Ölbaum der Athene, den er, wieder mit Hilfe gewagter Schlüsse, auf Platons Akademie bezog. Außerdem wurde eine Stelle aus Plotins «Enneaden» zitiert: $K\acute{\alpha}\lambda\lambda o\varsigma$ $\ddot{o}\tau\alpha v$ $\mathring{\eta}$ $\tauo\tilde{v}$ $\mathring{\epsilon}v\grave{o}\varsigma$ $\tau\acute{\alpha}$ $\mu\acute{o}\varrho\iota\alpha$ $\varkappa\alpha\tau\acute{\alpha}\sigma\chi\eta$ $\varphi\acute{v}\sigma\iota\varsigma$; – «Von Schönheit reden wir, wenn die Natur des Einen die Teile zusammenhält.» Dies alles ist mehr gelehrt als zwingend. Alfred Coehn[18] traf sicher das Rechte, als er auf das «En-

[18] Vierteljahrsschrift der Goethe-Gesellschaft 1937, II. Bd., 1. Heft, S. 4ff.

komion Morias» des Erasmus hinwies, das «Lob der Torheit», das Goethe in «Der Kölner Mummenschanz» erwähnt:

«Selbst Erasmus ging den Spuren
Der Moria scherzend nach.»

Man hat zu wenig darauf geachtet, daß «Moria» von «Ruhe, Frömmigkeit, Sabbat» durch einen Punkt getrennt ist. Die ersten drei Wörter gehören zusammen; das vierte stellt sich gegenüber, so wie sich schon früher törichter Eifer gegen das Wunder des Schönen gestellt hat, wie auch im «Faust» die Hofgesellschaft töricht über Helena schwatzt. Gefährlich ist diese Moria nicht mehr. Der Widerstand klingt in ihr ab und löst sich in eine harmlose Posse auf. Die Menge ist gewonnen; jeder – nur Prometheus ausgenommen – huldigt auf seine Weise dem Schrein. Er öffnet sich. Das Geheimnis wird sichtbar. «Phileros Epimeleia Priesterschaft.» Dann finden wir «Helios» noch genannt. Epimetheus wird verjüngt, «Pandora mit ihm emporgehoben». Eine im Schema nicht weiter erklärte Gunst belohnt die schmerzlichste Treue. «Einsegnung der Priester. Chöre.» Und endlich

«Elpore thraseia
Hinter dem Vorhang hervor
ad Spectatores.»

Auch Elpore hat sich verwandelt. Der Zusatz «thraseia», ‚kühn‘, deutet an, daß nicht mehr jene beliebig unseren Wünschen schmeichelnde Hoffnung gemeint sei, sondern die andre, gewaltige, deren Flügel Zeiten und Räume besiegt.

Hätte sie uns, das gegenwärtige Geschlecht, auffordern sollen, an Pandoras Wiederkunft zu glauben? Es ist wahrscheinlich. Denn hinter dem Vorgang, den wir darzulegen versuchten, zeichnet sich noch ein zweiter ab, ein weltgeschichtlicher Prozeß, der nach idealistischen Vorstellungen verläuft und an die Nähe von Hegels «Phänomenologie» und Schellings «Weltaltern» erinnert.

Die heroische Landschaft nach Poussinischer Weise, «das frische Menschenchor» ist diesmal nicht als zeitlos gültiger klassischer Lebensraum, sondern als bestimmter geschichtlicher Zustand gemeint. Er gipfelt in der ersten, von Epimetheus beschriebenen Erscheinung Pandoras, im Aufgang einer Schönheit, die noch ganz naiv genommen wird, die sich noch nicht als Ideal einer Wirklichkeit gegenüberstellt. Doch wie die Stunde des Abschieds naht, verändert sich Pandoras Aussehen:

> «So neu verherrlicht leuchtete das Angesicht
> Pandorens mir aus buntem Schleier, den sie jetzt
> Sich umgeworfen, hüllend göttlichen Gliederbau.
> Ihr Antlitz, angeschaut allein, höchst schöner wars,
> Dem sonst des Körpers Wohlgestalt wetteiferte;
> Auch ward es rein der Seele klar gespiegelt Bild,
> Und sie, die Liebste, Holde, leicht-gesprächiger,
> Zutraulich mehr, geheimnisvoll gefälliger.» (683—690)

Damit betreten wir die Stufe, die später, in der Helenatragödie, durch den Übergang vom Sprechtheater zur Oper bezeichnet wird. Die Plastik des Körpers, in der die Antike die Schönheit verehrt, entzieht sich dem Blick. Statt dessen gewinnt das Antlitz an Reiz. Die Seele leuchtet aus den Augen, die Innerlichkeit, die eine bisher ungeahnte Fühlung, ein neues, vertieftes Einverständnis gewährt. Die Zwischenzeit beginnt, die «sentimentalische» oder «romantische» Ära. Der Schwerpunkt verschiebt sich von der Gegenwart auf die Vergangenheit und die Zukunft, vom Schauen auf das Erinnern und Hoffen. Epimeleia und Elpore treten hervor, da Pandora verschwindet, wie Schiller das Sentimentalische in das «Elegische» und das «Satirische», das Rückwärts- und Vorwärtsgewandte, aufteilt. Der Glanz des Tages weicht der Nacht.

> «Laß der Sonne Glanz verschwinden,
> Wenn es in der Seele tagt,
> Wir im eignen Herzen finden,
> Was die ganze Welt versagt»,

wird es in der Helenatragödie heißen. Wir denken auch an Novalis, an Schlegel, an Hölderlins «Patmos», wo der Tag, der könig-

liche, den Zepter zerbricht. Nacht beherrscht die Szene des Goetheschen Festspiels, bis Epimeleia in die Flammen, Phileros ins Meer
stürzt. Dann steigt Eos auf und verkündet:

> «Jugendröte, Tagesblüte
> Bring ich schöner heut als jemals.» (959—60)

«Wort und Tat», die «Gabe», die sich gleich vom Himmel nie-
dersenken wird, ist «ungeahnet vormals». Der neue Welttag also
soll noch herrlicher als der vergangene sein. Die Steigerung
dürfte darin bestehen, daß in der Gegenwart, die anbricht, die
Innerlichkeit bewahrt, im Hegelschen Sinne «aufgehoben» ist.
Wir haben darin von jeher Verdienst und Gnade der Klassik
Goethes erblickt, doch freilich auch festgestellt, wie teuer der
nordische Dichter sie mit Einschränkungen und Abstraktionen
bezahlt. Von diesem Preis sagt Eos nichts. Phileros und Epimeleia,
vereint in Liebe, «nehmen die Welt auf» – eine eschatologische
Hoffnung, die wahrlich das Beiwort «thraseia» verdient.

Selbst Prometheus, der im Schema des zweiten Teils nur feindlich gesinnt scheint, vermag sich ihr nicht ganz zu entziehen.

> «Neues freut mich nicht, und ausgestattet
> Ist genugsam dies Geschlecht zur Erde.
> Freilich frönt es nur dem heutgen Tage,
> Gestrigen Ereignens denkts nur selten;
> Was es litt, genoß, ihm ists verloren.
> Selbst im Augenblicke greift es roh zu;
> Faßt, was ihm begegnet, eignets an sich,
> Wirft es weg, nicht sinnend, nicht bedenkend,
> Wie mans bilden möge höherm Nutzen.
> Dieses tadl' ich; aber Lehr und Rede,
> Selbst ein Beispiel, wenig will es frommen.
> Also schreiten sie mit Kinderleichtsinn
> Und mit rohem Tasten in den Tag hin.
> Möchten sie Vergangnes mehr beherzgen,
> Gegenwärtges, formend, mehr sich eignen,
> Wär es gut für alle; solches wünsch' ich.» (1061—1076)

Das heißt, er wünscht den Menschen, die nur in den Tag hineinleben, geschichtlichen Sinn. Sie sollen nicht von Vergangenem träumen wie der Romantiker Epimetheus, aber Vergangenes mehr beherzigen, um besser die Gegenwart wahrzunehmen. Auch dies ist eine Synthesis im Geist der neuen Gabe Pandoras.

Und schließlich leuchtet auf dem geschichtlichen Grund die Sprache noch heller auf, die Goethe hier geschaffen hat. Antike und romantische Elemente sind ineinandergemischt – «romantische» in dem weiten Sinn, den Friedrich Schlegel dem Wort verlieh. Die fest umrissenen griechischen Verse werden abgelöst von Reimen, die alles mit einem Schleier musikalischer Innerlichkeit überziehen, deren Zauber in einem Ahnen und einem Erinnern von Klängen besteht. Pandora in ihrer ersten Gestalt sowie Elpore und Epimeleia sind die Musen solcher Dichtung. Erfüllt aber wäre die Hoffnung erst, wenn sich das Nebeneinander der Stile in einer neuen, höheren, klassisch-romantischen Einheit auflösen würde. Das ist in einigen spielerischen, tiefsinnig-ironischen Mythologien im zweiten Teil des «Faust» gelungen. Die «Pandora» leidet noch an einer gewissen Absichtlichkeit, in der Sprache sowohl wie in der Erfindung. Die geschichtsphilosophische Konstruktion im Sinne der allgemein idealistischen Lehre vom Dreitakt der Weltgeschichte wirkt, von Goethe vorgetragen, bei aller farbigen Pracht und Fülle noch eigentümlich doktrinär. Die eingelegten «Arien» jedoch, die eine ungeheure, höchst persönliche Leidenschaft bekennen, die dichterischen Höhepunkte des Werks, befremden uns fast in dieser Umgebung.

So wird man sich nicht darüber verwundern, daß die «Pandora», zur Hälfte vollendet, durch die «Wahlverwandtschaften» verdrängt wird. Auch in den «Wahlverwandtschaften» kommen Probleme des Festspiels wieder zur Sprache: Schein und Wirklichkeit des Schönen, die elementare Wiedergeburt, die Verführungen des romantischen Geistes. Das allegorische Kleid jedoch und alles Spekulative fällt weg. Wir kehren in die gewohnte Intimität der Goetheschen Welt zurück.

DIE WAHLVERWANDTSCHAFTEN

Die «Wahlverwandtschaften» sind das erste größere Werk, das Goethe nach «Hermann und Dorothea» vollendet hat. Zunächst war nur eine Novelle geplant, die neben dem «Mann von fünfzig Jahren», «Sankt Joseph dem Zweiten» und andern Geschichten die «Wanderjahre» bereichern sollte. Allein, «sie dehnten sich bald aus; der Stoff war allzu bedeutend und zu tief in mir gewurzelt, als daß ich ihn auf eine so leichte Weise hätte bewältigen können[1]!» Indes genügen der günstige Sommer 1808 in Karlsbad und der zähe Fleiß des folgenden Jahres, um das Ganze auszuarbeiten. Schon Mitte Oktober 1809 liegt der Roman im Buchhandel vor. Wir betrachten ihn mit gebührender Vorsicht. Goethe, nachdem er lange wie in Dunkel und Nebel gewandert ist und in der «Pandora» mit höchster Anstrengung einen neuen Stil versucht hat, tritt hier auf einmal wieder gelöst, doch ganz verändert vor uns hin, als Fremder fast, der eine neue, nicht gleich verständliche Sprache spricht, an dessen Gebärden und Umgangsformen wir uns zuerst gewöhnen müssen. Auch seinen näheren und ferneren Freunden erschien er als verwandelter Mensch. Christiane berichtet Anfang Februar 1809, er befinde «sich diesen Winter außerordentlich wohl ... er sah ganz herrlich und stattlich aus; ich kann ihn gar nicht genug bewundern[2]». Der Shakespeare-Übersetzer Wolf Graf Baudissin schreibt seiner Schwester: «Ich schwöre, daß ich nie einen schöneren Mann von sechzig Jahren gesehen habe! Stirn, Nasen und Augen sind wie vom olympischen Jupiter und letztere ganz unmalbar und unvergleichbar. Erst konnte ich mich nur recht an den schönen Zügen und der herrlichen braunen Gesichtsfarbe weiden; nachher aber, wie er anfing, lebhafter zu erzählen und zu gestikulieren, wurden die beiden schwarzen Sonnen noch einmal so groß und glänzten und leuchteten so göttlich, daß, wenn er zürnt, ich nicht begreife, wie ihre Blitze nur zu ertragen sind. Ich war in einem solchen Anstaunen und Anbeten, daß ich alle Blödigkeit rein vergaß... Seine

[1] Annalen 1807.
[2] An Bettina Brentano, in Bode, Goethe in vertraulichen Briefen seiner Zeitgenossen 1803–1816, Berlin 1921, S. 200.

ehemalige Korpulenz hat er verloren, und seine Figur ist jetzt im vollkommensten Ebenmaß und von höchster Schönheit. Man kann keine schönere Hand sehn als die seinige, und er gestikuliert beim Gespräch mit Feuer und entzückender Grazie ... Und wie kommt er in die Stube, wie steht und geht er! Er ist ein geborener König der Welt[3].»

Erst in diesen Jahren also bildet sich die Körpergestalt, die unsrer Verehrung immer vorschwebt, wenn wir Goethes Namen nennen. Die Dichtung, deren Atmosphäre uns beklemmt, hat ihn verjüngt. Wieder, wie im «Werther», scheint eine Wunde aufgebrochen zu sein, scheint sich die kranke Seele selbst gereinigt und geheilt zu haben. In keiner Silbe vernehmen wir jedoch ein unmittelbares Bekenntnis. Die strengste Objektivität wird in den «Wahlverwandtschaften» gewahrt. Dem Briefroman, der sich in Schmerzen und Entzückungen frei ergeht, dem Bildungsroman, der einen seinem Schöpfer nahverwandten Helden mit dem Weltlauf konfrontiert, folgt ein Gemälde der Gesellschaft, in dem man sich vergeblich nach dem Bildnis des Erzählers umsieht, das uns sogar verbieten möchte, seinen Standort außerhalb des Dargestellten zu erkunden. Dennoch handelt es sich auch nicht um einen Gesellschaftsroman im französischen oder englischen Sinn des Begriffs, in dem es einzig darum ginge, die Welt zu schildern, «wie sie ist». Goethe deutet und erläutert das Geschehen unablässig, und selbst wo er nur zu beschreiben vorgibt, fordert er uns zum Sinnen heraus. «Soziale Verhältnisse und die Konflikte derselben symbolisch gefaßt darzustellen[4]», ist seine Absicht. «Ich habe viel hineingelegt, manches hineinversteckt[5]», schreibt er an Zelter; und kurz darauf beruhigt er sich vor demselben Freund mit der Überzeugung, daß ihn der «durchsichtige und undurchsichtige Schleier nicht verhindern werde, bis auf die eigentlich intentionierte Gestalt hineinzusehen[6]». Wieland bekommt zu hören, man müsse die «Wahlverwandtschaften» dreimal lesen[7]. Es stehe mehr darin, als irgendein Leser auf einmal erfassen

[3] 1. Juni 1809, a.a.O., S. 207f.
[4] Zu Riemer, 28. August 1808.
[5] An Zelter, 1. Juni 1809.
[6] An Zelter, 26. August 1809.
[7] Gräf, Goethe über seine Dichtungen, Epos I, S. 422.

könne. Das wird uns öfter eingeschärft. Und es bedürfte der Warnung nicht, um unsere Aufmerksamkeit zu steigern.

Schon die ersten Kapitel regen ein tiefes Mißtrauen in uns auf. Wir glauben zu verstehen und finden uns alsbald gründlich widerlegt durch eine unerwartete Wendung, verwirrt durch ein rätselhaftes Motiv. An Kommentaren und erhellenden Aphorismen fehlt es nicht. Aber sie stehen nicht an der Stelle, auf die sie sich offensichtlich beziehen, sondern anderswo, zum Beispiel in Ottiliens Tagebuch, auf dessen Weisheit sich zu berufen dem Leser erlaubt sein mag oder auch nicht. Oder sie werden von Personen ausgesprochen, die unser Vertrauen in der Folge verscherzen; und abermals wissen wir nicht, woran wir sind. Etwas Ähnliches ist uns freilich schon im «Wilhelm Meister» begegnet[8]: Die Mitteilung des Lehrbriefs der Gesellschaft vom Turm wird abgebrochen und später in einer Weise nachgeholt, die nicht dazu angetan ist, uns den erwarteten Aufschluß zu geben. Goethe scheut sich, dem Leben mit endgültigen Sätzen Gewalt zu tun. Sein Zweifel an der Sprache nötigt ihn, die herrlichsten Sentenzen durch den Vortrag zu entwerten, die Würde des Unsäglichen gegen alles grobe Betasten zu schützen. «Das Beste wird nicht deutlich durch Worte.»

Wie sehr haben diese Scheu aber noch die Leiden der letzten Jahre vertieft! Um die immer schmerzlichere, in der «Pandora» schon beinah unerträgliche Spannung von Sprache und Leben auszuhalten, verfeinert Goethe seine Methoden der Darstellung. Er schaltet den denkenden Geist nicht aus, wie die moderne Skepsis sich in ähnlicher Lage so leicht entschließt. Im Gegenteil! Er scheint sich seiner als eines Helfers in der Drangsal jetzt erst völlig zu versichern. Kein früheres Werk ist ideell so klar wie die «Wahlverwandtschaften» durchdacht. Doch nirgends wird eine Entscheidung gefällt, vielmehr, wo eine solche gefällt wird, hebt sie die nächste sogleich wieder auf. So gibt die Klarheit des Gedankens allem nur einen unheimlicheren Schein. Goethe hatte Grund, das Wort vom «offenbaren Geheimnis[9]» zu brauchen.

Zugleich bedient er sich aber auch weit mehr als früher der

[8] Vgl. S. 155.
[9] An Zelter, 1. Juni 1809.

Möglichkeit, die zartesten und heikelsten Bezüge nicht eigentlich auszulegen, sondern in Dingen, Gebrauchsgegenständen, Landschaftsmotiven anzudeuten. Das führt so weit, daß bald von keinem Baum, keinem Schmuck mehr die Rede sein kann, ohne daß wir veranlaßt würden, Hintergründigkeiten zu wittern. Der Spürsinn hilft uns aber wenig. Es sind ja keine Allegorien, keine Chiffren, die man nur auflösen müßte, um hinter die Sache zu kommen. Sondern es handelt sich um Symbole, bei denen im Besonderen bereits ein Allgemeines geborgen ist, das heißt, verborgen und aufbewahrt, verschlossen zugleich und dargestellt, viel lebensgerechter, als dies jemals in Begriffen möglich wäre. Spricht Goethe aber in Symbolen, um die Mannigfaltigkeit des Menschenwesens zu schonen und dem tödlich-besiegelnden Wort zu entgehen, wie soll der Interpret sich dann an das Geschäft der Deutung wagen, das nur darin bestehen kann, die von dem Dichter weise vermiedenen Pfade dennoch zu betreten? Ein leiser Hinweis, ein schüchterner Nachdruck, eine probeweise Umschreibung ist hin und wieder vielleicht erlaubt.

Schließlich haben wir anzuerkennen, daß in den «Wahlverwandtschaften» bereits ein Beispiel jener Kunst vorliegt, die Goethe später, im Hinblick auf «Faust II», mit den Worten charakterisiert:

«Da sich gar manches unserer Erfahrungen nicht rund aussprechen und direkt mitteilen läßt, so habe ich seit langem das Mittel gewählt, durch einander gegenübergestellte und sich gleichsam in einander abspiegelnde Gebilde den geheimeren Sinn dem Aufmerkenden zu offenbaren[10].»

So finden wir in den «Wahlverwandtschaften» eine Novelle eingelegt, «Die wunderlichen Nachbarskinder», eine Geschichte mit glücklichem Ausgang, die bestimmt ist, uns an Licht und Hoffnung zu erinnern und damit zugleich das Fatum des Romans, das in sich selber völlig maßlos bliebe, zu begrenzen. Die «Wahlverwandtschaften» ihrerseits waren zuerst, wie wir hörten, bestimmt, in «Wilhelm Meisters Wanderjahren» eine dunkle Folie versöhnlicherer Geschicke zu bilden. Demnach haben wir das Ungeheure, das uns ängstigt, in größere Räume einzufügen, ins

[10] An Iken, 23. Sept. 1827.

478

Ganze der Goetheschen Welt zuletzt, den heilen Körper, der selbst solche Krankheiten zu ertragen vermag.

Einige Zeitgenossen, unter ihnen leider sogar Grillparzer[11], haben sich über die unerträgliche Langeweile in den ersten Kapiteln der «Wahlverwandtschaften» beklagt. Gewohnt, in Goethe den Hüter der gesitteten Bürgerlichkeit zu sehen, selbst aber viel zu sehr im Lebensstil der modernen Gesellschaft befangen, waren sie außerstande, seinen geheimeren Intentionen zu folgen. Sie nahmen als behagliche, umständliche Schilderung, was in jedem Satz mit Argwohn, Zweifel und den größten Bedenken mitgeteilt wird. Die Langeweile nämlich fällt durchaus nicht dem Erzähler zur Last; sie gehört bereits zum Thema des Buchs; sie ist das Klima des Geschehens, an das wir uns gewöhnen müssen. Wir erinnern uns an die Bemerkung über die Langeweile der protestantischen Feiertage in «Wilhelm Meisters theatralischer Sendung», an gelegentliche unmutige Andeutungen in «Dichtung und Wahrheit» und finden es nicht mehr allzu befremdlich, daß Goethe hier etwas vorträgt, ja zum Lebensgrund eines Schicksals macht, was er, der Tätige, stets zu erfüllter Gegenwart Mahnende sonst verschweigt: die Ratlosigkeit der «Sozietät», die sich nach allen Seiten sichert und eben in diesen Sicherungen den Reiz des lebendigen Lebens einbüßt.

Eduard und Charlotte sind reich. Der Sorge für den morgenden Tag, der ernsten Arbeit, die ja nicht so sehr als Strafe, denn als Trost für den Verlust des Paradieses gelten darf, sind sie enthoben. Jede Tätigkeit ist beliebig; man könnte sie ebensogut unterlassen, sogar die Tätigkeit des Hauptmanns, die nach der Meinung Eduards beiden Teilen unentbehrlich sein soll.

«Er sollte mit vornehmen und reichen Leuten die Langeweile teilen, indem man auf ihn das Zutrauen setzte, daß er sie vertreiben würde.» (I.Teil, 2. Kap.)

Dieses Schicksal möchten ihm die Freunde gern ersparen. Daß sie ihm genau dasselbe bereiten, entzieht sich ihrem befangenen Sinn. Er täuscht sich selbst darüber und muß sich von einem Dritten sagen lassen, daß er eigentlich «hier seine Bestimmung

[11] Grillparzers Sämtliche Werke, hg. von A. Sauer ,Wien, o.J., II.Abt., 10. Bd., S. 319.

nicht erfülle und im Grunde bloß in einem halbtätigen Müßiggang hinschlendere» (I, 12).

Seine Aufgabe besteht darin, das Landgut Eduards auszumessen und bei den Verbesserungen und Verschönerungen behilflich zu sein. Das führt uns ein in das Geschäft der Zähmung, Bildung, Aneignung, Domestizierung der freien Natur, das in der ganzen Erzählung einen so beträchtlichen Raum beansprucht. Wege werden angelegt, Gestrüpp und Wildnis ausgerottet, neue Deiche aufgeführt. Wie man eines Tages in kaum gangbare Gegenden vorstößt, durch dichten Busch und moosiges Gestein zu einer alten Mühle, weiß man nichts Besseres, als auch diese Unbequemlichkeit zu beseitigen und den Weg so auszubauen, daß «man ihn gesellig, schlendernd und mit Behaglichkeit zurücklegen könnte» (I, 7).

Anmut wird man dieser weithin von der Hand des Menschen gebildeten Landschaft nicht absprechen wollen. Aber es ist doch so, als ob mit jeder neuen Aneignung ein Lebensquell verschüttet würde. Eduard glaubt sich seines Besitzes mit dem Blick auf die topographische Karte erst völlig versichert zu haben. Doch wo nichts Unbekanntes übrig bleibt, darbt unsere Phantasie und findet sich das Herz verwaist.

Fragwürdiger noch sind andere, mehr beiläufig erwähnte Veranstaltungen. Die Gesellschaft, die das Paar Charlotte und Eduard repräsentiert, ist wie durch eine unsichtbare Schranke von ihrer Umgebung getrennt. Mit Bürgern und Bauern, sofern er ihnen nicht befehlen darf, will Eduard lieber nichts zu schaffen haben (I, 6). Im Überschwang des Glücks beschenkt er einmal einen Bettler maßlos. Sonst aber weiß er sich die Bedürftigen durch eine von dem Hauptmann empfohlene kluge Einrichtung, die sein Gewissen beschwichtigt, vom Leibe zu halten (I, 6). Wir glauben zuerst, daß Goethe auch hier einen Rat im eigenen Namen erteile. In den voritalienischen Jahren hat er sich ganz persönlich einiger armer Teufel angenommen, Peters im Baumgarten, Plessings, Kraffts. Später scheint er diese Art von Wohltätigkeit als verlorene Liebesmüh betrachtet und die in höheren Ständen übliche anonyme Weise vorgezogen zu haben. Es geht nicht anders. Auf ein echtes Verstehen ist ohnehin nicht zu hoffen.

Dennoch regt sich jetzt ein Zweifel. Etwas stimmt hier nicht. Wir sind beunruhigt und wir sollen es sein.

Wir sollen noch tiefer beunruhigt werden durch alles, was an die letzte, unwiderrufliche Schranke des edlen wie des gemeinen Lebens erinnert, den Tod. Goethes Scheu ist uns bekannt. Wir wissen, er hütet sich sogar, auch nur den Ausdruck «sterben» zu brauchen, und zieht euphemistische Wendungen vor. Nun aber, wie finden wir uns zurecht, wenn mit dem seltsamsten Nachdruck wiederholt davon die Rede ist, daß Charlotte es sich zur Pflicht macht, alles Tödliche zu entfernen, daß die Bleiglasur der Töpferwaren, der Grünspan kupferner Gefäße ihr lange schon Sorge bereitet (I, 4), ein Feldchirurgus herbeigeholt, eine Hausapotheke angeschafft wird, daß Eduard den Kirchhof nicht gern betritt, daß selbst der Kahn auf dem ruhigen Teich zu mancherlei Ängsten Anlaß gibt? Wir werden wieder nicht übersehen, daß Goethe an seiner eigensten Gesinnung irregeworden ist. Charlotte geht indes noch weiter. Sie läßt die Grabdenkmäler entfernen und an die Kirchhofmauer rücken, wo sie wie ein Zierat wirken. Die Gräber werden eingeebnet[12]; ein Rasen zieht sich darüber hin, ein schöner bunter Kleeteppich, den sogar der «an alten Gewohnheiten haftende Geistliche» gerne sieht, zumal er «noch überdies seinem Haushalt zugute kommen sollte, indem Charlotte die Nutzung dieses Fleckes der Pfarre» hatte «zusichern lassen» (II, 1).

Daß hier in aller Liebenswürdigkeit, im Geist der klassischen Humanität etwas Frevelhaftes geschieht, verstünden wir auch ohne das Gespräch mit dem Rechtsanwalt, das sich anschließt, in dem die verletzten Gefühle einiger Angehörigen vorgebracht, zugleich aber auch die Gründe Charlottes im höchsten Sinn gewürdigt werden, so daß wir uns denn abermals der Zweideutigkeit überantwortet finden, die uns in den «Wahlverwandtschaften» von Anfang an auf jeder Seite verstört.

Wie ungeheuer ernst sie gemeint ist, ermessen wir freilich erst nach und nach, wenn sich herausstellt, daß alle diese humanen Sicherungen versagen, daß der zum Schutz errichtete Deich zur Stätte eines Unglücks wird, der stille Teich sein Opfer fordert und

[12] Vgl. dazu Walter Benjamin, Goethes Wahlverwandtschaften, in Schriften I, S. 55 ff. Frankf. a.M. 1955.

der verleugnete Tod sich eine Garbe blühender Jugend mäht. In der «Natürlichen Tochter» hat Goethe die Gefahren ins Auge gefaßt, die dem reingezogenen Kreis des schönen Lebens von außen drohen. Hier rührt er an noch abgründigere Not, an die Gefahren, die in der Tiefe des schönen Lebens selber schlummern, die beinah unaussprechliche Schuld, auf der es beruht, die gesühnt werden muß. Das Problem, in dem die Frage sich verdichtet, ist die Ehe als natürlicher und durch Gesetz und Sitte geregelter Bund der Geschlechter, der würdigste Versuch des Menschen, unberechenbare Gewalten durch eine Ordnung zu beschwichtigen und in gedeihliche zu verwandeln.

Die Auffassung der Ehe, wie sie sich in den «Wahlverwandtschaften» kundgibt, haben kurz nach Erscheinen des Buchs und noch in den dreißiger Jahren viele Leser, meist solche aus religiösen Kreisen, als unsittlich abgelehnt. Graf Reinhard dagegen wunderte sich, daß Goethe «in bezug auf die Ehe so strenge Grundsätze habe, während er doch in allen übrigen Dingen so läßlich denke[13]». Goethe selbst schrieb 1821 in einem Brief an Zauper:

«Der sehr einfache Text dieses weitläufigen Büchleins sind die Worte Christi: Wer ein Weib ansieht, ihrer zu begehren etc.[14]»

Es fällt nicht schwer, für diese wie für jene Deutung Belege zu finden. Mittler, der schon durch seinen Namen zum Friedensrichter bestimmte Mann, spricht Worte über die Ehe, die ein Menschenfreund jedem jungen Paar auf seinen Weg mitgeben möchte. Und einmal – es ist die einzige Stelle, im zehnten Kapitel des ersten Teils – scheint Goethe sich in eigenem Namen der Meinung Mittlers anzuschließen. Charlotte, heißt es, «wußte recht gut, daß nichts gefährlicher sei als ein allzu freies Gespräch, das einen strafbaren oder halbstrafbaren Zustand als einen gewöhnlichen, gemeinen, ja löblichen behandelt; und dahin gehört doch gewiß alles, was die eheliche Verbindung antastet».

Oder soll auch dieser Zusatz nur Charlottes Gedanken umschreiben? Der «halbstrafbare Zustand» nämlich, das «allzu freie Gespräch» bezieht sich auf den Vorschlag des Grafen, Ehen

[13] Goethe zu Eckermann, 30. März 1824.
[14] 7. Sept.

immer nur auf fünf Jahre zu schließen und sich dann zu fragen, ob man noch länger zusammenbleiben wolle. Und von diesem «Scherz» wird gesagt, daß man ihm sehr wohl eine «tiefe moralische Deutung» geben könne. Andrerseits erregt das Betragen Mittlers oft genug den entschiedensten Unwillen gegen seine Moral. Vor dem liebeskranken Eduard spielt er eine höchst peinliche Rolle. Sein Mangel an Takt ist manchmal grotesk, so bei der Taufe, wo seine uferlose Beredsamkeit den Tod des alten Geistlichen herbeiführt, und wieder am Schluß, wo seine schöne, in diesem Augenblick aber brutale Auslegung des sechsten Gebots Ottiliens Herz wie ein Dolchstoß trifft. Er will das Beste; der Einzelne und die Gemeinschaft würden wohl dabei fahren. Was gilt der Leidenschaft aber das Wohl? Was kann ihr ein Allgemeines bedeuten, ihr, der das Einzige alles ist, die ihr Verlangen durch ungeahntes Entzücken und Leiden geheiligt weiß? Dem Eingeweihten müßten die richtigsten Worte auf den Lippen ersterben.

In dieser Weise Goethes Roman zu befragen, ist uns also verwehrt. Klarer sehen wir vielleicht, wenn wir die ganz bestimmte, individuelle Ehe betrachten, die in den «Wahlverwandtschaften» zugrunde geht. Denn nicht von der «Ehe an sich» wird erzählt. Charlotte und Eduard sind es, die den Bund fürs Leben geschlossen haben, wohlgeratene, gesittete Menschen, ein bewundernswürdiges Paar, rücksichtsvoll in den Umgangsformen, artig, herzlich und unbefangen. Szenen, heftige Auseinandersetzungen werden hier nie stattfinden. Dergleichen schließt die schon fast zur Natur gewordene Kultur der Gesellschaft aus. Eduard leistet sich Maßlosigkeiten, verstößt aber kaum je gegen den Anstand. Charlottes Eifersucht, die wir manchmal erraten können, äußert sich nie. Man unterhält sich über das chemische Gesetz der Wahlverwandtschaft, wendet es auf die menschliche Welt an und exemplifiziert mit der eigenen Person, dem Gatten, dem Freund. Aber gerade die Kombination, die nachher eintritt, an der die Ehe zerbricht, zu erwähnen, gestattet sich niemand, sogar im Scherz nicht; es scheint, man erlaube sich nicht einmal, daran zu denken. So selbstverständlich gehört es zum Ton, zum Stil, vielleicht sogar zur Gesinnung, die Ehe für unantastbar zu halten.

Dennoch haben wir gleich den Eindruck, sie sei nicht allzu sicher gegründet. Noch kein Jahr sind die beiden vermählt. Eduard aber findet die Mooshütte, die Charlotte für den engsten Kreis berechnet hat, eher zu klein; er läßt überhaupt ein gewisses Ungenügen an seinem Zustand erkennen. Darüber klärt uns die sehr wichtige Vorgeschichte der Ehe auf. Eduard und Charlotte haben sich schon als junge Leute geliebt:

«Wir wurden getrennt: du von mir, weil dein Vater, aus nie zu sättigender Begierde des Besitzes, dich mit einer ziemlich älteren reichen Frau verband; ich von dir, weil ich, ohne sonderliche Aussichten, einem wohlhabenden, nicht geliebten, aber geehrten Mann meine Hand reichen mußte. Wir wurden wieder frei; du früher, indem dich dein Mütterchen in Besitz eines großen Vermögens ließ; ich später, eben zu der Zeit, da du von Reisen zurückkamst. So fanden wir uns wieder. Wir freuten uns der Erinnerung, wir liebten die Erinnerung, wir konnten ungestört zusammenleben. Du drangst auf eine Verbindung; ich willigte nicht gleich ein: denn da wir ungefähr von denselben Jahren sind, so bin ich als Frau wohl älter geworden, du nicht als Mann. Zuletzt wollte ich dir nicht versagen, was du für dein einziges Glück zu halten schienst.» (I, 1)

Mit diesen Sätzen spricht Charlotte das πρῶτον ψεῦδος, den tiefsten noch wahrnehmbaren Grund des Verhängnisses aus. Beide, Charlotte und Eduard, haben einst nicht dem Zug des Herzens gehorcht, sondern sich von dem Willen der Eltern und äußerer Rücksicht bestimmen lassen. Darüber wäre das Schicksal vielleicht wie über so manches hinweggegangen. Den gefährlicheren Fehler begehen sie erst, indem sie nach einigen Jahren die schon verscherzte Möglichkeit doch noch ergreifen. Charlotte, die Klügere, hält sich zurück. Sie führt sogar, selbstlos, absichtlich, Eduard mit Ottilie zusammen und möchte, daß er sie beachtet. Doch Eduard, «der seine frühe Liebe zu Charlotten hartnäckig im Sinne behielt, sah weder rechts noch links und war nur glücklich in dem Gefühl, daß es möglich sei, eines so lebhaft gewünschten und durch eine Reihe von Ereignissen scheinbar auf immer versagten Gutes endlich doch teilhaft zu werden.» (I, 2) Damit vergeht sich Eduard gegen ein unnachsichtiges Gesetz.

Er insistiert; er sträubt sich gegen das Werden und Vergehen, die Verwandlung, auf der das Leben beruht. Die Kraft des Geistes, die Kraft des Bewahrens setzt er ein gegen die Natur. Er nimmt nicht Abschied; er vergißt nicht. Er sündigt an seinem inneren Wachstum. Das ist bei Goethe immer wieder der Keim des seelischen Verderbens und dessen, was man ‚tragisch' nennt. Aurelie, Werther, Elektra in dem Plan zur «Iphigenie in Delphi», sie fehlen alle durch Insistenz[15]. Es ist hier nicht wesentlich, ob sie auf freundlichen oder entsetzlichen Dingen beharren. Wir ziehen allein ihren Widerstand gegen das stetige Walten der Zeit in Betracht. So Eduard selbst in später Stunde:

«Wer in einem gewissen Alter frühere Jugendwünsche und Hoffnungen realisieren will, betriegt sich immer: denn jedes Jahrzehnt des Menschen hat sein eigenes Glück, seine eigenen Hoffnungen und Aussichten. Wehe dem Menschen, der vorwärts oder rückwärts zu greifen durch Umstände oder durch Wahn veranlaßt wird!» (II, 12)

Nicht beharren und nicht übereilen! Das wäre der Weisheit letzter Schluß. Doch welcher Mensch ist so geartet, daß er stets in den natürlichen Rhythmus einzustimmen vermag? Schon bei dem chemischen Gleichnis taucht die Frage der Willensfreiheit auf. Die chemischen Stoffe handeln nicht frei. Man redet nur anthropomorphisch von ‚Wahl'. Ist aber dem Menschen zu wählen vergönnt? Eduard hat Charlotte ‚gewählt'. Gerade aus der Willentlichkeit der Wahl wächst aber das Verderben. Diese Willentlichkeit indes ist wieder nur ein Zug des Charakters, bei dem es sich abermals fragt, ob es ihm gegenüber noch eine Freiheit gibt. Sogleich geraten wir in die spitze Sophistik der Determination, aus der ein Ausweg schwer zu finden, die Goethe aufzuhellen jedenfalls hier am wenigsten bereit ist. Charlotte vermag sich zusammenzuraffen und im entscheidenden Augenblick ihr Treuegelöbnis zu erneuern. Sie ist aber eine kühle Natur; sie fühlt sich wohl im Gleichmaß der Tage und weicht Erregungen, solchen sogar, die die Kunst zu bereiten wünscht, lieber aus. Eduard dagegen hat eine lebhafte Neigung zu lyrischer Poesie. Er ist den Stimmungen unterworfen, begabt mit mächtiger Phantasie, will-

[15] Vgl. Bd. I, S. 370 u. 383f.

kürlich, glücksbegierig, nicht «gewohnt, sich etwas zu versagen»
(I, 2). Solger machte hier einen Einwand. «Ich glaube», so äußert
er sich in seiner Kritik über Eduard, «alles würde gewonnen
haben, wenn er innerlich größer wäre und doch fallen müßte[16].»
Dazu bemerkte Goethe:

«Ich kann ihm nicht verdenken, daß er den Eduard nicht
leiden mag, ich mag ihn selber nicht leiden, aber ich mußte ihn
so machen, um das Factum hervorzubringen. Er hat übrigens
viele Wahrheit, denn man findet in den höhern Ständen Leute
genug, bei denen ganz wie bei ihm der Eigensinn an die Stelle
des Charakters tritt[17].»

Dem Grafen Reinhard aber schrieb er, ihm wenigstens scheine
Eduard «ganz unschätzbar, weil er unbedingt liebt[18]». Die Urteile widersprechen sich nicht. Jenes ist mehr im alltäglichen
Raum, dies unter anderen Himmeln gesprochen. Von einem solchen Doppelschein wird aber das ganze Geschehen beleuchtet.

Indes, so gegensätzlich sich Charlotte und Eduard darstellen
mögen, beide gehören durch Erziehung, Herkunft und Verhältnisse doch dem ländlichen deutschen Adel an, der sich bereits von
pietistischen Überlieferungen gelöst und ein gemütvoll-elegantes,
durch Hausmusik und Gartenkunst und andere Liebhabereien
verschönertes Dasein ausgebildet hat. Darin unterscheiden sie
sich vom Grafen und der Baronesse, die ganz der großen Welt
gehören – Goethe führt sie ähnlich respektvoll ein wie seinerzeit
den Kreis Lotharios und Jarnos im «Wilhelm Meister» –, geistreich, aber herzlos sind, gescheit und höflich, aber kalt, die über
große Menschenkenntnis ohne Menschenliebe verfügen, mit
denen man sich bezeichnenderweise meist der französischen
Sprache bedient. Ebenso unterscheiden sie sich von jenen beiden
Nachbarskindern in der eingelegten Novelle, die den Sprung ins
Wasser wagen, nicht in den reglosen Teich eines Parks, sondern
einen lebendigen, reißenden Fluß, sich ihrer Gewänder entledi-
gen und mit den Gewändern in der Schicksalsstunde der Zivili-
sation, und dann, in bäuerlich schlichte Kleider vermummt, sich

[16] Zitiert bei Gräf, Goethe über seine Dichtungen, Epos I, S. 476.
[17] Zu Eckermann, 21. Jan. 1827.
[18] 21. Febr. 1810.

486

gegenübertreten. Graf und Baronesse leiden unter Unbequemlichkeiten. In eine wahrhaft tragische Katastrophe geraten können sie nicht. Die wunderlichen Nachbarskinder verwandeln sich, sterben und auferstehen. Der Bund Charlottes und Eduards aber geht an ihren beseelten Formen, an ihren kultivierten Herzen, an Leidenschaft und Schonung, mit einem Wort: an dem Goetheschen Wesen zugrunde. Die eigenartigste Frauengestalt, die Goethe in späteren Jahren geglückt ist, Ottilie, führt das Verhängnis herbei.

Der Erzähler wird nicht müde, ihren Reiz in Worte zu fassen, ihr Inneres behutsam zu entschleiern. Dennoch ist er gerade hier am meisten mißverstanden worden. Begriffe von Schuld und Tragik oder Sünde und Heiligkeit, die einer anderen Welt entnommen sind, haben schon früh Verwirrung gestiftet und wirken noch heute in manchen Deutungen nach. Wenn wir nicht irregehen wollen, so müssen wir uns noch aufmerksamer, als es ohnehin unsere Pflicht ist, auf Goethes gesamtes Schaffen besinnen. Denn wie wunderbar sich auch das Bild des «holden Kinds» ausnimmt, wie sehr es uns als Einheit anspricht, unvorbereitet ist es nicht. Viele Züge kündigen sich in Gestalten früherer Werke an.

An die jüngste, Eugenie, freilich wird sie den Leser schwerlich erinnern. Die Schönheit Ottiliens ist viel zarter. In der «Natürlichen Tochter» rührt uns nur das Schicksal der Heldin, in den «Wahlverwandtschaften» schon ihre Erscheinung, das Unberührbare, der lautlose Gang, die nazarenische Transparenz. Mit fühlbarer Absicht hat ihr Goethe einen romantischen Zauber verliehen. Sie gleicht den Engeln im Gewölbe der gotischen Kapelle; als Maria im Präsepe bietet sie einen fast überirdischen Anblick. 1807 hatte Schelling Studien aus dem Gebiet des Magnetismus veröffentlicht. Ihren Spuren begegnen wir in Ottiliens sympathetischem Kopfweh und in den Pendelexperimenten. Der Erzähler bedient sich also neuester Errungenschaften[19], aber nur, um etwas anzudeuten, was er auch schon mit anderen Mitteln ausgesprochen hat: Ottilie ist auf eine Art ins innere Leben eingeweiht, die alles diskursive Verstehen an Sicherheit weit übertrifft. Der

[19] Vgl. O. Walzel, Goethes Wahlverwandtschaften im Rahmen ihrer Zeit, Goethe-Jahrbuch 1906, S. 166 ff.

Unterweisung bedarf es kaum. Sie «empfindet» sogleich die Ordnung des Hauses. Was sonst die Höflichkeit verlangt und die Erfahrung lehren muß, ergibt sich aus ihrem Herzen von selbst. Mühelos verständigt sie sich mit Eduards musikalischen Launen. Sogar ihre Schrift gleicht der seinen sich an. Dagegen bleiben die Organe des äußerlichen Verstehens zurück. Im Examen genügt sie den Ansprüchen nicht:

«Im Schreiben hatten andere kaum so wohlgeformte Buchstaben, doch viel freiere Züge; im Rechnen waren alle schneller, und an schwierige Aufgaben, welche sie besser löst, kam es bei der Untersuchung nicht. Im Französischen überparlierten und überexponierten sie manche; in der Geschichte waren ihr Namen und Jahrzahlen nicht gleich bei der Hand; bei der Geographie vermißte man Aufmerksamkeit auf die politische Einteilung. Zum musikalischen Vortrag ihrer wenigen bescheidenen Melodien fand sich weder Zeit noch Ruhe. Im Zeichnen hätte sie gewiß den Preis davon getragen; ihre Umrisse waren rein und die Ausführung bei vieler Sorgfalt geistreich. Leider hatte sie etwas zu Großes unternommen und war nicht fertig geworden.» (I, 5)

Auf viel bescheidenerer Stufe, aber aus ähnlichen Gründen bleibt vermutlich schon Hermann in der Schule der Letzte[20]. Bei beiden nämlich vollzieht sich die Bildung des Geistes organisch wie die des Körpers. So wenig der Körper befähigt ist, Entwicklungsphasen zu überspringen, vermag der Geist in seinem echten, natürlichen Wachstum etwas zu fassen, was vorzeitig an ihn herantritt:

«Sie steht unfähig, ja stöckisch vor einer leicht faßlichen Sache, die für sie mit nichts zusammenhängt. Kann man aber die Mittelglieder finden und ihr deutlich machen, so ist ihr das Schwerste begreiflich.» (I, 3)

Überhaupt «weiß sie vieles und recht gut; nur wenn man sie fragt, scheint sie nichts zu wissen». Die Frage macht plötzlich zum Gegenstand, entfremdet ihr, was sie im Tiefsten besitzt. In aller Sprache jedoch, die nicht von Liebe beseelt und unwillkürlich ist, werden die Dinge uns so entfremdet. Ottilie vermeidet darum das Wort, wo sie sich nicht geborgen weiß. Und

[20] Vgl. S. 244.

in den bedeutendsten Augenblicken drückt sie sich stumm, mit Gebärden aus. Der Kniefall vor Charlotte beim Eintritt, die flach zusammengelegten, erhobenen, gegen die Brust geführten Hände, mit denen sie Ungemäßes abzulehnen versucht, sind unvergeßlich. Mit solchen Gebärden hat sich uns einst Mignon schmerzlich eingeprägt. Erschütternder ist nichts, als diese letzte Notwehr eines Geschöpfs, das, ein Fremdling in unserer Welt, an jeder Mitteilung verzweifelt und doch sich mitzuteilen durch eine grausame Lage genötigt wird.

Wir sehen nun klarer: Auch in den «Wahlverwandtschaften» erzählt uns Goethe die Legende vom «edlen Blut im Exil», die abzuwandeln – im Roman, in Gedichten und Dramen – ihm seit den ersten Weimarer Jahren Bedürfnis ist[21]. Diesmal aber erzählt er sie bewußter als im «Wilhelm Meister», hintergründiger als in der «Ballade» oder im «Löwenstuhl» und gibt er ihr einen noch unheilvolleren Sinn als in der «Natürlichen Tochter». Zum Exil wird eine Umgebung, der sein Bildungsstreben ein hohes Lob nicht vorenthalten dürfte; und eine Heimat winkt, die völlig außerhalb des Kreises liegt, den seine Menschlichkeit sonst zieht.

Die Frauen blättern in einem Album, das Umrißzeichnungen nach Gemälden alter deutscher Meister enthält:

«Aus allen Gestalten blickte nur das reinste Dasein hervor... Heitere Sammlung, willige Anerkennung eines Ehrwürdigen über uns, stille Hingebung in Liebe und Erwartung war auf allen Gesichtern, in allen Gebärden ausgedrückt. Der Greis mit dem kahlen Scheitel, der reichlockige Knabe, der muntere Jüngling, der ernste Mann, der verklärte Heilige, der schwebende Engel, alle schienen selig in einem unschuldigen Genügen, in einem frommen Erwarten. Das Gemeinste, was geschah, hatte einen Zug von himmlischem Leben, und eine gottesdienstliche Handlung schien ganz jeder Natur angemessen.

Nach einer solchen Region blicken wohl die meisten wie nach einem verschwundenen goldenen Zeitalter, nach einem verlorenen Paradiese hin. Nur vielleicht Ottilie war in dem Fall, sich unter ihresgleichen zu fühlen.» (II, 2)

[21] Max Kommerell, Goethes Ballade vom vertriebenen Grafen, Neue Rundschau 1936, Heft 11, S. 1209 ff.

Im gotischen Mittelalter also! Wir halten einen Augenblick inne. Aus dem Zeitgeschmack allein, der uns erst später beschäftigen soll, vermögen wir uns das nicht zu erklären, um so weniger, als sich Goethe über romantische Frömmeleien ja sonst mit größter Schärfe äußert. Stört uns aber nicht nur unser Wissen um sein klassisches Maß? Im Rahmen des Romans erkennen wir bald, daß es nicht anders sein darf. Ein heroisches Altertum in klassizistischer Dämpfung könnten wir uns als Heimat Eugeniens denken; mit einem mehr bukolischen sind Hermann und Dorothea verwandt. Für Ottilie wäre eine solche Welt zu dicht und kräftig. Sie, die von Geheimnis umspielte, himmlischen und unterirdischen Strömungen ausgesetzte Gestalt, erschiene der Einbildungskraft zu schwer. Eine Kunst von minder betonter Körperlichkeit ist ihr gemäß.

Verbannen wir aber jeden Gedanken an die Wollust des Märtyrertums, an Dogmen, Allegorien und an die starre kirchliche Hierarchie! Die Blätter, die der Kunstfreund vorlegt, hat kein Eiferer ausgewählt. Obwohl sie unverkennbar gotisch sind, erinnern sie an die Steine im Maffeianum zu Verona[22]. Das Ewig-Menschliche, das Goethe damals aufging, bleibt erhalten. Es wird nur leicht vergeistigt und von einem blasseren Licht bestrahlt.

Die gleiche stille Anmut atmet in Ottiliens Frömmigkeit. Ihre Seele ist «ganz gedrängt» von der Liebe zu Eduard «ausgefüllt, und nur die Gottheit, die alles durchdringt, konnte dieses Herz zugleich mit ihm besitzen» (II, 5). Wir finden da noch nicht einmal die «zarte Verwechslung des Subjektiven und Objektiven», die Goethe der «schönen Seele» zugebilligt hat[23]. Ottilie, bevor die Katastrophe einbricht, unterscheidet kaum. Sie wohnt in einem Element von Innigkeit und fühlt sich selber, wie sie alles Leben fühlt, von einem milden Hauch durchflutet. So sollte uns wohl auch die Frage nach ihrer «Schuld» nicht mehr verwirren. Man hat sich darüber verwundert, daß sie so unbedenklich, gewissenlos Charlottes und Eduards Ehe zerstört. Wie könnte sie aber anders handeln? Die stumme Sprache des Paradieses, der

[22] Vgl. S. 31.
[23] Vgl. S. 142.

490

goldenen Zeit, aus der sie stammt, kennt die Begriffe Schuld, Gesetz, Verfehlung und Entsagung nicht. Sie weiß nicht – oder weiß es nur wie Jahreszahlen und Politik – daß in der Gegenwart das Eine rücken muß, wenn das Andere Platz nimmt. Eduards Liebe geht ihr auf wie die Sonne ihrer verlorenen Heimat. Keine Sorge trübt ihr Antlitz. Sie «strahlt von Liebenswürdigkeit», da schon die Saat des Unheils keimt, ein «Kind», wie sie immer wieder und nicht nur um ihrer Jugend willen heißt.

Dann werden ihr die Augen aufgetan; sie erkennt, was böse und gut ist. Diese Erkenntnis reift sehr spät, als Frucht des Geistes, der sich, wie die Blume, die zu wenig Wasser findet, allmählich zur Blüte entfaltet. Nach Eduards Abschied wird sie «klug, scharfsinnig ... ohne es zu wissen» (I, 17). «Argwöhnisch» achtet sie auf Zeichen, Winke, Schritte, die sie ängstigen oder ihrer Hoffnung schmeicheln. In sich selbst zurückgedrängt – um auf die Metamorphose anzuspielen[24] – beginnt sie das Tagebuch, von dem uns Proben im zweiten Teil der «Wahlverwandtschaften» mitgeteilt werden. Wir sollen darin den «roten Faden der Neigung und Anhänglichkeit» bemerken, «der alles verbindet und das Ganze bezeichnet» (II, 2). Nicht als ob Ottilie über ihre Liebe reflektieren, nicht als ob sie klagen würde! Auch von ihren Aufzeichnungen gilt, was Goethe als Mensch und Dichter jeder geliebten Frau nachrühmt: Sie «bleibt sich immer gleich» (I, 6), wie eine Pflanze, die weiche Luft umspielt, ein Wasserspiegel in mildem Licht. Ihr selber unbewußt, halb bewußt, ist jeder Gedanke getaucht in Sehnsucht. Doch nach und nach gelangt sie zur Erfahrung ihres eigenen Wesens, im selben Grad, in dem sie fassen lernt, was das andere, was die Welt ist. Dies andere wird ihr nahegebracht durch Luciane und den Grafen, im Grafen auf imponierende Weise, in Lucianes geräuschvollem Treiben als Jahrmarkt der Eitelkeiten.

Von Anfang an hat Goethe Luciane neben Ottilie gestellt; und jeder Zug in dem Gemälde der glänzenden, aber nichtigen Dame hat den Auftrag, das stille Leuchten Ottiliens nur noch mehr zu erhöhen. Atemlose Geschäftigkeit, Neugier, ein außerordentlich scharfer Verstand, der nie um ein Urteil verlegen ist und alles

[24] Vgl. §§ 30, 113, 114 der Metamorphose der Pflanzen.

Lebendige mit der Sichel seiner Begriffe niedermäht, herzloser Sinn für Karikaturen und überhaupt für das Lächerliche, schnellfertige Wohltätigkeit, die nur sich selbst in der edlen Handlung genießt und den leidenden Menschen gar nicht wahrnimmt, ein ganz konventioneller Geschmack – so fährt Luciane an uns vorbei, die Fürstin der herrschenden Sozietät, ein wunderliches Gespenst in dem Bereich, in dem die Liebe wohnt. Ottilie mißt sich nicht an ihr. Nur einmal hat sie das getan, am Tage des Examens, nachdem sie von Luciane geschmäht worden ist.

«Ganz gelassen antwortete Ottilie: ‚Es ist noch nicht der letzte Prüfungstag.‘» (I, 5)

Das Tagebuch erinnert nur mittelbar an den unerwünschten Besuch, in Sprüchen, Aphorismen, die das Wahre zu schützen geeignet sind. Aber auch damit schreitet Ottilie in der Selbstbesinnung weiter – langsam, stetig, nach wie vor. Eine neue Stufe erreicht sie in dem schönen Frühling, der dem geselligen Lärm des Winters folgt. Sie betreut Charlottes und Eduards Kind und hält sich unter den Blumen auf, wie diese der letzten Steigerung an einem gesegneten Tage gewärtig.

«Unter diesem klaren Himmel, bei diesem hellen Sonnenschein ward es ihr auf einmal klar, daß ihre Liebe, um sich zu vollenden, völlig uneigennützig werden müsse; ja in manchen Augenblicken glaubte sie, diese Höhe schon erreicht zu haben. Sie wünschte nur das Wohl ihres Freundes, sie glaubte sich fähig, ihm zu entsagen, sogar ihn niemals wiederzusehen, wenn sie ihn nur glücklich wisse. Aber ganz entschieden war sie für sich, niemals einem andern anzugehören.» (II, 9)

Früher ist manchmal von einer Verlegenheit vor Charlotte die Rede gewesen, von einem dunklen Empfinden der Schuld. Dennoch legt sie sich auch jetzt noch keine moralische Rechenschaft ab. Sie faßt auch eigentlich keinen Entschluß. So sehr ist sie noch nicht ‚geteilt‘, noch nicht zum ‚Bürger zweier Welten‘ geworden, daß sie fähig wäre, ihrer Natur Gewalt zu tun. «Es ward ihr klar», sagt Goethe; die Entsagung, eine himmlische Wehmut, wird Ottilie geschenkt. Sie nimmt sie hin als Gnade Gottes. Denn einzig die Entsagende wird auch künftig in Gott geborgen und mit dem Ganzen des Lebens einig sein. Ihr Dasein ist damit gekrönt. Die unberührbar-zarte Schönheit, das gotische Madonnen-antlitz gewinnt vollkommenen seelischen Sinn.

Dann tritt ihr der Geliebte allzu nah. Sie «schreitet aus ihrer Bahn» (II, 14). Wir kehren, um dies zu verstehen – soweit es sich überhaupt verstehen läßt – zum Anfang, zu Ottiliens Ein-kehr bei Eduard und Charlotte zurück.

«Sie ward den Männern vorgestellt und gleich mit besonderer Achtung als Gast behandelt. Schönheit ist überall ein gar will-kommner Gast. Sie schien aufmerksam auf das Gespräch, ohne daß sie daran teilgenommen hätte.

Den andern Morgen sagte Eduard zu Charlotten: ‚Es ist ein angenehmes, unterhaltendes Mädchen.‘

‚Unterhaltend?‘ versetzte Charlotte mit Lächeln; ‚sie hat ja den Mund noch nicht aufgetan.‘

‚So?‘ erwiderte Eduard, indem er sich zu besinnen schien, ‚das wäre doch wunderbar!‘» (I, 6)

Von dieser Stelle war Wieland entzückt. Er «würde dafür, wenn er der Herzog wäre, Goethe ein Rittergut schenken[25]». Vermutlich las er aber nicht mehr als eine galante Pointe heraus. Goethe dachte bereits viel weiter. Für ihn begann schon hier das rätselhafte Spiel der Wahlverwandtschaft zwischen Eduard und Ottilie, dessen Gesetz darin besteht, daß alles, was zwei Menschen in humanem Sinne zusammenführt, gemeinsame geistige Inter-essen, sittliche Überzeugungen, ähnliche Richtungen des künst-lerischen Geschmacks, in keiner Weise in Betracht kommt, daß einzig jene Mächte geschäftig sind, die um so beharrlicher wir-ken, als sie sich jedem Begriff und jeder objektiven Gewähr ent-ziehen. Die Liebenden musizieren zusammen; doch was sie eint, ist nicht der Wille des Komponisten, sondern die Willkür des dilettantischen Interpreten. Eduard liest gelegentlich vor; er wählt aber einzig lyrische, von Empfindung und Stimmung ge-tragene Werke, bei denen die tiefste Verständigung auf uner-forschlichen Gründen beruht. Den Gehalt von Ottiliens Tage-buch zu erfassen, wäre er kaum imstande. Er läse es aber mit Entzücken, schon weil die Schrift, in der ihm diese fremden Gedanken entgegentreten, der seinen immer ähnlicher wird und

[25] Gräf, a.a.O., S. 453.

weil er zwischen den Zeilen den Hauch der innigsten Neigung wittern würde. Indes, was bedürfen die beiden der Schrift, der Dichtung oder der Musik? Sie sitzen einander stumm gegenüber, von Kopfweh heimgesucht, sie auf der linken, er auf der rechten Seite. Fast magisch ziehen sie sich an:

«Sie wohnten unter Einem Dache; aber selbst ohne gerade aneinander zu denken, mit andern Dingen beschäftigt, von der Gesellschaft hin und her gezogen, näherten sie sich einander. Fanden sie sich in Einem Saale, so dauerte es nicht lange, und sie standen, sie saßen nebeneinander. Nur die nächste Nähe konnte sie beruhigen, aber auch völlig beruhigen, und diese Nähe war genug; nicht eines Blickes, nicht eines Wortes, keiner Gebärde, keiner Berührung bedurfte es, nur des reinen Zusammenseins. Dann waren es nicht zwei Menschen, es war nur Ein Mensch im bewußtlosen, vollkommnen Behagen, mit sich selbst zufrieden und mit der Welt. Ja, hätte man eins von beiden am letzten Ende der Wohnung festgehalten, das andere hätte sich nach und nach von selbst, ohne Vorsatz, zu ihm hinbewegt. Das Leben war ihnen ein Rätsel, dessen Auflösung sie nur miteinander fanden.» (II, 17)

Erklären können sie sich das nicht. Sie sind aber von unglaublicher Hellsicht in allem, was ihre Liebe angeht. Es sei nur daran erinnert, wie angstvoll-herzlich Eduard Ottilie bittet, das Medaillon mit dem Bildnis ihres Vaters von ihrer Brust zu entfernen. Das Argument, das er sich selbst zurechtgelegt hat, ist absurd. Sein Genius aber weiß, daß sich der Weg zum Herzen der Geliebten nur öffnet, wenn er den Vater entfernt. Ottilie weiß es gleichfalls, ohne es sich verständlich gemacht zu haben: sie liefert ihm das Kleinod aus und gibt damit sich selber hin.

Der Hauptmann und Charlotte begegnen sich auf einer anderen Ebene. Sie verstehen sich in den Geschäften des Tages. Wenn *sie* zusammen musizieren, gehorchen sie dem Notenbild. Sie halten miteinander Maß. Gerade dies Wohlgefallen am Maß, an der sittlichen Klarheit und Rechtschaffenheit des anderen wird hier zur Gefahr:

«Schon fing der Hauptmann an zu fühlen, daß eine unwiderstehliche Gewohnheit ihn an Charlotten zu fesseln drohte. Er gewann es über sich, den Stunden auszuweichen, in denen Charlotte nach den Anlagen zu kommen pflegte, indem er schon am frühsten Morgen aufstand, alles anordnete und sich dann zur Arbeit auf seinen Flügel ins Schloß zurückzog. Die ersten Tage hielt es Charlotte für zufällig; sie suchte ihn an allen wahrscheinlichen Stellen; dann glaubte sie ihn zu verstehen und achtete ihn nur um desto mehr.» (I, 8)

Wir sollen indes nicht meinen, daß nur Gleiches sich zu Gleichem geselle. Charlotte und der Hauptmann, ebenso Eduard und Ottilie sind einander auch wieder entgegengesetzt. Die Frauen halten sich ans Nächste, Charlotte bei den Parkanlagen, wo sie sich gern im Kleinen behilft, Ottilie in ihrer Häuslichkeit, in ihrem unfehlbaren Takt. Die Männer dagegen gehen ins Weite. Der Hauptmann umfaßt das ganze Gut mit seinem ökonomischen Blick. Eduards Phantasie schweift aus, wo immer eine Gelegenheit winkt. Insofern verhalten die Partner beider Paare sich komplementär, den Gesetzen der Farbenlehre gemäß, die Goethe sich ja von jeher auch als Gleichnis des menschlichen Daseins gedacht hat[26].

Und mehr und mehr verstärkt sich der Eindruck, jede Bewegung, jede Gebärde sei naturgesetzlich bestimmt. Und das Naturgesetz will es hier anders als das Gesetz der sittlichen Welt. Man mag die Kollisionen vermeiden, mag sie beschönigen oder leugnen! Völlig unbekümmert um alle Rücksichten nimmt die Natur ihren Gang. Das Kind Charlottes und Eduards, das dem Hauptmann und Ottilie gleicht, bezeugt, wie es in Wahrheit steht. In Wahrheit? Für den Weltmann wäre die doppelte Ähnlichkeit nur ärgerlich, dann vor allem, wenn er sich, nach seinen Begriffen, gar nichts vorzuwerfen hätte, wenn er die legitime Zeugung beweisen könnte. Nicht vor dem Richterstuhl des *Rechts*, vor dem der *Sitte* nur, für die Gesetz und Neigung eines sind, klagt die Natur Charlotte und Eduard an.

Wie aber sollen sie sich zu einem so ungeheuren Vorwurf stellen? Aller Zynismus der großen Welt und alle romantischen Spöttereien über die Ehe sind eitel Geschwätz, sobald ein Kind die Augen aufschlägt und auf die vereinte Sorge und Liebe seiner

[26] Vgl. Grete Schaeder, Gott und Welt, Hameln 1947, S. 276 ff.

Eltern Anspruch erhebt. So sieht es insbesondere Mittler. Er hofft bereits auf Eduards Rückkehr, auf eine Genesung von allen Übeln der Leidenschaft; und gerne gäbe Charlotte seiner Zuversicht Recht. Doch da das Kind dem andern Paar gleicht, fordert es nicht das Gegenteil, die Wiederherstellung der Sitte durch die Lösung von einem Gesetz, das äußerlich geworden ist? Dies wie jenes drängt sich mit einer gebieterischen Notwendigkeit auf. Die Ambivalenz, die Goethe in den «Wahlverwandtschaften» vom Anfang bis zum Ende mit seiner stillen, doch unerbittlichen Kunst herausarbeitet, finden wir hier auf die Spitze getrieben.

Wie sollen es die Gestalten des Romans, wie soll der Leser es nehmen? Die Frage läßt uns nicht in Ruhe. Wir sind ihr abermals ausgesetzt, wenn wir die «Zeichen», «Orakel» und «Wunder», die «Winke des Schicksals» würdigen wollen. Offenbar tut der Erzähler alles, um eine beklommene Ahnung, ein Gefühl von Fatalität zu erzeugen. Es schwirrt in der Luft und schüchtert uns ein.

«Es eignet sich, es zeigt sich an, es warnt[27].»

Der Mensch scheint einer dämonischen Absicht ausgesetzt zu sein. Und manchmal sind wir zu glauben genötigt, im Grunde sei alles vorausbestimmt und bleibe nur die Ergebung in einen unerforschlichen Willen übrig. Der unwahrscheinlichste Zufall bewahrt das Trinkglas mit den Initialen E und O vor dem Zerschellen. Eduard stellt fest, daß er seine Platanen am Tag von Ottiliens Geburt gepflanzt hat. Die großen Ereignisse liegen bereit; wir kennen sie schon, bevor sie geschehen. Beim Richtfest fällt ein Knabe ins Wasser und wird mit knapper Not gerettet. Ein Mädchen in der Nachbarschaft hat das Unglück gehabt, am Tode eines seiner Geschwister schuldig zu sein. Mit welchem Entsetzen erfüllt uns nun der Tod von Charlottes und Eduards Kind, für den Ottilie verantwortlich ist! Gerade die Wiederholung macht uns einen so niederschmetternden Eindruck. Die Zeit ist unterwühlt. Vergangenheit, Gegenwart, Zukunft fallen zusammen wie für die delphische Priesterin. Ebenso in der Bestattung am Schluß. Sie ist schon längst vorweggenommen in der Grabkapelle, der ewigen Lampe, die sich Ottilie wünscht.

[27] Faust, V. 11417.

Stellen wir unsern Blick aber so ein, dann werden alle Gestalten, wie in der Schicksalstragödie, schattenhaft, und höchste Wirklichkeit gewinnen die «ungeheuren zudringenden Mächte», vor denen Ottilie sich allein durch das «Heilige» schützen zu können glaubt (II, 15). Dann ist es dem Menschen nicht länger erlaubt, die ganze Schöpfung auf sich zu beziehen und, nach den Worten der Winckelmann-Studie, in allem Aufwand der Kometen, Sonnen, Nebelflecke und Monde nur eine große Veranstaltung zu seiner Daseinsfreude zu sehen. Wir wehren uns im Namen des klassischen Goethe gegen die Folgerung. Doch damit entrinnen wir ihr noch nicht.

Einige Hilfe bietet vielleicht der Abschnitt «Johann Baptist Porta» in den «Materialien zur Geschichte der Farbenlehre». Er handelt von natürlicher Magie.

«Der Ursprung dieser Art von halbgeheimer Wissenschaft liegt in den ältesten Zeiten. Ein solches Wissen, eine solche Kunst war dem Aberglauben ... unentbehrlich. Es gibt so manches Wünschenswerte, möglich Scheinende; durch eine kleine Verwechselung machen wir es zu einem erreichbaren Wirklichen. Denn obgleich die Tätigkeiten, in denen das Leben der Welt sich äußert, begrenzt und alle Spezifikationen hartnäckig und zäh sind, so läßt sich doch die Grenze keiner Tätigkeit genau bestimmen, und die Spezifikationen finden wir auch biegsam und wandelbar.

Die natürliche Magie hofft mit demjenigen, was wir für tätig erkennen, weiter als billig ist zu wirken, und mit dem, was spezifiziert vor uns liegt, mehr als tunlich ist zu schalten. Und warum sollten wir nicht hoffen, daß ein solches Unternehmen gelingen könne? Metaschematismen und Metamorphosen gehen vor unsern Augen vor, ohne daß sie von uns begriffen werden; mehrere und andere lassen sich vermuten und erwarten, wie ihrer denn auch täglich neue entdeckt und bemerkt werden. Es gibt so viele Bezüge der spezifizierten Wesen untereinander, die wahrhaft und doch wunderbar genug sind, wie zum Beispiel der Metalle beim Galvanism. Tun wir einen Blick auf die Bezüge der spezifizierten organischen Wesen, so sind diese von unendlicher Mannigfaltigkeit und oft erstaunenswürdig seltsam. Man erinnere sich, im gröberen Sinne, an Ausdünstungen, Geruch; im zarteren, an Bezüge der körperlichen Form, des Blickes, der Stimme. Man gedenke der Gewalt des Wollens, der Intentionen, der Wünsche, des Gebetes. Was für unendliche und unerforschliche Sympathien, Antipathien, Idiosynkrasien überkreuzen sich nicht!...

Wenn uns nun die fortschreitende Naturbetrachtung und Naturkenntnis, indem sie uns etwas Verborgenes entdecken, auf etwas noch Verborgeneres aufmerksam machen; wenn erhöhte Kunst, verfeinerte Künstlichkeit das Unmögliche in etwas Gemeines verwandeln; wenn der Taschenspieler täglich mehr alles Glaubwürdige und Begreifliche vor unsern Augen zuschanden macht, werden wir dadurch nicht immerfort schwebend erhalten, so daß uns Erwartung, Hoffnung, Glaube und Wahn immer natürlicher, bequemer und behaglicher bleiben müssen als Zweifelsucht, Unglaube und starres, hochmütiges Ableugnen?»

Die Grenze des Natürlichen wird ins Ungewisse hinausgeschoben. Daß der Teich, ein alter Bergsee, irgendwie die Kinder anzieht, Ottiliens Gebet die Luft bewegt, ein Vorfall einen ähnlichen auslöst, wäre danach nicht ausgeschlossen. Hochwillkommen ist uns aber die Wendung «immerfort schwebend erhalten». Sie bleibt uns gegenwärtig, wenn wir den «Paradoxen Seitenblick auf die Astrologie» in der später entstandenen Schrift «Entoptische Farben» lesen.

«Ein phantastisches Analogon der Wirksamkeit unseres direkten und obliquen Widerscheins finden wir schon in der Astrologie, doch mit dem Unterschiede, daß von ihren Eingeweihten der direkte Widerschein, den wir als heilsam erkennen, für schädlich geachtet wird; mit dem Geviertschein jedoch, welcher mit unserm obliquierten zusammenfällt und den auch wir als deprimierend ansprechen, haben sie es getroffen, wenn sie denselben für widerwärtig und unglücklich erklärten. Wenn sodann der Gedrittschein und Gesechstschein, welchen wir für schwankend erklären, von ihnen als heilsam angenommen wird, so möchte dies allenfalls gelten und würde die Erfahrung nicht sehr widersprechen: denn gerade an dem Schwankenden, Gleichgültigen beweist der Mensch seine höhere Kraft und wendet es gar leicht zu seinem Vorteil.

Durch diese Bemerkungen wollen wir nur so viel sagen, daß gewisse Ansichten der irdischen und überirdischen Dinge, dunkel

und klar, unvollständig und vollkommen, gläubig und aber-
gläubisch, von jeher vor dem Geiste der Menschen gewaltet,
welches kein Wunder ist, da wir alle auf gleiche Weise gebaut
sind und wohlbegabte Menschen sämtlich die Welt aus einem
und demselben Sinne anschauen; daher denn, es werde entdeckt,
was da wolle, immer ein Analogon davon in früherer Zeit auf-
gefunden werden kann.

Und so haben die Astrologen, deren Lehre auf gläubige, un-
ermüdete Beschauung des Himmels begründet war, unsere Lehre
von Schein, Rück-, Wider- und Nebenschein vorempfunden; nur
irrten sie darin, daß sie das Gegenüber für ein Widerwärtiges
erklärten, da doch der direkte Rück- und Widerschein für eine
freundliche Erwiderung des ersten Scheins zu achten. Der Voll-
mond steht der Sonne nicht feindlich entgegen, sondern sendet
ihr gefällig das Licht zurück, das sie ihm verlieh; es ist Artemis,
die freundlich und sehnsuchtsvoll den Bruder anblickt.

Wollte man daher diesem Wahnglauben fernerhin einige Aufmerksamkeit schenken, so müßte man, nach unsern Angaben und
Bestimmungen, bedeutende Horoskope, die schon in Erfüllung
gegangen sind, rektifizieren und beachten, inwiefern unsere Auslegungsart besser als jene Annahme mit dem Erfolg übereintreffe.

So würde zum Beispiel eine Geburt, die gerade in die Zeit des
Vollmondes fiele, für höchst glücklich anzusehen sein: denn der
Mond erscheint nun nicht mehr als Widersacher, den günstigen
Einfluß der Sonne hemmend und sogar aufhebend, sondern als
ein freundlich milder nachhelfender Beistand, als Lucina, als
Hebamme. Welche große Veränderung der Sterndeutekunst
durch diese Auslegungsart erwüchse, fällt jedem Freund und
Gönner solcher Wunderlichkeiten alsobald in die Augen.»

Auch hier verhält der Betrachter sich schwebend. Aufkläre-
rische Bemerkungen unterbrechen den astrologischen Vortrag.
Besonders achten wir aber darauf, daß Goethe den Glauben an
Horoskope ebenso auf das Wesen des Menschen wie auf die
Himmelserscheinungen gründet: Unser Geschick steht in den
Sternen geschrieben, oder: es in den Sternen geschrieben zu fin-
den, ist uns gemäß. Der objektive Befund beruht auf dem sub-
jektiven und umgekehrt. Die Astrologie hat kosmischen und in

eins damit anthropologischen Sinn. So mögen wir immerhin zweifeln, ob sie das Künftige zu enthüllen vermag; wir lernen doch den Menschen kennen, der astrologischer Kunst vertraut, dem diese Vorstellungsart entspricht. Jedem ist sie eingeboren; sie ist aber nicht in jedem entwickelt, man sage nun, sie sei verkümmert oder vom Licht der Vernunft überstrahlt. Je nachdem gestaltet sich dann die Sphäre, die unsere Wirklichkeit heißt. Der eine lebt in einer fatalen, der andere in einer offenen Welt. Von einer Wirklichkeit an sich zu reden, versagt sich Goethe längst.

Nun sind uns die Augen dafür geöffnet, daß dem Hauptmann und Charlotte keine geheimnisvollen Zeichen und Orakel gespendet werden. Einmal ist auch Charlotte versucht, von der Hartnäckigkeit des Schicksals zu sprechen (II, 14). Aber sie nimmt es gleich wieder zurück und leitet die Folge des Unheils von einer eigenen falschen Handlung ab, ähnlich wie sie schon zu Beginn die böse Ahnung, die sie befällt, als unbewußte Erinnerung nimmt (I, 1). Ob sie recht daran tut, bleibt zweifelhaft. Man möchte manchmal geradezu sagen, sie sei von lauter Klarheit geblendet. Ottilie läßt mit sich geschehen, was Engel oder Dämonen verfügen. Für sie ist alles wunderbar und also das Wunderbare natürlich. Eduard aber, ein Glied der Gesellschaft, in ihrer vernünftigen Denkart, ihren humanen Vorstellungen erzogen, wendet sich ungestüm dem Rätselhaften, Verheißungsvollen zu und sinnt und deutet daran herum. Ob er recht daran tut, bleibt zweifelhaft. Dies haben wir abermals festzustellen. Es geht über alle Begriffe, wie sich Goethe hier «immerfort schwebend erhält». Das Streifchen Papier, das Eduard Ottilie zudenkt, weht der Zugwind herab und wird von dem Kammerdiener versengt. Er schreibt es wieder. «Es wollte nicht ganz so zum zweitenmal aus der Feder» (I, 13). Das Blättchen, das ihm Ottilie sendet, steckt er in seine Weste. Es fällt heraus; Charlotte hebt es auf.

«Er war gewarnt», sagt Goethe, «doppelt gewarnt; aber diese sonderbaren, zufälligen Zeichen, durch die ein höheres Wesen mit uns zu sprechen scheint, waren seiner Leidenschaft unverständlich.» (I, 13)

Hier achtet er also einmal nicht auf Zeichen; und gerade diesmal hätte er sie beachten sollen. Er achtet auf das E und O des wunderbar erhaltenen Glases; und dieses Orakel ist trügerisch. Indes, er hat sich ja gleichsam nur selbst in die Prophezeiung hineingeschmuggelt. Der Name Eduard kommt ihm nicht zu. Die Eltern haben ihn Otto getauft. Doch Otto könnte ja gleichfalls für eine Verbindung mit Ottilie sprechen. Ottiliens goldene Kette ruht im Grundstein des neu errichteten Hauses. Der Tod in der Schlacht hat Eduard verschont. Lauter Weissagungen des Glücks! Mittler jedoch bemerkt dazu:

«Auf die warnenden Symptome achtet kein Mensch, auf die schmeichelnden und versprechenden allein ist die Aufmerksamkeit gerichtet und der Glaube für sie ganz allein lebendig.» (I, 18)

Goethe selbst brachte es über sich, vor allem auf warnende Zeichen zu achten. Als 1816 die Achse seines Reisewagens brach, verzichtete er auf das Wiedersehen mit Marianne von Willemer. Nicht Eduards Glaube, Wahn oder Aberglaube an sich ist also von Übel. Er fehlt, indem seine Leidenschaft sich nur an die günstigen Zeichen hält. So kehren wir aber nach einem Umweg doch auf alte Pfade zurück. Kein Zweifel, die Souveränität des Menschen ist in den «Wahlverwandtschaften» gefährdet, die Fühlung für das, was unter, neben und über dem Einzelnen waltet, gesteigert. Natur- und Sittengesetze, Elementargewalten und Konventionen in ihrem vernichtenden Widerspiel, unergründliche Einflüsterungen, magnetische Felder, Orakel und Träume erschüttern die klassische Plastik, die uns in «Hermann und Dorothea» beglückt hat. Geheimnis zehrt an ihren Konturen; die klarste Luft ist voll von Spuk. Dennoch wird das Schicksal nicht allmächtig; der Mensch entscheidet sich immer, spricht diesem Umstand eine Bedeutung zu und spricht sie jenem ab; er selber räumt sich eine magische oder eine nüchterne Welt ein, versäumt das Nächtige oder das Licht. Der Teppich des Lebens wird immer noch aus dem Zettel von Drang und Verhängnis und dem Einschlag von Absicht und Wille gewebt. Das zeigt sich unmißverständlich am Schluß. Ottilie reist in die Pension. Nanny, die sie begleiten sollte, wird im letzten Augenblick krank. Die Wirtin in dem Nachtquartier ist Eduard zu großem Dank verpflichtet und drum bereit, sich seinen nicht ganz einwandfreien Wünschen zu fügen. Ottilie kommt. Er kann die Begegnung nicht mehr vermeiden, nicht vorbereiten. Die Kammertür ist zugefallen; der Schlüssel liegt in der Kammer am Boden. Ein Zufall reiht sich an den andern; überall scheinen die Finger eines bösartigen Kobolds geschäftig zu sein. Eduard selbst hat aber in seiner Eile den Schlüssel hinuntergeworfen; er selbst hat sich zu Ottilie gedrängt. Die Wirtin ist's, die als Kupplerin amtet. Über die Drohung Eduards setzt sich Charlotte mit Wissen und Willen hinweg. Hätte sie anders handeln sollen? Auch dies bleibt freilich wieder im Zweifel. Denn wenn der Erzähler zwar daran festhält, daß der Mensch auf keinen Fall der Verantwortung überhoben ist und seine Geschicke mitbestimmt, so wird die Lage nun doch so schwierig und unübersehbar, daß die höchste Wachsamkeit nicht mehr als Führer genügt.

«Und so verschüchtert, stehen wir allein[28].»

Was sollen wir tun? Was sollen wir lassen? Noch einmal schweift der Blick über angedeutete Möglichkeiten des Heils. Kurz vor der Rückkehr Eduards betritt den Schauplatz der reiche englische Lord, der seine Güter verlassen hat und sein ganzes Leben auf Reisen zubringt. Er steht, eine blasse Figur, am Rand, und wir hätten uns kaum mit ihm zu befassen, kündigte sich hier nicht bereits die Lehre der «Wanderjahre» an, die Ordensregel jener Entsagenden, die geloben, an keiner Stätte länger als drei Tage zu weilen, und so den Netzen des Schicksals entgehen. Wie sich damit aber alle Gefahren verflüchtigen, verflüchtigt sich auch das Glück. Sich in die Herzen geliebter Menschen ganz zu vertiefen, ist nicht mehr erlaubt. Die Lust am wohlgepflegten Besitz verwandelt sich in müßige Neugier. So wenigstens noch in den «Wahlverwandtschaften», wo eben dieser reisende Lord, aus Unkenntnis der Verhältnisse, die empfindlichsten Taktlosigkeiten begeht und das in der Fülle ruhende Land nur seines Gebieters zu harren scheint. Wie für die Ewigkeit ist es gegründet. Doch darin behält der Wanderer recht: Es wird sich, wie alles hienieden, verändern. Und wenn die Bäume das Jahr überdauern, die Blumen sich jeden Frühling erneuern, so wandeln sich die Menschen, die sich ihrer Schönheit freuen sollten:

[28] Faust, V. 11418.

«Wir richten uns immer häuslich ein, um wieder auszuziehen, und wenn wir es nicht mit Willen und Willkür tun, so wirken Verhältnisse, Leidenschaften, Zufälle, Notwendigkeiten und was nicht alles.» (II, 10)

In «Dauer im Wechsel» stellt Goethe dieser unaufhaltsamen Vergänglichkeit die «Gunst der Musen», den «Gehalt im Busen», die «Form im Geist» gegenüber, die Kunst, die uns der Zeit entrückt und ein unzerstörbares Dasein verspricht. Auch die «Wahlverwandtschaften» halten sich lange bei dieser Aussicht auf. Wir haben freilich wohl zu bemerken, daß nirgends von der Kunst im höchsten und strengsten Sinne die Rede ist. In dem Schema «Über den Dilettantismus[29]» bezeichnet Goethe Parkanlagen als «ersten Eintritt in die Kunst», spricht aber dann gleich von «Vermischung von Kunst und Natur», «Vorliebnehmen mit dem Schein» und sagt der Gartenliebhaberei nach, sie behandle «Reales als Phantasiewerk», lasse die «edleren Künste sich auf unwürdige Art dienen und mache ein Spielwerk aus ihrer soliden Bestimmung». Wort für Wort trifft dieser Vorwurf auch das breit geschilderte Kunstbemühen im zweiten Teil des Romans. Lucianes lebende Bilder, geschmackvoll und sorgfältig, sind überraschend, doch nicht erfreulich, da die «Gegenwart des Wirklichen statt des Scheins eine Art von ängstlicher Empfindung hervorbrachte» (II, 5). Wenn gar in einer, wie man dunkel fühlt, schon todgeweihten Umgebung die Stiftung des Mausoleums durch Artemisia, pantomimisch vorgestellt, der Gesellschaft zur Kurzweil dient, so schaudern wir vor dem Leichtsinn zurück. In der Nähe des Schlosses steht die Kapelle, die gleichfalls nur als Kunst gedacht ist, aber ein wirkliches Grabmal sein wird. Um ihre Innenausstattung macht sich der Architekt verdient. Er mag in seinem Fach ein gediegener Künstler sein; als Maler bleibt auch er nur ein besserer Dilettant. Daß seine Engel mehr und mehr Ottilien gleichen, ohne daß er sich dessen bewußt wird, ist anfechtbar. Wieder werden Schein und Wirklichkeit seltsam ineinandergemischt. Ohnehin gewährt der nazarenische Stil die Befriedigung nicht, die Goethe von der Kunst erhofft. Der azurene Himmel, die bunten Scheiben, die dämmerige Beleuchtung

[29] XIV, 740.

verlocken die Phantasie ins Unbestimmte[30]. Es fehlt die rigorose Zucht, in die ein großer Meister uns nimmt. Und schließlich bleibt sogar dem Architekten der Tadel, daß er nur ein Spielwerk treibe, nicht erspart. Er ist der liebenswürdigste Mensch, von echter Verehrung des Schönen beseelt. Kunstblätter behandelt er mit der pedantischen Sorgfalt, die Goethe sich selber zur Pflicht macht. All dies unterscheidet ihn zu seinem Vorteil von Luciane und ihrem tumultuarischen Tun. Er hat aber Gräber der nordischen Völker geöffnet und ihres Inhalts beraubt: «Mancherlei Waffen und Gerätschaften» legt er den Damen zur Ansicht vor.

«Er hatte alles sehr reinlich und tragbar in Schubladen und Fächern auf eingeschnittenen, mit Tuch überzogenen Brettern, so daß diese alten, ernsten Dinge durch seine Behandlung etwas Putzhaftes annahmen und man mit Vergnügen darauf wie auf die Kästchen eines Modehändlers hinblickte.» (II, 2)

Und ebenso bedenklich wie dieses Vergnügen ist der letzte Genuß, den seine Anwesenheit verschafft, die Wiederholung der lebenden Bilder auf höherer Stufe, Ottilie als Maria mit dem göttlichen Kind. Daß sich Ottilie dazu herbeiläßt, wird behutsam motiviert. Sie hat den Architekten mit einer harmlos gemeinten Frage betrübt; nun möchte sie ihm gefällig sein und tut, was ihr Herz nicht billigen kann. Die wenigen Zuschauer sind überwältigt. Ihr selber aber ist bänglich zumute; und der Gehilfe, der eben eintritt, verurteilt stumm den heiligen Tand. Er ist nicht der kompetenteste Richter; ihm fehlt, wie Theresen, der Sinn für den Schein, indes Ottilie, wie Natalie, die pädagogischen Neigungen mit den künstlerischen selbstverständlich verbindet. Daß aber Goethe, bei allem Entzücken, mit dem er das lebende Bild beschreibt, auch seine Fragwürdigkeit – im sittlichen, wie im ästhetischen Sinne – betont, wird keinem besonnenen Leser entgehen. In der Novelle «Sankt Joseph der Zweite» – die vor den «Wahlverwandtschaften» entstand – gewinnt ein Leben, das in jedem Zug die heiligen Bilder widerspiegelt, legendenhafte Vollendung. In den «Wahlverwandtschaften» gerät dergleichen in das zweideutige Licht, das über allen Ereignissen liegt. Das Kunstwerk dauert; das Leben wird und vergeht. Wie ließe sich

[30] Vgl. S. 32.

das vereinen? Wie wäre es möglich, Vergängliches im Unvergänglichen zu erlösen?

Und eben darauf käme es an. Das Intermezzo mit den lebenden Bildern und den Wandmalereien hat keineswegs nur theoretischen Wert. Es geht um Ottiliens Verewigung. Ihre vollkommene Schönheit inmitten des Alltags ist unsäglich rührend. Wie sie erblüht, so wird sie verwelken. Das Antlitz, in der die göttliche Schöpferlust sich verherrlicht, der «Augentrost», der alles Sehnen befriedet und alle Schmerzen stillt, ist dem Verhängnis ausgesetzt, das die Nänien der Zeiten und Völker beklagen. Die Schonung und Rücksicht, mit der fast jeder Ottilie begegnet, hält es nicht auf. Eduard, der unbegrenzt Liebende, verschwendet sein ganzes Leben für einen unvergleichlichen Augenblick. Doch er mag die Geliebte besitzen oder entbehren – die Anmut schwindet dahin; und seiner verwöhnten Phantasie gelänge es kaum, auch in der alternden Frau noch die jugendliche zu sehen. Hilflos sind aber auch die Versuche, Ottilie der Wirklichkeit zu entziehen. Als Madonna im lebenden Bild empfindet sie selber, sobald der Gehilfe eintritt, den Widerstreit zwischen dem wechselnden Dasein und der stillen Erscheinung.

«Wie im zackigen Blitz fuhr die Reihe ihrer Freuden und Leiden schnell vor ihrer Seele vorbei und regte die Frage auf: ,Darfst du ihm alles bekennen und gestehen? Und wie wenig wert bist du, unter dieser heiligen Gestalt vor ihm zu erscheinen, und wie seltsam muß es ihm vorkommen, dich, die er nur natürlich gesehen, als Maske zu erblicken?' Mit einer Schnelligkeit, die keinesgleichen hat, wirkten Gefühl und Betrachtung in ihr gegeneinander. Ihr Herz war befangen, ihre Augen füllten sich mit Tränen, indem sie sich zwang, immerfort als ein starres Bild zu erscheinen.» (II, 6)

In der Kapelle, wo die ihr gleichenden Engel vom gemalten Himmel des Gewölbes herniedersehen, findet ein umgekehrter Vorgang statt: das Leben erstarrt in der Kunst:

«Sie stand, ging hin und wider, sah und besah; endlich setzte sie sich auf einen der Stühle, und es schien ihr, indem sie auf- und umherblickte, als wenn sie wäre und nicht wäre, als wenn sie sich empfände und nicht empfände, als wenn dies alles vor ihr, sie vor sich selbst verschwinden sollte; und nur als die Sonne das bisher sehr lebhaft beschienene Fenster verließ, erwachte Ottilie vor sich selbst und eilte nach dem Schlosse.» (II, 3)

Nur um den Preis des Lebens ist dem schönen Gebilde Dauer beschieden. Eine ewige Dauer jedoch verbürgt ihm nicht einmal die Kunst.

«Wenn man die vielen versunkenen, die durch Kirchgänger abgetretenen Grabsteine, die über ihren Grabmälern selbst zusammengestürzten Kirchen erblickt, so kann einem das Leben nach dem Tode doch immer wie ein zweites Leben vorkommen, in das man nun im Bilde, in der Überschrift eintritt und länger darin verweilt als in dem eigentlichen lebendigen Leben. Aber auch dieses Bild, dieses zweite Dasein verlischt früher oder später. Wie über die Menschen, so auch über die Denkmäler läßt sich die Zeit ihr Recht nicht nehmen.» (II, 2)

So setzt denn Goethe abermals an und tastet sich weiter vor in ein Reich, wo alles ewig steht – nicht für den Menschen, aber vielleicht vor Gott. Ein tückisches Schicksal verfolgt das holde, das über alles geliebte Geschöpf. Die kaum erträglichen Leiden aber bereiten nur seine Verklärung vor. Sie fordern sie gleichsam heraus; denn wie vermöchten wir sonst noch hienieden zu leben? Die Schuld am Tode des Kindes umgibt Ottilie wie ein schützender Kreis. «Dem Heiligen gewidmet» (II, 15) glaubt sie nun jeder Berührung entrückt zu sein. Doch noch einmal tritt ihr Eduard nahe. Sie ist zu jener am Anfang erwähnten, dann fast schon wieder vergessenen, herzzerreißenden Gebärde der Abwehr genötigt, der niemand zu widerstehen vermag. Dann, da sie überzeugt ist, ihr Gelübde gebrochen zu haben, verstummt sie:

«Duldet mich in eurer Gegenwart, erfreut mich durch eure Liebe, belehrt mich durch eure Unterhaltung; aber mein Innres überlaßt mir selbst!» (II, 17)

Mignon gleitet wieder vorbei: «Heißt mich nicht reden, heißt mich schweigen!» Das Leiden der Sprache ist überwunden. Und hinter Mignon erscheint die verfrühte Heiligengestalt des «Wilhelm Meister», Sperata, und zieht Ottilie nach. Zuletzt weist sie alle Speisen zurück, nicht mit asketischer Anstrengung; kein krampfhafter Zug entstellt ihr Gesicht. Sie scheint auch da nur alles zu meiden, was ihre Einigkeit mit sich selbst, ihren himmlischen Gleichmut stören könnte. Doch immer ist es noch nicht genug. Sie will an Eduards Geburtstag sterben. Auch dies gönnt das Geschick ihr nicht. Von Mittlers Reden verstört, bricht sie zusammen, ehe die Stunde kommt. Eduard leugnet ihren Tod. Auf seinen Wunsch wird sie im offenen Sarg hinausgetragen und in der Kapelle, mit Glas bedeckt, aufbewahrt. Nanny stürzt vom Fenster herab und bleibt wie durch ein Wunder heil. Noch andere seltsame Dinge geschehen. Den Körper Mignons haben die Freunde mit Balsam gegen Verwesung gefeit. Ohne solchen Beistand ruht Ottiliens Leichnam, als schlafe sie nur. Das Leben ist entwichen; aber noch währt die wunderbare Erscheinung. Die Leute drängen sich herzu. Mütter bringen ihre Kinder. Kranke verspüren Erleichterung.

Mehr könnte sich nicht ereignen, um die Heiligenlegende zu vollenden. Und Goethe will offenbar auch bekennen, daß er in Ottilie alle Voraussetzungen erfüllt sieht, die zu einem Leben und einem Tod im Geiste der Acta sanctorum gehören: höchste Liebesinnigkeit, die Prüfung der Sünde und die Entsagung. So furchtbar kann ein Schicksal sein, daß nur in dieser äußersten Zone der Hauch noch weht, der alles beseelt, das Ewig-Einige weiterschwingt und das menschliche Herz seine Schönheit bewahrt. Nicht nur der gegenwärtige Raum, die Erde selbst wird zum Exil, von dem das reingestimmte Gemüt allein der Tod zu erlösen vermag.

Doch wirkliche Wunder geschehen nicht. Daß Nanny sich wieder gesund erhebt, nachdem sie Ottiliens Gewand und Hände berührt hat, daß sie nicht zerschmettert daliegt, ist ein glücklicher Zufall. Niemand außer ihr selber bemerkt, daß die Tote sie segnet und ihr vergibt. Von den Kranken heißt es, «sie *glaubten* eine plötzliche Besserung zu verspüren» (II, 18). Die Unverweslichkeit des Leichnams ist nur für wenige Tage bezeugt. Goethe weicht hier allerdings aus. Er bringt es nicht über sich, mit Worten das geliebte Bild zu zerstören. Aber wie könnte es anders sein? Die letzten Seiten der «Wahlverwandtschaften» sind von Vergänglichkeit ganz durchtränkt. Eduard meidet bald – wie

Goethe selber – den Anblick der Abgeschiedenen. Das Glas mit den Buchstaben E und O, aus dem er noch immer den Glauben an eine künftige Vereinigung schöpft, zerbricht; er hat schon seit einigen Tagen, ohne es gleich zu bemerken, ein andres, von dem Diener untergeschobenes, gebraucht. Was ihm von Ottilie bleibt, eine Locke, Blumen, Blättchen, breitet er aus, armselige Reste, denen einzig noch seine Erinnerung Leben verleiht. Bei ihrer Betrachtung ereilt ihn der Tod.

«Charlotte gab ihm seinen Platz neben Ottilien und verordnete, daß niemand weiter in diesem Gewölbe beigesetzt werde. Unter dieser Bedingung machte sie für Kirche und Schule, für den Geistlichen und den Schullehrer ansehnliche Stiftungen.»

Unheimliche, hintergründige Sätze! Denn eben Charlotte ist es gewesen, die einst die Grabdenkmäler versetzt und sich mit edler Humanität gegen jeden an einen Ort gebundenen Totenkult ausgesprochen hat. Es wird ihrer Stiftung nicht besser ergehen als dem Vermächtnis jener Familie, deren Gefühle durch ihre lebensfreundliche Handlung so schwer verletzt sind. Ein Mann wie der Architekt sodann, der bildnishaft, zur Kunstgestalt entrückt, am Sarg Ottiliens steht, als stünde er so von Ewigkeit zu Ewigkeit, kann eines Tages darauf verfallen, die Gräber zu öffnen und ihren Inhalt wie modischen Putz einer künftigen Gesellschaft vorzulegen. Dann werden die Liebenden wieder getrennt sein; und schließlich verweht ihre letzte Spur, sogar das Wort des Dichters, das noch ihr dauerhaftestes Denkmal war.

Man kann diese Klage leicht überhören – in einer Prosa von höchstem Gleichmaß und angesichts all des Außerordentlichen, das zwischen Himmel und Erde geschieht. Goethe legt uns nur den Vergleich mit früheren Ereignissen nahe und schweigt. Sein Schweigen beklemmt uns aber mehr als jeder erdenkliche Laut der Verzweiflung.

Indes, auch die heiligen Zeichen sprechen. Keines ist triftig. Was immer geschieht, es zwänge einen aufgeklärten, skeptischen Zeugen nicht auf die Knie. Dennoch, wir haben den Eindruck, daß der Erzähler in seinem Schmerz mit der Möglichkeit einer himmlischen Hoffnung spiele. Auf die Nachricht von Charlottens Stiftung folgen noch zwei Sätze:

«So ruhen die Liebenden nebeneinander. Friede schwebt über ihrer Stätte, heitere, verwandte Engelsbilder schauen vom Gewölbe auf sie herab, und welch ein freundlicher Augenblick wird es sein, wenn sie dereinst wieder zusammen erwachen.»

Thomas Mann [31] hat diesen Schluß als liebenswürdige Geste, traditionelle Verbindlichkeit aufgefaßt. Wir prüfen den Ton und stimmen ihm zu. Doch im «Morgenblatt für gebildete Stände» ließ Goethe am 4. September 1809 eine Selbstanzeige des Romans mit folgendem Wortlaut erscheinen:

«Es scheint, daß den Verfasser seine fortgesetzten physikalischen Arbeiten zu diesem seltsamen Titel veranlaßten. Er mochte bemerkt haben, daß man in der Naturlehre sich sehr oft ethischer Gleichnisse bedient, um etwas von dem Kreise menschlichen Wissens weit Entferntes näher heranzubringen, und so hat er auch wohl in einem sittlichen Falle eine chemische Gleichnisrede zu ihrem geistigen Ursprunge zurückführen mögen, um so mehr, als doch überall nur *eine* Natur ist und auch durch das Reich der heitern Vernunftfreiheit die Spuren trüber, leidenschaftlicher Notwendigkeit sich unaufhaltsam hindurchziehen, die nur durch eine höhere Hand und vielleicht auch nicht in diesem Leben völlig auszulöschen sind.»

Alle Zweifel, die uns so lange beschäftigt haben, finden wir hier in einem letzten «vielleicht auch nicht», das ein problematisches «aber vielleicht» zu fordern scheint, zusammengefaßt.

Damit sind wir am Ende und glauben doch erst am Anfang aller Rätsel zu stehen, die das ungeheure Werk uns aufgibt. Wie fügen sich die «Wahlverwandtschaften» in Goethes innere Geschichte ein? Was schließen sie ab? Was bereiten sie vor? Was sagen sie aus über seine Gesinnung und seine Begriffe von Kunst und Dichtung? Einen um die Einheit und Folge des Lebenswerks bemühten Leser beunruhigt wohl am meisten die Frage, wie Goethe sich zur Romantik stellt, was von den ungezählten romantischen Intarsien des Buchs zu halten ist. Engel und Heilige, nazarenische Malereien und nordische Gräber, Pendelversuche,

[31] Thomas Mann, Goethes Laufbahn als Schriftsteller, in Adel des Geistes, Stockholm, 1945, S. 154.

Orakel und Zeichen, das magische Spiel des Unbewußten, Schicksalstragödie, Traum und Tod: ein großes romantisches Panorama tut sich vor unseren Augen auf. Und wenn auch in jedem einzelnen Fall der Sinn, ja die Notwendigkeit der Verwendung solcher Motive begreiflich ist, so sind wir doch höchst erstaunt, daß Goethe hier so lange verweilen mag und daß er Dinge, die er sonst nur mit grimmigem Spott erwähnt, auf einmal mit unerschütterlichem Ernst behandelt. Er wählte ein zeitgenössisches Thema, so wird man sagen; er hatte also Grund, vom Geist der Zeit zu sprechen, wie in der «Theatralischen Sendung», die beinahe eine Kulturgeschichte des aufgeklärten Jahrhunderts ist. Eduard vor allem darf man gewiß auch unter diesem Gesichtspunkt betrachten. Wie Wilhelm Meister auf der Schwelle vom Rokoko zum Sturm und Drang, steht Eduard zu Beginn auf der Schwelle von klassischer Humanität zur Romantik, noch ohne es recht zu wissen, verdrossen in der Klarheit seines Lebens, lüstern nach Leidenschaften, nach Festen der ungezügelten Phantasie. Das zeitgeschichtliche Interesse ist in den «Wahlverwandtschaften» indes dem Ganzen entschiedener untergeordnet als in dem Theater- und Bildungsroman. So würden denn auch die romantischen Elemente kaum so viel Raum beanspruchen, wenn sie für Goethe persönlich nicht die größte Bedeutung gewonnen hätten, ein Gewicht, von dem uns seine Gespräche und Briefe nur wenig verraten, es sei denn gerade in dem oft stark übertriebenen, ungeduldigen Ton, mit dem er sie abzuwehren versucht. Wir müssen uns mit dem Gedanken befreunden, daß er sich nach der Jahrhundertwende zu seiner eigenen Klassik ähnlich verhält wie die jüngere Generation und also sehr wohl in die Lage geraten könnte, ihr geistiges Schicksal zu teilen. Für ihn, der auf keiner Stufe verharrt, dem es versagt, der nicht gewillt ist, in einmal errungener Meisterschaft als einem festen Gehäuse zu wohnen, besteht dieselbe schlichte Voraussetzung, die für jeden Stilwandel gilt: Der bloße Umstand, daß etwas vorliegt, daß ein Kunstreich ausgebaut ist, genügt, um das Geschlecht, das nachfolgt, mit neuer Unrast zu erfüllen. Es gibt im Vollendeten nichts mehr zu leisten. Der Reiz des Entdeckens und Planens fehlt. So schleicht sich Langeweile ein; und das Leben ist erst wieder lebenswert, wenn das Vorhandene überboten, vermieden oder bekämpft werden kann.

Wir sehen das besonders deutlich beim jungen Tieck und bei Friedrich Schlegel. Wir sehen es aber auch, wenngleich in einem ganz anderen geistigen Licht, bei Goethe am Ende der neunziger Jahre. Das Tagebuch der dritten Schweizer Reise ist zum betrüblichen Zeugnis einer inneren Leere geworden. Doch auch die Balladendichtung und die Arbeit am ersten Teil des «Faust» gehören in diesen Zusammenhang. Goethe ist über sich selbst empört, bezichtigt sich der Barbarei und leistet doch nach «Hermann und Dorothea» das Größte gerade hier, wo er seine Stilprinzipien mißachtet. In den Stanzen des «Abschieds» verspricht er, wieder zu den gültigen Maßen der klassischen Kunst zurückzukehren. Doch der Prozeß ist irreversibel. Er muß, ob er will oder nicht, auf ungebahnten Pfaden weiterschreiten. Und diese Pfade führen ihn zunächst in derselben Richtung, die auch die jüngere Generation einschlägt.

Seit den Tagen des Sturm und Drang, in denen die Jugend aufbrach, um ein eigenes Leben zu gewinnen, ist nun ein Menschenalter vergangen. Natur, Geschichte und Gesellschaft haben längst den Charakter des Fremden und Widerständigen eingebüßt, der einst das Originalgenie zu seinen Terrorakten hinriß. Sie sind von neuem Sinn durchdrungen – um das Wort zu wählen, das Goethe so gern gebrauchte: «angeeignet». Ein beglückendes Gegenüber, ein Gleichgewicht von Ich und Du hat sich allmählich ausgebildet:

> «Vergönnest mir, in ihre tiefe Brust
> Wie in den Busen eines Freunds zu schauen.»

Doch diese Freundschaft kann ihr Maß nicht wahren und sich nicht in den so weise gezogenen Grenzen halten. Ein Verlangen nach gesteigerter Innigkeit erwacht; was nur Begegnung war, wird zur Versenkung. Für Schelling und Novalis ist die Goethesche Natur noch viel zu materiell, zu körperhaft. Sie stoßen sich an ihrer Stofflichkeit, die gegenüber bleibt, und sind bestrebt, auch diese ganz in Geist und Seele aufzulösen. Es bildet sich die eigentümlich schwerelose, transparente Welt des Identitäts-systems und der Romane Hardenbergs, romantische Poiesis[32], in der das Ich sich aus dem Gegenstand, den Gegenstand aus sich entfaltet. Mit der Farbenlehre hat Goethe etwas Ähnliches unter-nommen. Doch Transparenz und Schwerelosigkeit gehören da schon zum Thema und sind nicht erst das Resultat eines mystisch-spekulativen Denkens. In den «Wahlverwandtschaften» dagegen glauben wir manchmal alles Irdische ebenso «aufgehoben», in reine Innerlichkeit verwandelt zu finden wie im «Heinrich von Ofterdingen» oder in den «Lehrlingen zu Sais». Goethe scheint an keinen Gegenstand mehr von außen heranzutreten, an keinen erst die Frage zu richten, ob und wie er ihm verwandt sei. Die epische Lust des Schauens und Erfahrens weicht einem anderen Anteil. Unergründlicher Seelentiefe entwindet sich das ganze Ge-schehen, als ob es nicht aus dem Rohen verdichtet, sondern ge-träumt, erinnert wäre. Dem Verstand bleibt manches dunkel; verborgenere Organe wissen Bescheid. So entsteht die geisterhafte Beleuchtung, die jedem Leser beim Vergleich mit früheren und späteren Werken auffällt. Es ist, als ob die Gegenstände und Menschen keinen Schatten würfen. Sie werfen keinen Schatten, weil sie ganz durchdrungen, in jedem Moment und jedem Zug «bedeutend» sind. Wir haben uns gehütet, dies im einzelnen überall nachzuweisen. Nun finden wir uns doch genötigt, wieder darauf zurückzukommen. Ottiliens Köfferchen zum Beispiel! Das ist kein gewöhnliches Requisit. Es ist schon fast kein Gegenstand mehr. Eduard hat es ihr geschenkt. Musselin, Batist, Seide, Schals und Spitzen liegen darin. Auch der Schmuck ist nicht vergessen. Ottilie aber, anders als Eugenie, breitet die Pracht nicht aus. Sie bricht auch nicht den Schlüssel ab, wie Felix in den «Wander-jahren» beim Öffnen von Hersiliens Kästchen. Was ihr die Liebe gibt, verwahrt sie. Es ist nicht für die Welt bestimmt. Erst wenige Tage vor ihrem Ende nimmt sie dies und jenes heraus. Wie sie die Schätze wieder einpackt, kommt sie kaum damit zustande.

«Der Raum war übervoll, obwohl schon ein Teil herausge-nommen war.» (II, 18) Solchen Reichtum birgt das Innere, das

[32] Zum Begriff der romantischen Poiesis vgl. insbesondere H. Knitter-meyer, Schelling und die romantische Schule, München 1929.

die Liebe ihr geschenkt hat. Was sie aber auswählt, ist nur Stoff zu einem Totenkleid. Aus dem Geheimnis, das sie hütet, tritt in Erscheinung allein der Tod. Im Sterben setzt sie noch die Füße auf das Köfferchen und findet sich so «in einer halb liegenden, bequemen Stellung». Sie hat ihr Schweigen nicht gebrochen; sie ist sich selber treu geblieben. Weiter wagen wir nicht zu gehen. Schon diese Worte sind unbehilflich. Doch es genügt, wenn die seelische Vibration, in die Goethe das Ding versetzt, sich um ein Kleines verdeutlicht hat. Ähnlich wäre von Eduards Feuerwerk oder von seinen Platanen zu sprechen, von den Astern und Frühlingsblumen, von dem Grundstein und vom Teich, von dem ganzen Beziehungsnetz des Romans, das so unglaublich reich gewebt ist. Der Vordergrund wird mit dem Hintergrund in der ganzen Breite identisch. «Der Geist ist die unsichtbare Natur; die Natur ist der sichtbare Geist.»

Dennoch ist niemand versucht, das Buch mit einem romantischen zu verwechseln. Es ist kein Fragment wie der «Ofterdingen» und versteigt sich nicht wie dieser in unsinnige Allegorien. Es ist nicht sprunghaft wie die «Lucinde», nicht seicht wie Tiecks «Franz Sternbald» und nicht leichtfertig wie Brentanos «Godwi». Alle jene Züge im Gesicht der deutschen Romantik fehlen, die darauf schließen lassen, daß hier ein Geschlecht den Schauplatz betritt, das seines Erbes nicht mächtig ist, das mit gewaltigen Schätzen umgeht, ohne sie selber erworben zu haben, trügerische Leichtigkeit an den Tag legt, Ungeheures unternimmt und den Boden unter den Füßen verliert. Goethe gefällt sich nie in einem vagen Spiel von Analogien, täuscht sich nie mit Äquivokationen über Probleme hinweg. Vor solchen Versuchungen schützt ihn schon sein Mißtrauen gegen die Sprache, die Sprache, die nur allzu geneigt ist, von den Dingen gelöst auf eigene Abenteuer auszuziehen und ihre Freiheit zu genießen, der Novalis eben deshalb magische Qualitäten zuschreibt. Goethe untersteht sich auch nicht, die gültige Ordnung zu mißachten und altehrwürdiger Sitte zu spotten. Er weicht nicht in das Märchen und in poetische Phantasien aus, wo das Leben Schwierigkeiten bereitet. Gerade dies begründet ja die einzige Größe seines Romans, daß er bei aller Vergeistigung und Beseelung ganz realistisch bleibt und keine Unwahrscheinlichkeit zuläßt. Goethe ist sein eigener Erbe. Er kennt das Gewicht der letzten Fragen. Gerade dies befähigt ihn, das Schicksal eines romantischen Menschen mit einem Ernst, mit einer fast dramatischen Energie und Konzentration, wie sie kein Romantiker jemals aufgebracht hat, zu Ende zu denken.

Über Stile, Weltanschauungen, Glaubenssätze läßt sich nicht streiten. Wer nicht von Goethe ausgeht und auf Goethe ausgerichtet bleibt, der wird es der Romantik danken, daß sie der Welt das Übermächtige, Dämonische und Gnadenhafte wieder nahezubringen gewußt, die Tore zum Jenseits aufgeschlossen und eine allzu lang verachtete Religion erneuert hat. Aber beizufügen wäre, daß eben eine solche Leistung, man möge sie nun verehren oder bedauern, nur einer in ihrem Selbstgefühl erschütterten Zeit gelingt. Denn allein der Ohnmacht wird ein Übermächtiges offenbar. Ein Himmel öffnet sich nur dem Menschen, dessen irdisches Haus zerfällt. So sehen es jene Romantiker selbst, die in der Epoche der «Wahlverwandtschaften» zum Katholizismus übertreten. Sie zeugen von der Unzulänglichkeit der menschlichen Existenz, von ihrer Gefährdung und ihrer Erlösung durch Gottes Gnade und Christi Blut. Doch was sie niederzufallen zwingt und ihren Blick nach oben richtet, das ist, historisch betrachtet, nur ihre eigene Unzulänglichkeit, Bedrängnis in einer Fülle, die zu gliedern es ihnen an Kraft gebricht, ein Schwindelgefühl, ein Verlangen nach Halt, Buße für einen vermessenen Anspruch.

Goethe hat keine Vermessenheit und keinen Selbstbetrug zu büßen. Wir meinen aber zu sehen, daß auch ihm sich der Verführer naht und Trost in himmlischen Räumen verspricht. Je folgerichtiger er das Schicksal Eduards und Ottiliens durchführt, desto dringender wird das Bedürfnis, auszubrechen und sich unsichtbaren Armen anzuvertrauen. Er prüft die Möglichkeit; er verwirft sie; er schließt sie wenigstens nicht ganz aus. Dann aber bleibt er in der Schwebe: Er läßt das Unbekannte offen und hält an der Würde des Menschen fest. So steht er zur Romantik ähnlich wie seinerzeit zum Sturm und Drang. Damals fühlte er sich zu einer titanischen Selbstherrlichkeit versucht und widerstand ihr; schon in Frankfurt besann er sich auf die Grenzen der Menschheit[33]. Jetzt, da die Selbstpreisgabe lockt, versichert er sich der freien Vernunft. Ihre Herrschaft ist bedroht. Sie ist vielleicht sogar ein Wahn. Doch kein nach menschlichem Vermögen erforschtes Schicksal widerlegt sie unumstößlich, und kein Wunder hat uns jemals der Verpflichtung, ihr zu folgen, überhoben. So gilt es, in Geheimnis und in Klarheit auszuharren und

«Genuß, Entbehrung, Hoffnung, Schmerz und Scheidetag
Menschlich zu übernehmen, aber männlich auch[34].»

[33] Vgl. Bd. I, S. 249.
[34] Vorspiel zur Eröffnung des Weimarischen Theaters am 19. Sept. 1807.

RÜCKBLICK UND AUSBLICK

Es liegt im Wesen der Sache, daß der zweite Band des vorliegenden Werks einen viel einheitlicheren Anblick bietet als der erste, der die Zeit bis zur italienischen Reise umfaßt. Der junge Goethe hatte noch keinen Stil und mußte bei jeder Dichtung gleichsam wieder von vorn beginnen[1]. Auch die frühen Weimarer Jahre kennzeichnet ein unsicheres Tasten. Erst in Italien festigen sich die Fundamente der eigenen Welt. Der Anschluß an die klassizistische Kunst und damit an die Antike, die Übereinstimmung zwischen künstlerischer und naturwissenschaftlicher Erkenntnis vermag die neuen Errungenschaften gegen jeden Zweifel zu sichern. Wir haben die fast unübersehbaren Folgen dargelegt und uns im Einzelnen anzueignen versucht. Nun treten wir einige Schritte zurück, um das Ganze noch besser ins Auge zu fassen.

Schon bei den Jugendwerken mußte, in einem hohen Sinne des Worts, vom «Augenblick» die Rede sein. In manchen Briefen Werthers, in Hymnen wie «Ganymed», in «An Schwager Kronos» drängt sich ein ganzes Leben in einen einzigen großen Moment zusammen[2]. Alles Vergangene und alles Künftige scheint darin aufgehoben zu sein, so, daß der Dichter, «umfangend umfangen», die Schöpfung in seinem Herzen und sich selbst in der Schöpfung geborgen fühlt.

Doch dieser frühe Augenblick ist ein Geschenk der Stimmung und also unzuverlässig und vergänglich. Das Glück der italienischen Reise beruht auf wohlerworbener Einsicht. Vergleichend, abstrahierend unterscheidet Goethe an den Dingen das Dauernde und das Wechselnde und begegnet so zuletzt der «Idee», dem «Sein», das in allem Wandel beharrt. Wenn demnach von der Jugendlyrik, vom «Urfaust» und vom «Werther» gilt: ,Die Ewigkeit ist Augenblick[3]', trifft jetzt das Umgekehrte zu:

«Der Augenblick ist Ewigkeit[4].»

[1] Vgl. Bd. I, S. 258.
[2] Vgl. Bd. I, S. 72.
[3] Vgl. Bd. I, S. 248.
[4] «Vermächtnis».

Alles Wandelbare leuchtet auf in wandellosem, über den Zufall der Stimmung erhabenem Sinn.

«Idee» nennt Goethe seit der Freundschaft mit Schiller das Eine, worin das mannigfaltige Leben identisch ist. Unter «Augenblick» können wir sowohl die Struktur der Einbildungskraft, die Art die Welt zu sehen, wie die Struktur des Angeschauten, in seinem wahren Wesen Erkannten verstehen. Und da wir uns längst darüber klar sind, daß Subjektives und Objektives bei Goethe nicht auseinandergenommen werden darf, daß hier, mit Hegel zu reden, «die Individualität ist, was ihre Welt als die ihrige ist[5]», so fällt die Entscheidung uns nicht schwer: Wir nennen das Eine und zugleich Einigende den *klassischen Augenblick*.

Er meldet sich zuerst in einem Protest gegen nordische Innerlichkeit, in einem Triumph des Schauens über das Ahnen und Erinnern, der Gegenwart über das Künftige und Vergangene. «Reine kräftige Gegenwart» zeichnet die großen Meister der Renaissance aus. Das italienische Volk, wie Goethe es sieht, lebt in den Tag hinein. Die «Römischen Elegien» sind erfüllt von heidnischer Sinnenlust.

Das Eigentümliche von Goethes Augenblick zeigt sich hier aber noch nicht. Er glaubt die Antike zu wiederholen; und dieser Glaube ist berechtigt, sofern es sich nur darum handelt, die Würde des Menschen, die Schönheit der Körpergestalt, den Glanz des irdischen Daseins gegen christliche Vorstellungen zu schützen. Doch von antikem Geist unterscheidet ihn eine tiefere Erfahrung des Werdens, die Möglichkeit, Vergangenes und Künftiges – nicht der Gegenwart überzuordnen, doch in die Gegenwart einzubeziehen. Beispiele eines genetischen Erfassens haben wir kennengelernt: auf dem weiten Feld der Naturwissenschaft, zumal in der «Metamorphose der Pflanzen», in Schilderungen von Sitten und Bräuchen, etwa des Römischen Karnevals, dann in Gestalten, die sich entwickeln, wie Wilhelm Meister, Eugenie, Hermann, auch in der sprachlichen Anstrengung, dem «Übergänglichen[6]», Stufenweisen Gerechtigkeit widerfahren zu lassen. Im Begriff der

[5] «Phänomenologie des Geistes», Jubiläumsausgabe, Stuttgart 1927. S. 239.
[6] Vgl. S. 118.

Stufe[7] fanden wir ruhende Gegenwart und Werden besonders eindrucksvoll vereinigt. Die Stufe ist eben, aber in eine Stufenreihe eingeordnet. Der Blick verweilt und vergißt darüber doch nicht, was früher war und was sein wird.

So ruht und regt sich alles Leben zwischen Herkunft und Bestimmung, zwischen dem, was unübersehbar jede Existenz bedingt, und der «Führkraft», dem «Bildungstrieb», der sie hochzieht, dem vorgezeichneten Ziel entgegen. Die Würdigung des Bedingenden erfordert realistische Treue, ein Akzentuieren des Besonderen; die Würdigung dessen, worauf es ankommt, worauf die Geschöpfe angelegt sind, erfordert die Kraft der Abstraktion, des allgemeinen Begriffs, zuletzt des reinen Gewahrens der Idee. Beides gleicht sich in den vollendetsten Werken der neunziger Jahre aus. Jene Mitte wird erreicht, die so schwer zu charakterisieren ist, gerade, weil nichts Besonderes auffällt, weil jedem Gewicht in der einen Schale das Gegengewicht in der andern entspricht.

Der Mitte war Goethe sich selber bewußt. Schon früh beginnt er, seine Welt nach großen Gegensätzen zu ordnen. Stoff–Form, Trieb–Geist, Notwendigkeit–Freiheit, Wechsel–Dauer, Zufall–Gesetz, Erscheinung–Wesen: so lauten die korrelaten Begriffe, mit denen er gern theoretisch spielt[8]. Zu einer endgültigen Aufteilung vermag er sich aber nie zu entschließen. Und da wir hier nicht Philosophie-, sondern Literaturgeschichte treiben, braucht uns das weiter nicht zu bekümmern. Wir nehmen auch diese Begriffe nur als beliebige und vertauschbare Zeichen für die Struktur der Einbildungskraft und der Welt, die Goethes Namen trägt: Der klassische Augenblick ist polar. In der Polarität von Nähe und Ferne, Tiefe und Höhe, Versenkung und Umsicht, Willkür und Ordnung, Causa efficiens und Causa finalis bildet sich die gespannte, schwebende Gegenwart, von der es heißt: Wie wahr! Wie seiend!

Die Wirklichkeit, in der sie sich vollkommen darstellt, heißt organisch. In einem Organismus sind alle Teile Mittel und Zweck zugleich[9]. Darin bemerken wir dieselbe Verbindung von Selb-

---

[7] Vgl. S. 256.
[8] Vgl. S. 199.
[9] Vgl. S. 257.

ständigkeit und Beziehung, die auch der Stufe eigen ist. Organische Gebilde entwickeln sich aber nun ihrerseits stufenweise. Wir müssen sie gleichfalls genetisch verstehen. Und wenn wir auch bereit sind, jede Stufe als solche gelten zu lassen, so werden wir doch nicht allen gleiche Bedeutung und gleichen Rang zubilligen. Die höchste Stufe, die am meisten sich selbst genügende, ist erreicht, wenn sich ein Organismus ganz entfaltet hat und seine Beschaffenheit restlos in Erscheinung tritt. Zu dieser Höhe strebt alles empor; von ihr sinkt alles wieder herab. Hier verweilen wir mit der größten Befriedigung und beziehen zugleich am meisten Vergangenes und Künftiges ein. Es ist die Höhe des Zeniths; sie gewährt die weiteste Übersicht[10].

Die Kunst, die auf das Schöne und das heißt die Erscheinung ausgerichtet ist, muß in der Verherrlichung des Zeniths ihr lohnendstes Ziel erblicken[11]. Als solche haben wir insbesondere «Hermann und Dorothea» gewürdigt, diese durchaus organische Dichtung, die in der Begegnung des Liebespaares den höchsten Augenblick erfaßt und in ihrer Vollendung zugleich den Höhepunkt der Goetheschen Klassik darstellt.

Im selben Zuge sind uns aber auch ihre Grenzen sichtbar geworden. Nach der Heimkehr von Italien fand sich Goethe nicht gleich zurecht. Alle Fragen, die er im Süden beiseitegeschoben hatte, stellten sich mit verstörender Aufdringlichkeit. Was ist von einer Klassik zu hoffen im Norden, dessen unfreundliches Klima jedermann in sich selbst zurückscheucht, in einer von christlichen Sündebegriffen und Jenseitsträumen verdorbenen Welt, und in der Neuzeit, die die homerische Plastik des Einzelnen nicht mehr kennt, die alles Leben in anonymen, unanschaulichen Institutionen wie Staat und Gesellschaft aufgehen läßt? Nur in der Natur, in osteologischer und botanischer Forschung, schien das Alte, Wahre noch erreichbar, ein «antwortendes Gegenbild» des klassischen Geistes gegeben zu sein.

Doch nun belebte die Freundschaft mit Schiller die fast erloschenen Hoffnungen wieder. Goethe und Schiller glaubten, von entgegengesetzten Seiten sich der gleichen Erkenntnis genähert

[10] Vgl. S. 228.
[11] Vgl. S. 228.

zu haben, und schöpften daraus ein solches Vertrauen, daß sie es wagten, der ganzen zeitgenössischen Literatur zu spotten und nichts Geringeres als ein Reich der Kunst nach eigenem Sinne zu stiften. Die «Xenien» und die Ansätze einer Poetik, auch die «Propyläen», sind gleichsam als Gründungsakten gemeint, die Epen und Elegien, obwohl dies natürlich nicht so schroff gesagt wird, als erste Proben des gültigen Stils.

Doch was die Freunde als Morgenröte empfanden, war schon hoher Mittag. Statt der erhofften klassischen Schule blühte die frühromantische auf, die ihre eigenen Ziele verfolgte. Goethe selber schuf nach «Hermann und Dorothea» kein größeres Werk mehr, das dem klassischen Kanon entsprach, und die gewissenhafteste Besinnung auf die Gesetze und Regeln, die doch als richtig befundenen, half nicht über den toten Punkt hinweg. Die Gründe sind nicht schwer zu erkennen. Goethe hatte nur die Wahl zwischen zeitlosen oder antiken Stoffen und modernen, die ein mit höchster Vorsicht gezogener Kreis umschloß. Hier war er auf die Idylle begrenzt; dort wurde die Poesie zu einer subtilen, fast philologischen Kunst, die höchstens Kenner interessierte. Die dritte Schweizer Reise mit ihren rührenden und hilflosen Versuchen, die klassischen Körner aus der lebendigen deutschen Gegenwart auszusieben, gewährt wieder einen Blick in die tiefe Kluft, die durch das Epos «Hermann und Dorothea» einmal, wie durch ein Wunder, überbrückt worden ist.

Zu diesen im Gegenstand begründeten Schwierigkeiten kamen die inneren. Der klassische Stil, in dem sich für Goethe das Ewig-Wahre und Schöne darstellt, ist für ihn selbst nur eine Stufe, auf der es so wenig ein Verweilen gibt wie auf der Stufe des «Götz von Berlichingen» oder des «Tasso». Fast erheiternd wirkt es, wie er sich eine Zeitlang darüber hinwegtäuscht, in den «Balladen», die nur zum Spaß geschrieben sein sollen[12], oder im «Faust», den er eifrig als Barbarei verurteilt[13], während die herrlichsten Verse entstehen. Wie frei bewegt er sich gerade in dieser Dichtung wieder, die – im Licht der Jahrhundertwende gesehen – vom verfehlten klassischen Augenblick handelt und alles zur

[12] Vgl. S. 303.
[13] Vgl. S. 317.

Sprache bringt, was in den Epen und Elegien verpönt ist! Das im
«Abschied» gegebene Versprechen: «Nach Osten sei der sichre
Blick gewandt», hat Goethe nicht erfüllt. Wohl hielt er theoretisch und kritisch an der mit Schiller ausgearbeiteten ästhetischen Verfassung fest. Als Dichter aber ging er schon in der
«Natürlichen Tochter» andere Wege. Da war es ihm nicht mehr
darum zu tun, die wahre organische Welt im Kleinen zu schaffen
und reinlich abzurunden. Da setzte er das Kleinod des geglückten
Lebens den Widersachern aus und verkündete die Bedrängnis
und den Untergang des Schönen in der Fremde der Politik. Doch
je beängstigender das Thema war, desto geistiger wurde der Stil.
Die Silberstiftkonturen sind Zeichen eines «Zurücktretens aus
der Erscheinung». Das klassische Gleichgewicht ist gestört zugunsten des «oberen Leitenden» – so sehr, daß eine äußerste
Grenze der dichterischen Möglichkeiten erreicht scheint.

Und in der Tat bemerken wir nun eine eigentümliche Ratlosigkeit. Unruhig schaut sich Goethe nach den jüngeren Zeitgenossen um. Die eigene Meisterschaft wird ihm schal. Er versucht sich in neuen Stoffen und Formen, solchen zumal, die durch
die Romantik hohes Ansehen gewonnen haben. Sicher wäre es
falsch, dies nur als Zugeständnis aufzufassen. Goethe ist vielmehr
jetzt überzeugt und spricht die Überzeugung aus, daß es bedenklich sei, mit griechischer Vollendung wetteifern zu wollen[14], daß
ein Deutscher der neueren Zeit sich anderer Ahnen zu rühmen
habe und seine «barbarischen Avantagen» nicht ungestraft verachten könne[15]. Aber der «Löwenstuhl» und andere romantische
Pläne bleiben liegen, und die «Pandora» ist es, die doch wenigstens auf etwa tausend Verse anwächst, also ein Werk, das wieder
der griechischen Welt gehört. Allerdings gilt das nur vom Stoff.
Die Nacht der Zwischenzeit, nicht der antike Tag beherrscht die
Bühne. Im Vordergrund steht Epimetheus, der der verlorenen
Schönheit nachsinnt; und Pandoras Wiederkehr hat Goethe nicht
mehr ausgeführt. So ist denn wider Willen weniger ein Festspiel
als ein großer Abgesang und Hymnus der Hoffnung entstanden,
eine «Doppelherme» mit zwei Masken, von denen keine «wegen

[14] Vgl. S. 432.
[15] Vgl. S. 432 f.

des ewigen Vor und Nach im Augenblick zum Lächeln kommen kann[16]».

Sogar die Hoffnung scheint aber noch zu erlöschen in der totenstillen Atmosphäre der «Wahlverwandtschaften», dem rätselhaften, unheimlichen Werk, in dem das schöne Dasein nicht mehr, wie in der «Natürlichen Tochter», an äußeren Feinden, sondern an seinen inneren Widersprüchen zugrunde geht. Wenn in der «Pandora» die Einheit auseinanderbricht in eine erdachte Konstruktion und nachträglich herbeigeschaffte sinnliche Pracht, wenn also die symbolische Kunst einer allegorischen weichen muß, so handeln die «Wahlverwandtschaften» vom Zerfall der Einheit in Trieb und Gesetz, in blinde Leidenschaft und Vernunft. Die Gegensätze erscheinen nicht mehr als ausgewogene Polarität, sondern als tödlicher Widerspruch. Die Mittelzone der Farben verschwindet. Ein kaltes Licht begegnet einer undurchdringlichen Finsternis.

Wir fragen uns, ob dies als Schilderung einer durch ganz bestimmte Menschen verschuldeten Katastrophe gemeint sei, oder ob der besondere Fall auch hier ein Allgemeines repräsentiere. Im Hinblick auf Goethes Gesamtwerk sind wir eher geneigt, an eine – zwar tiefverborgene, kaum mehr nachweisbare, kaum mehr persönliche – Schuld zu glauben. Innerhalb des Romans jedoch erhalten wir keine eindeutige Antwort. Die Möglichkeit bleibt offen, daß die Mächte mit den Menschen spielen und daß «in diesem Leben» niemand aus eigener Kraft dem Geschick entrinnt. Wenn dem so wäre, dann freilich hätten wir in dem klassischen Augenblick nicht den natürlichen Höhepunkt des Lebens, sondern nur die seltene Gunst zu verehren, die eine launische Gottheit diesem und jenem zu Zeiten erweist. Dann wäre das Vertrauen auf die alles durchwaltende Liebe ein Wahn und die «lebendig-reiche Schöne» ein großer, doch schauerlich-einsamer Traum.

Wer sich in Goethes Tagebücher und Briefe aus diesen Jahren vertieft, wird den Gedanken nie ganz los, er habe sich ohne Glauben, Hoffnung und Liebe einzurichten versucht. Eine große schöpferische Leistung traute er sich nicht mehr zu; und von

[16] Vgl. S. 463.

Jugend auf gewohnt, sein eigenes Schicksal und das des allgemeinen Geistes im Einklang zu finden, meinte er ernstlich, überall sei die wahre Produktivität erschöpft. Das fromme Romantikerwesen war ihm nach wie vor ein Ärgernis. Doch fast noch mehr verdroß ihn die Haltung seines Jugendfreunds Jacobi, der in der Schrift «Von den göttlichen Dingen» im Namen Christi gegen die neueren pantheistischen Lehren loszog. Schellings vernichtende Antwort las er mit grimmiger Genugtuung. Er selber beschied sich mit dem Gedicht «*Groß ist die Diana der Epheser*», dessen verhaltene, hinter Werkstattfleiß verborgene Bitterkeit man mit dem Temperament der «Xenien» vergleichen muß, um zu ermessen, wie anders alles geworden ist. Ein folgerichtiges Wirken in die Breite, eine einheitliche Bildung des Volkes hielt Goethe nicht mehr für möglich. Die Lage schien ihm viel zu unübersichtlich und heillos verworren zu sein. So schildert er sie in einem Brief vom 14. Februar 1814:

«Die Vereinigung und Beruhigung des deutschen Reiches im politischen Sinne überlassen wir Privatleute, wie billig, den Großen, Mächtigen und Staatsweisen. Über einen moralischen und literarischen Verein aber, welche bei uns wo nicht für gleichgeltend doch wenigstens für gleichschreitend geachtet werden können, sei es uns dagegen erlaubt zu denken, zu reden. Eine solche Vereinigung nun, die religiöse sogar mit eingeschlossen, wäre sehr leicht, aber doch nur durch ein Wunder zu bewirken, wenn es nämlich Gott gefiele, in Einer Nacht den sämtlichen Gliedern deutscher Nation die Gabe zu verleihen, daß sie sich am andern Morgen nach Verdienst schätzen könnten. Da nun aber dieses nicht zu erwarten steht, so habe ich alle Hoffnung aufgegeben und fürchte, daß sie nach wie vor sich verkennen, mißachten, hindern, verspäten, verfolgen und beschädigen werden.

Dieser Fehler der Deutschen, sich einander im Wege zu stehen, darf man es anders einen Fehler nennen, diese Eigenheit ist um so weniger abzulegen, als sie auf einem Vorzug beruht, den die Nation besitzt und dessen sie sich wohl ohne Übermut rühmen darf, daß nämlich vielleicht in keiner andern so viel vorzügliche Individuen geboren werden und neben einander existieren. Weil nun aber jeder bedeutende Einzelne Not genug hat, bis er sich selbst ausbildet, und jeder Jüngere die Bildungsart von seiner Zeit nimmt, welche den Mittleren und Älteren mehr oder weniger fremd bleibt, so entspringen, da der Deutsche nichts Positives anerkennt und in steter Verwandlung begriffen ist, ohne jedoch zum Schmetterling zu werden, eine solche Reihe von Bildungsverschiedenheiten, um nicht Stufen zu sagen, daß der gründlichste Etymolog nicht dem Ursprung unsers babylonischen Idioms, und der treueste Geschichtsschreiber nicht dem Gange einer sich ewig widersprechenden Bildung nachkommen könnte. Ein Deutscher braucht nicht alt zu werden und er findet sich von Schülern verlassen, es wachsen ihm keine Geistesgenossen nach; jeder, der sich fühlt, fängt von vorn an, und wer hat nicht das Recht, sich zu fühlen? So, durch Alter, Fakultäts- und Provinzialsinn, durch ein auf so manche Weise hin und wider schwankendes Interesse, wird jeder in jedem Augenblicke verhindert, seine Vorgänger, seine Nachkommen, ja seinen Nachbar kennen zu lernen.

Da nun dieses Mißverhältnis in der nächsten Zeit immer zunehmen muß, indem außer den vom Druck Befreiten und wieder neu Auflebenden nun auch noch die große Masse derer, welche durch kriegerische Tatkraft die heilsame Veränderung bewirkten, ein entschiedenes Recht zu haben meinen, weil sie geleistet haben: so muß der Konflikt immer wilder und die Deutschen mehr als jemals wo nicht in Anarchie doch in sehr kleine Parteien zersplittert werden. Verzeihen Sie mir, daß ich so grau sehe; ich tue es, um nicht schwarz zu sehen; ja manchmal erscheint mir dieses Gemisch farbig und bunt. Gebe uns das gute Glück eine feste politische Lage, so wollen wir die obige Jeremiade in Scherz- und Spaßlieder umwandeln.»

«Aufrichtig zu sagen», heißt es dann weiter, «ist es der größte Dienst, den ich glaube meinem Vaterlande leisten zu können, wenn ich fortfahre, in meinem biographischen Versuche die Umwandlungen der sittlichen, ästhetischen, philosophischen Kultur, insofern ich Zeuge davon gewesen, mit Billigkeit und Heiterkeit darzustellen, und zu zeigen, wie immer eine Folgezeit die vorhergehende zu verdrängen und aufzuheben suchte, anstatt ihr für Anregung, Mitteilung und Überlieferung zu danken.»

Freilich, nur *ein* Motiv der Arbeit an «Dichtung und Wahrheit» ist damit genannt. Ein anderes war die Überzeugung, daß jetzt überhaupt die «Zeit der Resultate und Résumés», des «Sammelns und Ergänzens» gekommen sei[17], wieder ein anderes wohl das schlichteste Heimweh nach der «Jugendschranke» und nach der Gläubigkeit der Frühe. Die Selbstbiographie als Ganzes würdigen wir in einem späteren Abschnitt. Doch 1814 lagen bereits die Bücher eins bis fünfzehn vor. Sie waren das Hauptgeschäft dieser Jahre. Dichterisches kam wenig zustande: Balladen wie «*Johanna Sebus*», «*Der Totentanz*», «*Der getreue Eckart*», «*Die wandelnde Glocke*», liebenswürdige angewandte Poesie, die keine Lebensstufe bezeichnet, oder dann die *Karlsbader Stanzen* auf die Kaiserin und den Kaiser von Österreich und die Kaiserin von Frankreich, prunkvolle barocke Huldigungen von einer dem Gegenstand angemessenen, doch offenbar dem Dichter willkommenen und unterstrichenen Förmlichkeit. Nur der Kaiserin Ludovika hätte er seine Verehrung, ja man darf wohl sagen, sein Entzücken, seine Verzauberung gern in innigeren Andeutungen ausgesprochen:

«Ich darf nicht anfangen von ihr zu reden», schrieb er an den Grafen Reinhard, «weil man sonst nicht aufhört; auch sagt man in solchen Fällen eigentlich gar nichts, wenn man nicht alles sagt, und es ist nichts schwerer als ein Individuum zu schildern, welches Verdienste in sich hegt, die dem Allgemeinen angehören. Eine solche Erscheinung gegen das Ende seiner Tage zu erleben, gibt die angenehme Empfindung, als wenn man bei Sonnenaufgang stürbe und sich noch recht mit inneren und äußeren Sinnen überzeugte, daß die Natur ewig produktiv, bis ins Innerste göttlich, lebendig, ihren Typen getreu und keinem Alter unterworfen ist[18].»

Wie eine Insel treten solche Worte aus ihrer Umgebung hervor. Sie klingen noch einige Male nach. Dann bereut es Goethe, daß der Mund ihm übergegangen ist, und er gewöhnt es sich ab, «von unserer Angebeteten» zu sprechen:

«Denn die bravsten und sonst fürs Vortreffliche empfänglichen Menschen enthielten sich nicht, mir zu versichern, ich rede

[17] An Graf v. Uwarow, 27. Febr. 1811.
[18] 13. August 1812.

enthusiastisch, wenn ich nichts als die reine Prosa zu sprechen glaubte. Es kann zwar sein, daß, wie jener Prosa machte ohne es zu wissen, ich unbewußt poetisch rede. Wäre ich aber auch ein anerkannter Nachtwandler, so will ich doch nicht aufgeweckt sein und halte mich daher fern von den Menschen, welche nur das Wahre zu sehen glauben, wenn sie das Gemeine sehen[19].»

Adressaten wie Reinhard oder Zelter hätte er ausnehmen dürfen, Zelter zumal, der damals, nach dem Selbstmord seines Sohnes, von Goethe als einziger aller seit der italienischen Reise gewonnenen Freunde des brüderlichen Du gewürdigt wurde, dessen Redlichkeit und Kraft ihm immer wieder tröstlich war. Doch Zelter kam nur selten nach Weimar. Goethe fühlte sich vereinsamt.

Etwas von dieser Einsamkeit spricht aus dem «*Epilog zum Trauerspiele Essex*», den er 1813 für die mit ihrer Rolle unzufriedene Darstellerin der Elisabeth «im Charakter der Königin» schrieb. Er selber lenkte zwar die Aufmerksamkeit von allem Persönlichen ab und legte nur Wert darauf, die «ominosen» Verse während der Völkerschlacht von Leipzig, bevor die erste Nachricht eintraf, gedichtet zu haben. Doch ihr politisches Schicksal beklagt die Fürstin bei weitem nicht so leidenschaftlich wie ihr menschliches Unglück, die Treulosigkeit und den Tod des Geliebten. Und dieses Ereignis wiederum wird so eigenartig beleuchtet, daß wir uns unmittelbar der Stimmung am Schluß der «Wahlverwandtschaften» ausgesetzt finden. Das höchste, das einzige Gut ist dahin, ein Sinn des Lebens nicht mehr faßbar:

> «Der Mensch erfährt, er sei auch, wer er mag,
> Ein letztes Glück und einen letzten Tag.
> Dies gibt man zu, doch wer gesteht sich frei,
> Daß diese Liebe nun die letzte sei,
> Daß sich kein Auge mehr mit froher Glut
> Zu unserm wendet, kein erregtes Blut,
> Das überraschtem Herzen leicht entquoll,
> Verrätrisch mehr die Wange färben soll,
> Daß kein Begegnen möglich, das entzückt,
> Kein Wiedersehn zu hoffen, das beglückt,

[19] An Gräfin O'Donell, 24. Nov. 1812.

Daß von der Sonne klarster Himmelspracht
Nichts mehr erleuchtet wird. – Hier ist es Nacht,
Und Nacht wirds bleiben in der hohlen Brust.
Du blickst umher und schauest ohne Lust,
So lang die Parze deinen Faden zwirnt,
Den Sternenhimmel, den du selbst gestirnt,
Und suchst vergeblich um dein fürstlich Haupt
Den schönsten Stern, den du dir selbst geraubt;
Das andre scheint ein unbedeutend Heer,
Gesteh dirs nur! denn Essex lebt nicht mehr.
War er dir nicht der Mittelpunkt der Welt?
Der liebste Schmuck an allem, was gefällt?
War nicht um ihn Saal, Garten und Gefild
Als wie der Rahmen um ein kostbar Bild?
Das holde Bild, es war ein eitler Traum;
Das Schnitzwerk bleibt und zeigt den leeren Raum.»

Und dann, nach einem Abschnitt, der sich enger an die Tragödie anschließt:

«Das Reich, die Kirche, das Gericht, das Heer,
Sie sind verschwunden, alles ist nicht mehr!

Und über dieses Nichts du Herrscherin!
Hier zeige sich zuletzt dein fester Sinn;
Regiere noch, weil es die Not gebeut,
Regiere noch, da es dich nicht mehr freut.
Im Purpurmantel und mit Glanz gekrönt,
Dich so zu sehen ist die Welt gewöhnt;
So unerschüttert zeige dich am Licht,
Wenn dirs im Busen morsch zusammenbricht.

Allein wenn dich die nächtlich stille Zeit
Von jedem Auge, jedem Ohr befreit,
In deiner Zimmer einsamstem Gemach,
Entledige sich dein gerechtes Ach!
Du seufzest! – Fürchte nicht der Wände Spott,
Und wenn du weinen kannst, so danke Gott!

Und immer mit dir selbst, und noch einmal,
Erneuet sich die ungemeßne Qual.
Du wiederholst die ungemeßne Pein:
Er ist nicht mehr; auch du hörst auf zu sein –
So stirb, Elisabeth, mit dir allein!»

Ein halbes Jahr später wurde Goethe aufgefordert, ein Bühnen-
stück zur Einleitung der Siegesfestlichkeiten in Berlin zu schaffen.
Er zögerte zuerst; dann entschloß er sich plötzlich und schrieb in
wenigen Tagen das Festspiel «Des Epimenides Erwachen». Man
weiß nicht, was mehr zu verwundern ist, die Bereitschaft, den
Sturz Napoleons, den er doch «seinen Kaiser» nannte, zu feiern,
die völlige Rücksichtslosigkeit dem Festspielpublikum gegenüber,
oder die Kühnheit, sich selbst, den Dichter, in Epimenides dem
ganzen deutschen Volk gegenüberzustellen und seinen Schlaf, die
tiefste Versenkung in das Geheimnis der heilen Schöpfung, mit
den heroischen Taten der endlich erwachten Nation zu vergleichen. Wenn wir wissen, was der schlaflose Wandel des Epimetheus bedeutet – Alter, das sich fruchtlos in ungeheuren Erinnerungen verzehrt – dann sehen wir allerdings, was gemeint
ist: Der Wiedergeburt des Volkes entspricht die Hoffnung auf
eine eigene Wiedergeburt aus «völligem Vergessen[20]». Wer hätte
dies aber verstehen können oder, im Rausch des kriegerischen
Triumphs, auch nur verstehen wollen? Nie schloß der Gürtel der
Einsamkeit sich enger um Goethes Leben und Schaffen als eben
in dieser Stunde, in der er als Sprecher der Nation auftrat.

Der Alternde kann nicht hoffen, daß sich die Jugend um seine
Leiden kümmere. Auch Goethe hoffte es eigentlich nicht und
wäre vermutlich sogar erschrocken, wenn einer die verschlüsselte
Sprache des «Epimenides» entziffert und die Lösung verraten
hätte. Dennoch bewegten sich seine Gedanken damals ständig um
Alter und Jugend, besonders fühlbar wieder, als ihm Sulpice Boisserée nahe trat und seine Aufmerksamkeit auf die frühen deutschen Meister zu lenken versuchte, und als er junge Maler von
außerordentlicher Begabung kennen lernte, die jene Kunst zu
erneuern gedachten. Im September 1813 schrieb er an Christian

[20] Vgl. S. 468.

Heinrich Schlosser, der ihn auf Overbeck und Peter Cornelius hingewiesen hatte:

«Die Zeichnungen erregen Bewunderung, ja Erstaunen. Man hat in der Kunstgeschichte wohl das Beispiel, daß frühere Werke in späteren Zeiten nachgeahmt worden, aber ich wüßte nicht, daß Künstler sich, mit Gemüt, Geist und Sinn, in eine frühere Epoche dergestalt versetzt, daß sie ihre eigenen Produktionen an Erfindung, Stil und Behandlung denen ihrer Vorgänger hätten gleich machen wollen. Den Deutschen war es vorbehalten, eine so wundersame, freilich durch viel zusammentreffende Umstände hervorgerufne bedeutende Epoche zu gründen. Jene Künstler sind wirklich anzusehen als die, in Mutterleib zurückgekehrt, noch einmal geboren zu werden hoffen. Die Eigentümlichkeit beider überzeugt mich, daß jeder in seiner Art verharren werde, ja mir wäre es ganz recht, wenn sie sich durch die allgemeineren Forderungen der Kunst nicht aus ihrem Kreise herauslocken ließen: denn ich sehe nicht ein, warum jeder Künstler den ganzen Dekurs der Kunst in seiner Person darstellen soll. Mögen doch diese und ihre guten Gesellen das deutsche sechzehnte Jahrhundert repräsentieren, die Wahrheit und Naivität der Konzeption, so wie den Fleiß und die Bestimmtheit der Ausführung ihren Schülern überliefern; dann könnte hieraus wohl auch ein sechzehntes italienisches Jahrhundert unter günstigen Umständen für unser Vaterland entspringen. Ich beobachte aufmerksam diesen neuen Kunstfrühling, und werde dankbar sein, wenn Sie mir von Zeit zu Zeit etwas von dessen Erzeugnissen berichten und mitteilen.»

1813 war Goethe bereits mit dem dritten Teil seiner Lebensbeschreibung beschäftigt und also besonders empfänglich dafür, daß nun der Geist sich wieder regte, den er seinerzeit, vor Jahrzehnten, in Straßburg verherrlicht hatte. Gegenwart und Vergangenheit schienen wunderbar ineinanderzuströmen. Aber wie durfte er sich getrauen, selber wieder von vorn zu beginnen? Er spürte auf seinen Schultern die ganze Schwere der epimetheischen Last.

Und doch! Wie viele Keime seines Dichtertums waren noch kaum entfaltet und harrten nur der günstigen Stunde, um zum

Erstaunen aufzugehen! Es gibt in jeder Epoche Goethes seltsam unzeitgemäße Werke, verfrühte Geschöpfe der Einbildungskraft, die noch nicht recht zu gedeihen vermögen und nur für den Rückblick aus späteren Jahren mehr als flüchtige Zufälle sind. Zu diesen gehört etwa «Der Wandrer» vom Jahre 1772, das milde Zwiegespräch, das wir eher der Zeit der ersten Epigramme im griechischen Stil, vielleicht sogar der italienischen Reise zuordnen würden. Dazu gehört in den neunziger Jahren die Novellistik der «Unterhaltungen deutscher Ausgewanderten», das «Märchen», der zweite Teil der «Zauberflöte», die «Reise der Söhne Megaprazons». Erst in den «Wanderjahren» gewinnt die Novelle als solche die größte Bedeutung, und erst im zweiten Teil des «Faust» blüht die betont geheimnisvolle, tiefsinnige Symbolik auf, mit der sowohl der Dichter wie der Leser im hochklassischen Rahmen noch wenig anzufangen wissen. Die «Jagd», der Plan, der Goethe nach «Hermann und Dorothea» beschäftigt hat, wird überhaupt nicht in Angriff genommen, bevor die Vermischung der Zeiten und Völker, des Heimischen und Exotischen auf höherer Stufe angebahnt ist. Das Schwergewicht der Einbildungskraft, der dichterischen Welt muß sich verlagern, damit gewisse Gegenstände und Formen wesentlich werden können. Ein solcher Vorgang spielt sich in der Zeit vor 1814 ab. Wir haben bis jetzt nur, rückwärtsgewandt, den Verlust, die unaufhaltsame Auflösung der klassischen Schönheit erwogen. Wir blicken zum Schluß noch in die Zukunft, die neue Epoche zuversichtlichen Schaffens, die sich vorbereitet in dem, was nur Zerfall zu sein scheint.

Goethe verzichtet auf die Bildung eines organisch geschlossenen Ganzen; er verliert das Interesse an der plastischen Einzelgestalt: in der «Natürlichen Tochter», wo der Sinn, die Deutung des Geschehens die Charaktere überflutet, in der «Pandora», wo die Körperlichkeit allegorischer Transparenz weicht, in den «Wahlverwandtschaften», wo die von dunklen Notwendigkeiten durchwalteten, stets auf allgemeine Gesetze bezogenen Menschen schattenhaft erscheinen in einem dämonischen Raum. Gleichfalls in den «Wahlverwandtschaften» haben wir aber auch bereits eine neue Beweglichkeit wahrgenommen. Ein Ereignis, das sich selbst nicht völlig ausspricht, wird durch ein ähnliches oder entgegen-gesetztes erhellt. Die Paare spiegeln sich ineinander. Und diese Bezüge sind anderer Art als jene genauen, die wir in «Hermann und Dorothea» festgestellt haben. Es bleibt dem Leser überlassen, wie weit er sie verfolgen will. Denn Goethe selber scheint den Spielraum der Bedeutsamkeit offen zu lassen und Verbindungs-linien zu ziehen, die sich, für ihn selber wie für uns, in Dämme-rungen verlieren. Gewiß besagt dies, daß er an einer vollkom-menen Übersicht verzweifelt, daß es nun in einer menschliche Fassungskraft übersteigenden Weise aus allen Dingen winkt und tönt. Er braucht aber nur nicht mehr zu wünschen, alles mit *einem* Blick zu umfassen und in jedem einzelnen Gegenstand oder Ereignis seine Idee des organischen Ganzen bestätigt zu finden, so kann es geschehen, daß gerade hier, aus Zweifel und Verzicht, eine Quelle göttlicher Heiterkeit springt. Ganz unerwartete Worte fallen über das Feuerzeichen im Osten, das 1812 die Welt erregte:

«Daß Moskau verbrannt ist, tut mir gar nichts. Die Weltge-schichte will künftig auch was zu erzählen haben. Delhi ging auch erst nach der Eroberung zu Grunde, aber durch die ††††† der Eroberer, Moskau geht zu Grunde nach der Eroberung, aber durch die ††††† der Eroberten. Einen solchen Gegensatz durch-zuführen, würde mir außerordentlichen Spaß machen, wenn ich ein Redner wäre. Wenn wir nun aber auf uns selbst zurück-kehren und *Sie* in einem so ungeheuern, unübersehbaren Unglück Bruder und Schwester und *ich* auch Freunde vermisse, die mir am Herzen liegen, so fühlen wir denn freilich, in welcher Zeit wir leben und wie hoch ernst wir sein müssen, um nach alter Weise heiter sein zu können[21].»

So kann nur jemand sprechen, der seine Hoffnung nicht mehr auf den Tag setzt und die Bande lockert, die den Menschen an Ort und Stunde fesseln. Eine ähnliche Haltung kündigt sich schon in den «Wahlverwandtschaften» an. Der reisende Engländer kommt zu Besuch, der Mann, der seine Heimat preisgibt, immer nur wenige Tage verweilt, alles prüft und das Beste behält, ein Wanderer, den uns näher anzusehen wir in den Schicksalsläuften des Romans noch nicht geneigt sind, dem wir jetzt aber zubilligen

[21] An Graf Reinhard, 14. Nov. 1812.

müssen, daß er sich bereits zur Entsagung der «Wanderjahre» entschlossen hat.

Im Zeichen solcher Wanderschaft ist Goethe noch eine Erfüllung beschieden, die alles übertrifft, was Epimetheus sich erträumen mag. Eine Jugendgestalt seines dichterischen Daseins scheint damit wiederzukehren. Es ist aber nicht mehr der Wanderer des «Sturmlieds», der sich das Ein und All ertrotzt, auch nicht der Wandermüde des «Nachtlieds», der sich nach ewiger Heimat sehnt. Des Ewigen und Gültigen hat der späte Goethe sich als eines unverlierbaren Besitzes versichert. Er buchstabiert im stillen das vertraute Alphabet des Weltgeists, einzig noch darauf bedacht, sich nicht zu gläubig mehr in irdischen Bezirken anzusiedeln und dennoch keine des Dankes würdige Gabe des Lebens zu verschmähen. Solches Wandern heißt: auf nichts bestehen, keinen Zustand festigen, keine Sicherheit erzwingen.

«Glissez, mortels, n'appuyez pas.»

Die Wanderschaft ist schmerzlich; jeden Gruß beschattet schon der Abschied. Um diesen hohen Preis jedoch erwirbt der Wanderer eine Freiheit, die nicht ihresgleichen hat, und einen Frieden, der nicht trügt. Suleika spricht:

«Der Spiegel sagt mir: ich bin schön!
Ihr sagt: zu altern sei auch mein Geschick.
Vor Gott muß alles ewig stehn,
In mir liebt Ihn, für diesen Augenblick.»

Für diesen Augenblick! Er wird vergehen, aber Gott besteht. Und wie er in Suleikas Schönheit offenbar geworden ist, so wird er sich in künftigen Augenblicken wieder offenbaren. Wen diese Zuversicht erfüllt, der hat nur noch ein Lächeln übrig für den Sturm und Drang der Jugend, die alles zu umfassen wähnt, wenn eine große Stunde anbricht, und alles zu verlieren fürchtet, wenn ihr Schimmer wieder schwindet. Dem wird auch nichts daran gelegen sein, den Augenblick zu einer Welt im Kleinen zu gestalten und ihm so in einem runden Kunstwerk Dauer zu verleihen.

«Mag der Grieche seinen Ton
Zu Gestalten drücken,
An der eignen Hände Sohn
Steigern sein Entzücken;

Aber uns ist wonnereich
In den Euphrat greifen
Und im flüssgen Element
Hin und wieder schweifen. »

Damit betreten wir die Stufe, auf der die Lyrik des «Divan»,
das nur noch angedeutete Gefüge der «Wanderjahre» und der
zweite Teil des «Faust» entstehen, in Jahrtausenden schweifende
Poesie, die Goethes letztes Wort sein wird.

REGISTER

Erstellt von Jacob Steiner

(Abkürzungen: Jh. = Jahrhundert; DuW = Dichtung und Wahrheit;
die arabischen Ziffern nach DuW bezeichnen das Buch)

I. Personen

(Literarische Werke außerhalb Goethes Verfasserschaft siehe unter dem
Namen des Autors. Die Werktitel folgen unmittelbar den Personalien)

durch wiederholte Geldspenden half 56

Calderon de la Barca, Pedro, 1600–1681. Spanischer Dichter von Lustspielen und geistlichen Schauspielen, Soldat und Geistlicher 398, 431. Die Anbetung des Kreuzes 432. Der standhafte Prinz 432

Campe, Joachim Heinrich, 1746–1818. Schulrat in Braunschweig und Schriftsteller. Verfasser des bekannten Wörterbuchs. Orthodoxer Sprachreiniger, was ihm den Xenienspott eintrug 213

Canova, Antonio, 1757–1822. Italienischer klassizistischer Bildhauer 29

Carl August, Herzog von Sachsen-Weimar-Eisenach, 1757–1828. Übernahm nach sorgfältiger Erziehung u. a. durch Wieland am 3. September 1775 die Regierung, berief Goethe nach Weimar. Verheiratet mit Prinzessin Louise von Hessen-Darmstadt. Wurde 1815 Großherzog 13, 60, 63, 64, 78, 84, 86, 87, 88, 97, 146, 370, 435

Cassirer, Ernst, 1874–1945. Deutscher Philosoph, Professor in Hamburg, Oxford, Göteborg und Yale (USA) 460

Cellini, Benvenuto, 1500–1571. Universalmensch der italienischen Renaissance: Bildhauer, Goldschmied, Dichter, Musiker. Goethe übersetzte seine Autobiographie 209

de Cervantes Saavedra, Miguel, 1547–1616. Goethe achtete das Hauptwerk des spanischen Dichters als «das Höchstgelungene dieser Art». Don Quixote 365

von Chamisso, Adalbert, 1781–1838. Preußischer Offizier, Botaniker, romantischer Dichter. Goethe hatte wenig Beziehung zu seinem Werk 336

Christus 142

Claudius, Matthias, 1740–1815. Dichter und Schriftsteller, studierte Theologie und die Rechte und gab 1770–1775 unter dem Pseudonym Asmus den «Wandsbecker Boten» heraus. Er besuchte Goethe 1784 in Weimar. Später wurde er, dessen gutgemeinte, aber enge Religiosität der Klassik fremd war, mit Xenien bedacht 215

Cornelius, Peter, 1783–1867. Historienmaler, schuf u. a. Illustrationen zum Faust 18, 529

Cotta, Johann Friedrich, 1764–1832. Verleger in Stuttgart und Tübingen. 1806–1808 gab er zum ersten Mal eine Ausgabe Goethes Werke heraus 269

Cuvier, Georges Léopold Chrétien Frédéric Dagobert, Baron, 1769–1832. Professor am Collège de France, dann auch am Musée d'histoire naturelle. Vergleichender Anatom, Zoologe, bedeutender Paläontologe, Geologe 104

Dares Phrygius, ca. 4. Jh. v. Chr. Verfasser eines Trojaromans, der in einer lateinischen Übersetzung erhalten ist 282

David, Jacques Louis, 1748–1825. Französischer Maler des Klassizismus 29

Dictys Cretensis, ca. 4. Jh. v. Chr. Verfasser eines Trojaromans, der in einer lateinischen Übersetzung überliefert ist 282

von Droste-Hülshoff, Annette, 1797-1848. Die westfälische Dichterin 360

Dukas, Paul, 1865–1935. Französischer Komponist, schuf nach Goethes Werk eine symphonische Dichtung «Der Zauberlehrling» 307

Eckermann, Johann Peter, 1792–1854. 1813–14 in hannoverschen Militärdiensten, 1821 Student der Rechte in Göttingen, sandte im selben Jahre seine Gedichte mit einem Curriculum vitae an Goethe, dessen Sekretär und Vertrauter er von 1823 an war. Eckermanns Gespräche mit Goethe erschienen 1835–1848 7, 69, 182, 205, 268, 307, 408, 447, 455

Eichstädt, Heinrich Karl Abraham, 1772–1848. Oberbibliothekar und Philologieprofessor in Jena. Herausgeber der Jenaischen Allgemeinen Literaturzeitung 429

Erasmus von Rotterdam, Desiderius, 1467–1536. Humanist. Riemer überliefert eine Aussage Goethes

am Jardin des Plantes in Paris, seit 1809 auch an der medizinischen Fakultät. Er stellte die These einer Einheit der Struktur im Tierreich auf, wodurch er in Streit mit Cuvier geriet 104

George, Stefan Anton, 1868–1933. Deutscher Lyriker und Übersetzer 363, 453

Gérard, François, 1770–1837. Französischer Bildnis- und Historienmaler, Schüler Davids. Hofmaler 70

Geßner, Salomon, 1730–1787. Zürcher Dichter, Maler, Radierer, Buchhändler, Mitglied des Großen Rates 222

Giorgione, eigentlich Giorgio Barbarelli, 1478–1510. Venezianischer Maler 51

Giotto di Bondone, 1266–1337. Florentinischer Maler, Bildhauer und Architekt 41

von Giovane di Girasole, Herzogin Giuliana, geb. Freiin von Mudersbach, 1766–1805. Hofdame der Königin Maria Carolina von Neapel, wohnte im Schloß Capo di Monte, siedelte 1791 nach Wien über 18

Gleim, Johann Wilhelm Ludwig, 1719–1803. Jurist, anakreontischer Dichter, 1747 Domsekretär in Halberstadt. Vgl. DuW 7 und 10. Vgl. das Xenion Alexis und Dora usw. 213, 302

Göcking, G. G. G., 1. Hälfte des 18. Jhs. Historiker 235 f., 239

Goethe, Catharina Elisabeth, 1731–1808. Goethes Mutter. Sie war die älteste Tochter des Stadtschultheißen Johann Wolfgang Textor in Frankfurt und der Anna Margaretha Lindheimer aus Wetzlar. Sie heiratete am 20. August 1748 Johann Caspar Goethe 96, 97, 139, 354

Goethe, Christiane, siehe Vulpius

Goethe, Johann Caspar, 1710–1782. Goethes Vater. Nach dem Studium der Rechte in Leipzig war er am Reichskammergericht in Wetzlar tätig und doktorierte 1738 in Gießen. 1739 reiste er durch Österreich nach Italien bis Neapel und kehrte nach einem Jahr durch Frankreich nach Frankfurt zurück, wo er 1742 Kaiserlicher Rat wurde. Heiratete am 20. August 1748 Catharina Elisabeth, die älteste Tochter des Stadtschultheißen Textor 9

Goethe, Julius August Walter, 1789–1830. Goethes Sohn, geheimer Kammerrat in Weimar 86, 197

Goldoni, Carlo, 1707–1793. Italienischer Lustspieldichter 25

Göschen, Georg Joachim, 1750–1828. Buchhändler in Leipzig. Verlegte die erste rechtmäßige Ausgabe von Goethes Schriften in acht Bänden (1787–1790) 43, 51

Gottsched, Johann Christoph, 1700–1766. Deutscher Schriftsteller, bekannter Poetiker 24, 100, 131. Versuch einer Critischen Dichtkunst für die Deutschen 276

Grabbe, Christian Dietrich, 1801–1836. Deutscher Dramatiker 374

Gräf, Hans Gerhard, 1864–1942. Zuerst Naturwissenschafter, dann Literarhistoriker. Verdienter Goetheforscher, der von 1901–1914 in neun umfangreichen Bänden die wertvolle Sammlung aller Äußerungen Goethes über seine dichterischen Werke veröffentlichte 363

Gregorius vom steine. Legendäre mittelalterliche Gestalt, entstammte einem Inzest und lebte unwissentlich in inzestuöser Ehe mit seiner Mutter. Nach jahrelanger Buße auf einem Felsen auf wunderbare Weise zum Papst gewählt und von aller Sünde gereinigt 168

Grillparzer, Franz, 1791–1872. Österreichischer Dramatiker 479

Grübel, Johann Konrad, 1736–1809. Nürnberger Flaschnermeister und Quartieraufseher. Dialektdichter. «Gedichte in Nürnberger Mundart» 1798–1803 290

Guardi, Francesco, 1712–1793. Venezianischer Maler 27

Guercino, eigentlich Giovanni Francesco Barbieri, genannt Guercino (= der Schielende), 1591–1666. Maler aus Cento, auch in Bologna und Rom tätig 36

Hackert, Jakob Philipp d. J., 1737–

540

war 1796–1798 Hauslehrer in Frankfurt, wo er Goethe besuchte. Goethe schreibt über zwei anonyme Gedichte Hölderlins: «Ich möchte sagen, in beiden Gedichten sind gute Ingredienzien zu einem Dichter, die aber allein keinen Dichter machen.» 66, 67, 73, 275, 290, 363, 447. Der Rhein 447. Der gefesselte Strom 447. Patmos 472

Hölty, Ludwig Heinrich Christoph, 1748–1776. Dichter des Göttinger Hains. Vgl. DuW 19. 302

Homer, wahrscheinlich 9. Jh. v. Chr. Griechischer Epiker 41, 47 ff., 72, 73, 80, 101, 132, 205, 212, 221, 232, 233, 234, 235, 238, 244, 249, 251, 252, 254, 255, 256, 257, 259, 260, 261, 275, 278, 280, 282, 283, 284, 285, 286, 287, 288, 289, 309, 327, 393, 519

Horaz, Quintus Horatius Flaccus, 65–8 v. Chr. Römischer Dichter 65, 209, 408. Carmen saeculare 65/66

Hufeland, Gottlieb, 1760–1817. Professor der Rechte in Jena, dann in Würzburg 429

von Humboldt, Caroline, geb. von Dacheröden, 1766–1829. Gattin Wilhelm von Humboldts 208

von Humboldt, Wilhelm, 1767–1835. Philosoph, Sprachforscher, Staatsmann, Gründer der Universität Berlin. Als Denker stand er mit Goethe und Schiller der klassischen Welt am nächsten, und Goethe und Schiller haben denn auch seinen Rat und seine Kritik hoch geachtet 161/162, 208, 225, 227, 370, 437, 450

Husserl, Edmund, 1859–1938. Deutscher Philosoph. Ideen zu einer reinen Phänomenologie und phänomenologischen Philosophie 115, 200

Ibsen, Henrik, 1828–1906. Norwegischer Dramatiker 374

Iffland, August Wilhelm, 1759–1814. Schauspieler, Bühnenschriftsteller, seit 1796 Theaterdirektor in Berlin, von Goethe im allgemeinen geschätzt 90, 182

von Imhof, Amalie, 1776–1831. Schriftstellerin in Weimar 274

Jacobi, Friedrich Heinrich, 1743–1819. Philosophisch-religiöser Schriftsteller. Ursprünglich Kaufmann in Düsseldorf, 1772 Mitglied der jülisch-bergischen Hofkammer, 1779 Geheimer Rat, 1805 Präsident der Akademie der Wissenschaften in München. Förderer Hamanns. Seit 1774 war er mit Goethe eng befreundet, doch erfuhr das Verhältnis später oft Schwankungen durch grundsätzliche Meinungsverschiedenheiten 75, 85, 91, 93, 97, 98, 218, 367, 523. Von den göttlichen Dingen und ihrer Offenbarung 523

Jacobi, Helene, 1753–1838. Stiefschwester der Brüder Jacobi 97

Jacobi, Karl Wigand Maximilian, 1775–1858. Sohn Friedrich Heinrich und Elisabeth Jacobis. Mediziner, Psychiater, auch dichterisch tätig 75, 275

Jagemann, Karoline, 1777–1848. Schauspielerin und Sängerin in Weimar, Schülerin Ifflands. Goethe und Schiller schätzten ihre Leistungen, wenn auch nicht gewisse menschliche Eigenschaften 370

Jean Paul, eigentlich Jean Paul Friedrich Richter, 1763–1825. Der Dichter hielt sich mehrere Male in Weimar auf, doch kam, zu seiner Enttäuschung, kein näheres Verhältnis mit Goethe zustande 11 ff., 15, 17, 215, 338, 364. Titan 11 ff., 14 f., 461. Leben des Quintus Fixlein 13. Die unsichtbare Loge 152. Vorschule der Ästhetik 168. Hesperus oder 45 Hundspostage 364. Über die natürliche Magie der Phantasie 13, 461

Jenisch, Daniel, 1762–1804. Prediger an der Nikolaikirche in Berlin und Schriftsteller. Außer im Aufsatz «Literarischer Sansculottismus» zog Goethe auch mit einigen Xenien gegen ihn los 210

Jung-Stilling, Johann Heinrich Jung, genannt Stilling, 1740–1817. Kohlenbrenner, dann Schneider, Lehrer, 1787 Professor in Marburg, 1803 Augenarzt in Karlsruhe. Pietistischer Schriftsteller der Herrnhuter Brüdergemeinde des Grafen Zinzendorf. Goethe lernte ihn als Medizinstudenten in Straßburg kennen. Vgl. DuW 9. 215

Kallimachos, um 310–238 v. Chr. Griechischer Dichter 71

Kant, Immanuel, 1724–1804. Philosoph in Königsberg. Goethe bemühte sich, vor allem zur Zeit seiner Freundschaft mit Schiller, um das Verständnis von Kants Denken 83, 107, 124, 184ff., 195, 216, 217, 219, 287, 294. Kritik der reinen Vernunft 114, 184, 293, 414, 419. Kritik der praktischen Vernunft 185. Kritik der Urteilskraft 117, 187, 199, 257, 294. – Kantianer 114, 198, 214

Karl Eugen, 1728–1793. Herzog von Württemberg. In den ersten Jahrzehnten seines Regiments Despot, Verfolger u. a. Schubarts; dann fürsorglicher Regent. Gründer der Hohen Karlsschule, deren Zögling der junge Schiller war. 181 f.

Kauffmann, Angelika, 1741–1807. Schweizer Malerin, 1766–1780 in England, dann in Rom 37

Keller, Gottfried, 1819–1890. Zürcher Dichter 69, 364. Der grüne Heinrich 174, 364. Die Leute von Seldwyla 364

von Kleist, Ewald, 1715–1759. Dichter, Offizier, Freund Lessings, bei Kunersdorf gefallen 131, 213

von Kleist, Heinrich, 1777–1811. Deutscher Dramatiker 88, 212, 310, 363

von Klettenberg, Susanna Catharina, 1723–1774. Herrnhutische Pietistin; als Freundin des jungen Goethe übte sie, vor allem während seines Krankenlagers nach der Rückkehr aus Leipzig, religiösen Einfluß auf ihn aus. «Es ist dieselbe, aus deren Unterhaltungen und Briefen die Bekenntnisse der schönen Seele entstanden sind, die man in Wilhelm Meister eingeschaltet findet.» Vgl. DuW 8. 139, 140, 141

Klinger, Friedrich Maximilian, 1752–1831. Gehörte 1772 zu Goethes Freunden. Nach Rechtsstudien besuchte er 1776 Goethe in Weimar wieder, schloß sich im gleichen Jahr der Seilerschen Theatergruppe als Bühnendichter an. 1780 Offizier in russischem Dienst, wurde Klinger geadelt und mit hohen Ämtern bedacht. Nach Klingers Schauspiel «Sturm und Drang» hat die literarische Epoche den Namen erhalten. Vgl. DuW 14. 98, 176

Klopstock, Friedrich Gottlieb, 1724–1803. Der Dichter des Messias und der Oden. Vgl. DuW. 66, 215, 363, 452

von Knebel, Carl Ludwig, 1744–1834. Nach Rechtsstudien und preußischem Militärdienst von Anna Amalia als Erzieher ihres zweiten Sohnes nach Weimar berufen. Besuchte am 10. Dezember 1774 Goethe in Frankfurt und vermittelte die erste Begegnung zwischen Goethe und Carl August. Während der gemeinsamen Weimarer Zeit wurden Goethe und Knebel nahe Freunde und standen auf Du miteinander. Die Properz- und Lukrezstudien des «alten weimarischen Urfreundes» interessierten Goethe lebhaft 63, 128, 269, 370, 372

Körner, Christian Gottfried, 1756–1831. Jurist am Oberappellationsgericht in Dresden, alter und der persönliche Freund Schillers, den auch Goethe sehr schätzte 189, 199, 204, 303

von Kotzebue, August Friedrich Ferdinand, 1761–1819. Produktiver Theaterdichter in Weimar, dann Direktor des Burgtheaters in Wien, nach seiner Entlassung von 1799 an wieder in Jena und Weimar. In andauernder Spannung zu Goethe und Schiller 90, 370, 429

Krafft, Johann Friedrich, 1785 gestorben. Unbekannter; man weiß, daß er Sekretär gewesen war. Aus tiefer Not rief er Goethe um Hilfe an und empfing seelische und materielle in reichstem Maße 480

de Lamettrie, Julien Offray, 1709–1751. Französischer materialistischer Philosoph 178

Lavater, Johann Caspar, 1741–1801. Seit 1769 Pfarrer in Zürich, 1786

lologe und Historiker. Gesellte sich durch eine negative Rezension der Horen zur «ecclesia militans» gegen die Klassiker und wurde daher mit Xenien bedacht 213

Mantegna, Andrea, 1431–1506. Italienischer Maler und Kupferstecher 32

Marie Louise, 1791–1847. Tochter Franz I. und Maria Ludovikas von Österreich, zweite Gattin Napoleons I. 525

Maria Ludovika, 1787–1816 Kaiserin von Österreich. Sie empfing Goethe in Karlsbad zu regem Umgang 150, 525

Marlowe, Christopher, 1564–1593. Englischer Dramatiker, Generationsgenosse Shakespeares. Schrieb 1588 einen Doctor Faustus, der auf die deutsche Fausttradition von Einfluß war. Goethe bewunderte die Kraft seiner Werke. 344

Martial, Marcus Valerius Martialis, um 40 bis um 102 n. Chr. Römischer Dichter, Epigrammatiker, nach dessen Vorbild die Xenien entstanden 213

Mendelssohn, Moses, 1729–1786. Kaufmann und Philosoph in Berlin, mit dem gleichaltrigen Lessing befreundet 213, 241

Mengs, Anton Raphael, 1728–1779. Maler und Theoretiker des Klassizismus 29, 267

Merck, Johann Heinrich, 1741–1791. Kriegsrat in Darmstadt. Schriftsteller, Kritiker, hochgebildet, von großem Einfluß auf den jungen Goethe. 1772 Herausgeber der Frankfurter Gelehrten Anzeigen, an denen Goethe vorübergehend mitarbeitete. Merck wurde Vorbild des Mephisto. Vgl. DuW 14. 63, 317

Mereau, Sophie, geb. Schubart, 1770–1806. Nach der Scheidung von Professor Mereau seit 1803 mit Clemens Brentano verheiratet. Schriftstellerin. Mitarbeiterin an den Horen und am Musenalmanach 274

Meyer, Johann Heinrich, 1760–1832. Maler und Kunsthistoriker aus Stäfa am Zürichsee. Goethe hatte ihn Anfang November 1786 in Rom kennen und schätzen gelernt, sich in der Folge mit ihm befreundet, holte ihn 1791 nach Weimar, wo er elf Jahre lang in Goethes Haus lebte, 1795 Professor am Freien Zeicheninstitut und 1807 zum Hofrat ernannt wurde. Bildete mit Goethe, Schiller u. a. zusammen die «Weimarer Kunstfreunde», deren Kunsttheorien er entscheidend beeinflußte. 63, 85, 204, 235, 238, 249, 251, 255, 269, 291, 297, 303, 317, 370

Meyer, Nikolaus, 1775–1855. Arzt in Bremen, mit Goethes befreundet 429

Milton, John, 1608–1674. Englischer Dichter, dessen Werk Goethe eingehend kannte. Vgl. DuW. 357

Möller, Pseudonym Goethes in Italien 11

Mörike, Eduard, 1804–1875. Nachklassischer schwäbischer Dichter 69, 341. Maler Nolten 174

Moritz, Karl Philipp, 1757–1793. Ästhetiker, Schriftsteller, Professor der Archäologie in Berlin. Goethe schreibt am 27. Dezember 1788: «Moritz ist nun schon drei Wochen hier und tut uns allen sehr wohl... Es ist ein grundguter Mensch.» 54

Morris, Max, 1859–1918. Ursprünglich Arzt, dann Goetheforscher, gab die vorzügliche Sammlung «Der junge Goethe» heraus 468

Mozart, Wolfgang Amadeus, 1756–1791. Mozarts große Opern wurden in Weimar und Lauchstädt unter Goethes Leitung aufgeführt. Goethes hohe Achtung vor Mozarts Genius geht aus den Worten hervor, es sei ganz unmöglich, zum Faust eine passende Musik zu erhalten, denn «Mozart hätte den Faust komponieren müssen», sowie aus der anderen Aussage gegenüber Eckermann, die Dämonen hätten Mozart den Menschen hingestellt «als etwas Unerreichbares in der Musik». Bekanntlich hat Goethe auch einen zweiten Teil der Zauberflöte entworfen und zu schreiben begonnen. 258. König Thamos 152, Die Zauberflöte 152, 245, 467

Müller, Friedrich, genannt Maler Müller, 1749–1825. Dichter des Sturm und Drang, siedelte, mit Goethes und anderer Unterstützung, nach Italien über, um ganz der Malerei zu leben, blieb jedoch unbedeutend. Er erhielt sich mühsam als Antiquar und Fremdenführer in Rom 222

Napoleon I. Buonaparte, 1769–1821. 1799 erster Konsul, 1804–1814 Kaiser von Frankreich. Goethe traf ihn am 2., 6. und 10. Oktober 1808 in Erfurt. Goethe sah in Napoleon den «großen Mann», der die Französische Revolution durch eine neue Ordnung überwand 373, 437, 528

Neuber, Friederike Karoline, 1697– 1760. Schauspielerin und Leiterin einer Theatertruppe. Sie bemühte sich um eine höhere und gesamtdeutsche Theaterkultur, zunächst in Verbindung mit Gottsched, dann in Berührung mit Lessing. Sie wurde zum teilweisen Vorbild der Madame de Retti in Wilhelm Meisters theatralischer Sendung 131

Newton, Isaac, Sir, 1643–1727. Englischer Naturforscher, Begründer der modernen Naturwissenschaften auf exakter und mechanistischer Basis. Goethe richtete zum Teil heftige Angriffe gegen die Optik Newtons. 404, 405, 406, 408, 409, 410, 413, 414, 416, 417, 421, 425

Die Nibelungen, mittelhochdeutsches Heldenepos 72, 433

Nicolai, Christoph Friedrich, 1733– 1811. Berliner Schriftsteller und Buchhändler, veröffentlichte 1775 eine Parodie auf Goethes Werther. «Dieser übrigens brave, verdienstvolle und kenntnisreiche Mann hatte schon angefangen alles niederzuhalten und zu beseitigen, was nicht zu seiner Sinnesart paßte, die er, geistig sehr beschränkt, für die echte und einzige hielt.» DuW 13. 213f., 218, 357, 359, 362. Beschreibung einer Reise durch Deutschland und die Schweiz 214

Niebuhr, Barthold Georg, 1776– 1831. Staatsmann und Historiker in Berlin und Bonn, preußischer Gesandter in Rom, Verfasser einer «Römischen Geschichte», die Goethe 1827 rezensierte 18

Nietzsche, Friedrich, 1844–1900. Der deutsche Philosoph 338, 360. Wir Philologen 65

Nikodemus, Mitglied des Hohen Rats im Neuen Testament, heimlicher Verehrer Christi (vgl. Joh. 3) 142

Novalis, eigentlich Friedrich Leopold, Freiherr von Hardenberg, 1772–1801. Bedeutendster Dichter und bedeutender Denker der Frühromantik. Besuchte im Juli 1799 mit Tieck und Schlegel zusammen Goethe in Weimar, traf ihn auch sonst noch 122, 472, 511f., 513. Heinrich von Ofterdingen 174, 512, 513. Die Lehrlinge zu Sais 512

Oeser, Friederike Elisabeth, 1748- 1829. Tochter des Malers Adam Friedrich Oeser, mit Goethe während dessen Leipziger Zeit befreundet 403

Overbeck, Johann Friedrich, 1789– 1869. Deutscher Maler, seit 1810 in Rom, Mitbegründer des Lukasbundes. Goethe schätzte an ihm vor allem die handwerkliche Sorgfalt 529

Ovid, Publius Ovidius Naso, 43 v. Chr.–17 n. Chr. Römischer Dichter 57f., 70

Palagonia (Pallagonia), Ferdinando Francesco Gravina, Cruyllas ed Agliata, Principe, erbaute sich 1715 auf Sizilien das Schloß La Bagaria 30

Palladio, Andrea, 1508–1580. Italienischer Architekt, Klassizist 37ff. Die vier Bücher von der Architektur 40

Paracelsus, Theophrastus Bombastus, eigentlich Philipp Baumbast von Hohenheim, 1493–1541. Von Einsiedeln (Schwyz), nach verschiedenen Aufenthalten schließlich in Salzburg. Arzt, Naturforscher, mystischer Philosoph, tief religiös. Goethe war früh mit seinem Werk bekannt 319

Paulus, Heinrich Eberhard Gottlob, 1761–1851. Professor der Orientalistik und der Theologie in Jena, dann in Würzburg und Heidelberg 429

Percy, Thomas, 1728–1811. Englischer Bischof, Balladensammler 302

Pestalozzi, Johann Heinrich, 1746–1827. Der bedeutende Zürcher Pädagoge und Schriftsteller 182

Petrarca, Francesco, 1304–1374. Italienischer Dichter und Humanist 445. De remediis utriusque fortunae 306

Philippe Egalité, d. i. Ludwig Philipp Joseph, Herzog von Orléans, 1747–1793. Trat in der Französischen Revolution auf die Seite der Jakobiner, stimmte im Konvent für den Tod des Königs Ludwig XVI., wurde dann aber auch selbst hingerichtet 374

Phlegon, erste Hälfte des 2. Jhs n. Chr. Griechischer Schriftsteller aus Tralles 308

von Platen, August, Graf, 1796–1835. Deutscher Dichter, von formaler Mannigfaltigkeit und Glätte 453

Platon, ungefähr 427–347 v. Chr. Der griechische Denker, Schüler von Sokrates 200, 460, 470

Plessing, Viktor Leberecht, 1749–1806. Predigersohn. Goethe begegnete ihm 1777 auf der Harzreise und half ihm in der Folgezeit aus tiefer innerer Not. Plessing wurde 1785 Professor der Philosophie in Duisburg, wo Goethe ihn 1792 besuchte. Vgl. Harzreise im Winter. 97, 480

Plotin, 205–270 n. Chr. Bedeutendster griechischer Neuplatoniker. Die Enneaden 470

della Porta, Giambattista, um 1535–1615. Neapolitanischer Adliger, Naturforscher, Alchimist und Physiognomiker. In der zweiten Auflage seiner Magia naturalis beschreibt er eine Camera obscura mit Sammellinse. Seine Academia secretorum naturae wurde von der Inquisition verboten. 497

Poussin, Nicolas, 1594–1665. Französischer Maler in Rom. Poussins heroische Landschaften standen bei Goethe in hohem Ansehen 449, 471

Priapus, Sohn des Bacchus und der Aphrodite, Gott der Fruchtbarkeit, meist mit riesigem Phallus dargestellt. Die **Priapeia** sind sehr freie, oft unzüchtige Gedichte verschiedener römischer Dichter, aus der Zeit um Christi Geburt 146

Properz, Sextus Propertius, um 49–15 v. Chr. Römischer Dichter 70, 71, 72, 75, 76, 80, 82, 83, 221

Protagoras, um 480–410 v. Chr. Griechischer Philosoph, Sophist, Atheist 453

Pythagoras, 6. Jh. v. Chr. Griechischer Mathematiker und Philosoph 41

Rabelais, François, um 1495–1553. Französischer Schriftsteller, der in Goethes Jünglingsjahren sein «Freund» gewesen war und in ihm Anteil und Bewunderung erregt hatte. Vgl. DuW 11. 90

Raffael, Raffaelo Santi, 1483–1520. Goethe sah in Straßburg «zum erstenmal ein Exemplar jener nach Raffaels Kartonen gewirkten Teppiche, und dieser Anblick war für mich von ganz entschiedener Wirkung.» DuW 9. Goethe hat auch Raffaelblätter gesammelt. 9, 33, 37, 297. Transfiguration 33. Tod des Ananias 35

Ramler, Karl Wilhelm, 1725–1798. Als einziger Dichter Mitglied der Akademie zu Berlin, Leiter der Monatsgesellschaft führender Berliner Schriftsteller. «Ramler ist eigentlich mehr Kritiker als Poet.» DuW 7. 213

Reichardt, Johann Friedrich, 1752–1814. Salinendirektor in Giebichenstein, Komponist und Hofkapellmeister in Berlin, Kassel und Halle, schrieb die Musik zu Claudine von Villa-Bella, zu Erwin und Elmire, dem Groß-Cophta und zu den Liedern in Wilhelm Meisters Lehrjahren. 89, 216, 362

von Reinhard, Karl Friedrich, Graf, 1761–1834. Schwabe in französischen diplomatischen Diensten, 1799 Minister, später Gesandter Napoleons in Kassel. 1815 Gesandter beim Deutschen Bundestag. Übersetzte verschiedene Abschnitte von Goethes Farbenlehre ins Französische. Goethe lernte ihn 1807 in Karlsbad kennen und verdankte ihm die Bekanntschaft mit den Brüdern Boisserée. 63, 482, 486, 525, 526, 531

Richardson, Samuel, 1689–1761. Buchdrucker, englischer Romandichter 150

Riemer, Friedrich Wilhelm, 1774–1854. Philologe und Schriftsteller. 1803 Lehrer Augusts von Goethe. Er lebte im Goetheschen Haus und wurde des Dichters Ratgeber in manchen literarischen und philologischen Fragen. 1812 Professor am Gymnasium, 1814 Bibliothekar in Weimar. Wegen einer Auseinandersetzung mit August wurde der Verkehr mit Goethe einige Jahre bis 1819 unterbrochen. Im Sinne Goethes gab Riemer mit Eckermann zusammen des Dichters Nachlaß heraus. 1816–1819 veröffentlichte Riemer unter Pseudonym zwei Bände Gedichte. 205, 283, 456

Riggi, Maddalena, 1765–1825. Die junge Mailänderin, 1788 mit Giuseppe Volpato, dem Sohn des Kupferstechers Giovanni Volpato, verheiratet. 18, 43 ff.

Romano, Giulio, eigentlich Giulio Pippi, 1499–1546. Italienischer Maler und Architekt, dessen «Verleugnung Petri» Goethe in dem Aufsatz «Kunstgegenstände» eine interessante Studie gewidmet hat. Romano gehörte für Goethe mit Michelangelo, Correggio, Raffael u. a. zu den bedeutendsten italienischen Malern. 394/395

Rousseau, Jean Jacques, 1712–1778. Der große Genfer Philosoph und Schriftsteller. «Rousseau hat uns wahrhaft zugesagt.» DuW 11. 150

Runge, Philipp Otto, 1777–1810. Romantischer Maler und Kunsttheoretiker. Von Goethe als «junger hoffnungsvoller Maler» begrüßt, doch in seinen Bestrebungen für unzeitgemäß gehalten, der im 16. Jh., «unter Correggios Leitung, einer der würdigsten Schüler dieses

großen Meisters hätte werden müssen.» 298 f., 436

Russell, Bertrand, Lord, 1872 geb. Englischer Mathematiker und Philosoph. Probleme der Philosophie 115

Sanmicheli, Michele, 1484–1559. Veroneser Architekt, auch in Rom und vor allem in Venedig tätig 39

Sansovino, Jacopo, 1486–1570. Italienischer Architekt, schuf u. a. die Markusbibliothek und die Münze in Venedig 39

Schelling, Friedrich Wilhelm Josef, 1775–1854. Bis 1803 Philosophieprofessor in Jena, dann in Würzburg, später in Berlin. Der repräsentative Philosoph der Goethezeit. 122, 127, 208, 214, 414, 429, 438, 443, 471, 487, 511 f., 523

Schiller, Charlotte, geb. von Lengefeld, 1766–1826. Schillers Gattin 366

Schiller, Johann Christoph Friedrich, 1759–1805. 63, 67, 83, 84, 88, 89, 101, 102, 109, 114, 115, 124, 128, 134, 142, 143, 150, 151, 154, 155, 156, 163, 171, 172, 173, 175 ff., 208–219 passim, 222, 223, 225, 230, 232, 233, 252, 267, 277, 279, 280, 281, 284, 285, 286, 287, 291, 292, 293, 294, 296, 299, 301, 302, 303, 304, 305, 306, 314, 316, 323, 346, 357, 364, 367, 370, 371, 372, 373, 377, 390, 396/397, 405, 414, 429, 430, 431, 432, 433, 434, 435, 436, 438, 449, 457, 472, 517, 519 f., 521. – Die Götter Griechenlands 74. Laura am Klavier (Wenn dein Finger...) 180. Xenien 212 ff., 220, 232. Das Lied von der Glocke 254. Don Juan 301. Der Taucher 301. Der Handschuh 301. Der Ring des Polykrates 301. Die Kraniche des Ibykus 301. Der Gang nach dem Eisenhammer 301. – Die Geisterseher 152, 180. – Die Räuber 176 ff., 186, 216, 219. Die Verschwörung des Fiesco zu Genua 176/177, 179, 186. Der Verbrecher aus verlorener Ehre 178/179. Don Carlos 180, 183 f., 186, 187. Wallenstein 180, 182, 192, 232, 268, 290, 301, 306, 364, 390. Warbeck 180. Die Kinder des Hauses 180.

kunstliebenden Klosterbruders 291.
Genoveva 431

Tischbein, Johann Heinrich Wilhelm, 1751–1829. Kunstmaler in Rom, Direktor der Akademie in Neapel, dann in Kassel und Hamburg. Vor allem Porträt- und Historienmaler. Freund Goethes in Rom, Begleiter durch die Campagna 8, 21, 42

Tizian, Vecellio, wahrsch. 1477–1576. Venezianischer Maler 51. Himmelfahrt Mariae (Verona) 52

Vergil, Publius Vergilius Maro, 70–19 v.Chr. Der Dichter der Aeneis 282

Veronese, Paolo, 1528–1588. Italienischer Maler, seit 1555 in Venedig 51

de Voltaire, François-Marie Arouet, 1694–1778. Goethe beschäftigte sich mit dem Dichter und Philosophen der französischen Aufklärung eingehend, doch nicht kritiklos, und übersetzte Werke von ihm. Mahomet 372. Tancred 372

Voß, Johann Heinrich, 1751–1826. Dichter des Göttinger Hains und hervorragender Übersetzer. 1802 in Jena, seit 1805 an der Universität Heidelberg. Goethe war mit dem Herausgeber des Göttinger Musenalmanachs durch seine Beiträge an diese Zeitschrift schon früh «in ein gar freundliches Verhältnis geraten». Vgl. DuW. 22, 66, 69, 217, 235, 238, 239, 244, 246, 251, 290, 430. Luise 217, 234f., 238, 239, 242

Vulpius, Christiane Johanna Sophie, 1765–1816. Seit dem 12. Juli 1788 mit Goethe in freier Ehe in dessen Haus lebend, ihm im folgenden Jahr einen Sohn gebärend, am 19. Oktober 1806 mit ihm getraut 61, 63 ff., 76, 78, 85, 86, 87, 97, 104, 197, 264, 308, 370, 371, 429, 435, 441, 445, 475

Wackenroder, Wilhelm Heinrich, 1773–1798. Jurist, Musiker und Schriftsteller. Veröffentlichte mit Tieck zusammen die «Herzensergießungen eines kunstliebenden Klosterbruders» 1797, denen Goethe mit grundsätzlicher, doch

wohlwollend freundlich geäußerter Ablehnung begegnete 291

Wall, Anton, Pseudonym für Christian Leberecht **Heyne,** 1751–1821. Bühnenschriftsteller 90

Weigl, Joseph, 1766–1846. Opernkomponist, Kapellmeister in Wien 265

von Welling, Georg, 1652–1727. In Bockenheim bei Frankfurt. Verfasser eines «Opus mago-cabbalisticum et theosophicum» 519, 521, 531

Werner, Friedrich Ludwig Zacharias, 1768–1823. Beamter in Berlin, 1809 in Rom, konvertierte 1810 zum Katholizismus, war seit 1813 Priester in Aschaffenburg und Wien. Goethe empfing den romantischen Dichter 1807 in Weimar freundlich und mit Interesse, doch entfremdete Werners Entwicklung sie wieder. 431, 442, 444, 446

Wieland, Christoph Martin, 1733–1813. Dichter des Rokoko, von 1772 an Erzieher Carl Augusts, Herausgeber des Teutschen Merkur. Goethe achtet ihn hoch und stand in enger Beziehung zu ihm. 115, 128, 153, 217, 218, 287, 306, 312, 437, 476, 493

von Wilamowitz-Moellendorff, Ulrich, 1848–1931. Deutscher Altphilologe, Professor in Göttingen, dann in Berlin 470

von Willemer, Maria Anna Katharina Theresia, genannt Marianne, geb. Jung, 1784–1860. Goethes Suleika im West-östlichen Divan. Sie kam Ende 1798 mit einer Schauspieltruppe nach Frankfurt; 1800 adoptierte J. J. Willemer sie; am 27. September 1814 wurde sie seine dritte Gattin. Goethe begegnete ihr zum erstenmal anläßlich ihres und Willemers Besuch in Wiesbaden während des Badeaufenthalts, am 4. August 1814. 63, 501

Winckelmann, Johann Joachim, 1717–1768. Begründer der Kunstgeschichte der Antike, von Goethe, der ihm eingehende Studien widmete, hoch verehrt. Vgl. Winckelmann und sein Jahrhundert. Vgl.

DuW. 9, 29ff., 223, 267, 294, 300.
Gedanken über die Nachahmung der griechischen Werke (1755) 29f. Geschichte der Kunst des Altertums 29f.

Wolf, Friedrich August, 1759–1824. Professor der klassischen Philologie in Halle, Begründer der neueren kritischen Altertumswissenschaft. Goethe lernte ihn im Mai 1795 persönlich kennen, doch war Goethe seine These einer Mehrzahl von Autoren der unter dem Namen Homers bekannten Epen unsympathisch 291. Prolegomena ad Homerum 212, 233, 305

Wolff, Anna Amalia, geb. Malcolmi, verw. Miller, gesch. Becker, 1783–1851. Gattin des Schauspielers und Dramatikers Pius Alexander Wolff. 1805–1816 Schauspielerin in Weimar 438

von Wolff, Christian, Freiherr, 1679–1754. Rationalistischer Philosoph, schrieb als erster philosophische Werke in deutscher Sprache und popularisierte dadurch die großen Philosophen der Aufklärung, vor allem Gedanken des Leibniz. Die heute gebräuchliche philosophische Terminologie geht zum guten Teil auf Wolff zurück. 359

von Woltmann, Karl Ludwig, 1770–1817. Historiker, 1795 Professor in Jena, 1799 in Berlin, dazu diplomatischer Vertreter 436

von Wolzogen, Caroline, geb. von Lengefeld, gesch. von Beulwitz, 1763–1847. Gattin W. F. E. von Wolzogens, Schwägerin Schillers, Romanschriftstellerin 274

Zauper, Joseph Stanislaus, 1784–1850. Philologe und Professor der Dichtkunst, Schriftsteller in Pilsen, veröffentlichte Schriften über Goethes Werke. Goethe stand seit 1821 in Briefwechsel mit ihm und lernte ihn im selben Jahre in Böhmen persönlich kennen 482

Zelter, Karl Friedrich, 1758–1832. Ursprünglich Maurermeister und Bauunternehmer in Berlin. 1800 Leiter der Singakademie, 1809 Professor für Musik an der Akademie der Künste. Seit 1799 korrespondierten Goethe und Zelter miteinander. Zelter, als Vertrauter des alten Goethe und Komponist vieler seiner Gedichte, beeinflußte Goethes Verhältnis zur Musik wesentlich. 63, 216, 370, 372, 441, 443, 463, 526

Ziegler, Friedrich Julius Wilhelm, 1759–1827. Schauspieler und Bühnenschriftsteller in Wien 90

II. Goethes Werke

(Wo über ein Werk allgemein ausgesagt wird, ist die betreffende Stelle
im Register unter die endgültige Fassung des Werks gereiht)

Lyrik

Epik

Dramatische Werke

Kunst und Literatur

Autobiographisches